Beraber Yürüdük
Biz Bu Yıllarda

DOĞAN KİTAP TARAFINDAN YAYIMLANAN DİĞER KİTAPLARI

İsim, Şehir, Hayvan
İsim, Şehir, Bitki

BERABER YÜRÜDÜK BİZ BU YILLARDA

Yazan: Yılmaz Özdil

1. baskı / Eylül 2013 / ISBN 978-605-09-1635-5
Sertifika no: 11940

Kapak tasarımı: Yavuz Korkut
Baskı: Mega Basım Yayın San. ve Tic. A.Ş.
Cihangir Mah. Güvercin Cad. No: 3/1
Baha İş Merkezi. A Blok Kat: 2
34310 Haramidere-İstanbul
Tel. (212) 412 17 00
Sertifika no: 12026

Doğan Egmont Yayıncılık ve Yapımcılık Tic. A.Ş.
19 Mayıs Cad. Golden Plaza No. 1 Kat 10, 34360 Şişli - İSTANBUL
Tel. (212) 373 77 00 / Faks (212) 355 83 16
www.dogankitap.com.tr / editor@dogankitap.com.tr / satis@dogankitap.com.tr

Beraber Yürüdük Biz Bu Yıllarda

Yılmaz Özdil

En baştan söyleyeyim.
Önsöz'ü var.
Son söz'ü daha söylenmedi.
Başı olan, sonu henüz olmayan bir kitaptır bu.
*
AKP iktidarının şeceresidir.
Gazete manşetlerinden kronolojisidir.
11 yılın arşiv özeti...
Haber hafızası'dır.
*
Hangi adımlar, hangi sırayla atıldı?
Hangi sansasyon, hangi basit olayın artçısıydı?
Hangi sebep, hangi sonucun işaret fişeğiydi?
Hangi niyet, hangi amacın maskesiydi?
Bir bakışta görebilmeniz için hazırladım.
*
Huninin ağzına yaklaştıkça hızlanan girdap misali, memleketin döne döne nasıl sürüklendiğini... Tesadüfler silsilesinde aslında hiç tesadüf bulunmadığını... Birbiriyle alakasızmış gibi peş peşe yaşananların, meğer aynı tespihin taneleri olduğunu... Tarih sırasıyla, tarihe not düşmek için derledim.
*
Niye derseniz...
*
Yarın öbür gün...
Utanılacak dönemdir.
Unutturulmak istenecektir.
*
Hatırlansın diye yazdım.
Unutulmasın.

Çıraklık dönemi

2002

AKP yerine "Ak Parti" • Hiltonʼda şükür namazı • Siirt seçimi iptal • Hablemitoğlu suikastı

3 Kasım 2002.
Sandıklar açıldı.
Ampul çıktı.

AKP iktidarı başlamıştı.
Muhalefette CHP vardı.
Teee 1946ʼdan sonra ilk defa mecliste sadece iki parti temsil ediliyordu, gerisi yüzde 10 barajının altında kalmıştı. Recep Tayyip Erdoğan seçime katılamamıştı. "Halkı ırk, din, dil farkı gözeterek, kin ve düşmanlığa tahrik etmek" suçundan hüküm giymişti; siyasi yasaklıydı. Abdullah Gül Başbakan oldu.

Güya biri yasaklı, biri Başbakanʼdı ama...
Davul kimin omzunda tokmak kimin elinde, belliydi.
İlk resmi davet Beyaz Sarayʼdan gelmiş, Başbakan Gül değil, henüz milletvekili bile olmayan Erdoğan çağırılmıştı. O günlerde AKPʼliler dahil, herkes "AKP" derken, gazetelerimize manşet olan davet mektubunda "AKP" yerine "Ak Parti" yazıyordu. Kimse farkında değildi. AKPʼye Ak diyen ilk kişi, ABD Başkanıʼydı.

Reuters ajansı, bu ziyareti şu cümlelerle haber yaptı:
"Geçen sene Washingtonʼda konuşacak adam bulamayan Tayyip Erdoğan, film yıldızları gibi limuzinlerle karşılandı."

Eee, bu işler böyleydi. Moda AKPʼydi.

...»

İlk tesettür defilesini, Yıldırım Mayruk yaptı.
İş dünyası "tek parti iktidarı"ndan pek mutluydu. Sakıp Sabancı

"İkinci Özal trenine biniyoruz" diyerek, sadece cebini düşünen patronların duygularını dile getirirken... AKP milletvekilleri Ankara Hilton'da iftar açıp, lobide topluca şükür namazı kılıyordu.
Manşetler Gül'lük Gül'istanlıktı.

...»

Gel gör ki, Başbakan'ın eşi Hayrünnisa Hanım, eşinin yöneteceği ülkeyle mahkemelikti. Eşi muhalefetteyken, türbanla okula giremediği için Avrupa İnsan Hakları Mahkemesi'ne dava açmış, Türkiye'yi şikâyet etmişti. "Peki n'oolacak şimdi?" diye sordular. "Nefsim için bir şey yapmam, insanlığı düşünürüm; davayı geri çekersem makam mevki için geri çekti demezler mi?" dedi. Oysa, pek yakında "insanlığı düşünürüm" filan demeyecek, bir başka makam mevki için davasından vazgeçecekti.

...»

Şak...
Yüksek Seçim Kurulu, Siirt seçimini iptal etti.
Interpol tarafından aranırken bağımsız aday olmasına ve milletvekili seçilmesine ses çıkarılmayan Jet Fadıl, apar topar tutuklandı. Meclise girdim diye sevinirken, hapse girdi. Jet'in tasfiye edildiği gece, jet hızıyla yasa çıkarıldı, Erdoğan'ın yasağı kaldırıldı. Cumhurbaşkanı Ahmet Necdet Sezer veto etti ama, nafile... Erdoğan'ın yakında "cibilliyetsiz" diyeceği CHP'nin tam desteğiyle aynen iade edildi, onaylandı. Siirt seçimi, Siirt konuşmasından sonra hapse atılan Erdoğan'ın başbakan olabilmesi için tekrar edilecekti. Minareli şiirden yasaklayan hukuk, kılıfına uydurulmuştu.

...»

Bülent Arınç, TBMM Başkanı oldu, Cumhurbaşkanı'nı yurtdışı gezisine uğurlamaya eşiyle birlikte geldi, böylece türbanı ilk defa devlet protokolüne soktu. Kadınlarımızın kılığı kıyafeti tartışılırken, saçının teline bile tahammül edilmezken, kaderin cilvesi sanırım, Türk kızı Azra Akın dünya güzeli oldu.

...»

AKP'li bakanların katıldığı ilk Milli Güvenlik Kurulu toplantısında, bakanlarla birlikte, Genelkurmay Başkanı Hilmi Özkök'ün de oruçlu olduğu açıklanırken... İrticai faaliyetleri nedeniyle TSK'dan atılmış eski subay AKP milletvekili, rövanş gibi, Meclis Milli Savunma Komisyonu Başkanı seçiliyordu.

...»

PKK terörü neredeyse sıfıra inmişti.
Sene boyunca sadece iki şehit verilmişti.
1987'den beri uygulanan olağanüstü hal kaldırıldı.

...»

Derken... Türkiye suikastla sarsıldı.
Alman vakıflarının örtülü faaliyetleri ve siyanürlü altın kitaplarıyla tanınan Ankara Üniversitesi öğretim üyesi Doçent Necip Hablemitoğlu, evinin önünde başına kurşun sıkılarak öldürüldü. Fethullah Gülen cemaatinin istihbarat dünyasındaki örgütlenmesiyle ilgili kitap hazırlığındaydı. Tetikçi kayıptı. AKP döneminin ilk karanlık olayıydı. Başbakan Gül "Bu cinayeti aydınlatmak devletin namus borcudur" dedi. Başbakanlık'tan Çankaya'ya, devletin başına çıkacaktı ama, namus borcundan ses seda çıkmayacaktı.

2003

1 Mart tezkeresi geçmedi • Kafamıza çuval geçti • Taliban'ın dizinin dibinden başbakanlık makamına • Türbanlı Diana • Kayserili George Clooney • Haysiyetli beygir Cihan • Babalar gibi satış • Uzan operasyonu • El Kaide İstanbul'da vurdu

Yeni seneye faciayla girdik.
THY'nin "Konya" isimli RJ-100 tipi uçağı Diyarbakır'a iniş sırasında düştü, 75 kişi hayatını kaybetti. AKP henüz iktidarda yeniydi ama taktiği eski taktikti. Baktılar, pilot ölmüş. "Pilot hatası" deyip, kapattılar.
Halbuki, bu RJ'ler uçan tabuttu.
Kazayı rahmetli pilota yıkmışlardı ama...
THY bunlardan kurtulduğunda deve bile kesecekti.

...»

"Konya" isimli uçağın üstüne bir bardak soğuk su içilirken...
Yeşil sermaye tabir edilen Endüstri Holding'in koordinatörü, "Konya" isimli şehrimizde basın toplantısı düzenliyor, gurbetçilerden toplanan 300 milyon mark'tan geriye anca 50 milyon mark kaldığını belirterek "Ortaklarımız paranın üstüne bir bardak soğuk su içsin" diyordu.
Gelişmiş ülkelerde bir ömürde bile yaşanmayanlar, Türkiye'de bir haftada yaşanır hale gelmişti. Gündemin değişme hızı, sersemleticiydi. Peş peşe okuyup göreceksiniz ki, yokuş aşağı koşar gibiydi.

...»

Mesela, inanmakta güçlük çekebilirsiniz ama, AKP'yle ilk ters düşen kişi, AKP'nin pek yakında yere göğe sığdıramayacağı Hilmi Özkök'tü. Gazetecilere orduevinde kokteyl verdi, Başbakan'a verdi veriştirdi, "Yüksek Askeri Şûra kararlarına şerh konulması, irticaya bulaşanlara cesaret verdi" dedi.

Peki, ne demek istemişti?
Ertesi günkü manşetlerde izah edildi.
TSK'dan atılmasın diye şerh konulan bir astsubay, tarikat şeyhiydi, üsteğmen müridi vardı; subay astsubaydan emir alıyordu. Bir başka subay, namaz saatine denk geliyor diye, nöbete çıkmamıştı. İsrail'e gönderilen bir muhribin subayı ise "Ben Müslüman'ım, İsrail Müslümanlara eziyet ediyor" diyerek, gemiye binmeyi, İsrail'e gitmeyi reddetmişti. Türk Silahlı Kuvvetleri'nin ufak ufak ne hale getirilmeye çalışıldığı, ilk defa bu kadar açık şekilde basına yansımıştı.

...»

Aynı gün, Genelkurmay tarafından TBMM Dışişleri Komisyonu'na brifing verildi. Çünkü AKP iktidar olur olmaz, KKTC'nin kepenklerinin kapatılması anlamına gelen Annan Planı peydah olmuştu. Aniden "Denktaş defol" mitingleri başlamış, Denktaş da "Ankara bu planı kabul etmem için baskı yapmaya devam ederse, istifa ederim" resti çekmişti. Brifingi veren Tümamiral Kadir Sağdıç "1974'te Barış Harekâtı'na genç bir subay olarak katılmıştım, şimdi gelinen nokta çok üzücü" derken, gözyaşlarını tutamamış, ağlamıştı.

Tarikat şeyhi astsubaya, hükümet eliyle sahip çıkılırken...
Bu yurtsever tümamiral, tutuklanacaktı.

...»

Dedim ya, her şey çok hızlı gelişiyordu.
Yargıtay Cumhuriyet Başsavcısı Sabih Kanadoğlu, seçimden 10 gün önce açtığı davanın esası hakkındaki görüşünü henüz Ocak ayı bitmeden Anayasa Mahkemesi'ne sunmuş, "Siyasi Partiler Yasası'na uymayan, hukukun arkasına dolanan AKP'yi kapatın, Tayyip Erdoğan'ın genel başkanlık yetkisi kullanmasını önleyin" demişti.

Gel gör ki, Yargıtay Cumhuriyet Başsavcısı tek sütunda kalmış, dansöz Asena sürmanşete çıkarılmıştı. İbo Şov'a giderken silahlı saldırıya uğramış, bacağından vurulmuştu; memleket için daha önemli haber yoktu!

...»

Herkes Asena'nın bacaklarına bakarken, Ekonomiden Sorumlu Başbakan Yardımcısı Abdüllatif Şener, memleketin kalkınma planını açıkladı: Bütün limanlar satılacak, Tüpraş, Petkim satılacak, madenler, Telekom, Tekel satılacak, bankalar, fabrikalar, köprüler, otoyollar satılacaktı.
Dünya ekonomi tarihinde...
Üreterek değil satarak kalkınacağına inanan ilk millettik.
Hadi buna inandık diyelim...
Biri çıkıp, "Bu Abdüllatif Şener AKP'den istifa edecek, yol arkadaşlarını yolsuzlukla suçlayacak, hatta rakip parti kuracak" deseydi, herhalde Abdüllatif Şener bile inanmazdı.

...»

Kalkınmamız için "vergi barışı" adı altında yasa çıkarıldı.
Kalkınmamızdan ilk faydalanan kişi, Maliye Bakanı oldu.
Kemal Unakıtan yargılandığı davadan yırttı.
Bilahare, haksız malvarlığı davasından yargılanan Tayyip Erdoğan'ın beraatine karar verildi. Hazine avukatı itiraz bile etmedi, ki kalkınalım!

...»

Kurban Bayramı başladı.
Etin kilosu sekiz milyon lira...
Bugünkü parayla sekiz liraydı.

...»

17 Ocak 2003.
AKP döneminin ilk şehidi, Uzman Çavuş İrfan Yayla, Diyarbakır kırsalında düşerken... ABD askeri heyeti, Mersin ve İskenderun limanlarında inceleme yapıyor, AKP milletvekilleri Antalya açıklarına demirleyen uçak gemisi Harry Truman'da hatıra fotoğrafı çektiriyordu.

...»

Başbakan Gül'ün özel danışmanı Ahmet Davudoğlu'na büyükelçi unvanı veriliyor, Tayyip Erdoğan ailece Davos'a gidiyor, Emine Hanım "Kar yağışı kristal bir rüya gibi, çok romantik" diyor, Tayyip Erdoğan Davos Zirvesi'ne önemsiz diyenlerin "şizofren tipler" olduğunu söylüyordu.

Hemen peşinden Başbakan Gül de eşiyle birlikte Davos'a

gidiyor, yalakalık fırsatını kaçırmayan gazetelerimiz Hayrünnisa Hanım'ı "Davos şıklığı" başlığıyla sunuyor, Başbakanımız "Kaynak bulmak için Türk vatandaşlığını satmayı düşündük, 20 bin dolara vatandaşlık satalım önerisi getirildi, tepkiden çekindik, vazgeçtik" diyor, her geçen gün adını biraz daha fazla duyacağımız spekülatör Soros, Türk hükümetinin doğru yolda olduğunu anlatıyordu.

...»

Hal böyleyken... Cumhurbaşkanı Sezer, bileği kırılan eşini Hacettepe'nin acil servisine getiriyor, sıradan vatandaşlarla röntgen kuyruğuna giriyor, gidişte-dönüşte kırmızı ışıkta duruyordu. Davos'a gidip İsviçre'ye cumhurbaşkanı olması daha uygundu, "yeni Türkiye"ye pek yakışmıyordu!

...»

Tank taşıyabilen dev kargo uçakları, İncirlik'e inip kalkmaya başlamıştı. Amerikan basını, Ankara'yla Washington'ın el sıkıştığını, 40 bin Amerikan askeri ile 350 uçağın Türkiye'ye konuşlanacağını yazıyordu.

Başbakan Gül "Bugünden itibaren stratejik ortağımızın yanındayız" dedi. O günden itibaren, yüce basınımıza sihirli değnek değdi, hep bir ağızdan "Irak'ta kitle imha silahları var" manşetleri başladı. Kimisi kimyasal silah olduğunu, kimisi biyolojik silah olduğunu yazıyor, "maazallah bu Saddam çok fena adam" korkusu pompalanıyor, dumanı tüten füze rampası fotoğrafları yayınlanıyordu.

"Bizim ahali dünya yansa okumaz, magazini mutlaka okur" diye düşünenler, işin o tarafını da ihmal etmiyordu. Mesela, şu başlığı hiç unutmam: "Saddam'da dünyaya yetecek kadar botoks var!"

Milli Savunma Bakanlığı, seferberlik halinde ciplere sefer görev emri çıkarılacağını, el konulacağını duyuruyor; Sibel Can "desteğe hazır olduğunu" açıklıyor, Hülya Avşar "feda olsun" diyordu. Seksi sanatçılarımız adeta göğüslerini memlekete siper ederken... İstanbul Atatürk Havalimanı Dış Hatlar Terminali'nde, Zeki Triko'nun bikinili reklam panosu, hacı adaylarının aptesini bozuyor diye beyaz perdeyle kapatılıyordu.

...»

Hollanda'nın Türkiye'ye Patriot verdiği, Amerikan Awacs'larının memleketimize tekerlek koyduğu dakikalarda... İstanbul Büyükşehir Belediyesi'nin ulaşım genel müdürü, THY'ye genel müdür yapıldı. "Ha belediye otobüsü, ha Boeing" diyemediği için "Uçak ve metro birbirine çok benziyor" dedi.

...»

Tam adı "Türk Silahlı Kuvvetleri'nin yabancı ülkelere gönderilmesi ve yabancı silahlı kuvvetlerin Türkiye'de bulunması için hükümete yetki verilmesi" olan "1 Mart tezkeresi"nin oylanmasına saatler kalmıştı. İngiliz basını, ABD'nin 27 milyar dolar verdiğini, Ankara'nın 4 milyar dolar daha istediğini yazıyor, ABD Başkanı Bush "Türkler at pazarlığı yapıyor" diyor, Barzani'nin internet sitesi "Türkiye pahalı fahişe rolünde" manşeti atıyordu.
Tayyip Erdoğan "evet" çıkması için bastırıyor, "Hayır'da hayır yok" diyor, CHP lideri Baykal mutlaka hayır dememiz gerektiğini söylüyordu. TBMM Başkanı Arınç ise "Oy hakkım yok, oy versem hayır verirdim" diyerek, dincisi, eski solcusu, eski ülkücüsü, eski liboşu, toparlama kadroyla iktidara gelen AKP'nin "monoblok" olmadığını gösteriyordu.
Türkiye nefesini tuttu, tezkere oylandı.
Sonuç evet.
Karar ret.
Tam bize göre bi durumdu!

...»

Dünya algılamakta güçlük çekti.
Evet'ler fazlaydı, 250 hayır'a karşılık 264 evet çıkmıştı ama, salt çoğunluk sağlanamamıştı. CHP'yle beraber, 71 AKP milletvekili hayır demişti. O ana kadar aslansın kaplansın koçumsun diyen Amerikan basınında, aniden hava döndü, Türkiye'yi "dansöz" kıyafetiyle tasvir eden karikatürler yayınlandı.

...»

Hemen ertesi gün, kemer sıkma paketi açıklandı, hükümetimiz a'dan z'ye bütün vergilere giydirdi. Basınımız pek cesurdu o zamanlar, "Bush'tan alamadı, halktan alacak" başlıkları atıldı.

...»

8 Mart 2003...
Siirt seçimi tekrarlandı.

Tayyip Erdoğan milletvekili oldu.
Bir hafta sonra, Başbakan oldu.
Beş gün sonra, ABD Irak'ı vurdu.

Türkiye'yi defterden silmiş, kara harekâtına güneyden başlamışlardı. ABD Başkanı açık açık "Türkler sakın Irak'a adım atmaya kalkmasın, Kürtlerle çalışacağız" dedi.
Tezkereyi bize yedirecekleri anlaşılmıştı.

...»

Peki, niye bu kadar öfkelendiler derseniz...
ABD Büyükelçisi Pearson açıkladı, "Türk hükümeti kuzey cephesi için bize garanti vermişti" dedi. Meğer... Sayın hükümetimiz, mecliste tezkere oylanmadan önce, tamamdır bu iş diye söz vermişti. Tayyip Erdoğan "kafasına göre yönetmek" istiyordu... AKP'nin dış politikadaki vahim hatalar zincirinin ilk halkasıydı.
Güya jest yaptık, hava sahamızı açtık. Halbuki, izin mizin istedikleri yoktu, uçaklar füzeler vızır vızırdı. Hatta Şanlıurfa'ya Tomahawk düştü. Mersin'e savaş gemileriyle malzeme indiriliyor, İskenderun limanına helikopterler yığılıyor, Batman-Mardin coni kaynıyor; sıkıyorsa dokun deniyordu.

Gazetelerimizde "Türkiye'nin desteği olmadan başarmaları imkânsız, bataklığa saplandılar, Irak yeni Vietnam olur" gibi, köfteden başlıklar atılırken... Amerikan tankları daha üçüncü gün Bağdat'a girdi. Memlekete demokrasi geldi zanneden Iraklılar, Saddam'ın heykelini şıpıdık terliklerle döve döve yıktılar. Heykel bile Saddam'dan fazla direnmişti, zor yıkıldı.

...»

Her akşam çerezleri meyveleri alıp, ekran başına geçiyor, film seyreder gibi, Amerikan füzelerinin uçaklarının Bağdat'ı nasıl vurduğuna bakıyorduk. Harekâtın ilk haftası bitmeden, bizzat Başbakanımızın katıldığı bir başka hava harekâtı yaşandı... Pilotlar kapıyı açık unutmuş, üzerinde bomba olduğunu söyleyen korsan, kokpite dalmış, İstanbul-Ankara seferini yapan THY uçağını 196 yolcuyla kaçırmış, çek Berlin'e demiş, yakıtı biten uçak Atina'ya inmişti. Başbakan Erdoğan cep telefonuyla korsanı aradı, ikna etti, korsan teslim oldu. Türkiye'nin yüreğini ağzına getiren adam, işsizdi. Eşi kendisini terk edip Almanya'ya ailesinin yanına gitmişti. Bu hıyar da, eşinin yanına gitmek için en pratik yolun uçak kaçırmak olduğunu düşünmüştü. Gazetelerimiz "Başbakanımızın ne kadar ikna edici, ne kadar uzlaşmacı bir kişiliğe sahip olduğunu" yazıyor, alkışlıyordu.

...»

Üç gün içinde... Fethullah Gülen'in anayasal düzeni yıkma davası affa giriyor, Avrupa İnsan Hakları Mahkemesi Öcalan'ın adil yargılanmadığına karar veriyor, güya HADEP kapatılıyor, yedeği olarak kurulan DEHAP açılıyor, hadi bakalım DEHAP'ın kapatılması istemiyle dava açılıyor, 11 senedir Diyanet İşleri Başkanı olan Mehmet Nuri Yılmaz "İlk defa bu hükümetten baskı gördüm, dini siyasete alet etmek istiyorlar" diyerek istifa ediyordu. Ayrıca, kaşla göz arasında, Kamu Bankaları Ortak Yönetim Kurulu'nun başına Faisal Finans'tan, Ziraat Bankası'nın başına Family Finans'tan, faizsiz bankacılık ekibi getiriliyordu.

...»

Ama, Türkiye'nin çok daha önemli mevzuları vardı. Mesela herkes, Fenerbahçe'ye gol atınca elini şortuna sokup, tribüne doğru tombala sallayan Pascal Nouma'yı konuşuyordu. Irak haberlerinin bile önüne geçmişti. Derhal sözleşmesi feshedildi, Beşiktaş'tan kovuldu. Burnumuzun dibindeki savaşa dair gıkını bile çıkarmayan Genelkurmay Başkanı Hilmi Özkök, haftalar sonra ilk defa basına açıklama yaptı, "Pascal Nouma'yı göndermeselerdi, Beşiktaş üyeliğimi askıya alacaktım" dedi.

...»

Aynı gün, peşmergeler Kerkük'e girdi.
Nüfus ve tapu dairesini basıp, Türkmen kayıtlarını yakarlarken...
Sivil kıyafetli bordo berelilerimiz, Kerkük girişinde Amerikan askerleri tarafından gözaltına alınıp, sınırdışı ediliyorlardı.
Orgeneral Hilmi Bey hâlâ Pascal Nouma'nın tombalasından bahsediyordu.

...»

Mayıs ayına depremle başladık. Bingöl 6.4'le sallandı. Malzemesinden çalınan kamu binaları tost oldu, 176 kişi öldü. Çadır dağıtımı becerilemedi, Valilik binası taşlandı, Başbakan "provokasyon" dedi. AKP'nin icraatlarını eleştiren herkes provokatördü. Bingöl Emniyet Müdürü anında görevden alındı.

Tesadüf işte... Anında görevden alınan Bingöl Emniyet Müdürü, Siirt Emniyet Müdürü'yken, minareli-süngülü şiirini kayda alıp, savcılığa gönderen ve Tayyip Erdoğan'ın hapse girmesine sebep olan emniyet müdürüydü.
Peki, toz kondurulmayan Bingöl Valisi kimdi?
Tayyip Erdoğan'ın belediye başkanlığı dönemine ait yolsuzluk iddiasını araştıran mülkiye müfettişiydi. Araştırmış, yolsuzluk yok demiş, bilahare, ilk kararnamede vali olup, 80 gün önce Bingöl'e atanmıştı.

...»

Bingöl'ün yaraları sarılmadan, Kayseri Müftülüğü'ne bağlı Kuran kursu binası çöktü, 10 çocuk hayatını kaybetti. Sebepler sorgulanmadı, takdiri ilahi denildi, geçildi. Türkiye giderek bilimsel gerçeklerden uzaklaşırken, YÖK'ün kadro talebi reddediliyor, iki bin kadro isteyen Diyanet'e 15 bin kadro veriliyordu.

...»

Maliye Bakanı Unakıtan, devletin mallarını "babalar gibi satacağını" izah ederken... Eşi Ahsen Hanım, türban gerginliklerine formül buluyor, saçını eşarpla bağlıyor, "öğrencilik yıllarında çok havalı olduğunu, Vakko'dan şapkalar aldığını, kendisini Brigitte Bardot'ya benzettiklerini" anlatıyordu. Kim kime benziyor filan derken... Başbakan, *New York Times*'a konuşuyor, "Bu ülkede beyaz Türkler var, zenci Türkler var, kardeşiniz zenci Türklere mensuptur" diyordu. Ankara Ticaret Odası Başkanı Sinan Aygün ise, Avrupa'nın en gerisinde olduğumuza dikkat çekiyor, "Türkiye'yi Afrika'ya yerleştirin, renk farkı olmasa, sırıtmaz" diyordu. Sertab Erener, Eurovision'da birinci oldu, bütün dertler unutuldu.

...»

Ve, Uzan Ailesi'ne yönelik imha operasyonu başladı. Sahibi oldukları Çukurova ve Kepez Elektrik polis ve jandarma eşliğinde basıldı. Sözleşmeleri feshedildi. "Hükümet el koymadı, devlet el koydu" açıklaması yapıldı. AKP'nin karakteristik özelliğiydi, oy kazanacağını düşünürse "Ben yaptım" diyordu, oy kaybedeceğini düşünürse "Devlet yaptı" diyordu. Hemen peşinden bankalarına el koydular. Telsim'e el koydular. Televizyonuna, gazetelerine, radyolarına el koydular.

...»

Cem Uzan, Genç Parti'nin genel başkanıydı. Kasım 2002 seçiminden sadece üç ay önce parti kurmuş, yüzde 7'den fazla oy almıştı. Yapılacak ilk seçimde, çok büyük faktördü. AKP'ye en sert muhalefeti yapan kişiydi. Sahibi olduğu *Star* gazetesinde, Tayyip Erdoğan'ı "Taliban lideri Hikmetyar'ın dizinin dibinde, yerde otururken" gösteren fotoğrafı yayınlamıştı.

Cem Uzan'ın tasfiye edilmesi, en başta Aydın Doğan, neredeyse tüm işdünyasını memnun etmişti. Bir an önce yok edilmesi için karalama kampanyası yürütülüyordu. Halbuki, bu işler sıraylaydı.

...»

Uzanların defteri dürülürken, bi başka aile manşete çıktı.
Ulaştırma Bakanı'nın oğlu gemi almıştı.
AKP'li bakanların çocuklarında armatörlük yeteneği vardı!

Bilahare, Avustralya'da dolandırıcılıktan yargılanan kişinin, Ulaştırma Bakanlığı Başdanışmanı yapıldığı; yetmezmiş gibi, Kıbrıs Türk Hava Yolları Yönetim Kurulu Başkanı yapıldığı anlaşıldı.

...»

Kıbrıs THY'sinde bunlar olurken... Başbakanı Lizbon'dan getiren THY uçağının pilotu "Allah kısmet ederse 10.45'te Ankara'ya inmiş olacağız" anonsu yaptı. Standart anonslara benzemiyordu. Gazeteciler "Niye böyle anons yaptınız?" diye sordu. Pilot izah etti, "Sayın Başbakan uçağa binerken kokpite girdi, 'Allah kısmet ederse Ankara'ya ne zaman ineriz?' diye sordu, ben de anonsumu Başbakanımızın sözlerinden etkilenerek yaptım" cevabını verdi. Pilot da imama uymuştu yani.

...»

İmam deyince aklıma geldi... Kütahya'da Dört Direkli Camii'nin ışıklarının kendiliğinden yandığı, imamın kefen dikerken aksakallı dede gördüğü, aksakallı dedenin "Bayramın dördüncü günü büyük felaket olacak, 40 bin kişi ölecek" dediği iddia edildi. Söylenti, kulaktan kulağa yayıldı, binlerce kişi bayramın dördüncü günü evine girmedi, geceyi sokaklarda geçirdi.

...»

Kimse ölmedi ama "40 bin kişi"nin karıştığı bir olay hakikaten gerçekleşti... Ukrayna milli maçı için İzmir'e gelen Başbakan ve bakanları, Atatürk Stadı'nda "40 bin seyirci" tarafından yuhalandı. AKP-İzmir maçının ilk raunduydu.

...»

Bursa-İnegöl'e bağlı üç bin nüfuslu Cerrah beldesinde, üç bin kişilik cami açılırken... Antalya Öğretmenevi'nde harem-selamlık düğün yapılıyordu; kadınlar alt katta, erkekler üst katta oturmuştu, müzik yoktu, gelinin nikâh şahidi İçişleri Bakanı'ydı.

...»

Devlet dairelerinde günaydın-merhaba bitmiş, selamünaleyküm devri başlamıştı... Ki, *Cumhuriyet* gazetesinin "Genç subaylar tedirgin" manşeti, gündeme bomba gibi düştü. Mustafa Balbay imzalı habere göre, Genelkurmay Başkanı Özkök, Başbakan'ı uyarmış, "irticai gelişmelerden sadece genç subayların değil, ordunun tamamının kaygı duyduğunu" söylemişti.

Peki, söylemiş miydi?
Hilmi Özkök üç gün sustu, başkent kaynadı, üç gün sonra çıktı, "Yalanlamaktan öte lanetliyorum, bu dedikoduları çıkaranların vatan millet sevgisinden şüphe etmek lazım" dedi. Halbuki, taa dokuz sene sonra, Ergenekon davasında ifade verecek, Başbakan'ı subayların tedirginliği konusunda uyardığını anlatacak ve "Yalanlamaktan öte lanetliyorum" dediği haberi doğrulayacaktı.

Başbakan ise "Cebimize dinleme cihazı mı koyuyorlar, ne konuşulduğunu nereden biliyorlar?" diyordu. Aklına ilk önce "dinleme cihazı"nın gelmesi çok enteresandı... Ve, nedendir hâlâ bilinmez, Tayyip Erdoğan Başbakanlık Konutu'na yerleşmemiş, Keçiören'de apartman dairesi kiralamıştı.

...»

Darbe marbe tartışmaları başlayınca, her zaman olduğu gibi, Demokrat Parti gündeme geldi. AKP'liler Demokrat Parti'nin devamı olduklarını öne sürüyorlardı. Rahmetli Başbakan Adnan Menderes'in oğlu Aydın Menderes'e "Siz ne düşünüyorsunuz?" diye soruldu. Tarihe geçecek bir cevap verdi. "Ben Erbakan'ı Erdoğan'a tercih ederim, en azından Erbakan neyin ne olduğunu bilir, vahim hatalar yapmaz, Erdoğan'a göre daha ulusçudur, Türkiye'nin bağımsızlığından yanadır, Erdoğan'ı hangi kişilerin hangi fikirlerin yönettiğini bilmiyoruz" dedi.

...»

4 Temmuz 2003...
Bizim bakanlar bizim milletvekilleri, Amerikan Bağımsızlık Günü resepsiyonunda ABD Ankara Büyükelçiliği'ndeki Amerikalıları tebrik ederken, Irak'ta kafamıza çuval geçirdiler.

Süleymaniye'deki irtibat büromuz ağır silahlı Amerikan askerleri tarafından basıldı. Bordo bereli 11 subay ve astsubayımız kafalarına çuval geçirilerek, kelepçe takılarak, dipçiklenerek tutuklandı. ABD'ye nota verdiğimiz iddia edildi. Üç saniye sonra bizzat Başbakan tarafından yalanlandı, "Müzik notası değil bu, her aklınıza estiğinde verilmez, ciddiyeti vardır" dedi. "Daha ne ciddiyeti olacak birader" denilemedi tabii... 57 saat esir tuttular, sonra bıraktılar. Binbaşımızın kaburgası kırılmıştı.

...»

Kafasına çuval geçirilen askerlerimiz, Kerkük'ün Kürt Valisi'ne suikast planlamakla suçlanırken... PKK, Tunceli Valisi'nin konvoyuna saldırdı, iki şehit verdik.

...»

Amerikan mallarını boykot başladı.
Aynı hafta... "New York'ta bir morning" sloganıyla gazetelerde yayınlanan sürpriz reklamın, Ülker Grubu'na ait Cola Turka olduğu anlaşıldı. Amerikalının biri cafe'ye giriyor, tespihli kovboyla karşılaşıyor, Cola Turka'dan bir yudum tadıyor, şak diye bıyığı çıkıyor, hesap ödenirken "bendensin" diyor, eşi dolmalık biber pişiriyor, hep birlikte "Dağ başını duman almış"ı söylüyorlardı.

Kadıköy bölgesinde, Coca Cola'nın dağıtımını eski Başbakan Mesut Yılmaz'ın oğlu, Cola Turka'nın dağıtımını yeni Başbakan Erdoğan'ın oğlu yapıyordu. E size de afiyet olsundu.

...»

Başbakanların oğlanları köşeyi dönerken, memleket şamar oğlanına dönmüştü... Kosova Barış Gücü'nde görevli Türk yüzbaşı, Alman askerleri tarafından coplarla dövüldü.

Almanların komutanı "pardon" dedi, bizimkiler "rica ederiz" dedi, sineye çekildi.

...»

Seferberlik falan beklenirken, tam tersi yapıldı.
18 ay askerlik, 15 aya indi.
90 bin kişi erken terhis oldu, AKP'ye duacı oldu.

...»

Konya'dan bir öğrenci, üniversite sınavında tüm soruları doğru yanıtlayıp, 300 tam puan alan ilk öğrenci oldu. O güne kadar, sınav şampiyonları hep Ege'den İstanbul'dan Ankara'dan çıkarken... AKP'den itibaren, aniden, Konya'da zekâ patlaması yaşanmaya başlamıştı. "Bazı dersaneler"e giden çocuklardaki zekâ sıçraması, dünya rekoru seviyesindeydi!

...»

Okullarda ders kitaplarının bedava dağıtılacağı, arsaları değerli olan okulların satılacağı açıklandı. Böylece, okullar özelleştirilirken, okul kitapları devletleştirilmişti. Amaaan bize ne... Avanta olsun isterse çamurdan olsundu. Sayın ahalimiz, okulların satılacak olmasına hiç ses çıkarmadı. Kitaplara ödenen para kendi parasıydı ama, okullar kendi okulu değildi nasıl olsa... Atılsa da olurdu, satılsa da olurdu.

...»

Anayasa Mahkemesi, ek motorlu taşıtlar vergisini iptal etti. Ama iş işten geçmiş, ödeyen ödemişti. 394 trilyon lira devlete kaldı. Ödemeyenler yırttı. Kaçanın anası ağlamaz lafı, bir kez daha resmi olarak kanıtlanmıştı. Maliye Bakanı çıktı, "Kimse masraf edip dava açmasın, paraları geri ödemem" dedi.

...»

Tarım Bakanı, Edirne'ye gitti. Edirne Tarım İl Müdürlüğü "Tarımın Mimarı Hoş Geldin" pankartı astı. Yağcılığın bu kadarı bakanı bile kızdırdı, "Ben daha altı aylık bakanım, nasıl tarımın mimarı olurum?" diye sordu... Tarım il müdür vekilinin cevabı şahaneydi, "Bu afiş hep hazırda duruyor, her bakan geldiğinde bu pankartı asıyoruz" dedi.

...»

Başbakan, Almanya seyahatinde tarih verip, "En geç sekiz senede AB'ye üye oluruz" demiş, Yeşiller Partisi Başkanı Claudia Roth da "Türkiye AB'ye girince evleneceğim" demişti. Kadıncağız bizim yüzümüzden evde kaldı.

...»

AB'ye gireceğiz ayaklarıyla, AB'ye uyum adı altında, beş dakkada beşiktaş yasaları çıkmaya başlamıştı. TBMM pazar günleri bile geceyarılarına kadar çalışıyor, milletvekilleri uyukluyor, eller otomatik olarak inip kalkıyordu. Muhabirler vekillerin burnuna mikrofon uzatıyor, "Hangi yasaya oy verdiniz?" diye soruyor, cevap alamıyordu. Çaktırmadan yasa taslaklarının satır aralarına sokuşturulanlar, anca *Resmi Gazete*'de yayınlandıktan sonra fark ediliyor, "Vayyy şu yasayı çıkarmışız" deniyordu!

...»

Mesela, gene AB'ye uyum ayaklarıyla Eve Dönüş Yasası zart diye meclisten geçti. Bu yasanın aslında ne anlama geldiğini PKK'yla arası çok iyi olan gazeteci Mehmet Ali Birand köşesinde yazdı. "Kandil Dağı'ndaki suça karışmamış PKK'lılar Türkiye'ye dönecek, Murat Karayılan, Cemil Bayık gibi 100 kadar PKK yöneticisi, siyasi göçmen olarak Norveç'e gönderilecek, Norveç'le görüşmeler başladı" dedi.

Seneler sonra MİT'in PKK'yla Oslo'da masaya oturduğu ortaya çıkacak, nerden çıktı bu Oslo görüşmeleri denecekti. Halbuki, teee dokuz sene evvelden belliydi, açık açık yazılmıştı.

...»

Aynı furyada, hapis cezaları azaltıldı. Kimse üstünde bile durmadı. İnsanları domuz bağıyla boğup, oturma odasına gömen Hizbullahçılar sokağa salınınca jeton düşecekti ama, böyle başa böyle tarak müstehaktı.

...»

Sayın ahalimiz ciddi meselelerle meşguldü. Mesela, Trabzon Akçaabat Festivali'nde üç kilometrelik, dünyanın en uzun horon halkası oluşturuldu, dünya rekoru kırıldı. Gel gör ki, noter getirmeyi unutmuşlardı. Rekor sayılmadı.

...»

Başbakanımız, Bayrampaşa parkının açılış töreninde, küçük çocukları gezdirmek için kiralanan Cihan isimli ata binmeye kalkıştı. Kovboylar tarafından mıhlanan apaçi gibi yere yapıştı. Yargıtay Danıştay derken, tay'larla başı dertteydi Tay'yip Erdoğan'ın!

Erbakan "Şahsiyetli atmış, üstünde tutmadı" dedi.
Başbakan Yardımcısı Mehmet Ali Şahin şiir yazdı:
"Eyyy Başbakan'ı atan at, akraban mı yoksa kırat."
Tarih yazarı Murat Bardakçı son noktayı koydu.
"Eski Türk geleneğine göre, devlet büyükleri at evliyasının duasını almamış ata kesinlikle bindirilmezdi. Cihan isimli at, evliyaya götürülmediği için Başbakan'a layık değildi" dedi.

Elbette çok komik bi manzaraydı, çok güldük ama aslında hayati güvenlik skandalıydı. Türkiye Cumhuriyeti'nin Başbakanı durup dururken ölümden dönmüştü. Ve maalesef, eğitimli emniyet uzmanları yerine, polislikle alakası olmayan yeğenini, fedai gibi yakın koruma yapmasının sonucuydu.

...»

Başbakan olarak katıldığı ilk YAŞ toplantısından önce, Ulusa Sesleniş konuşmasına çıktı. Daha önceki Ulusa Sesleniş'lerde fonda bulunan Atatürk fotoğrafı bu defa yoktu. Ne dediğinin önemi de yoktu, ulusa verilmek istenen mesaj gayet açıktı.

...»

O ilk YAŞ'ta, Özden Örnek Deniz Kuvvetleri Komutanı, İbrahim Fırtına Hava Kuvvetleri Komutanı, İlker Başbuğ Genelkurmay İkinci Başkanı, Şükrü Sarıışık MGK Genel Sekreteri oldu; Şener Eruygur Jandarma Genel Komutanı olarak kaldı. Başbakan'ın "onay verdiği" bu listenin, istisnasız hepsi, hapse tıkılacaktı.

Buna mukabil...
Genelkurmay Başkanlığı'nın geleneksel olarak eşli verdiği YAŞ yemeği, Başbakan'ın türbanlı eşi katılmasın diye iptal edildi.
Bak sen şu Hilmi Özkök'e!

...»

Memlekette bunlar olurken, Türk Standartları Enstitüsü "hıyar" standardını belirledi. Tarla hıyarında 20 milimetrelik eğiklik kabul edilebilirken, daha fazla eğikliğe sahip olanlar ikinci sınıf hıyar sayılacaktı. Yani... Bundan böyle, çaktırmadan usülünce eğilenler kaliteli hıyar, alenen eğilenler ikinci sınıf hıyardı.

...»

TBMM Yolsuzlukları Araştırma Komisyonu raporu açıklandı. "Yolsuzluk, dini olmaktan çok, laik ahlakla ilişkili bir sorundur" denildi. Türkçe meali: Laikler ahlaksızdı, yolsuzluklar laiklerin başının altından çıkıyordu. Kasımpaşalı Başbakan "Türkiye'yi soyanları bir bir açıklayacağız" derken, takdir-i ilahi, Kasımpaşa Camii'nin servet değerindeki tarihi çinileri çalındı, iki hırsız müezzin tutuklandı.

...»

Ağzını her açtığında "ahlak dersi" veren Meclis Başkanı Arınç, berberini mecliste işe almıştı, şimdi de, şoförünün damadını işe aldı. Şoförün damadı meclis benzinliğinde görevine başladı. Kimi müsteşar, kimi genel müdür, kimi berber, kimi pompacı... Kadrolaşmada makam-mevki sınırı yoktu.

...»

Bir aydır en çok konuşulan mevzu, nihayete erdi.
Başbakan'ın küçük oğlu Bilal evlendi.
Nikâhı, İstanbul Büyükşehir Belediye Başkanı Ali Müfit Gürtuna kıydı. Niye Kadir Abi kıymadı derseniz... Kadir Topbaş o sırada Beyoğlu Belediye Başkanı'ydı. Gerçi, nikâh başvurusu Beyoğlu Belediyesi'ne yapılmıştı ama nikâhı kıymaya rütbesi yetmemişti.

Gelin henüz 17 yaşındaydı. Reşit değildi.
Anne babası, evlenme izni verilmesi için dava açtı.
Sulh hukuk mahkemesi sakınca olmadığına karar verdi.

Felsefi bi düğün oldu. Çünkü düğünün yapıldığı Lütfi Kırdar Kongre ve Sergi Sarayı'nda, aynı gün Dünya Felsefe Kongresi vardı. Sabah saatlerinde aynı salonda Dünya Felsefe Kongresi'ne katılan ve açılış konuşmasını yapan Cumhurbaşkanı Sezer, akşamki düğüne katılmadı. CHP lideri Baykal ve Genelkurmay Başkanı da katılmadı. Erbakan davet bile edilmedi. Miting gibiydi, dokuz bin kişi vardı.

Bilal'in nikâh şahidi, İtalya Başbakanı Silvio Berlusconi'ydi.

Öbür şahitler, Arnavutluk Başbakanı Fatos Nano, Bülent Arınç, Abdullah Gül ve AKP Milletvekili Nevzat Yalçıntaş'tı. Silvio salona girerken jest yapıldı, Klasik Türk müziği yayını kesildi, Pavarotti'den arya çalındı. Silvio "Meraviglioso" dedi, harika yani... Geline evlilik cüzdanını Silvio verdi, elini öptü; damada saat, geline kolye, Başbakan'a kristal vazo, Emine Hanım'a bilezik hediye ettiğini açıkladı.

Kapıda protesto eylemi vardı.
"Çıkarsa tezkere, Bilal gitsin askere" sloganı atıldı.
Biber gazı sıkıldı. Dört bin polis görevliydi.

Salonda sadece TRT ve Anadolu Ajansı'nın çekim yapmasına izin verildi. Öbürlerine servis edildi. Medya takip merkezinin 19 televizyon kanalındaki ölçümlerine göre, düğün için toplam 27 saat 56 dakika yayın yapıldı.

Salon 7 bin dolara kiralanmıştı.
Davetlilere, tanesi 3,5 milyon liraya mal olan gümüş kutucuklar hediye edildi. İçinde çikolata vardı.

Guinness Rekorlar Kitabı, el sıkma rekoru kırılacağı beklentisiyle ekip gönderdi. Tayyip Erdoğan'ın tokalaştığı kişileri tek tek saydı. 4 bin 815'te bitti. Hayal kırıklığına uğrandı. Davetli sayısında Türkiye rekoru kırılmış, ancak tokalaşmada dünya rekoru kırılamamıştı. Dünya tokalaşma rekoru, ABD New Mexico Valisi'ne aitti, 8 saatte 13 bin 392 kişinin elini sıkmıştı.

İngiliz *Times* gazetesi "Türbanlı Diana" başlığını attı. Gelinin annesi "Kızımı Başbakan'ın oğluna değil, Harvardlı'ya verdim" dedi. Genç çift, balayını Beylerbeyi'ndeki Bosphorus Palace'ta geçirdi. Boğaz'a sıfır otel, ünlü moda dergisi *Vogue* tarafından "dünyanın en romantik oteli" seçilmişti. KESK Genel Başkanı "Memura zam olarak, Başbakan'ın oğlunun damatlık elbisesi kadar para istiyoruz, hepsi o" dedi.

Milli Görüş'ün yayın organı *Milli Gazete*'nin "Kılçık" köşesinde şu dörtlük yazıyordu: "Necmettin Bilal oğul, eminim sana kalsa şahidim hocam derdin, bir ömür berhudar ol, Müslüman nikâhında Katolik şahit diye üzülme, sen masumsun, mesut ve bahtiyar ol..."

Başbakan, çiçek gönderilmemesini, çiçek göndermeye niyeti olanların Çocuk Esirgeme Kurumu'na bağışta bulunmasını istedi. Salon çiçekten doldu taştı. Kamyon kamyon götürüldü. Gazeteciler, düğünden sonra Çocuk Esirgeme Kurumu'na sordu. Bağış yapanların sayısı, sıfırdı!

...»

Tayyip Erdoğan ve eşi, düğün yorgunluğunu, çocuklarının eğitim sponsoru Remzi Gür'ün Ekinlik Adası'ndaki villasında attı. ATA uçağıyla Balıkesir'e geldi. Erdek limanında Remzi Gür'ün Safran isimli yatıyla karşılandı. Atasay Kuyumculuk'un sahibi Cihan Kamer de yattaydı. Cihan Kamer, Başbakan'ın servetinin şahidiydi. "Başbakan'ın oğullarının sünnetinde gelen 30 kilo altını paraya çeviren kişi" olarak tanınıyordu. "Düğünde gelen altınları da bozduracak mısınız?" diye soruldu. Cevap verilmedi.

...»

Kısa süre sonra bir devlet düğünü daha yapıldı.
Kenan Evren'in manevi kızı Ching Wang evlendi.
Evren, 1982 senesinde Çin'i ziyaret ettiği sırada kendisine rehberlik yapan 11 yaşındaki Ching'i manevi evlat edinmiş, Türkiye'ye getirmiş, Boğaziçi Üniversitesi'nde okutmuştu. Türk vatandaşlığına geçip, Türk vatandaşıyla evlenen Ching'in Harbiye Orduevi'ndeki düğün tarihini de, manevi babası seçmişti: 12 Eylül'dü!

...»

Savaş yüzünden durdurulan Türkiye-Bağdat demiryolu yeniden açıldı. İzmir'den yola çıkıp Bağdat'a giden ilk trenin vagonları Coca Cola taşıyordu. Başbakan da gitti, Cola Turka fabrikası açtı; kafasına Cola Turka şapkası taktı. Ülker, devletin resmi markası haline gelmişti.

...»

Uzan Ailesi'nin uçaklarına, yatlarına el konurken, medyamızın geriye kalanları birbirini yiyordu. *Sabah* gazetesi Aydın Doğan'a vergi kaçakçısı diye bindiriyor, *Hürriyet* gazetesi ise, Dinç Bilgin'le Karamehmet'in hortumcu, Turgay Ciner'in mafya olduğunu manşet yapıyordu. Yandaş medya kıs kıs gülüyordu.

...»

PKK'nın eve dönüş yasasıyla eve dönmesi beklenirken, ay-yıldızlı tabutlar birer birer evlerine dönmeye başlamıştı. Mardin'de iki polis, Siirt'te iki asker şehit vardı. Bölücü terör hortluyordu.

...»

AKP'nin assolisti olarak tanınan Adnan Şenses, AKP'nin ikinci kuruluş yıldönümünde, Tayyip Erdoğan'ın dizinin dibine çökerek "Deli gibi sevdim" şarkısını okudu. Ancak "Görüyorum ki her gün meyhanedesin, yaşamaya küstürüp içtiren mi var" dizelerini... "Görüyorum ki her gün işte güçtesin, yaşamaya küstürüp seni üzen mi var" şeklinde okumuştu! Meyhane, içki falan cızzz'dı.

...»

Sütaş'ın reklamında vole atan inek oynuyordu.
Memeleri görünüyor diye RTÜK'e şikâyet edildi.

...»

Başbakanımızın tarih bilgisi hayranlık uyandırıcıydı. Malazgirt Zaferi'nin yıldönümünde konuştu, "Romen Diyojen batarya batarya, gülle gülle saldırırken, Sultan Alparslan ve askerleri Allah Allah diye saldırıyordu" dedi. Ayakta alkışlandı. 1071'de gülle, top filan yoktu. Barut, anca 250 sene sonra toplarda kullanılmaya başlandı. Ama, olsundu... Tarihçiler daha iyi bilecek değildi.

...»

PKK biraz daha eve dönüş yaptı.
Diyarbakır'dan iki şehit daha döndü.

...»

Su kayağı, rafting, yamaç paraşütü yapan, dobra sözleri, tebdili kıyafetleriyle Türkiye'nin en renkli valisi olan, Denizli Valisi Recep Yazıcıoğlu, Ankara'da trafik kazasında hayatını kaybetti. Maalesef kemer takmamıştı. Hayatı, roman oldu, film oldu, televizyon dizisi oldu.
Diyanet İşleri Başkanlığı yapan kardeşi, AKP'den milletvekiliydi, sonradan bakan da oldu. Buna rağmen, pek çok valinin adeta AKP il başkanı gibi kullanıldığı süreçte, Recep Yazıcıoğlu yaşasaydı, acaba nasıl davranırdı? Bu sorunun cevabını öğrenemedik. Ancak... Aydın Valisi'yken *Yeni Asır*'daydım. Rahmetliyi tanırdım. Kendi payıma, el pençe divan durmayacağından eminim.

...»

Vali deyince... Artık en önemli işleri AKP'ydi.
Yaz bitti, ahaliye avanta kömür dağıtımı başladı.
Okullar açıldı, bedava ders kitapları dağıtıldı.
Kitapların içine Tayyip Erdoğan'ın fotoğrafları ve mesajları konulmuş; siyaset ilkokula sokulmuştu.

...»

Bilahare, imam hatip liselerinin üniversiteye girişte önünü açan, katsayı engelini kaldıran yasa taslağı hazırlandığı ortaya çıktı.
Dokuz Eylül Üniversitesi Rektörü "Atatürkçü düşünce için hepimiz Kubilay olmaya hazırız" dedi. Başbakan bu reste çok sinirlendi, "rektörleri edep dışına çıkmakla" suçladı.
Bunun üzerine "edepsiz rektörler" isyan etti.
ODTÜ Rektörü "Başbakan'ın lafı Adnan Menderes'in kara cüppeliler lafı gibi, tarihe kara leke olarak geçecek" dedi. Ankara Üniversitesi Rektörü "Cumhuriyet'in temel ilkelerini savunmak bizim görevimizdir, bu edepsizlikse, edepsizliğe devam edeceğiz" dedi. Uludağ Üniversitesi Rektörü "Daha çok konuşmaya kararlıyız" dedi. İTÜ Rektörü "Tarih boyunca kimsenin emrine girmedik, girmeyeceğiz" dedi. Karadeniz Teknik Üniversitesi Rektörü "Parolamız açık, Atatürk ilke ve devrimlerine bağlılık" dedi. Kırıkkale Üniversitesi Rektörü "Bizler başkaları gibi demokrasiyi araç olarak değil, amaç olarak görüyoruz" dedi. Trakya Üniversitesi Rektörü "Atatürkçülükte tarafız" dedi. Marmara Üniversitesi Rektörü "Çomak rektörlere değil, ülkenin geleceğine sokuluyor" dedi. Yüzüncü Yıl Üniversitesi Rektörü "Başbakan'ın sözlerini aynen iade ediyoruz" dedi. İstanbul Üniversitesi Rektörü "Ürkütüp yıldıramazlar" dedi. Pamukkale Üniversitesi Rektörü "Siyaseti üniversiteye sokuyorlar" dedi. Harran Üniversitesi Rektörü "Üniversitelerin çok ciddi sorunları var, önce onları çözün" dedi. Çukurova Üniversitesi Rektörü "Başbakan'ın sözleri yüzyıllarca zihinlerden silinmeyecek bir ifadedir" dedi. Çanakkale Üniversitesi Rektörü "Edepsiz lafı çok yakışıksız" dedi. Adnan Menderes Üniversitesi Rektörü "Sıcak tehlike karşısında sessiz kalmayacağımız bilinmeli" dedi. Süleyman Demirel Üniversitesi Rektörü "Üniversiteler siyasi gücün kontrolüne bırakılamaz" dedi.
Netice?
Hepsi birer birer koltuğundan uçacaktı.
Bazıları içeri tıkılacaktı.

...»

Türkiye Diyanet Vakfı Sendikası Konya Şube Başkanı, YÖK Başkanı Kemal Gürüz'le İstanbul Üniversitesi Rektörü Kemal Alemdaroğlu'nu açıkça tehdit etti, "İmam hatiplere saldırmaya devam ederlerse, iki Kemal'in cenazeleri yıkanmayacak, cenaze namazları kılınmayacak" dedi.
İnsanları ikiye ayırmışlardı.
Ölüsü yıkanacaklar, ölüsü yıkanmayacaklar!

Aynı sendikanın Gaziantep Şube Başkanı, "Allah'ı inkâr ediyor" iddiasıyla, YÖK Başkanı hakkında savcılığa suç duyurusunda bulundu. Ve aynı gün... TBMM'de bir ilke imza atıldı, milletvekillerinin rahat aptes alması için, TBMM tuvaletlerindeki lavaboların boyu kısaltıldı.

...»

O hafta sonu, üniversite öğretim üyelerinin Ankara'da düzenlediği Cumhuriyet'e Saygı Mitingi'nde "Ordu Göreve" pankartı açıldı. Yandaş medya, YÖK'ü darbe çığırtkanlığıyla suçlarken, İşçi Partisi lideri Doğu Perinçek, tek tek fotoğraflarını gösterdi, "O pankartı MİT'e bağlı ajan provokatör açtı" dedi.

...»

Cumhuriyet için yürüyenlere darbeci damgası yapıştırılırken, Cumhuriyet tarihinde görülmemiş bir olay yaşandı. Manisa Valiliği, pazar günü saat 11'de Cumhuriyet yürüyüşü düzenledi, program bastırdı, tüm Manisa'ya duyurdu. Hemen peşinden, aynı gün aynı saatte, TBMM Başkanı Arınç'ın cami açılışı yapacağı ortaya çıktı. Manisa Valisi, apar topar programı değiştirdi, Cumhuriyet yürüyüşünün saati ertelendi.

...»

Aralarında kuvvet komutanlarının da bulunduğu 312 general, dinci *Vakit* gazetesine 624 milyar liralık tazminat davası açtı. "Onbaşı bile olamayacakların general olduğu ülke" başlıklı yazıya kızmışlardı. Genelkurmay Başkanı Hilmi Özkök hariç... Bütün generaller dava açmış, en birinci general üstüne alınmamıştı!

...»

Cumhurbaşkanı Sezer'in veto ettiği yasa sayısı 25'e ulaşmıştı. Tek başına hukuk mücadelesi veriyordu. Yetkileri elbette sınırlıydı ama, en azından AKP'nin Anayasa'ya aykırı davrandığını tarihin sayfalarında kayda geçiriyordu. Diyanet İşleri Başkanlığı'na bir başka aydın din adamını, Profesör Ali Bardakoğlu'nu atadı. Bardakoğlu ilk iş, kara cüppeyi çıkardı, fildişi renginde cüppe dönemini başlattı.

...»

Bu toz duman arasında, İtalyan dergisi *Panorama*, Abdullah Gül'ü "Boğaz'ın George Clooney'i" başlığıyla tanıttı. Hani belki merak ediyorsunuzdur ilk defa kim benzetmişti diye... Yalaka medyamızın günahı yoktu. Türkiye'de köprü, tünel, boru hattı ihalesi kovalayan, İtalyanların işiydi.
Kayserili George Clooney'in babasını da, Kayseri'de "yılın ahisi" seçmişlerdi. Adamcağız 62 senedir tornacıydı, seçmemişler, oğlunun iktidara geldiği sene, şırrak diye yılın ahisi seçmişlerdi.

...»

İçişleri Bakanlığı genelgesiyle, Kürtçe isim koyma yasağı kaldırıldı. İlk iş... Kürtçe erotik film, video kaset olarak piyasaya sürüldü. *Xaşhiki Kaliki*, dedenin fantezileri'ydi. İstanbul'da yaşayan yaşlı bir adamın cinsel maceraları anlatılıyordu. Başrolde, seks filmlerinin popüler yıldızı Yasemin Ünlü vardı.

...»

Şeyh Sait'in torunu, eski milletvekili Abdülmelik Fırat'ın hatıraları *Mezopotamya Sürgünü* ismiyle kitaplaştırıldı. Abdülmelik Fırat, PKK lideri Öcalan'ın MİT'te ofisboy'luk yaptığını, bu bilgiyi kendisine gazeteci Avni Özgürel'in söylediğini anlatmıştı. Avni Özgürel'e sordular. Öcalan'ın MİT Karargâhı'nda değil, MİT'in milliyetçi kesimi organize etmek için kurduğu Fikir Ajansı'nda ofisboy'luk yaptığını söyledi. Bu sefer, MİT Kontrterör Dairesi eski Başkanı Mehmet Eymür'e sordular. Kahkaha attı, "Apo'yu bilmem ama, İbrahim Tatlıses'in Diyarbakır'daki MİT inşaatında çalıştığını doğrularım" dedi. Gazeteciler, doooğru İbo'ya koştu. İbo ne desin, "İnşaatlarda çalıştım ama, MİT binasının nerde olduğunu bilmem" dedi.

...»

Ramazan geldi. İstanbul Büyükşehir Belediyesi'nin 150 bin

kolilik, 5 trilyon liralık gıda alım ihalesini, AKP Bitlis Milletvekili Vahit Kiler'in şirketi kazandı. Allah bereket versindi.

Kafasındaki çuvaldan rahatsız olmayan Türkiye, çuvalla gelen hurmalardan endişe ediyordu.
ABD'nin kullandığı bombalar nedeniyle, Irak'tan ithal edilen hurmalarda radyasyon şüphesi doğmuştu. Türkiye Atom Enerjisi Kurumu, işi gücü bıraktı, laboratuvar analizi yaptı, yüreklere su serpti, "Irak hurmaları temiz" raporu verdi.

...»

10 Kasım'da, Mustafa Kemal hayranı olan Aslan "Sarızeybek" isimli vatandaşın oğlu dünyaya geldi. "Ata" adını koydu.
"10 Kasım doğumlu Ata Sarızeybek" oldu. Sarızeybek Ailesi "Ataşehir"in "Ata" konutlarında oturuyordu. Otomobilleri de Hyundai "Sonata"ydı. 2003'ten itibaren yaşadığımız 10 Kasım'ların tek sevimli haberiydi. Bundan sonraki her 10 Kasım'da mutlaka bi sevimsizlik yaşanacaktı.

...»

15 Kasım 2003...
İstanbul'daki Neve Şalom Sinagogu ile Beth Israel Sinagogu'na, cumartesi duası sırasında, gübre bombası yüklü kamyonetlerle, eşzamanlı intihar saldırıları düzenlendi. 27 vatandaşımız öldü, 300'den fazla yaralı vardı. Hayatını kaybeden Musevi vatandaşlarımız, Ulus Musevi Mezarlığı'na, Türk bayrağına sarılı tabutlarla toprağa verildi.

Bombacılar Bingöl doğumluydu.
Pakistan'da El Kaide tarafından eğitilmişlerdi.

İstanbul Emniyet Müdürü makamında değildi.
Letonya'ya milli maç seyretmeye gitmişti.

...»

Aynı gün, hükümetimizin gezi karnesi açıklandı.
Bakanlarımız sadece 11 ayda 306 defa yurtdışına gitmişti. Kimisi Küba'da adaleti araştırmış, kimisi Kenya'da çevre'yi araştırmış, kimisi Meksika'da kadın'ı araştırmıştı.

...»

20 Kasım 2003...
Beş gün sonra, sıfır istihbarat, sıfır önlem, gene İstanbul, HSBC bankasıyla İngiliz Başkonsolosluğu, gene gübre bombası yüklü kamyonetler, gene eşzamanlı, 30 kişi daha hayatını kaybetti. Sokaklar ceset doluydu. Ölenlerden biri İngiltere Başkonsolosu'ydu. 400'den fazla yaralı vardı. Bombacılar gene Türk vatandaşıydı, gene El Kaide üstlenmişti. Ve o gece, Kadir Gecesi'ydi.

...»

Onca facia, onca dram, hikâye kardeşim...
Üç gün sonra bayram tatili başladı.
Hayat üç saniyede normale döndü.
Mısır'a gezmeye giden Türk turist kafilesi Hurgada Havalimanı'nda beş saat bekletildi, bekleyenler arasında Cem Boyner de vardı, "Ailece perişan olduk yani" dedi. Bayramın ikinci günü, Karaman'da grizu patladı, 10 madenci sizlere ömür... Böylece, bayramda bile ocağa sokuldukları anlaşıldı.

...»

Türkiye, kafasını toprağa gömerek hadiseleri görmezden gelmeye çalışıyordu, ki memleketimizin devekuşu üretiminde yüzde 500'lük artış meydana geldiği açıklandı.

...»

Ve Başbakan, "Bombacıların Türk olması bizi teselli etti, ülkeye yabancı terörist sızmadığını anladık" dedi, iyi mi!

...»

Tayyip Erdoğan teselli olmuştu ama, El Kaideci Türkler yüzünden, dünyadaki bütün Türklere şüpheyle bakılıyordu. Londra-İstanbul seferini yapmak üzere kalkışa hazırlanan British Airways uçağı, son anda pistten döndü, terminale yanaştı, yedi Türk yolcu gözaltına alındı, sorgulandı. Niye derseniz... Akraba cenazesi için yurda gelirken, oturdukları koltukta namaz kılmaya kalkmışlardı. Bunlar namaz kılıyorsa kesin intihar bombacısıdır damgası yemişler, pilot tarafından kuleye ispiyonlanarak, gözaltına alınmışlardı.

...»

Ertesi gün, bir vatandaşımız beline karton kutu sarıp HSBC'nin

Gebze şubesine daldı, "Üstümde bomba var, sökülün paraları" dedi. "Sen ne biçim teröristsin birader?" dediler. "Kredi kartı borcum var abi" dedi.

...»

Mardin'de askeri araç mayına çarptı.
Seneler sonra ilk kez, beş şehit birden verdik.
Kanada, soykırımı tanıdı.
İsviçre, soykırımı tanıdı.
Manşetlerde Bayhan vardı.

...»

Popstar'ın finalistiydi. Cinayetten hapis yattığı, adam bıçaklamaktan arandığı ortaya çıkmıştı. O akşamki telefon mesajlı elemede, rekor sayıda oy aldı. Burası Türkiye'ydi, katil olduğu öğrenilince, kıymete binmişti! Jüri üyesi Deniz Seki isyan etti. "Cinayetten sabıkalı biri nasıl olur da ayakta alkışlanır" dedi, seyirciden büyük tepki gördü, yuhladılar, sinirlendi, salonu terk etti. Türkiye'nin en önemli mevzusu buydu. Başbakan ertesi sabah Deniz Seki'yi telefonla aradı, bu davranışından ötürü tebrik etti. O zamanlar, Deniz Seki'nin kokainden içeri gireceğini kimse tahmin edemezdi tabii.

...»

Yılbaşı yaklaşırken, Saddam yakalandı.
Iraklılar pek sevindi.
Amerikan bayraklarıyla sokaklarda tur atıyorlardı.

...»

Celal Talabani, İstanbul üzerinden Moskova'ya giderken, taaa 11 sene önce Turgut Özal tarafından kendisine verilen Türkiye Cumhuriyeti'nin "kırmızı pasaport"unu iade etti.
Artık ihtiyacı yoktu.

...»

Profesör Kemal Gürüz'ün görev süresi bitti.
Profesör Erdoğan Teziç, YÖK Başkanı oldu.

...»

Kubilay anıldı.
Genelkurmay Başkanı Özkök "Laiklik karşıtı hareketlere

girişeceklerin sonu, Kubilay'ı katledenler gibi olur" dedi. Breh breh breh... Başbakanlık Müsteşarı Ömer Dinçer'in 1995'te yaptığı bi konuşma ortaya çıktı. "Cumhuriyet'in ve laikliğin, yerini, Müslüman bi yapıya devretmesinin zamanı geldi" diyordu.

...»

28 Şubat sürecinde ilkokul çocuklarına yasaklanan yatılı Kuran kursları, Milli Eğitim'in yönetmeliğiyle yeniden açıldı.

...»

Trabzon limanı satıldı.
Trabzon ne diyecek diye merak ediyorduk...
AKP Trabzon milletvekili, TSE'ye başvurdu.
Türban standardı istedi!
Trabzon'un tek derdi buydu demek ki.
TSE "maalesef imkânsız" cevabı verdi.
"Dünyada kriteri yok, standart üretemeyiz" denildi.

...»

Türkiye'ye girmeden önce pazar araştırması yapan ve Türk erkeklerinin en büyük boy prezervatifi tercih ettiğini belirleyen Alman Condomi firması, piyasaya girince şoka girdi. Çünkü anketlerde 20 santim diyen erkeklerimiz, 15 santimlik standart boyu satın alıyordu. Büyük boy'lar elde kalmıştı. Türkiye'deki kamuoyu araştırma anketlerinin ne kadar gerçekçi olduğunun, farklı bi kanıtıydı!

...»

Çöp vergisi sulandırıldı.
Su faturalarıyla birlikte ödenmeye başlandı.

...»

Maliye Bakanı, batık bankacılara zarif bi çağrı yaptı.
"Adamı deli etmeyin ulan, nerde bu paralar?" dedi.

...»

Tekel'in rakısı satıldı. Sadece 292 milyon dolara.
Boş şişe bile daha pahalıya satılırdı.
Rakıyı kapan uyanık müteahhitlerimiz adına Nihat Özdemir konuştu, "Bundan daha iyi fiyat verilemezdi" dedi. Yalakalık sarhoşu ekonomi yazarlarımız alkışladı, tasdik etti.

Halbuki... Uyanık müteahhitlerimiz, aynı rakıyı, üç katına, 810 milyon dolara Amerikalılara satacaktı. Amerikalılar da aynı rakıyı, üç katına, 2,1 milyar dolara İngilizlere satacaktı. Böylece, hükümetimizin "babalar gibi satışı" sayesinde, iki defa 3'ün 1'ini almış olacaktık.

...»

Milletin malları ona buna şakır şakır satılırken, Başbakan dünyayı geziyordu. Özbekistan'a gitti, Şah Zinde Türbesi'ni ziyaret etti. Mihmandar, türbenin merdivenlerini gösterip "Buraya günah merdivenleri denir, çıkarken basamakları sayın, inerken saydığınızla aynı çıkarsa, günahsız kabul edilirsiniz" dedi.

Çıkıp indiler...
Başbakan "Sayıyı tutturdum, 36" dedi.
Emine Hanım düzeltti, "37" dedi!

...»

Medya işi gücü bırakmış, Deniz Seki'nin peşine düşmüştü. Bayhan'a cinayet işlediği için tepki gösteren Deniz Seki'nin katil torunu olduğu; dedesinin 1954'te alacak verecek davası yüzünden bacanağını öldürdüğü ortaya çıkarıldı. Deniz Seki "Haberim yoktu, duyunca annemi aradım, o şekilde haberim oldu, benden gizlenmiş, zaten yarışmada dedem de olsaydı, tavrım değişmezdi" dedi. Deniz Seki'nin yerine Zerrin Özer jüri üyesi oldu. Türkiye'ye Satürn çarpsa, havagazıydı, varsa yoksa Popstar'dı. İzlenme oranı, Dünya Kupası'ndaki Türkiye-Brezilya maçının izlenme oranını bile sollamıştı.

2003 sona ererken, şaşaalı bir dönem de ibret verici şekilde kapanıyordu. İktidardayken yalakaların pervane olduğu, papatyaların, maskeli baloların partisi ANAP'ın seçim otobüsüne haciz konuldu. Hem de, alacaklarını tahsil edemeyen partinin çaycıları tarafından!

2004

Sosyete umre'ye • Eminanım BM'ye • Büyük Ortadoğu Projesi Eşbaşkanı • Yahudi Cesaret Madalyası • Win Win • Yes be annem • Annan güzel mi? • AB'ye girdik! • Hızlandırılmış tren faciası • Özel Yetkili Mahkemeler

Yeni seneye Safranbolu'da giren Başbakan, yılbaşı gecesi huzurevini ziyaret etti. Saat hayli geç olmuş, yaşlılar uyumuştu. Hepsini uyandırıp getirdiler. Gazetecinin biri "Keşke daha erken gelseydiniz" dedi. Başbakan kızdı, "Ağzın leş gibi kokuyor, edepsizce soru sorma" diye fırçaladı. Muhabiri tartakladılar.

Satır aralarında küçük küçük kalan...
Ama aslında, ufak ufak nereye doğru gittiğimizi, nereye doğru sürüklendiğimizi gösteren haberler yayımlanıyordu.

...»

Sosyetemiz hidayete ermişti mesela...
VIP hacı adayları için Hilton Oteli'nde seminer düzenlendi. Kutsal topraklarda rahat hareket etmeleri için yanlarına bale ayakkabısı almaları önerildi.
İstanbul Belediyesi Kültür Müdürü Şenol Demiröz, TRT Genel Müdürü oldu. İçinde Atatürk geçmeyen Çanakkale belgeseli çekmesiyle ünlüydü.
AKP'li belediyelerde palmiye merakı başlamıştı. Ama bu palmiye başka palmiyeydi; bahçıvan, sulama filan istemiyordu, çünkü Çin'den ithal ediliyordu, plastikti.
Sağ elde gümüş yüzük, moda olmuştu. Ekonomi sayfalarımızda manşetti, altın alyanslarını çıkarıp, gümüş yüzüğe dönen işadamı sayısında patlama yaşanıyordu.
Ciwan Haco, İstanbul Abdi İpekçi Spor Salonu'nda 20 bin kişiye konser verdi.
Sağlık Bakanımız, Abant Gölü etrafında eşiyle yürüyüşe çıktı.

Maazallah, kayıp düşme ihtimaline karşı, 112 acil ambulansı peşlerinden takip etti.

...»

Tayyip Erdoğan, Siirt'te okul açılışı yaptı.
Karatahtanın başına geçti.
Milli Eğitim'in yeni sloganını yazdı:
Oku, Düşün, Uygula, Neticelendir...
Küçük bi pürüz vardı.
Başharflerini dizince "ODUN" çıkıyordu!

...»

Beşar Esad, ailece Ankara'ya geldi.
57 sene sonra Türkiye'ye gelen ilk Suriye Devlet Başkanı'ydı.
Dışişleri Bakanımız türbanlı eşini getirmedi. Karşılama protokolünde Devlet Bakanı Kürşad Tüzmen'in türbansız eşi vardı. Türban henüz "kamusal alan"da dayatılmıyor, şimdilik nabza göre şerbet veriliyordu.

...»

Sivas'ta taksinin arka koltuğunda veterinere götürülen ve bu fotoğrafla "dünyanın en meşhur danası" olan Dana Ferhat, sucuk oldu. Bir zamanlar danasını bile taksiye bindirecek durumda olan sahibi, SSK borçlarını ödeyebilmek için satmak zorunda kalmıştı. Zonguldak Kozlu'daki "madenci heykeli"nin ayakları dibine dekoratif amaçla yerleştirilen 50 kilo taşkömürü çalındı. Kozlu Belediye Başkanı "Bundan sonra çalınmaması için, taşları siyaha boyayıp kömür gibi oraya koyacağız" dedi. Kazancı Bedih olarak tanınan, Türkiye'nin yaşayan tek gazelhanı, sıra gecelerinin efsane ismi, Şanlıurfalı kültür hazinesi Bedih Yoluk, katalitik sobadan zehirlenerek vefat etti. Anca iç sayfalarda haber olabildi. Çünkü Türkiye büyük bir şok yaşıyordu. Bayhan yarı finalde elenmişti sayın seyirciler...

...»

TESEV Başkanı Can Paker, liberal devrim ayağıyla ülkeleri kurcalayan, spekülatör Soros'un maddi destek verdiği kuruluşları açıkladı: TESEV, Açık Radyo, Açık Site, Bianet, Umut Vakfı, AÇEV, Tarih Vakfı ve Avrupa Hareketi'ydi. "Kendileri geldiler, yardım yapmak istiyoruz dediler, biz de kabul ettik" dedi!

...»

Başbakan, ABD'ye gitti.
İlk durağı New York'tu.
Musevi Komitesi'nden "cesaret ödülü" aldı.
Bilahare, etkin düşünce kuruluşu Council on Foreign Relations'a gitti. Bu konseyin başkanı, Türkiye Cumhuriyeti Başbakanı'nı şöyle tanıttı: "Hayata 15 yaşındayken futbolcu olarak atıldı, en büyük kulüpten teklif aldı, babası izin vermedi, izin verseydi, Türkiye milli takımının başkanı olurdu, babası iyi ki izin vermemiş, yoksa kendisini Başbakan olarak göremezdik, babasına teşekkür borçluyuz."

Sonra şöyle devam etti:
"Aynı zamanda başarılı bir şarkıcı.
Türk klasik müziği ve Türkçe pop söylüyor.
İsterseniz bir şarkı söyleyebilirsiniz!"

İnanın, yüreğimiz hopladı bi an için... Kürsüye çıkıp "Beraber yürüdük biz bu yollarda"yı söyler mi diye endişelendik. Neyse ki, söylemedi. Ama bir başka adreste, bir başka şarkıyı söyledi. Katolik üniversitesi St. Johns'da cüppe giydi. Fahri doktora unvanı aldı. Kepiyle poz verirken "Şimdi okullu olduk, sınıfları doldurduk" dedi... "Sevinçliyiz hepimiz, yaşasın okulumuz" bölümünü demedi!

...»

Emine Hanım, Birleşmiş Milletler binasını gezdi.
BM Genel Sekreteri'nin koltuğuna oturdu.
Hatıra fotoğrafı çektirdi.

ABD Başkanı Bush, Başbakanımızı Oval Ofis'te ağırladı. Geçen gelişinde milletvekili bile olmadığı için, Roosevelt Salonu'nda kabul edilmişti. Gazeteciler fotoğraf alırken, tezkerenin kuyruk acısı olsa gerek, Bush küstahlaştı. Sanki Papua Yeni Gine'nin ilçesinden bahsediyormuş gibi "Türkiye'nin nüfusu ne kadar?" diye sordu. Bizimki tersleyeceğine, sınava girmiş öğrenci gibi "72 milyon" cevabını verdi. Bush alaycı tavrıyla gülümsedi, "Bayağı kalabalıkmışsınız" dedi.

Yüce Türk basını "Başbakanımız ayak ayak üstüne attı, çok rahattı, Türkiye bütün istediklerini aldı" manşetleri döşendi. Ama ne aldığımızı yazan olmadı. Bir hafta sonra, bizzat Başbakanımız kimin ne alacağını açıkladı. "Kürtler benim canım ciğerim... ABD'nin

Büyük Ortadoğu Projesi kapsamında Diyarbakır yıldız olacak" dedi.

Büyük Ortadoğu Projesi... İlk defa resmen telaffuz edilmişti.
Detayları belirsizdi, ipucu gayet netti:
Diyarbakır yıldız olacaktı.

...»

Ve, yıldız mıldız derken...
"Astronotların Kurtarılması, Uzaya Fırlatılmış Araçların Geri Verilmesi" hakkındaki yasa, meclise sunuldu. Yetmedi... "Ay'da ve Diğer Gök Cisimlerindeki Faaliyetlerin Düzenlenmesi" hakkındaki yasa da meclise sunuldu. Şaka gibi ama, Birleşmiş Milletler anlaşmalarıydı. Bu anlaşmalara göre, Türk uzay araçları Ay'a inebilecek, Ay'da uzay istasyonu kurabilecekti. Aynı gün, Dolmabahçe'de son halife Abdülmecid'in kütüphanesi açıldı. Kurdeleyi, Ay'da istasyon kuracak olan meclisimizin başkanı kesti!

...»

Askeri Yüksek İdare Mahkemesi, camiye üniformasıyla gidip namaz kılan astsubayın ordudan ihraç edilmesini onayladı. Genelkurmay Başkanı Özkök, geçen aralıkta oğlunu Ankara'da evlendirmişti... Düğüne gelemeyen akrabaları için, İzmir'deki orduevinde ikinci defa düğün yaptı. Oldu olacak, bi düğün de İstanbul'da yapsaydı, hiç fena olmazdı.

...»

Kurban Bayramı geldi. İkinci günü, Konya Selçuklu'da 11 katlı Zümrüt Apartmanı durup dururken çöktü, 92 kişi kurban oldu. Dere yatağına inşa edilmişti. Elbette çürük malzemeydi. 1983'te Diyarbakır'da apartman çökmüş, 93 kişi ölmüştü, müteahhidi okuryazar bile değildi. 1999 depreminin müteahhit simgesi Veli Göçer, ebediyat okumuştu, inşaatçılıkla alakası yoktu. Peki ya bu? Maalesef, bunun müteahhiti mimardı. Vicdan ve iş ahlakı olmayınca, eğitimin de manası olmuyordu.

...»

Popstar'ı Abidin kazandı, Firdevs ikinci oldu.
Yetti gari popstar demeyin sakın...
Türkiye bununla yatıyor, bununla kalkıyordu.
Burun ameliyatı olan Bayhan, final gecesine hastane yatağından canlı yayınla katıldı, "Seninle olmak var ya" şarkısını okudu. O

gece açık olan her 100 televizyonun 61'inde popstar vardı.

...»

Ve, gene o gece, belki de popstar kahrından...
Anadolu rock efsanesi Cem Karaca kalpten gitti.

...»

Başbakanımız, Güney Kore'de Hyundai fabrikasını gezdi. Hyundai CEO'su "Gelmişken, size otomobil hediye etmek isteriz" deyince, "Limuzin olsun" dedi.

...»

Bir işadamının 4 bin 400 ton mısır ithal ettiği öne sürüldü. Kim acaba diye kurcaladılar. Maliye Bakanımızın oğlu çıktı. Bu rakam, Türkiye'nin bir senelik ihtiyacı kadardı. İthalat ağustosta gerçekleşmişti. Tesadüfe bakın ki, bir ay sonra mısır ithalatının gümrük vergisi yüzde 35'ten yüzde 70'e çıkarılmıştı! Sıkıyorsa, başkası getirsindi yani... Maliye Bakanımız durumu gayet makul izah etti, "oğlunun tavukları olduğunu, mısırları tavuklarına yem olarak getirdiğini" söyledi.

...»

Dışişleri Bakanımızın eşi Hayrünnisa Hanım, Avrupa İnsan Hakları Mahkemesi'nde açtığı türban davasını geri çekti. Eşi başbakanken "Şimdi çekersem makam mevki için çekti demezler mi?" demişti. Bu sefer "Eşim dışişleri bakanı olunca, hem davacı, hem davalı konumuna düştüm, o yüzden geri çektim" diyordu. Geri çekmediğinde "Yakışanı yaptı" denilerek alkışlanmıştı. Geri çektiğinde "Yakışanı yaptı" denilerek alkışlandı. Sonradan gene dava açsa, eminim "yakışanı yaptı" deyip alkışlarlardı.

...»

Apo'ya askerlik celbi geldi.
Prosedür gereği, Halfeti Askerlik Şubesi'nden Bursa Savcılığı'na gönderilen resmi yazıda, asker kaçağı olan Apo'nun tahliye edilmesi halinde, serbest bırakılmayıp, askere alınması istendi... Apo'nun serbest bırakılması mı? Herkes gülmüştü. 10 sene sonra bu ihtimalin ciddiye bineceğini kimse tahmin edemezdi. Batman'da mayın patladı, iki şehit vardı.

...»

Hür ve Kabul Edilmiş Masonlar Derneği'nin İstanbul Yakacık Locası'na canlı bomba saldırısı oldu. Bir terörist ve bir garson öldü. Bir teröristin kolu koptu, kurtuldu. "Kahrolsun İsrail" sloganı atıyordu.

...»

İsrail, o hafta, Hamas'ın manevi lideri Şeyh Yasin'i, Gazze'de, helikopterden fırlatılan füzeyle öldürdü. Şeyh Yasin, çocukken geçirdiği kaza nedeniyle tekerlekli sandalyeye mahkûmdu. Tayyip Erdoğan, İsrail'e terörist demeye getirdi, "Vücudu tutmayan insanı roketle yok ediyorsunuz, bunu terörün hangi tanımı içine sokacağımızı ayrıca belirlememiz lazım" dedi. Dünyanın terörist kabul ettiği Hamas, Başbakan için hassas mevzuydu. Gönlündeki yeri farklıydı.

...»

ABD'de yaşayan Fethullah Gülen ise, pek öyle düşünmüyordu. *Zaman* gazetesine konuştu. "Dünyada en nefret ettiğim insanlardan bir tanesi Bin Ladin'dir. Müslümanlığın çehresini kirletmiştir. Türkiye'de onun gibi düşünen insanlar varsa, onlar da canavarlığa kilitlenmiş insanlardır" diyordu.

...»

28 Mart 2004...
Yerel seçim yapıldı, AKP açık farkla kazandı.
81 şehrin 57'sinde belediyeyi almıştı.
Liberal adayları vitrine çıkarmış, CHP'nin kalesi bilinen Antalya, Gaziantep, Hatay ve Tekirdağ'ı bile yıkmıştı.

...»

Seçim öncesinde en hararetli tartışma, CHP lideriyle alakalıydı. Yandaş medya, Deniz Baykal'ın Mersin Belediyesi'nden rüşvet aldığını iddia etmiş, günlerce manşet yapmıştı. Hatta, kanıt olarak Pentagon'a ait olduğu öne sürülen bir belge yayınlanmıştı. "Pentagon bile söylüyorsa, doğrudur" deniyordu. CHP'nin oyları eriyordu. ABD'den çıt çıkmıyordu. Seçim bitti. İş bitti. ABD Büyükelçiliği, söz konusu belgenin "düzmece" olduğunu açıkladı!

...»

Genelkurmay İkinci Başkanı İlker Başbuğ, ABD'ye gitmişti,

döner dönmez basın toplantısı yaptı. "Bazı çevreler ılımlı İslam diye kavramlar üretiyor, hem laik devlet hem ılımlı İslam olmaz, Türkiye böyle kuruldu, böyle devam edecek" dedi. Washington-Ankara hattında bi şeyler oluyordu.

...»

Harp Akademileri'nde konferans veren Cumhurbaşkanı Sezer ise, lafı hiç eğip bükmüyor, tarihe not düşüyordu: "Büyük Ortadoğu Projesi'nin ülkemizi etkileyebilecek risklerine karşı uyarıda bulunuyorum... Laik Türkiye'ye İslam Cumhuriyeti tanımlaması getirmek, ılımlı İslam gibi anlamsız modelleri bilinçaltında benimsetmeye çalışmak, kabul edilemez, daha açık söylemiyle irticadır."

...»

TBMM Başkanı Arınç, adeta türban savaşçısı haline gelmişti. "23 Nisan davetiyesinde eşinizin adı neden yok?" diye soran gazeteciye "Bunun karşılığı, şeyini şey ettiğimin şeyidir" cevabını verdi. TRT canlı yayını kesti. Anadolu Ajansı bu sözleri servise koymadı. Devletin basınında sansür başlamıştı.

...»

Gabar Dağı'nda üç şehit vardı.
Onu da özel sektörün basını sansürledi.
Aman diim, "ekonomik gidişat gölgelenmesin"di.

...»

Devlet İstatistik Enstitüsü, tarihinde ilk defa "yaşam memnuniyeti" araştırması yaptı. Ahali çok mutlu çıktı.

...»

Başbakan Japonya'daydı. Geleneksel seremonide ikram edilen çayı içti. "Çok acı, bir daha içmem" dedi. "Efenim, şeker koymamışsınız" denilince, "Kıtlama mı içiliyor?" diye sordu.

...»

THY'nin Pekin'den İstanbul'a gelen uçağında sincap paniği yaşandı. Çünkü kargoda bulunan sincap yavruları kafesten kaçmıştı. Yolcular indirildi, tek tek yakalanamayacağı için, 2 bin 800 kilo haşere gazı sıkıldı. Aslına bakarsanız, Çin istilasının boyutlarını gösteriyordu. İğneden ipliğe her şey gibi, memlekete sincap bile Çin'den gelmeye başlamıştı. Çin demişken... Pirinç ithalatına onay çıktı.

...»

Maliye Bakanımız, şimdilik, 377 adet kamu malını sattıklarını belirtip "sat Allah sat, gidiyor" derken... Nadire İçkale önderliğindeki sosyetik hanımların ilk kafilesi, umre'ye gidiyordu. İndirim ayı nisanı bekleyerek, 10'ar bin dolar ödemek yerine, 5'er bin dolara sevaba girmişlerdi. Aynı gün... MÜSİAD Başkanı "Biz senelerdir siyasetçilerin takıyye yaptığını zannediyorduk, meğer en büyük takıyyeci iş âlemiymiş" dedi. Sosyetik umreciler, İstanbul'a dönüşlerinde free shop'tan viski alırken yakalandı.

...»

Kuzey Kıbrıs'ta "yes be annem" mitingi yapıldı.
Rum zulmünü unutmayan yaşlılar, hayır'cıydı.
TÜSİAD, MÜSİAD, TÜGİAD, TESEV, TİM, TİSK, TÜRSAB, TZOB, TOBB... Sanki bizim memleketin bütün sorunları halledilmiş gibi, gazetelere sayfa sayfa ilanlar veriyor, Kıbrıs'taki referandumda "evet oyu" kullanılmasını istiyordu.

Sandığa gidildi.
Türk tarafı, KKTC'nin kapatılmasına, Rumlarla birleşilmesine yüzde 65 evet derken... Rum tarafı, yüzde 75 hayır dedi. En muhteşem özeti, Ecevit'le birlikte Kıbrıs Barış Harekâtı'na imza atan "mücahit" Erbakan yaptı. "Allah'a şükür... Kıbrıs, Rumlar sayesinde Yunan adası olmaktan kurtuldu" dedi!
"Yes be annem"ciler morarmıştı. Planı hazırlayan BM Genel Sekreteri Annan'a hitaben "Annan güzel mi" diyenler haklı çıkmıştı. Çünkü Avrupa Birliği ve ABD, referandumdan önce "Rumlar hayır dese bile Türk tarafını AB'ye alırız, evet derseniz ambargoyu kaldırırız" diyordu. Bizim Başbakan da "win-win" yani "kazan-kazan" vaat ediyordu. Neticede gördük win-win'i... Referandumdan bir hafta sonra Rumlar AB'ye girdi. Bu kitabın yazıldığı 2013 senesinde, Türk tarafına ambargo, hâlâ duruyordu.

Üstelik... AKP'nin el bebek gül bebek tuttuğu bu "yes be annem"ciler, pek yakında AKP karşıtı mitinglere başlayacak, hatta "Hastir" pankartı açacaktı. KKTC gazetelerinde "Atma Recep, sen kimsin be adam, sömürgeci, özür dile" manşetleri bile atılacaktı. Türkiye'deki Denktaşçılara neredeyse "ırkçı, faşist" demeye getiren Tayyip Erdoğan'ın "yes be annem"cilerden alacağı karşılık, işte bu olacaktı.

...»

Kıbrıs'ta referandumu 24 Nisan'da yapmıştık.
Aynı gün, Kanada...
24 Nisan Ermeni Soykırımını Anma Günü ilan etti.

...»

Watergate Skandalı'nı ortaya çıkararak Başkan Nixon'ın devrilmesine sebep olan Amerikalı gazeteci Bob Woodward, Irak savaşını anlattığı kitabını piyasaya sürdü. Adı *Saldırı Planı*'ydı. Bizimle alakalı bölüm enteresandı.
CIA ajanları, savaş öncesinde Türkiye üzerinden şakır şakır Kuzey Irak'a geçmiş, peşmergeleri organize etmek için, kafamıza çuval geçirilen Süleymaniye'de üs kurmuştu. Üssün kod adı, yeşil badanalı duvarları nedeniyle "antepfıstığı"ydı. Kitapla aynı hafta, Amerikan askerlerinin Ebu Garib Cezaevi'nde esir Iraklıların kafasına işerken fotoğrafları piyasaya çıktı. Hükümetimizden gık çıkmadı.

...»

Fenerbahçe şampiyon oldu.
Deniz Kuvvetleri Komutanı Özden Örnek, kendisi gibi hasta Fenerbahçeli olan Birinci Ordu Komutanı Yaşar Büyükanıt'a sürpriz yaptı. Mayın arama gemisi TCG Amasra'yı sarı-lacivert dumanlar çıkartarak denize indirdi. Silahlı kuvvetler, lay lay lom'du. Hakkâri'de mayın patladı, iki şehit vardı.

...»

Türkiye, geçen sene kazandığı Eurovision'a ev sahipliği yaptı. Athena'yla dördüncü olduk. İki gün sonra... Ülkemizi 1983'te "Opera"yla temsil eden ve sıfır puan aldığı için her Eurovision döneminde yıkıcı şekilde alay konusu edilen Çetin Alp, kalp krizi geçirdi, vefat etti. Bu kadar dayanabilmişti.

...»

19 Mayıs'ta, tarihte bir ilk yaşandı.
İstanbul-Beylikdüzü'nde ana caddelerdeki direklere hoparlör takıldı, sabah namazından itibaren, beş vakit ezan yayınına başlandı. AKP'li Belediye Başkanı "Biz yayınlamıyoruz, cami

dernekleri yayınlıyor, biz sadece direklerin dikilmesine yardımcı olduk" dedi. 19 Mayıs geçti, ertesi gün yayın kesildi.

...»

Başbakanımızın Basın Müşaviri özeleştiri yapıp, "Gençliğimde Saint Antuan Kilisesi'nin papazıyla tokalaşınca elimi yıkamıştım, o kadar balta kesmemiş dönemlerim oldu" derken... Başbakanımız devamlı Rixos otellerinde tatil yapıyor, herkes Rixos'un patronu Fettah Tamince'nin kim olduğunu merak ediyordu. Çıktı, kendi kendini anlattı. "Hanutçuluktan servet kazandım, Kürt'üm, Türklüğümle gurur duyuyorum, Atatürk'e sevgim her gün artıyor, Fethullah Hoca benim için idoldür" dedi.

...»

Devlet Güvenlik Mahkemeleri kaldırıldı.
Yerine, Özel Yetkili Mahkemeler getirildi.
İlerleyen sayfalarda tek tek okuyacağız ama, kabaca özetlemek gerekirse... Özel Yetkili Mahkemelerin baktığı ve hukuki açıdan tartışılmayan tek bir dava bile olmayacaktı.

...»

Ankara'da konuşan İngiltere Prensi Andrew, reformlar konusunda cesur olmamız gerektiğini söyledi. "İngiliz vatandaşı Maliye Bakanı" getirecek kadar cesur reformlar yapacağımızı, herhalde İngiltere Prensi bile tahmin edemezdi... Başbakanımız, Oxford'a konferansa davet edildi. Kendisini konuklara tanıtan Türkoloji Bölümü Başkanı İngiliz Profesör "Tayyip Erdoğan futbola devam etseydi, David Beckham bile eline su dökemezdi" dedi. Düşün gari... İngilizlerin AKP sevgisi müthişti.

...»

10 senedir hapiste bulunan DEP eski milletvekilleri Leyla Zana, Orhan Doğan, Hatip Dicle ve Selim Sadak, AB'ye uyum çerçevesinde tahliye edildi. Çıkar çıkmaz, AB büyükelçileriyle buluştular, yemek yediler. Adres idealdi, Washington Restoran'dı.

...»

CNNTürk açılım yaptı.
İlk Kürtçe müzik klibini yayınladı.
Kardeş Türküler'in şarkısıydı; Mirkut-Tokmak'tı.

...»

NATO zirvesi İstanbul'da toplandı, Bush geldi.
Konuşma yapacağı mekân olarak, Galatasaray Üniversitesi'nin bahçesi seçilmişti. Kürsünün arkasında Boğaziçi Köprüsü ve Ortaköy Camii görünüyordu. İki kıtayı, medeniyetleri bağlayan, ılımlı İslam manzarası yani... Büyük Ortadoğu Projesi'nin ne kadar şahane bi şey olduğunu anlattı, "Tanrı Türkiye'yi korusun" diye bitirdi. Amin!

...»

Bush'un gelişi-gidişi, sadece dört gün içinde, Ankara'da bomba patladı, bir polisin ayağı koptu; İstanbul'da belediye otobüsünde bomba patladı, üç kişi öldü; Bingöl'de mayın, bir şehit; Tunceli'de mayın, iki şehit; Hatay'da çatışma, üç şehi; Şırnak'ta mayın, iki şehit; Van'da pusu, üç şehit vardı.

...»

Temmuz ayı, düğün ve cenazeydi.
Tayyip Erdoğan, büyük kızı Esra'yı evlendirdi. Pakistan Devlet Başkanı Müşerref, Ürdün Kralı Abdullah, Yunanistan Başbakanı Karamanlis, Romanya Başbakanı Nastase nikâh şahidi oldu. Yedi bin davetli katıldı.

...»

Bilahare, Başbakan hareket memuru şapkası taktı, Ankara-İstanbul arasındaki hızlı tren seferlerini bizzat başlattı. Avuçlar patlarcasına alkışlandı. Bi kaç gün kazasız belasız gidildi, gelindi. Neticede, Sakarya-Pamukova'da raydan çıktı. 41 vatandaşımız sizlere ömür.
İkinci Dünya Savaşı'ndan kalma dandik trenlere "hızlı git" demişlerdi... Olmuştu sana hızlı tren!

Raylara inek çıkmasın diye, güzergâhta 90 memur 24 saat vardiya usulü nöbet tutuyordu. Çünkü kazaya sadece ineklerin sebep olabileceği düşünülmüştü. "Kardeşim bu ilkel trenler bu hızla gidebilir mi?" diye düşünülmemişti. Lokomotif sigortalıydı, yolcular sigortasızdı. TCDD Müdür Vekili "Her şey Allah'tan" dedi. AKP Milletvekili Nusret Bayraktar ise, kem gözlerin nazarı olduğunu söyledi.

Ulaştırma Bakanı hakkında gensoru verildi.
Elbette reddedildi.

TCDD Genel Müdürü'ne soruşturma desen...
Ona zaten Ulaştırma Bakanı izin vermedi.
"Bunların suçu" denildi, makinistlere yıkıldı.

...»

Hızlı tren faciasından 20 gün sonra, Ankara'dan İstanbul'a gelenle, İstanbul'dan Ankara'ya giden "normal tren"ler Kocaeli'nde kafa kafaya tokuştu, altı vatandaşımız daha sizlere ömür... Ulaştırma Bakanı "İstifa edecek bir şey görmüyorum, her sene karayollarında beş bin kişi ölüyor" dedi.

...»

E bu kadar trajikomik hadiseyi ben bile hayal edemem diye kahretmiş olmalı ki, *Gırgır*'ın yaratıcısı Oğuz Aral çekip gitti, Avanak Avni yetim kaldı.

...»

Genelkurmay Başkanı Özkök, kendi elleriyle, Hava Kuvvetleri Komutanı Fırtına ve Deniz Kuvvetleri Komutanı Örnek'e "Şeref Madalyası" taktı. Kasaptaki ete soğan doğranmaz, şeref madalyası takılır öyle mi? Herhalde unutulur sanmıştı!

...»

Yaşar Büyükanıt, Kara Kuvvetleri Komutanı oldu.
Henüz Audi alınmasına çok vardı ama...

...»

Mısır'a satılan F16'lar karşılığında, 630 adet Cherokee jip alındı, makam aracı yapılmak üzere komutanlıklara dağıtıldı. Generaller pek memnundu. YAŞ başlayıp bitene kadar, altı şehit daha'ydı.

...»

Dinç Bilgin'in yatı, Cem Uzan'ın şarapları-puroları, Erol Aksoy'un tabloları satılıyor, zenginin malı züğürdün çenesi misali, herkes bunlarla meşgul oluyordu. Avanta dağıtılan kömürün miktarı, senelik 700 bin tondan 1,2 milyon tona çıkarılırken... Pırlantanın elmasın kadeve'si sıfırlanıyordu.

...»

Sağlıkta imam devri başlamış, cami imamı Erzincan'a sağlık müdür yardımcısı yapılmıştı. CHP milletvekili Canan Arıtman

"Mecliste kara çarşaflılar dolaşıyor" diye şikâyet ediyor, Meclis Başkanı Arınç "Sizin de bikiniyle gelmenizde mahsur yok ama, bikini giyme yaşınız çoktan geçmiş" diyordu. Dışişleri Bakanlığı'nın hukuk müşavirliği sınavında "Ahirete inanır mısınız, Kuran okudunuz mu?" gibi sorular soruluyordu.

...»

Cumhurbaşkanı Sezer'in oğlu Levent, kendisi gibi bankacı Evren Altunay'la Çankaya Köşkü'nde evlendi. Gayet sadeydi... Fırsat bu fırsat, beş bin kişi çağırayım da, nasıl olsa cumhurbaşkanıyım, yalakalık olsun diye mücevherler taksınlar demedi. Takı töreni yapılmadı. Hediye vermek isteyenlere "sizin gelmeniz hediye" denildi. Nikâh şahitliklerini gelinle damadın arkadaşları yaptı. Gelin, Ankara Olgunlaşma Enstitüsü'nde dikilen gelinliği giydi. Konukların çoğu taksiyle veya servis minibüsüyle geldi. Köşk'te görevli şoförler, eşleriyle birlikte davetliydi, konuklar arasındaydı. Düğün yemeği Köşk'ün aşçılarına yaptırılmadı, dışarıdan sipariş edildi, Köşk'ün bütçesinden ödenmedi, aile bütçesinden ödendi. Cumhurbaşkanı, o gecenin elektrik parasını bile kendi cebinden ödedi. Gazeteciler içeri alınmadı; gazeteciler intikam aldı, düğün haberi birinci sayfalara konulmadı.

...»

Hemen iki gün sonra... Ali Babacan'ın oğlu sünnet oldu. Sünnet çocuğu, Bilkent Oteli'ne palyaçoların taşıdığı tahterevanla getirildi, meşaleler yakıldı. Salonun ortasına otağ biçiminde çadır kuruldu. Dünya Bankası ve IMF temsilcileri bile katıldı. IMF temsilcisi "İlk defa sünnete katılıyorum, çok enteresan" dedi. İki bine yakın davetli vardı. Sünnet çocuğunun yattığı yatağın ayak ucuna sandık konuldu, davetliler kuyruğa girdi, takıları sandığa attı. Hazineden Sorumlu Bakan'ın hazinesi gibiydi.

...»

Diyarbakır iki şehit, gazeteler yer vermedi.
Siirt iki şehit, gazeteler yer vermedi.
Batman bir şehit, gazeteler yer vermedi.
Piyanist Fazıl Say boşandı, manşetti.

...»

TBMM Camii'ndeki 30 Ağustos Zafer Bayramı hutbesinde,

Atatürk'ten ve silah arkadaşlarından hiç bahsedilmedi. Diyanet'ten sorumlu bakan Mehmet Aydın "Bazen kısaltılarak okunur, münferittir" dedi... Ki, güneydoğuda peş peşe, altı münferit şehit daha vardı.

...»

Türk Dil Kurumu, PKK'nın "pekaka" olarak değil "pekeke" olarak okunması gerektiğini açıkladı. Türk Dil Kurumu'nun kısaltılmışı TDK'nın neden "tedeke" değil de "tedeka" okunduğunu ise açıklayamadı.

...»

AKP Milletvekili Taner Yıldız, ata binmeye kalktı, yere yapıştı, Başbakanımızın izinden yürüyordu, bakan olacak adamdı. CHP Ankara İl Yönetimi, CHP Eski Genel Sekreteri Ertuğrul Günay'ı başka partiler lehine çalıştığı iddiasıyla disipline verdi. Disiplin kurulu "Olmaz öyle şey, CHP genel sekreterliği yapmış biri başka partiye çalışır mı?" diyerek, ihraç talebini reddetti. Halbuki, Ertuğrul Günay da bakan olacak adamdı. Ve, burnunun ucunu göremeyen bu CHP'yle, AKP sittin sene iktidarda kalırdı.

...»

Honda'nın konuşan robotu Asimo pek meşhurdu.
Autoshow'a getirildi, Tayyip Erdoğan'la tanıştırıldı.
Robotu bile yandaş yapmışlardı, iyi mi...
Asimo "Beraber yürüdük biz bu yollarda"yı söyledi.

...»

Atina Olimpiyatı başladı. Haltercimiz Nurcan Taylan altın madalya aldı. Olimpiyat şampiyonu ilk Türk kadın sporcu oldu. Sevincimizin kursağımızda kalması, iki saniye sürdü... Halter milli takımındaki öbür kızlar, antrenörün kendilerini dövdüğünü öne sürdü. Nurcan Taylan ise "Antrenörü suçlayanlar arasında lezbiyen ilişki var, İncinur pavyonda çalışıyor, Aylin, Sibel ve Şule odama zorla girip bıçakla saldırdı, Nurcihan sakal tıraşı oluyor; onlar kültürsüz, ben eğitimliyim, fiziğim de güzel, beni kıskanıyorlar, psikolojileri ondan bozuldu" dedi, iyi mi... Rezaletin daniskasıydı. O zamanlar atv Haber'in genel yayın yönetmeniydim, hepsini birden canlı yayına çıkardım, akla hayale gelmeyecek hakaretleri sıraladılar, küfürler havada uçuştu, hangisiydi hatırlamıyorum, bir tanesinin köyünden canlı yayın yaptık, muhabirimin kafasına sandalye vuruldu. Antrenör tutuklandı.

...»

Türkiye Komünist Partisi Genel Başkanı Aydemir Güler'in İstiklal Marşı'nın yazarı Mehmet Âkif Ersoy'un torunu olduğu ortaya çıktı. Rauf Denktaş'ın torununun Rum Kesimi'nden nüfus cüzdanı istediği ortaya çıktı. 1994'te sivil toplum kuruluşları tarafından "yılın annesi" seçilen kadının İstanbul'da "randevuevi" işlettiği ortaya çıktı. Bunların hepsi bir hafta içinde ortaya çıkınca... En güzelini Rahmi Koç yaptı, Nazenin isimli yatına bindi, iki sene sürecek dünya turuna çıktı.

...»

Ramazan geldi.
Başbakan elinde tepsiyle iftar çadırından iftar çadırına dolaşıyor, kameralar peşinde koşturuyordu. Trabzon'da McDonald's'a bomba atıldı. Çoğu gazete haber bile yapmadı. Saldırgan bir hafta sonra İstanbul'da yakalandı. Fotoğrafını çeken gazetecilere "Efsaneyi şimdiden çekin" diye bağırıyordu. Kimse ciddiye almamıştı ama... "Trabzon'da kimdir, İstanbul'da kimlerledir" diye merak edilmeyen bu tuhaf tip, çok yakında Trabzon-İstanbul hattında dünyayı ayağa kaldıracaktı. Adı, Yasin Hayal'di!

...»

29 Ekim arefesinde, Cumhuriyet Bayramı törenleri için prova yapan Fantom, fazla alçaktan uçtu, Başbakan'ın oturduğu mahalledeki Aksa Cami'nin minaresini sıyırdı, alem'ini parçaladı. Başbakan evinden çıktı, minarenin parçalarını toplattı, bagajına koydurttu, MGK toplantısına öyle gitti. Bu hadise sekiz sene konuşulmadı. Oysa, Ankara'nın sisli bulvarlarında fırtınalar kopuyor, AKP zamanını kolluyordu. Gümbür gümbür gündeme gelecekti.

...»

Tarihte ilk'ler silsilesi devam ediyordu.
Cumhuriyet Bayramı'nda bir ilk daha yaşandı.
Başbakanımız ve Dışişleri Bakanımız, takvimde başka gün kalmamış gibi, tam 29 Ekim'de, Roma'da, Papa heykelinin önünde, AB Anayasası'na imza attı.

Sayın gazetelerimiz, AB'ye giriş heyecanıyla olsa gerek, Papa 5'inci Sixtus'un önünde imza atıldığını yazdı. Ertesi gün, ne kadar da araştırmacı gazeteci oldukları ortaya çıktı. Papa hakikaten Papa'ydı ama, Sixtus değil, 10'uncu Innocentus'tu. Her iki Papa'nın da ortak özelliği, Türk düşmanı olmalarıydı. Gerçi, fark etmezdi canım, AB'ye girmiştik ya, sen ona bak'tı... Başbakanımız, İtalya Cumhurbaşkanı'yla öğle yemeğine katıldı, oruçlu olmadığı anlaşıldı.

...»

29 Ekim akşamı... Cumhuriyet Bayramı resepsiyonu için Roma Büyükelçiliğimize geçtiler. Salondaki masada "nice yıllara" yazılı pasta vardı. "Herhalde Cumhuriyet'i kutlama pastası" zannedildi. Değildi. Başbakanımız, Erbakan gibi 29 Ekim doğumlu olan Dışişleri Bakanımıza sürpriz doğum günü partisi düzenlemişti. "Hadi Abdullah, kes bakalım" dedi. Birlikte kestiler. Başbakanımız gazetecilere izahat verdi, "Sabahtan beri bunu hazırlıyorduk, çaktırmadan bu noktaya kadar getirdik" dedi. Hakikaten çaktırmadan çaktırmadan, bu noktaya kadar getirilmişti Türkiye!

...»

Ardahan'a atanan ilk kadın vaiz, kadınlara vaaz verdi. "Çocuklarınıza cenneti anlatırken, cennette gazoz nehirleri olduğunu, çikolata ağaçları olduğunu söyleyin" dedi.

...»

Bush ikinci kez seçildi, Arafat vefat etti.

...»

Bizim memlekette, Erman Toroğlu gündemdi. Hakemliğin yanı sıra kabzımallık yapan futbol yorumcusu, "Hıyarı Antalya'da kesiyorlar 11 santim, İstanbul'a geliyor 13 santim, yolda büyüyor; sebzedeki hormon erkekleri homoseksüel yapar" demişti. Salatalık satışları bıçak gibi kesildi. Çiftçiler ayaklandı. Toroğlu'nun maketini yaktılar.

...»

Mersin'de 15 milyon senelik sazan fosili bulundu. Böylece ilk sazanın Türkiye'de yaşadığı ortaya çıktı.

...»

AB'den de müzakere kararı çıktı.
Başbakan, Ankara'da kilometrelerce uzunluğunda konvoyla karşılandı. "Avrupa Fatihi" pankartları açıldı. AB bayrağını simgeleyen balonlar gözyüzüne bırakıldı. Güpegündüz havai fişekler fırlatıldı. Kamyonun üstünde şehir turu atan Tayyip Erdoğan "Hamdolsun başardık, bayramımız kutlu olsun, bunlar ilerde romanlarda yazılacak" dedi. Kehanet gibiydi. Böylesi anca bilimkurgu romanlarda yazılabilirdi.

...»

Gazetelerimiz "dünya bize hayran" manşetleri atarken, CNNTürk'te AB belgeseli yayınlandı, kaş yapayım derken göz çıkarıldı. Çünkü... "Hamdolsun başardık" diyen Tayyip Erdoğan'ın, 10 sene evvel "Onlar bizi AB'ye almamayı düşünüyor, biz de girmemeyi düşünüyoruz, bunların asıl adı Katolik Hıristiyan Devletler Birliği'dir" dediği ortaya çıktı. Ama olsundu gari... O kadar kusur kadı kızında da olurdu. Hayırlısıyla AB'ye giriyorduk ve hep bir ağızdan "Memleketim"i söylüyorduk.

...»

O gece, izlenme rekoru kırıldı. Açık olan her 100 televizyonun 73'ünde "Gelinim Olur musun?" yarışmasının finali vardı. Kaynana Semra, oğlu Ata ve gelin adayı Sinem'in maceraları üç aydır nefesler tutularak seyrediliyordu. Maalesef kaynana Semra elendi, üzüntüden kahrolduk sayın seyirciler...

...»

El Kaide, ABD'nin bir dediğini iki etmediğimiz için, Irak'ta şoförlerimizin kafasını kesmeye başlamıştı. Yatırıp, testereyle doğruyorlar, internette yayınlıyorlardı. Yetmedi, Bağdat'a giden beş özel harekât polisimizi kurşuna dizdiler. Öylesine nefret doluydular ki, şehitlerimizin bedenlerini yaktılar.

...»

Yılbaşına günler kala, Hint Okyanusu'nda 9.3 şiddetinde deprem oldu. Yüksekliği 30 metreye ulaşan tsunamiler üretti. En başta Endonezya, 14 ülkeyi vurdu, 230 bin kişi hayatını kaybetti.

...»

2004 senesi geride kalırken...
Sakıp Sabancı artık yoktu. AKP iktidara gelince pek sevinen

ve "İkinci Turgut Özal trenine biniyoruz" diyen rahmetli, memleketin aslında hangi alamete bindiğini göremeden gitmişti.

Yeşilçam'ın Cilalı İbo'su Feridun Karakaya, iyi kalpli kötü adam Hüseyin Baradan, Arap bacımız Tevfik Gelenbe, tiyatro duayenleri Necdet Mahfi Ayral, Kamuran Usluer, Haluk Kurdoğlu ve İsmet Ay aramızdan ayrılmıştı. Ercüment Batanay gitmiş, yaylı tambur öksüz kalmıştı. İlk kadın opera sanatçımız Semiha Berksoy, mevlidhanımız Kani Karaca, şair-yazar Şükran Kurdakul vefat etmişti.
ABD eski Başkanı Ronald Reagan, caz efsanesi Ray Charles, en ünlü baba Marlon Brando, Süpermen Christopher Reeve ölmüştü.
İzmir Büyükşehir Belediye Başkanı Ahmet Piriştina çok genç yaşta göçmüş, boşalan makama, Bornova Belediye Başkanı Aziz Kocaoğlu seçilmişti.

Dokuzu polis, 40 şehidimiz vardı.

2005

Medeniyetler İttifakı • Orhan Pamuk • Alt kimlik, üst kimlik • Türk demeyelim, Türkiyeli diyelim • Limanlar, bankalar, telefonlar haraç mezat • Sami Ofer • Mortgage • Helal Gıda • Kaçak Kuran kursları serbest • Rektör cezaevinde

Yeni seneye altı sıfırı atılmış YTL'yle girdik.
Bir milyon lira, bir lira olmuştu.
En büyük banknot, 100 liraydı.
Hürriyet'in manşeti "Ekmek 30 kuruş"tu.

Hokus pokustu.
Tayyip Erdoğan bu ekonomik mucizeyi (!) her mitingde dile getirecek, "Eskiden tuvalete bile bir milyon liraya gidiliyordu, şimdi artık bir liraya gidiliyor be" diye övünecekti.

Minimalist'ti zaten bizim Başbakan.
Yakında, gemiye de gemicik diyecekti.

...»

Atladı uçağa, Rusya'ya gitti. TOBB tarafından Moskova'da inşa edilen alışveriş merkezinin açılışını yaptı. Kuyumcunun biri, Emine Hanım'a pırlantalı gerdanlık hediye etti. Bilmiyorum, pırlanta kadeve'sinin sıfıra indirildiğini hatırlatmama gerek var mı? Bilahare, halıcıya geçildi. Vitrinde görüp beğendiği ipek halı da Emine Hanım'a hediye edildi. Başbakan'a da mont hediye edildi. İstanbul'a dönünce hediyelerin fiyatı soruldu. Başbakan çok kızdı. "Gazetelerde ağza alınmayacak, milletin adap çizgilerinin dışında ifadeler kullanılması çok çirkindir ama, gafil yakalandılar, 30 bin dolar dediler, perakende 10 bin 600 küsur" dedi. "Türkiye seninle gurur duyuyor" diye alkışlandı.

Gerdanlığın iade edildiği söylendi.
Halı, Başbakanlık envanterine kaydedildi.
Kayıt numarası kaçtı biliyor musunuz?
001.
İlkti, başka kayıt yoktu.

...»

Başbakanımız alışverişlerde para ödemeyi sevmiyordu ama... Ne kadar kodaman patron varsa, alayını Dolmabahçe Sarayı'nda yemeğe çağırdı, pamuk eller cebe dedi, hayatlarının en pahalı yemek parasını ödetti. Tsunamizedelere 10 milyon dolar bağış topladı. Güney Asya turuna çıktı. Endonezya, Malezya, Tayland filan, hem kendisine ait olmayan parayla hayırseverlik yaptı, hem de oraları turladı geldi.

...»

Çıraklık döneminde Tayyip Erdoğan'ın en önemli icraatı, seyahatti. Sadece üç sene içinde dünyanın bütün kıtalarını gezmeyi başaran, dünyadaki ilk Başbakan'dı. Ne Afrika bıraktı, ne Latin Amerika, ne Okyanusya... 2013'e kadar 300 küsur defa yurtdışına gitti. Ortalama ikişer günden bile hesaplasak, iktidarının en az iki senesini yurtdışında geçirdi. Kırılması güç rekor, ABD'deydi. 15 defa ABD'ye gitti.

Afrika'yı dolaşırken, Tunus'a uğradı. Medine Çarşısı'nda altın bilezik hediye edildi. Sütten ağzı yanmıştı, kabul etmedi. Kuyumcuya gazetecileri göstererek "Bunlara ver" dedi. O sırada, İtalyan turistlerle karşılaştı. "Berlusconi?" diye sordu. İtalyanlar "Nooo, nooo" diye bağırınca, "Olmadı yaav, Berlusconi my friend" dedi. Bir haftada iki defa Afrika'ya giden Başbakan, Tarzancayı sökmüştü.

Oradan Norveç'e geçti. Oslo'da bir grup PKK'lının yumurtalı saldırısına uğradı. Sinirlendi. Norveçlileri fırçaladı. "Terör örgütünün pankartıyla dolaşıyorlar, ses çıkarmıyorsunuz; NATO toplantısı olmasa ülkenizi derhal terk ederdim" dedi. 2005'te yumurta atılan Oslo'da, 2011'de masaya oturulacaktı.

...»

Sadece Başbakanımız değil, eşi de geziyordu. Mesela, Suriye'ye gitti. Uluslararası İşkadınları Forumu'na katıldı. Protokolde,

Esma Esad, Suzan Mübarek ve Benazir Butto'yla yan yana oturdu. Sadece Emine Hanım'da türban vardı, diğerlerinin saçı açıktı. Bu kitabın yazıldığı tarihte, o günkü dostlarımız Suzan Mübarek'in eşi hapiste, Esma Esad'ın eşi savaşta, Benazir Butto öldürülmüştü.

...»

Seyahat demişken... Turizm şirketleri, Erkan Mumcu'nun yerine Turizm Bakanı yapılan Atilla Koç'u "2004'ün En Başarılı Bakanı" seçti. Plaket takdim edildi. Küçük bi pürüz vardı. Atilla Koç, 2004'te henüz bakan değildi! Yalakalık, örfümüz âdetimiz haline gelmişti.

...»

Orhan Pamuk, İsviçre dergisine konuştu. "Kimse söylemiyor, bari ben söyleyeyim, Türkiye'de 30 bin Kürt, 1 milyon Ermeni öldürüldü" dedi. Aslında *Kar* romanının tanıtım röportajıydı. Ve bu lafların, romanın içeriğiyle alakası yoktu. Yazdıklarıyla değil, söyledikleriyle şöhret olan dünyadaki tek yazar'dı!

Peki neden onca ülke varken, bu lafı gidip İsviçre'de söylemişti? Çünkü çamur atıp iz bırakmak için ideal adresti... İsviçre'de konuşup "Ermeni soykırımı vardır" demek, serbestti, "Ermeni soykırımı yoktur" demek, yasaktı. Herhangi bir Türk'ün Orhan Pamuk'un söylediklerine karşı savunma yapabilmesi, kanunen suçtu. Nitekim... Kısa süre sonra, İsviçre'ye gidip "Ermeni soykırımı yoktur" diyen Türk Tarih Kurumu Başkanı Profesör Yusuf Halaçoğlu hakkında gıyabi tutuklama kararı çıkarıldı.

"Edebiyatçı" tarihi suçlarsa, fikir özgürlüğüne giriyordu. "Tarih profesörü" savunursa, hapse giriyordu.

Hadisenin "bu ne perhiz bu ne lahana turşusu tarafı" da vardı. Bize "soykırımcı" diyen İsviçre'nin Ankara Büyükelçisi Walter Gyger, eniştemizdi. Soykırımcı dediği milletten, Türk'le evliydi.

...»

Hükümetimizin nasıl bir hukuki mücadele yürüteceği merak ediliyordu. Ki, Başbakanımız bizzat hukuki mücadele başlattı. Karikatüre dava açan ilk Başbakan oldu! Kendisini yumağa dolanmış kedi şeklinde çizen Musa Kart'ı mahkemeye verdi, tazminat istedi. Hukuk, henüz guguk olmamıştı. Davayı kaybetti.

...»

Ankara Büyükşehir Belediye Başkanı Melih Gökçek'in "Böyle sanatın içine tükürürüm" diyerek kaldırttığı heykel de, gene mahkeme kararıyla yerine dikildi. "Periler Ülkesinde" adını taşıyan heykel, Mehmet Aksoy'a aitti... Ve "peri"lerini kurtaran Mehmet Aksoy "ucube"sini kurtaramayacaktı!

...»

İstanbul Büyükşehir Belediye Başkanı Kadir Topbaş ise, bir başka heykelin müjdesini veriyor, Sivriada'ya 110 metre yüksekliğinde "semazen heykeli" dikileceğini açıklıyordu. New York Özgürlük Anıtı'ndan daha yüksek olacağını, manzara seyretmek için asansörle tepesine çıkılacağını, etrafına cami, kilise, sinagog yapılacağını söylüyordu. İlk "çılgın proce"ydi. Salla sallayabildiğin kadardı.

...»

Dışbank, Hollandalı Fortis'e satıldı.
Türk Ekonomi Bankası, Fransız BNP Paribas'a satıldı.
Eoknmoni Bkaanı Ail Bbacn, ADB'ye gidrken "gelceek neslilere broçsuz Tükriye bırakcaağız" dedi.
Gülmekten yazamadım...
Ekonomi Bakanı Ali Babacan, ABD'ye giderken "Gelecek nesillere borçsuz Türkiye bırakacağız" dedi.

...»

Bankalar kâr rekoru kırıyordu.
Ankara Ticaret Odası'nın araştırmasına göre, taksiyle üç liraya gidilen mesafeye, banka havalesi 25 liraya gidiyordu.

Caddelere stantlar kuruluyor, yoldan geçene kefilsiz mefilsiz kredi kartı dağıtılıyordu. Maalesef olacağı buydu, kart faciaları başladı. İlk intihar vakası Ankara'da yaşandı. Asgari ücretle çalışan, maaşının 30 misli kart borcu biriken üç çocuk babası, kendini astı. Ekstra hazin tarafı... Dört bankadan kredi kartı bulunan bu vatandaşımız, Bankacılık Düzenleme Denetleme Kurumu BDDK'nın temizlik işçisiydi.

...»

Kredi kartı borçlarına çözüm bulmak için TBMM'de görüşme yapılacağı gün... TBMM şeref salonu kapısında nöbet tutan polis memuru, kredi kartı borcu nedeniyle canına kıydı, beylik tabancasıyla kafasına sıktı.

...»

Yabancıya şakır şakır tapu gidiyordu.
Antalya, adeta Moskovantalya olmuştu.
Vaziyeti gösteren tek bi örnek vereyim:
Rus gazetesi *Pravda*, Antalya'da 15 bin tiraja ulaşmıştı.

...»

Hükümetimiz "İddialar palavra, yabancıya satış fazla değil" derken... İngiliz emlakçı Clare Walker, Aydın Didim'de vergi rekortmeni oldu. Muğla Yatağan'da ise, bir başka vergi rezaleti yaşanıyor, termik santralın arıtma tesisinde çalışan Alman mühendis, sırf maaşından kesilenle Yatağan'ın gelir vergisi rekortmeni oluyordu.

...»

İthalat küçük gösterilip, böyle yazılıyordu.
İHRACAT BÜYÜK GÖSTERİLİP, BÖYLE YAZILIYORDU.

Ülkelerin ithalat artışı açıklandı.
Yüzde 40 sıçramayla dünya şampiyonu olmuştuk.
İhracatımız ise, ilk 30'a bile girememişti.

...»

Kütahya'da grizu patladı, 18 işçi rahmetli oldu.
Milletvekillerimiz, yurttan sesler korosu kurdu.
Yurdun en önemli ihtiyaçlarından biri giderilmiş oldu!

...»

Dinç Bilgin'in malları, Cem Uzan'ın malları derken, devlet en büyük medya patronu haline gelmişti. Televizyon şirketlerinin yüzde 100'ünü yabancıya satmak için yasa çıkarıldı. Cumhurbaşkanı Sezer veto etti. "Herhangi bir televizyon kanalını komple yabancıya satmak ulusal çıkarlara aykırıdır" dedi.

...»

Cumhurbaşkanı'ndan nefret ediyorlardı.

Nefretleri, yandaş medyadan okunuyordu.
Uygun görmeyip atamalarına izin vermediği için, devlet kadrolarında vekâlet dönemi başlamıştı. İki binden fazla bürokrat vekâleten görev yapıyordu. Sezer'in emekli olmasını bekliyorlardı.

...»

Mehmet Ali Talat, Kuzey Kıbrıs'ta cumhurbaşkanı seçildi.
Denktaş döver gibi övdü, "Yılan gibi soğukkanlıdır" dedi.

...»

Deniz Baykal'la Mustafa Sarıgül'ün yarıştığı CHP kurultayında harp çıktı. Taraflar tekme tokat birbirine girdi, sandalyeler uçuştu, Sarıgül konuşturulmadı, tribünden bağırdı. Neticede, Baykal koltuğu korudu.

...»

İngiltere Veliahtı Prens Charles, uzatmalı sevgilisi Camilla Parker'la evlendi. Prenses Diana varken, bu kadınla beraber olunur muydu filan... Gazetelerimizde bir hafta bu mevzu manşetti. Sayın basınımız buna benzer tırışkadan teyyare haberleri hiç ıskalamıyor, köpürtüyor, adeta ahaliyi uyutma görevini üstleniyordu.

...»

İzzet Baysal Üniversitesi Mühendislik Fakültesi'nin temel atma töreninde kriz çıktı. İzzet Baysal Vakfı, Tayyip Erdoğan'ı davet etmişti. Rektör Yaşar Akbıyık "Üniversiteler bağımsız kalmalı, bu tür davetlerle siyasallaştırılmamalı" diyerek, törene katılmadı. Tayyip Erdoğan çok sinirlendi. "Böyle rektörlerin olduğu yerde terör olur, anarşi olur" dedi. Rektör, yandaş medya tarafından derhal linç edildi. "Laik sistemin ürünü olduğu" yazıldı. Halbuki... Rektör Akbıyık, imam hatip lisesi mezunuydu. Kocaeli'nde iki sene imamlık bile yapmıştı. Üstelik, 2011 seçimlerinde AKP'den milletvekili aday adayı bile olacaktı.

Peki neydi?
İtiraz etmeyeceksin kardeşim.
Kayıtsız şartsız biat edeceksin.
İstenen buydu.

...»

Türk Ceza Kanunu'nda değişiklik yapıldı.
İzinsiz Kuran kurslarına verilen hapis cezası kaldırıldı.
Tayyip Erdoğan "Bu millet Müslüman'dır, kaçak Kuran kursu ifadesi bile çok çirkin ifadedir, Kuran öğrenmek suç olamaz" dedi. Tarikatlara gün doğmuştu.

...»

AKP Grup Başkanvekili İrfan Gündüz, kaçak Kuran kurslarını savunurken "Terörist yetiştirdi diye eğitim kurumunu kapatmaya kalkarsanız, ODTÜ'yü kapatmanız lazım" dedi. O günlerde üzerinde durulmadı ama, memleketin gururu olan üniversiteyi, terörist yetiştirmekle suçlamıştı... Ve yakında, ODTÜ için aynı yakıştırmayı bizzat Tayyip Erdoğan yapacaktı. Kaçak Kuran kursu faydalı, ODTÜ zararlıydı!

...»

"Empati" kelimesi, moda haline gelmişti.
Soykırım'a empati isteniyordu.
Boğaziçi Üniversitesi'nde Sabancı Üniversitesi'yle birlikte "Osmanlı Ermenileri Konferansı" yapılacağı açıklandı. En büyük tepki hiç umulmadık şekilde AKP'den geldi. Adalet Bakanı Cemil Çiçek "Bu konferans Türk milletini sırtından hançerlemektir" dedi. Konferans iptal edildi. İki defa ertelendi. Neticede, Boğaziçi Üniversitesi'nde değil, Bilgi Üniversitesi'nde yapıldı. Soykırım dahil her mevzu dile getirildi, Asala'nın katlettiği şehit diplomatlarımızdan bahseden olmadı. Empati dedikleri, buydu.

...»

O arada... Hrant Dink, *Agos* gazetesindeki köşesinde "Türk'ten boşalacak o zehirli kanın yerini dolduracak temiz kan, Ermeni'nin Ermenistan'la kuracağı asil damarında mevcuttur" yazdı. Ortalık iyice ayağa kalktı. Hapis istemiyle dava açıldı. Polise verdiği ifadede "Türk'e hakaret etmedim. Ermenilerin Türklere duyduğu öfkenin yersiz olduğunu, Türklerin soykırım yaptığının kabul edilmesi çalışmaları yerine, Ermeni kanında bulunan Türk korkusunun silinmesi ve Ermenistan'la ilişki kurulması gerektiğini belirttim. Ermenilerin Türklerle uğraşmak yerine, kendi devletlerinin refahı için uğraş vermeleri gerektiğini söylemekteyim" dedi. Ama... Maalesef "hedef" haline gelmişti.

...»

Tayyip Erdoğan, İsrail'e gitti.
"Beyrut Kasabı" lakabıyla tanınan İsrail Başbakanı Ariel Şaron'a "Sizi en yakın zamanda Türkiye'de görmek istiyorum" dedi. Askeri projeler imzalandı. Ankara-Tel Aviv arasında Washington'la Moskova arasında olduğu gibi kırmızı telefon hattı çekileceği açıklandı. Pek sevişiyorduk... İsrail'de iki gün, Filistin'de sadece iki saat kaldı. "Van münüts"e daha çok zaman vardı.

...»

Sonra gene ABD'ye gitti.
Bush'la buluştu.
Her sene mutlaka bir defa gidiyordu.
Washington'dan New York'a geçti. Anti Defamation Leauge'dan, Yahudi lobisinin en büyük onur ödülünü, "Cesaret Ödülü"nü aldı. Törende yaptığı konuşmada, Musevi düşmanlığının "utanç verici bir akıl hastalığının tezahürü" olduğunu "sapkınlık ve sapıklık" olduğunu söyledi.
Seneler sonra İsrail'le papaz olunca, bu Yahudi Cesaret Ödülü başına dert olacaktı. Muhalefet partileri tarafından gündeme getirilecek, "İsrail'e atıp tutuyorsun ama, 2005'te Yahudi Cesaret Ödülü almamış mıydın?" denilecekti. Halbuki, Tayyip Erdoğan'ın sadece 2005 ödülü yoktu. Önceki sene, 2004'te gene ABD'ye gitmiş, Amerikan Musevi Komitesi'nden de "Cesaret Ödülü" almıştı. Bizim muhteşem muhalefetimiz, "katmerli Yahudi ödülü"nün birini hatırlayacak, birini unutacaktı.

...»

Neyse... Memlekete dönerken, uçaktaki gazeteciler Yahudi ödülünü sordu. Sordular ama, cevap alamadılar. Çünkü AKP tabanını rahatsız eden bi mevzuydu, haber yapılsın, konuşulsun istenmiyordu. Dolayısıyla, Tayyip Erdoğan lafı evirdi çevirdi, kaçak Kuran kursu meselesine bağladı, "Teksas Tommiks okumak serbestken, Kuran okumaya niye engel konulsun?" dedi. Kıyaslama dediğin böyle olurdu!

...»

O hafta, Profesör Yalçın Küçük'ün yeni kitabı piyasaya çıktı. Abdullah Gül'ün Sabetayist olabileceğini öne sürüyordu. Abdullah Gül, Yalçın Küçük'e cevap mektubu yazdı, "Değilim, iddialarınız yalan" dedi.

...»

Memlekette olmayan işler olmaya başlamış, mezhepler, etnik kökenler kurcalanmaya başlanmıştı. Türk Hava Yolları'nda mesela, Kürdistan krizi yaşandı. İsveç'ten Türkiye'ye uçmak isteyen beş kişilik Iraklı aile, THY'den bilet almıştı. Çocuklardan birinin ismi "Kürdistan"dı. Stockholm Havalimanı'ndaki bilet kontrolü sırasında THY görevlileri tarafından durduruldu. Bu isimle Türkiye'ye giriş yapamayacağı söylendi. "Türkiye'de kalmayacağız, aslında Irak'a geçeceğiz, buradan Irak'a direkt uçuş olmadığı için mecburen Türkiye üzerinden gidiyoruz" dediler. Nafile... Kürdistan isimli yolcu uçağa alınmadı. Bunun üzerine, Iraklı aile THY'yle uçmaktan vazgeçti. Hadise İsveç basınında manşet oldu. Türkiye'nin Stockholm Büyükelçiliği'ne sordular. "İsmi Kürdistan olanların THY'yle seyahat etmesinde sakınca yok ama, doğum yerini Kürdistan diye yazdıranlar binemez" cevabı verildi.

...»

Aynı günlerde... Çevre Bakanlığımız "üniter devlet yapımıza zarar veriyor" diye, içinde Kürdistan ve Ermeni kelimeleri geçen Latince hayvan terimlerini değiştirdi. Vulpes Vulpes Kurdistanica olan tilkinin ismi, kısaca Vulpes Vulpes yapıldı. Ovis Armeniana olan yabankoyunu, Ovis Orien Anatolicus oldu. Capreolus Capreolus Armenius olan karaca da, Capreolus Caprelus Capreolus haline getirildi.

...»

Sene 2005, Türkiye'nin durumu buydu.
Gün gelecek "Hepimiz Ermeni'yiz" diye yürünecek, "Kürdistan resmi muhatap" kabul edilecek, hatta "Türkiye'deki Kürdistan" için pazarlık masasına oturulacak denilseydi, herhalde, hadi ordan denirdi!

...»

Eurovision'u Yunanistan kazandı. Gülseren'in "Rimi Rimi Ley" şarkısıyla katıldık, madara olduk. Rimi rimi ley, bu ne biçim şeydi... Türkiye, Yunanistan'a 12 tam puan verdi. Yunanistan, Türkiye'ye sıfır çekti.

...»

Satışlar hızlanmıştı.
Seydişehir Alüminyum satıldı.
Seydişehir Alüminyum sadece iki kelimeden ibaretti ama...

Satılan varlıkları arasında, fabrikalar, makineler, 792 adet lojman, atık cevher barajları, sosyal tesisler, su havzaları, ruhsatlı boksit sahaları, koskoca Oymapınar Barajı, turizm teşvikli arazi, Antalya'da liman ve yükleme tesisleri, kasalarında 17 trilyon lira, 10 bin ton külçe alüminyum, binlerce ton boksit vardı.

305 milyon dolara veriverdiler.
Karşı çıkana "komünist" diyorlardı.

...»

Millete ait tek taş pırlantalar haraç mezat giderken... "Bakın her kuruşun hesabını yapıyoruz" ayaklarıyla "tasarruf genelgesi" yayınlandı. Üst düzey bürokratların zorunlu olmadıkça yurtdışı gezisi yapmamaları, yurtiçinde uçak yerine otobüs kullanmaları istendi. Ayrıca, bakanlara plaket verilmeyecek, hediye olarak eşantiyon ajanda bile alınmayacaktı.

Peh!
Genelgenin yayınladığı gün, TBMM'ye kayıtlı otomobillerin, sadece bir senede, 3 milyon 166 bin kilometre yol yaptığı ortaya çıktı. Dünyanın etrafında 80 tur atsan, anca bu kadar ediyordu.
TBMM Başkanı Arınç, milletvekillerimizin meclis muhasebesine sahte sağlık faturaları verdiğini açıkladı. "Her sene 100 bin faturayı kontrol ediyoruz, iki ayda bir gözlük değiştirilir mi, evet böylesi bile var, 32 dişine birden implant yapıldığını gösteren faturalar var" dedi. Rezaletin daniskasıydı.

...»

Milletin vergileriyle çüküne mutluluk çubuğu taktıran milletvekili bile olduğu iddia edilirken... Edirne'de, Trakya Üniversitesi Hastanesi'nde iki günde sekiz bebek öldü.
Cenazeleri kantinden aldıkları bisküvi kolilerine koydular, ailelerine bu şekilde verdiler. "Yetkililerin ihmali yok, klimaya virüs girmiş, talihsizlik işte" filan dediler.
Edirne'de sekiz, Manisa'da dört bebekten sonra... Kayseri Erciyes Üniversitesi yenidoğan ünitesinde sekiz bebek daha peş peşe öldü. Gene klimadan dediler. Bu sefer bisküvi kolisinde vermediler ama, cenazeleri karıştırdılar, yanlış ailelere verdiler.
Üç bebek gömüldü, çıkarıldı, tekrar defnedildi.

...»

Diyarbakır'da sekiz yaşındaki çocuğa otobüs çarptı.
Hayatını kaybetti. Ailesi tazminat davası açtı.
Bilirkişi ne rapor verdi biliyor musunuz?
"Ailenin tazminat istemeye hakkı yok... Çocuğu
büyütmek için yapılacak masraftan kurtuldular" dedi!

Bilirkişinin akıllara ziyan hesabı şuydu:
"Yörenin ve ailenin sosyal konumu gereği, çocuk üniversite
okuyamayacak. 18 yaşından sonra çalışmaya başlayacak. Ömrü
55 sene 10 ay 3 gün olacak. 2058'de vefat edecek. Askerden
dönüp iki sene sonra evlenecek. Ailesi, çocuğa 56 milyar lira
masraf yapacak. Çocuk evlenene kadar çalışıp ailesine 18 milyar
lira destek olacak. Sekiz yaşına kadar yapılan masrafı düşüp,
tüm bunları hesap ettiğimizde, çocuğun ölmesinden dolayı, ailesi
42 milyar 691 milyon lira masraftan kurtulacak."

...»

Uşak'taydı o sırada Başbakan...
İşsiz vatandaş "satılık böbrek var" pankartı açtı.
Görünce, sinirlendi.
"Burası sakatat dükkânı değil" diye azarladı.

...»

Ankara'ya döndü, Savunma Sanayi İcra Komitesi'ne başkanlık
yaptı. Tarihi kararlar alındı. Kamuoyuna açıklandı. Buna
göre... 2008'de yüksek irtifa uçağı geliştirecek, 2009'da roket
geliştirecek, 2020'de uzay gemisi tasarımına start verecek'tik.
Bu kitabın yazıldığı tarihte, şimdilik sadece burundan pırpırlı
uçağımız hangardan çıkarılmıştı. O da henüz uçmuyordu.
Kısmetse 2013'te uçacağı söyleniyordu.

...»

Ahalimiz uzaya gitme hayalleri kurarken... Pek yakında AKP'nin
"akil"i olduğunu anlayacağımız Avukat Kezban Hatemi, türban
meselesine yeni bir hukuki boyut kazandırdı, Emine Hanım'ın
başındakinin türban değil, başörtüsü olduğunu iddia etti.
Modacılar bölündü.
Dilek Hanif "Türban olarak algılıyorum" derken, Fevziye Çamer
"Tesettürdür" dedi. Cengiz Abazoğlu "Türban değil" derken,
Neslihan Yargıcı "Tabii ki türban, başörtüsü değil, sarık desek,
o da değil" dedi. Vural Gökçaylı "Türban da değil, başörtüsü

de değil" diye yuvarlarken, Cemil İpekçi'ye fikrini sormadılar maalesef... AKP'ye toz kondurmayan gazetecilerden Nazlı Ilıcak, Mehmet Barlas'ın sunduğu "Beyin Fırtınası" programına "Fransız usulü türban" takarak çıktı. Programın öbür konuğu Reha Muhtar "Sizin gibi göğüs dekolteli türbanlıyı pek göremiyoruz" dedi. AKP şakşakçısı Mehmet Barlas ise, Nazlı Ilıcak'ın taktığı türbanı Brigitte Bardot'nun da taktığını söyledi.

...»

Türkiye Barolar Birliği Başkanı Özdemir Özok "AKP'nin kendi dünya görüşüne yakın dört bin hâkim ve savcı atayıp, gelecek 20 senede iktidarını güvenceye almak istediğini" açıklarken... Amerikan Colgate, misvak özlü diş macununu dünyada ilk kez Türkiye'de piyasaya sürüyordu.

...»

Kuran kurslarında promosyon dönemi başlamıştı.
Çocuklara bilgisayar, bisiklet, cep telefonu veriliyordu.
Teşvik ödülleri cami avlularında sergileniyordu.
Duyuru pankartları minarelere asılıyordu.
Çünkü Kuran kursları Milli Eğitim Bakanlığı denetiminden komple çıkarılmıştı. Yeni yönetmelik gereği, ilköğretim müfettişleri bundan böyle, Kuran kurslarıyla dernek ve vakıf yurtlarını denetlemeyecekti.
Mersin Mezitli'de bir cami imamı, Kuran kursuna katılan 14 yaşındaki kız çocuğuna "En başarılı öğrencim sensin" diyerek iç çamaşırı hediye etti. Tutuklandı. Karakoldaki ifadesinde "Eşime aldığım hediyeyle karıştırmışım" demişti. Evinde yapılan aramada başka hediye paketi bulunamadı.

...»

RTÜK emretti... Exotica, Playboy gibi kanallar Digitürk'ün yayın listesinden çıkarıldı. Sayın ahalimiz, şifreli yayınlanan erotik kanallara para ödeyip abone oluyor, geceyarılarına kadar bekliyor, geceyarısı saat 1'de başlayan programları seyrediyor, sonra da bunlar erotik diye RTÜK'e şikâyet ediyordu!

...»

Mayıs ayında 16 şehit vardı.
Haziran ayında 11 şehit vardı.
TBMM hayati işlerle uğraşmaya devam ediyordu.

Milletvekilleri arasında bilek güreşi turnuvası düzenlendi.

...»

AKP Adana Milletvekili Zeynep Tekin Börü'nün derdi çok büyüktü. Meclis kuaförünün güzel saç topuzu yapamadığını belirterek, Meclis Genel Sekreterliği'ne başvurdu. Sosyal Hizmetler Müdürlüğü devreye sokuldu. Meclis kuaförlerinin kursa gönderilmesi kararlaştırıldı.

...»

Kuşadası'nda minibüste bomba patladı, beş kişi öldü.
Temmuz ayında 10 şehit vardı.
İstanbul Pendik'te bomba patladı, anne-kız öldü.
Ağustos ayında 12 şehit vardı.
2002'de sıfırlanan terör, üç senede bu hale gelmişti.

...»

Memlekette kan gövdeyi götürürken, Birleşmiş Milletler Genel Sekreteri Annan görevlendirdi, bizim Başbakan, İspanya Başbakanı'yla beraber Medeniyetler İttifakı kurdu.

...»

İspanya'dan geldi, Diyarbakır'a gitti.
Bayram değil seyran değil...
"Evet, Türkiye'nin Kürt sorunu var" dedi.
"Büyük devlet, yüzleşmesini bilen devlettir" dedi.

...»

Cahit Sıtkı Tarancı'nın "Memleket İsterim" şiirini okudu.
"Memleket isterim...
Ne başa dert, ne gönülde hasret olsun.
Kardeş kavgasına nihayet olsun" dedi.

...»

Kandil'deki Murat Karayılan cevap verdi.
"Anayasal vatandaşlık sorunu var.
Türkiyelilik üst kimliğiyle çözülür" dedi.
"Üst kimlik" ve "Türkiyelilik" ilk kez telaffuz ediliyordu.
Mucidi, Karayılan'dı.

...»

Türkiye ise, Bülent Ersoy'u konuşuyordu.
Çünkü 12 Eylül hatırasını anlatmış, sahne yasağının kaldırılması için ünlü bir siyasetçinin kendisinden servet istediğini söylemişti. "O siyasetçi, şimdi parti genel başkanı" demişti. Kim acaba diye merak edilirken... Deniz Baykal çıktı, "12 Eylül döneminde avukatlık yapıyordum, beni aradı, 'Mağdur durumdayım, lütfen yol gösterin' dedi, 'Hukuki yolu deneyin' dedim, 'Garantili sonuç alır mıyım?' dedi, 'Hiç kimse garanti veremez' dedim; ne vekâletname, ne ücret, sadece iki dakika konuştuk, kapattık" dedi.

...»

Neredeyse hayatı boyunca "Bülent" Ecevit'le mücadele eden Baykal, bu sefer bi başka "Bülent"ten darbe yemişti... Tazminat davası açtı. Kazandı. Doğru söylediği hukuken kanıtlandı. Ancak, davanın tamamlanması üç sene sürmüş, o üç sene boyunca, hem kendisi hem CHP aleyhine kullanılmıştı.

...»

Bülent Ersoy filan derken...
Rahmetli Zeki Müren suçüstü yakalandı!
"Evinizin suyunu kesiyoruz" tebligatı geldi.
Evet, yanlış okumadınız...
Türkiye'ye özgü bi başka komediydi.
Dokuz sene önce vefat eden Zeki Müren, tüm malvarlığını Mehmetçik Vakfı ile Türk Eğitim Vakfı'na bağışlamıştı. Türk Eğitim Vakfı ile kalan Antalya'daki ev, kiraya verilmişti. Gel gör ki, su aboneliği Zeki Müren ismiyle devam ettirilmişti. Kiracı su parasını ödemeyi unutunca, Zeki Müren'e tebligat gitmişti.

...»

Türk Telekom, Lübnan şirketine satıldı.
"Türk" Telekom, "Arap" Telekom olmuştu.
Kimseden çıt çıkmıyordu.
Evindeki kullanılmış boş vita tenekesini bile çöpe atmaya kıyamayan, yatağının altında saklayan ahalimiz, devlete ait malların ona buna verilmesini önemsemiyordu. Aidiyet duygusu yitirilmişti.

...»

Kemal Derviş milletvekilliğinden istifa etti, ABD'ye taşındı. Başlı başına kitap olur ama... Kabaca özetlersek, AKP'den önceki koalisyon hükümetine ABD'den Dünya Bankası'ndan kurtarıcı olarak getirilmişti. Şak diye istifa ederek o hükümete son nefesini verdirmişti. İsmail Cem ve Hüsamettin Özkan'la yeni parti kurarken, son andan vazgeçip, o partinin ölü doğmasına sebep olmuştu. CHP'ye katılmış, milletvekili olmuştu. Neticede, gene ABD'ye Birleşmiş Milletler'e gitmişti. AKP hep inkâr etti ama AKP'nin uyguladığı ekonomik program, Kemal Derviş'in miras bıraktığı IMF programıydı.

...»

Mersin limanı satıldı.
İskenderun limanı satıldı.
Amerikalılar, Garanti Bankası'na ortak oldu.
Hülya Avşar'la Kaya Çilingiroğlu boşandı sayın seyirciler...
Bundan önemli mevzu yoktu.

...»

İstanbul'da Formula başladı. Kurtköy'e pist yapılmıştı. Ayıptır söylemesi, o günkü köşemde "Formula mormula hikâye, etraftaki arazileri çok önceden kapattılar, villa siteleri yapıp kakalayacaklar, Formula'yı reklam aracı olarak kullanacaklar, satışlar bitince Formula'yı unutun" diye yazdım. Küfürün bini bi para tabii... "Memleketin gelişmesini kıskanıyorsun" filan dediler. Neyse, ilk yarışı Mercedes pilotu Raikkonen kazandı.

...»

Tüpraş, Koç Grubu'na satıldı.
Rezalet ortaya çıktı.
Çünkü Tüpraş'ı ihaleyle satmadan önce, yüzde 14 küsurluk hissesini, kamuoyuna açıklamadan, sessiz sedasız, İsrailli işadamı Sami Ofer'e verdikleri anlaşıldı. Tüpraş satılınca, Sami Ofer de hampadan 240 milyon doları cebine indirmişti. Bu Ofer denilen arkadaş, Kuşadası limanını da almıştı.

Başbakan önce çıktı, "Ofer'le hiç görüşmedim" dedi.
Sonra "İlk görüşmem Davos'ta oldu" dedi.
"Ne görüştünüz?" diye sordular.
"Kardeşim, Sami Ofer'in gemilerinde tornacıydı" dedi.

Bilahare, Maliye Bakanı Kemal Unakıtan'ın da Sami Ofer'le Davos'ta otel odasında görüştüğü ortaya çıktı. Bu gizli saklı buluşmayı gayet güzel izah etti... "Yatırımcılarla bahçede konuşacak değilim ya, dışarsı eksi 20 derece, elbette otel odasında görüşeceğim, Allah Allah, hayret bi şey; Davos'a kış sporu yapmak için gitmiyoruz, millet için çalışıyoruz, her satışta milletimiz biraz daha rahatlıyor" dedi!

...»

Eylül daha da kanlı geçti.
Üçü polis, 14 şehit vardı.
Biri, Komando Er Süleyman Aydın'dı.
Şırnak'ta pusuya düşürülmüştü.
21 yaşındaydı.
Sivas'ın Yarhisar Köyü'nde toprağa verildi.
Bu Süleyman Aydın'dan, taaa 21 sene önce, 1984'te, Siirt Eruh'ta karakol basılmış, PKK tarihte ilk defa vurmuş, ilk şehidimizi vermiştik. Bölücü teröre kurban verdiğimiz ilk şehidin adı da, Süleyman Aydın'dı... O da 21 yaşındaydı. Adıyla soyadıyla adaştı, yaşıttı. Erzincan'ın Mertekli Köyü'nde toprağa verilmişti. Ateş düşmeyen şehir ilçe köy kalmamış, adıyla soyadıyla ikinci tur şehitler başlamıştı.

...»

Televizyon ekranlarındaki suni şöhret, trajediyle sonuçlandı. "Gelinim Olur musun" yarışmasındaki Kaynana Semra'nın 24 yaşındaki oğlu Ata, Adana'da otel odasında ölü bulundu. Uyuşturucuydu. Adı Ata, soyadı Türk'tü. Tabuta Türk bayrağı örttüler, iyi mi... Kaynana Semra "Asker kızıyım, ben de bir şehit verdim" dedi. Fatih Camii'ndeki cenaze töreni miting gibi oldu. Ahali hücum etmişti. İzdihamdan kavga çıktı, yumruklaşmalar oldu. Bazı televizyonlar canlı yayınladı. Kanal D, atv, Show, Star gibi kanalların ana haber bültenlerinde toplam 97 dakika haber oldu. Yozlaşma dörtnalaydı.

...»

Gaziantep'in Nurdağı ilçesinde bir bulvara Devlet Bakanı Kürşad Tüzmen'in adı verildi. Normal... Anormal olan şuydu: Aynı bulvara, ANAP iktidarında Mustafa Taşar adı verilmiş, sonra silinmiş, MHP'nin iktidar ortaklığında Alparslan Türkeş adı verilmiş, sonra silinmiş, AKP iktidarına uygun tabela takılmıştı. Her devrin adamını çok görmüştük ama, her devrin bulvarı ilk defa görülüyordu.

...»

Tayyip Erdoğan'ın özel eşyaları, Üsküdar Belediyesi'nin yoksullara yardım için düzenlediği kermeste, açık artırmayla satıldı. Sirkeci'deki Doğubank'ta beyaz eşya ticareti yapan işadamı Hüseyin Akar, Başbakan'ın ayakkabılarını 1.500 liraya, kadife pantolonunu 3.500 liraya satın aldı. Pantolonu evinin salonunda tablo gibi duvara astı. Ayakkabıları da biblo gibi şöminenin üstüne koydu.

...»

Ankara Sanayi Odası Başkanı Zafer Çağlayan, adeta isyan etti, "Türkiye tiner bağımlısı gibi doğalgaz bağımlısı yapıldı" dedi. O zamanlar böyle konuştuğuna göre... "Doğalgaz borusu döşeme şampiyonu AKP"nin bakanı olacağını, kendisi de bilmiyordu demek ki!

...»

Telsim, İngiliz Vodafone'a satıldı.
Uzanların radyoları, Kanadalılara satıldı.
Yarımca limanı, Araplara satıldı.

...»

Avrupa Birliği'yle müzakareler başladı.
Peki, müzakereler başlayınca ne olacaktı?
Gazetelerimiz ballandıra ballandıra yazıyordu.
Hava-su bile daha temiz olacak'tı.
Açıkta yiyecek satılmayacak'tı.
Her yer otoyol olacak'tı.
İş bulmak kolaylaşacak'tı.

...»

E bundan iyisi Şam'da kayısıydı.
Veya, Dubai'de hurmaydı.
Çünkü AB'ye girdik dedikleri gün... Dubai Prensi El Makdum, Dolmabahçe Sarayı'nda İstanbul Belediyesi'yle yatırım anlaşması imzaladı. İhale mihale yoktu. Levent'teki İETT garajına ikiz burgu kule dikecekti. İstanbul'u Dubai yapacaktı. Özel uçağının bagajında, yetkililerimize hediye etmek üzere, beşer kiloluk paketler halinde bir ton hurma getirmişti.

...»

İsrailli Ofer, Arap Makdum, n'oluyoruz birader denilince...

Başbakanımız pek sinirlendi. "Bunları beğenmeyenler sermaye ırkçısı, ben ülkemi pazarlamakla mükellefim" dedi. İki senedir firari durumda olan Kemal Uzan ise, Avrupa gazetelerine ilan veriyor, mahkeme kararı olmadan mallarına el konulduğunu belirtiyor, "Hitler Almanyası'ndaki yasalar Türkiye'de uygulanmaya başlandı" diyordu.

...»

Kültür Bakanımız Atilla Koç, Hazreti Muhammed'in kutsal emaneti Sakal-ı Şerif'i ayağına getirtti... Eyüp Camii'ndeki Sakal-ı Şerif, yeşil çuhaya sarılı sandığa konuldu, Atatürk Havalimanı VIP salonuna taşındı, Bakanımız baktı, Siirt'e uçtu, Sakal-ı Şerif geri gönderildi. Tarihimizde bir ilkti. Osmanlı padişahları bile ayağına getirtmez, ziyarete giderdi. Bakan'a padişahlar hatırlatılınca, öfkelendi, "Problem mi var? Sadece baktık geri gönderdik" dedi. "Yok, evine de götürseydin bari" denmedi tabii!

...»

Berlin'in en lüks genelevini, bir Türk vatandaşı açtı.
Altı milyon euro harcamıştı.
"Bizimki farklı bir konsept, içerde bayanlar var, fuhuş var ama, ticari bir iş, ben pezevenk değilim" diyordu.
Aman yanlış anlaşılmasındı yani.

Bu kerhanede her şey vardı...
Bi tek ne yoktu biliyor musunuz?
Alkol yoktu.
Benzetmek gibi olmasın, memleketi andırıyordu.
Her haltı yiyebiliyordun, içki yasaktı.

...»

Asya'yı kasıp kavuran kuş gribi, Türkiye'ye sıçramıştı. Astronot gibi kıyafetler giyen ekipler, tavukları itlaf edip, kireçli çukurlara gömerken... Hükümetimiz hâlâ "Kuş gribi yok, gönül rahatlığıyla yiyebilirsiniz" diyordu. Tarım Bakanı'nı televizyona canlı yayına çağırdılar. Sürpriiiiiz... Bakan'ın önüne kızarmış tavuk budu koydular, buyrun afiyet olsun dediler. Hık mık etti, yemedi! Ahali huylanmıştı. Bırak tavuğu, yumurtaya bile kimse elini sürmüyordu. Üstüne... TBMM lokantasının mönüsünde istisnasız her gün yer alan tavuğun, mönüden çıkarıldığı anlaşıldı. Ahaliye "yiyin" derken, kendilerini garantiye almışlardı.

Sağlık Bakanlığı "Endişe etmeyin, insanlara bulaşmıyor" deyince... Panik çıktı. "İnsanlara bulaşmıyor dediklerine göre, kesin bulaşıyordur" mantığı devreye girmişti. Korku öylesine bulaşıcıydı ki, marketlerdeki tavuk reyonlarının bile önünden geçilmiyordu. Sektör ayvayı yemişti.

...»

"Mortgage" rüzgârı esmeye başladı.
Yasa çıkacaktı, kira öder gibi ev alacaktık.
İlk faydalanan talihli, Tayyip Erdoğan'ın oğlu Bilal oldu.
Kira öder gibi mortgage'la ev aldı.
Ama, Türkiye'de değil, ABD Maryland'de aldı.
30 sene boyunca, ayda 2 bin 213 dolar ödeyecekti.
Toplam 260 bin küsur dolara gelecekti.

...»

Başbakan'ın İstanbul'daki evi ruhsatsızken... Maliye Bakanı'nın oturduğu villanın da kaçak olduğu ortaya çıktı. Malum, SİT alanı diye bi şey var. SİT'tinsene ev yapamazsın. Çivi bile çakmaya kalk, SİT'tir derler, çaktırmazlar. Ama aynı ülkenin maliye bakanı, villaları yan yana sıralayıp, SİT'e yapabiliyordu.

...»

İktidarla alakalı her şey "apaçık" ortadayken...
Herkes muhalefetin "gizli" hesabını konuşuyordu.
Çünkü yandaş medyada CHP lideriyle alakalı yeni bomba patlamıştı. Bu sefer, hem kendisinin, hem de kızının, İsviçre'de gizli banka hesabının bulunduğu iddia ediliyordu.

Deniz Baykal, bu haberleri manşet manşet yayınlayan gazetelere dava açtı. Adalet Bakanlığı'nı mahkeme kanalıyla devreye soktu. Adalet Bakanlığı, İsviçre'den resmi talepte bulundu. İsviçre'nin resmi cevabı mahkemeye geldi. Haber, yalandı. Baykal ve kızının, İsviçre'de hesabı mesabı yoktu. Ama şurası kesindi... Birileri "gizli hesap" yapıyordu. Baykal tasfiye edilmeden, o hesap kapanmayacaktı.

...»

Başbakan, Almanya Başbakanı'na İstanbul'da iftar verdi. Salona Mozart marşıyla girdiler, ezanla oruç açtılar, tasavvuf müziğiyle devam ettiler, AB marşıyla salondan ayrıldılar. Aynı gün, ABD

Başkanı Bush, Barzani'yi Beyaz Saray'da ağırladı. "Kürdistan Başkanı'nı Oval Ofis'te ağırlamak benim için onurdur" dedi. Barzani de "Kürdistan halkı adına teşekkür ediyorum" dedi. Kürdistan, cümleten hayırlı olsundu.

Diyebilirsiniz ki...
Daldan dala atlıyorsun, serseme döndük.
Memleketin hali, işte tam o hissettiğiniz gibiydi.

...»

Baklavaya fıstık yerine ezilmiş bezelye, kırmızı bibere kiremit tozu, zeytine iyice siyah görünsün diye ayakkabı boyası konulurken, küflenmiş peynir jelle harmanlanıp taze kaşar diye kakalanırken, horoz ibiğinden sosis, tavuk ayağından sucuk yapılırken... TSE'nin "helal gıda" sertifikası vereceği açıklandı!

...»

Moğolistan'a giden Tayyip Erdoğan, kımız içti.
Afiyet olsun, yarasın ama...
Kımızda yüzde 1,2 oranında alkol yok mu yahu?
Büyükelçiliğimiz derhal açıklama yaptı:
"Sayın Başbakanımızın içtiği kımız alkolsüz"dü.

...»

İslamiyet'in doğuşunu anlatan *Çağrı* filminin yönetmeni Mustafa Akad, Ürdün'de kaldığı otele düzenlenen bombalı saldırıda, kızıyla birlikte hayatını kaybetti. El Kaide üstlendi... İslamiyet'e sanat yoluyla çok büyük hizmet veren Suriye asıllı Amerikalı sinemacı, maalesef, din eksenli terörün kurbanı olmuştu.

...»

Aynı hafta, Muriel Degauque isimli 31 yaşındaki kadın, Irak'ta intihar saldırısı yaptı. El Kaide militanıydı. Belçikalıydı... Dünya tarihinin Hıristiyanlıktan Müslümanlığa geçen ilk kadın canlı bombasıydı. Ve, bir Türk vatandaşıyla evlenip din değiştirmişti.

...»

Sivas-Madımak katliamından yedi sene hapis cezası alan firari Muhammed Kılıç'ın Almanya'da yaşadığı, oturma izni aldığı, dönercilik yaptığı ortaya çıktı.
"Yakında Türkiye'de yasa çıkacak, cezam kaldırılacak, ben de

Türkiye'ye döneceğim" dedi. Adam kâhin gibiydi, ne dediyse olacaktı... Az biraz zaman vardı.

...»

İTÜ Mühendislik Fakültesi'nden emekli profesör "Rüyamda Nakşibendi şeyhini gördüm, evliyamız, YÖK'te yanlış işler yapıldığı konusunda ikaz ediyor, görevim size duyurmaktır" diyerek mektup yazdı, Başbakanlığa gönderdi. Başbakanlık, resmi evrak olarak işleme koyup, gereğinin yapılması için Milli Eğitim Bakanlığı'na gönderdi. Milli Eğitim Bakanlığı da, gereğinin yapılması için YÖK'e gönderdi.

...»

Avrupa İnsan Hakları Mahkemesi, İstanbul Üniversitesi Tıp Fakültesi öğrencisi Leyla Şahin'in 1998'de açtığı davada son noktayı koydu. "Türban yasağı, insan hakları ihlali değildir" kararı verdi. Tayyip Erdoğan hemen bu kararı yorumladı; Anayasamızda yer alan ve değiştirilmesi teklif dahi edilemeyen "laik, hukuk devleti" kavramına nasıl baktığını izah etti. "Mahkemenin bu konuda söz söyleme hakkı yok, söz söyleme hakkı din ulemasınındır" dedi!

...»

O dönemin en çok izlenen televizyon dizilerinden biri, "Hayat Bilgisi"ydi. Başroldeki Perran Kutman, kendisine "hocam" diye hitap edenleri uyarıyor, "Hocam değil, öğretmenim diyeceksin, hoca camide" diyordu. Dizideki bu replik, Milli Eğitim Bakanı Hüseyin Çelik'i kızdırdı. "Hoca camide denmesi doğru bir mesaj değil" açıklaması yaptı. Perran Kutman'ın verdiği mesajın ne kadar yanlış olduğu, Bakan'ın ne kadar haklı olduğu yakında ortaya çıkacaktı... Camideki hoca, hakikaten okulda olacaktı!

...»

Van Yüzüncü Yıl Üniversitesi Rektörü Profesör Yücel Aşkın'ın lojmanı, polis tarafından basıldı. 13 saat didik didik arandı. Cihaz alımında yolsuzluk yaptığı iddia ediliyordu. Evde tarihi eserler bulundu, bilirkişi getirildi, hepsi kayıtlıydı. Buna rağmen sanki kaçakmış gibi el konuldu. Rektör Aşkın "Dedemin İstiklal Madalyası'nı bile aldılar" dedi. Bu baskın, peş peşe gelecek baskınların, hukuksuzlukların miladıydı.

Lojmanı basıldıktan üç ay sonra tutuklandı. Polisler, rektörün koluna girdi, adeta kapkaççı gibi fotoğraf çektire çektire, ite kaka sürükledi. Aslında herkes biliyordu ki... Profesör Aşkın'ın tek suçu, tarikatlar tarafından ele geçirilen üniversiteyi, yeniden laik yönetim'e çevirmesiydi.
"Rektör cezaevinde" manşetleri atıldı.
Arkası gelecekti.

YÖK Başkanı Erdoğan Teziç, destek vermek için, 75 rektörle birlikte Van'a gitti. Kalabalık bir grup tarafından tekbir getirilerek protesto edildiler. Ziyaret için cezaevine girerken, YÖK Başkanı'nın üstü arandı, çorabına bile bakıldı... Ki, çaktırmadan içeriye testere filan sokmasın diye herhalde!
Tayyip Erdoğan "Rektörlerin oraya gitmesi çok çirkin" dedi.
Profesör Aşkın'la birlikte tutuklanan ve "Bana nasıl böyle bir kara çalarlar" diye kahrolan Üniversite Genel Sekreter Yardımcısı Enver Arpalı, cezaevi çamaşırhanesinde kendini astı.
İlk'ti. Bu tür onur intiharlarının da arkası gelecekti.

Rektör Aşkın'ın duruşmaya çıkacağı gün...
Davanın açılmasına karşı olduğunu söyleyen mahkeme hâkimi, şırrak diye görevden alındı. Başka hâkim atandı. Rektör hapiste kaldı. Hukuk'un guguk haline getirilme süreci başlamıştı.

TÜSİAD, Rektör Aşkın'a sahip çıktı. "Uzun gözaltı süresini tasvip etmemiz mümkün değil" denildi. Başbakan öfkelendi. "TÜSİAD yargıya müdahale ediyor, yürütme olarak hatırlatıyorum, devreye girilmelidir" dedi. "Savcılar göreve" demenin kibarcasıydı. Hadi bakalım, Ankara Başsavcılığı, TÜSİAD Yüksek İstişare Konseyi Başkanı Mustafa Koç hakkında inceleme başlattı.
Halbuki, rektöre sahip çıkan TÜSİAD, hapse tıkıldığı zaman Tayyip Erdoğan'a da destek açıklaması yapmıştı... Neticede, Mustafa Koç'a dava açılmadı. İki bin seneyle yargılanan Rektör Aşkın, 76 gün sonra tahliye edildi.

...»

2005'te verdiğimiz şehit sayısı 90'a ulaşmıştı.
Başbakan ilk defa "alt kültür-üst kültür"ü dillendirdi.
"Türk, Kürt, Laz, Çerkez, Abaza, Boşnak alt kimliktir.
TC vatandaşlığı üst kimliktir" dedi.
Yani?

Üç beş sayfa evvel Karayılan ne dediyse, onu dedi!

...»

Bir sene daha geride kalırken...
Edebiyat çınarımız Attilâ İlhan, resim ustamız Nuri İyem, tiyatro duayenimiz Pekcan Koşar, artık aramızda değildi. Yeşilçam'dan Ömer Kavur'u Bilal İnci'yi Efkan Efekan'ı Tanju Korel'i kaybetmiştik. Müzik dünyamız Melih Kibar'sız, Teoman Alpay'sız, Melahat Pars'sız ve henüz 33 yaşındaki Kazım Koyuncu'suz kalmıştı. Gazinocular kralı Fahrettin Aslan vefat etmişti.

Mehmet Ali Ağca'nın vurup öldüremediği Papa 2'nci Jean Paul, 84 yaşında eceliyle ölmüştü. Şehitlerin ardından hayatına lay lay lom devam eden Türkiye'de, bayraklar yarıya indirildi. Polis Haftası nedeniyle Taksim'de düzenlenecek olan halk konseri, Papa'nın vefatı nedeniyle iptal edildi, iyi mi!

2006

Kuş gribi • Mehmet Ali Ağca • Rahip Santoro • Ali Dibo • Ulemaya soralım • Ananı da al git • Askerlik yan gelip yatma yeri değildir, canım kardeşim • Tayyip Erdoğan'ı delikten süpürmeyin, kullanın • Pantolon paçalarını çoraba sokun • Haşema • Danıştay baskını • Başbakan Mercedes'te bayıldı • Deve hava yolları

Yeni seneye kuş gribi dramlarıyla başladık.
Aslında üç aydır zaten memleketi kasıp kavuruyordu ama, tavuk firmaları "reklamveren" olduğu için, haberler sansürleniyordu. Halk sağlığı konusunda attı mı mangalda kül bırakmayan medyamız, reklam gelirleri azalmasın diye, salgını görmezden geliyordu.
2006'nın ilk günü, Doğubayazıt'ta tavuk yiyen dört kardeşten biri öldü. Ertesi gün kız kardeşi, daha ertesi gün öbür kardeşi öldü. Üstü örtülemez hale gelmişti... Ve haftalardır kamuoyundan saklanan gerçek, mecburen itiraf edildi: Altı şehirde 19 vatandaşımız komadaydı.
Hayatını kaybeden çocuklara "kuş gribi değil, zatürree" raporu verilmişti, iyi mi... Kim vermişti bu raporu? Ankara Refik Saydam Hıfzısıhha Enstitüsü Başkanı vermişti. Bilahare, bizzat Sağlık Bakanı çıktı, "Çocuklar zatürreeden değil, kuş gribinden öldü" dedi. Bunun üzerine bütün basın, Enstitü Başkanı'nın peşine düştü. Aradılar taradılar; skandal raporu verdiği gün, hacca gittiği tespit edildi. Mekke'de, beş yıldızlı Ümmül Kurra Oteli'nde kalıyordu. Gazeteciler ısrarla telefon ediyor, Başkan Bey telefona çıkmıyor, eşi açıyor, "Bizi rahat bırakın, buraya ibadetimizi yapmaya geldik" deyip kapatıyordu.
Ne diyelim... Allah kabul etsin'di.
Tavuk itlafları tekrar başladı. Karantina bölgeleri ilan edildi ama, iş işten geçmiş, bulaşmadık şehir kalmamıştı. Maalesef, bu hazin tabloya rağmen, hâlâ, sabretmemizi telkin eden, kış mevsimi

geçince gribin de geçeceğini söyleyen yandaş profesörlerimiz vardı. Utanmasalar "kışt" gribi diyeceklerdi! Türkiye bu yalakalığın bedelini ağır ödeyecekti.
Kaderin cilvesi... Van'da hastaneye kaldırılan kritik durumdaki vatandaşlarımızı, Rektör Yücel Aşkın'ın hapse tıkılmasına, yargılanmasına sebep olan solunum cihazı kurtarıyordu.
Ahalimiz, havada uçan güvercinleri bile kolluyordu ki, aman diim, kafasına talih kuşu konmasın. Evinin, apartmanın çatısına martı geliyor, karga geliyor diye itfaiyeden yardım isteyen, polisi arayanlar oluyordu. Kaz tüyü yastık satışları bile durmuştu.
Yumurta ticareti dibe vurmuş... Maliye Bakanımızın maharetli oğlunun "Unakıtan" markasıyla likit yumurta piyasasına girdiği ortaya çıkmıştı!
Vahşet manzaraları yaşanıyordu. Cehalet, kâbusa dönüşmüştü. Tavukları çuvalların içine, çukurlara doldurup, canlı canlı yakıyorlardı. Avrupa Birliği heyet gönderdi, inceledi, rapor yazdı. Türkiye'nin önlem almakta geç kaldığı, ihmalkâr davrandığı resmen tescillendi.
Bir milyon tavuk yok edildi. Neticede... Türk televizyon tarihinin en güvenilir ismi, araştırmacı gazetecilik duayeni Uğur Dündar, tavukçuluk sektörünün oluşturduğu Sağlıklı Tavuk Bilgi Platformu'nun reklamlarında oynadı. Tek kuruş almamıştı. Hatta, araştırmaları için cebinden para ödemişti. Çıktı ekrana, "Entegre tesislerde üretilen tavuklara güvenebilirsiniz" dedi. Hükümete güvenmeyen Türk halkı, Uğur Dündar'ın kefaletini kabul etti. Sektör batmaktan kurtuldu.
Buyrun burdan yakın...

...»

Mehmet Ali Ağca, zart diye serbest bırakıldı.
Papa suikastından 19 sene İtalya'da yatmış, iade edilmişti. Abdi İpekçi'yi öldürmekten 36 senesi olmasına rağmen 5,5 senede tahliye edilmişti. Cezaevi kapısından Mercedes'le alındı, yollarına karanfiller döküldü, Türk bayrakları sallanarak, "Türkiye seninle gurur duyuyor" sloganları atıldı. Türkiye çok utanç görmüştü ama, böylesine ilk defa şahit oluyordu. Bi madalya takmadıkları kalmıştı.
Hatıraları yayımlanmaya başlandı. Papa'ya mektup yazıp "Ben mesihim, dünyanın sonunu getireceğim" dediği, Papa'nın da cevaben "Haklısın kardeş, bildiğin gibi yap" dediği ortaya çıktı. Bir mektup da MİT Müsteşarı'na yazmıştı. "Atla uçağa

Washington'a git, CIA Başkanı'yla görüş, bu işi hallet, beni burdan çıkar, Bin Ladin'i ölü veya diri getireyim" demişti. Memleket bir hafta bu rezaleti konuştu.
Bakıldı ki, unutulmuyor... Hükümetimiz, sekiz gün sonra pardon dedi, Yargıtay yeniden hesapladı, küçük bi yanlışlık olmuş denildi, zart diye yeniden tutuklandı, yeniden içeri tıkıldı. Küçük bi yanlışlık denilen "sekiz sene"ydi. Kaşla göz arasında bırakılıp, ahalinin tepkisi üzerine tekrar yakalanan Ağca'nın sekiz sene daha yatacağı açıklandı.

...»

Arafat'sız Filistin'de seçim yapıldı, Hamas kazandı.
Bizim gazeteler "kaleş iktidarda" manşetleri attı.
Çünkü Kalaşnikovlarla zafer turuna çıkmışlardı.

...»

Aynı gün, Danimarka gazetesi *Jjlland Posten*, Hazreti Muhammed karikatürleri yayınladı. Dünyada yangın çıktı. Batılı ülkelerin elçilikleri basılıyor, kundaklanıyordu... Ki, Trabzon Santa Maria Kilisesi'nin İtalyan Katolik rahibi Andrea Santoro dua ederken sırtından iki kurşunla vurularak öldürüldü.
Katil, henüz 16 yaşında, lise öğrencisiydi.
"Danimarka'daki karikatürler yüzünden vurdum" dedi.
Elinde Glock marka tabanca vardı.
İki eşli bir babanın oğluydu.
Annesi, AKP Trabzon Kadın Kolları Yönetim Kurulu üyesiydi.

...»

İtalyan rahibin öldürülmesinden iki gün sonra... Koç Topluluğu'nun Roma'daki bayi toplantısında facia yaşandı. Kafileyi taşıyan otobüs, yoldan çıktı, 25 metre yükseklikten uçtu, 12 vatandaşımız hayatını kaybetti. Freni kilitlendi denildi. Oysa, otomobil icat edildiğinden beri Roma şehir merkezinde böyle bir kazanın örneği yoktu. En çok ölümlü kaza, taaa 1980'de olmuştu, üç kişi ölmüştü. 12 ölümlü kaza, Roma tarihinin rekoruydu. Papaz'ı vurduk, papazı bulduk demek istemiyorum ama, fazla tesadüftü.

...»

Ve, Türkiye rahip cinayetini konuşurken...
Danıştay, türban'la alakalı tarihi karar aldı.
Dava konusu neydi?

Türbanlı öğretmen, anaokuluna "müdür" olarak atanmış, ancak, hemen görevden alınıp, bir başka okula "öğretmen" olarak gönderilmişti. Bu nedenle mahkemeye başvurmuş, müdürlük görevine iadesini istemişti. Dava dönmüş dolaşmış, Danıştay 2'nci Dairesi'ne gelmişti. Alınan kararda... Okulda türban takmadığını söyleyen öğretmenin, kimliğinde türbanlı fotoğraf olduğu, okula gidip gelirken de türban taktığı belirtilmiş; kamu görevlisinin türbanla yöneticilik yapamayacağına, müdür olamayacağına hükmedilmişti.
Dinci basın bu kararı çarpıttı, "Sokakta bile başörtüsü takmamızı yasakladılar" şeklinde sundu... *Vakit* gazetesi "işte o üyeler" manşeti attı. Kararda imzası olan Danıştay üyelerinin fotoğraflarını yayınladı. Açıkça hedef haline getirilmişlerdi. Tayyip Erdoğan da çıktı, gene ulema resti çekti. "Danıştay efendi, bu iş senin değil, Diyanet'in işi" dedi.

...»

Başbakan'ın Danıştay fırçası satır aralarında kalırken, bir başka fırçası birinci sayfalara haber oldu. "İki senedir anamız ağlıyor" diye yakınan Mersinli çiftçiye "Artistlik yapma lan, ananı da al git" diye bağırmıştı.

...»

Maliye Bakanımızın oğlu likit yumurta işine girince, likit yumurtadan alınan yüzde 18'lik kadeve'nin yüzde 8'e düşürüldüğü ortaya çıktı. Kimisi anasını da alıp giderken, kimisi babasını da alıp geliyordu... Maliye Bakanımız gayet pişkindi, "Oğlum sayesinde hijyenik yumurta yiyorsunuz, daha ne istiyorsunuz" dedi. Gensoru verildi, AKP hiç fire vermedi, reddedildi. Tayyip Erdoğan ve bakanları hakkında toplam 27 gensoru verilecek, AKP hiç fire vermeyecek, hepsi reddedilecekti.

...»

O günlerde, siyasi literatürümüze "Ali Dibo" kavramı girdi. AKP Hatay Milletvekili Sadullah Ergin'in, seçim bölgesindeki ihalelere müdahale ettiği, eşe dosta akrabaya verdirdiği öne sürülüyordu. Bu tür alengirli işlere yöresel dilde "Ali Dibo şirketi" deniyordu. Sadullah Ergin ise, külliyen yalanlıyor, gazetelere tekzip yağdırıyordu. "Adalet" ve kalkınma partisine "adalet bakanı" olacak adamdı.

...»

Cemre düştü...
Kışın duran terör, vurmaya başladı.
Mart ayında, dördü polis, 11 şehit vardı.

...»

Ki, gündeme bomba düştü...
Van Cumhuriyet Savcısı Ferhat Sarıkaya, iddianame yazdı.
Kara Kuvvetleri Komutanı'nı "suç örgütü kurmak"la suçladı.
Neydi bu mesele?
Geçen sene kasım ayında, Şemdinli'de kitapçıya bomba atılmış, bir kişi ölmüştü. Ahali sokağa dökülmüş, bombayı bir astsubayın attığı öne sürülmüştü. Kara Kuvvetleri Komutanı Yaşar Büyükanıt da, o astsubay için "Tanırım, iyi çocuktur" demişti.
Kara Kuvvetleri Komutanı'na "çetebaşı" diyen Savcı Sarıkaya, Van Yüzüncü Yıl Rektörü Yücel Aşkın'a dava açan savcıydı.
Ankara'da geceyarısı trafiği yaşandı, Genelkurmay'la hükümet arasında mekik dokundu. Hâkimler ve Savcılar Yüksek Kurulu aceleyle toplandı, bileti kesti, Savcı Sarıkaya'yı meslekten ihraç etti... Olan savcıya olmuştu ama, bu ihracın rövanşı ağır olacaktı.

...»

Süreyya Serdengeçti emekliye ayrıldı.
Merkez Bankası Başkanlığına kim oturacaktı?
Henüz isim belirsizdi ama kriter belliydi.
Eşi illaki türbanlı olacaktı!
Hükümet, faizsiz banka Albaraka'nın genel müdürünü önerdi.
Cumhurbaşkanı Sezer veto etti. Tayyip Erdoğan, gene ulemaya sarıldı, İslam hukukundan örnek verdi, "Mecelle'de kaide var, uzlaşma sağlanamazsa, vekil asıl'dır, işler vekil üyeyle de yürür" dedi.

...»

Bankacılık camiası karnından konuşurken... Atatürk'ün kurduğu İş Bankası'nın Genel Müdürü Ersin Özince açık konuşuyor, "Değil başkan, kasiyerimin bile Cumhuriyet'e bağlı olmasını isterim" diyordu.
Atama krizi 35 gün sürdü. Neticede, 1980'den beri Merkez Bankası'nda görev yapan Durmuş Yılmaz, Merkez Bankası Başkanı oldu. Eşi türbanlıydı. Hükümetin diğer seçeneklerini kabul etmeyen Cumhurbaşkanı Sezer, derhal onaylamıştı.
Aslına bakarsanız, Durmuş Yılmaz'ı hükümetin çok da istediği

söylenemezdi. İsteseydi, en önce onun ismini önerirdi. Peki neydi? Diğerleri kabul edilmediği için "türban" kontenjanından elde kala kala Durmuş Yılmaz kalmıştı. Olan buydu... Ve, eğrisi doğrusuna denk gelmişti. Ne kadar isabetli bir karar olduğu seneler içinde daha iyi anlaşılacaktı. Dürüst, namuslu, mütevazı, iktidara teslim olmayan, işini layıkıyla yapan bir başkandı. İthal değil, yerel Müslüman'dı. Görevi sırasında bir defa bile "ideolojik tartışma" yaşanmadı. Türkiye'nin asıl meselesinin, türban değil, liyakat olduğunu kanıtlamıştı.

...»

Turgut Özakman'ın *Şu Çılgın Türkler* kitabı satış rekorları kırıyordu. Kitabın yayıncısı, Ankara vergi rekortmenleri listesine 11'inci sıradan girdi. Pek çok ünlü işadamını geride bırakmıştı. Mesela, Tayyip Erdoğan'ın yanından hiç ayrılmayan ve ekonomimiz şöyle şahane büyüdü, böyle harika büyüdü diye pohpohlayan TOBB Başkanı Rifat Hısarcıklıoğlu, mevzu vergi olunca, anca 29'uncu sıradaydı.

...»

Finansbank, Yunan bankasına satıldı.
Tekfenbank, Yunan bankasına satıldı.
Denizbank, Belçika bankasına satıldı.
Şekerbank, Kazak bankasına satıldı.
Mersin limanı satıldı.
Rakı, Amerikalı oldu.
Uyanık müteahhitler 292 milyon dolara almıştı.
810 milyon dolara Texas'lılara sattı.
Cumhuriyet tarihimizde ilk kez, devlet tahvili ve Hazine bonosundaki vergi stopajı, yabancılar için kaldırıldı. Yabancıysan vergi ödemeyecek, yerliysen vergi ödeyecektin.
Dilimin ucunda ama, hatırlayamıyorum...
Hani şu Osmanlı'da kapitülasyon denilen neydi?

...»

Parayı bastırıp Finansbank'ı satın alan Yunan bankası, piyasada ne kadar ekonomi gazetecisi varsa, alayını topladı, Atina'ya gezmeye götürdü. Uçak paralarını ödedi. Otel paralarını ödedi. Minibar paralarını bile ödedi. Sonra da, bankanın genel merkezini gezdirdi. Bankanın merkez binasının duvarlarında "Türkleri vahşi barbarlar olarak gösteren tablolar" vardı. Bir

tablo "Türk askerini kadın ve çocukları kılıçtan geçirirken" gösteriyordu. Bir başka tablo "kahraman Yunan askerini, barbar Türk askerinin kafasına basarken" resmediyordu. Adamlar alenen "Parasıyla değil mi şekerim, yiyin için, kesin sesinizi" dercesine aşağılıyordu. Gazetecilerimiz gıkını bile çıkarmadı, tırıs tırıs geri döndüler. Bana sorarsanız, içine düştüğümüz bu hazin tablo, memleketin "özelleştirme tablosu"ydu!
Halimiz buyken, bankalarımız şakır şakır Yunanistan'a satılırken, Yunan kamuoyu araştırma şirketi Kapa, 25 ülkede "umut" anketi yaptı. Avrupa'nın gelecekten en umutlu insanları Türkler çıktı!

...»

Ahalimiz umut doluyken, Maliye Bakanımız memleketimizin kalkınma hamlesi için, Somali'nin Merkez Bankası Başkanı, Somali'nin Ankara Büyükelçisi ve Somali'nin en zengin işadamıyla baş başa görüştü. Küçük bi pürüz vardı... Kendilerini Somalili olarak tanıtan heyet, bildiğin dolandırıcıydı. Hatta, aralarında Somalili bile yoktu. İkisi Türk, birisi Bulgar vatandaşıydı. "Çok acayip para var, büyük sermayedar grupların temsilcisiyiz, Türkiye üzerinden transfer etmek istiyoruz" ayağıyla Maliye Bakanımızdan randevu istemişler, Maliye Bakanımız da anında kabul etmişti. Onunla da görüşsünler diye Merkez Bankası Başkanımıza bile göndermişti. Halbuki, Somali'de merkez bankası yoktu, iyi mi... Bunlara "para var" deyince, akan sular duruyordu. Kepazelikti. Apar topar üstü örtüldü.

...»

Ve, Türkiye'nin eşek ithalatı artıyordu.
Devlet Bakanı Kürşad Tüzmen, soru önergesi üzerine, son üç senede, beş milyon dolarlık eşek ithal edildiğini açıkladı.

...»

76 yaşındaki genelev kadını, malulen emekli olmak için SSK'ya başvurdu. Okmeydanı Hastanesi Sağlık Kurulu "iş görür" raporu verdi! Kadıncağız, Çalışma Bakanı'na rica mektubu yazdı. "Sevgili oğlum, Menderes zamanından beri çalışıyorum, yaşlılığıma hürmeten bana yardım et" dedi. Gazetelerde yer alan son SSK haberiydi... SSK, Bağkur ve Emekli Sandığı tarihe karıştı, hepsi birleştirildi, Sosyal Güvenlik Kurumu oldu.

...»

AKP'li belediyelerde avanta mercimek bulgur dağıtma furyası başlamıştı. Ankara Büyükşehir Belediyesi 370 bin kolilik ihale açtı. 28 milyon liralık ihaleyi, İstanbul Belediyesi'nin gıda ihalesini de kazanan, AKP Bitlis Milletvekili Vahit Kiler'in şirketi kazandı. E gene Allah bereket versin'di.

...»

Hiç unutmam, o zamanlar atv haber'in genel yayın yönetmeniydim. Öğrendik ki, rakip kanal Melih Gökçek'i canlı yayına çıkaracak. Bize ne Başkan'ın ne diyeceğinden birader... Biz, koli'yi canlı yayına çıkardık. Stüdyoya uzunca bir masa kurduk, kolidekileri masaya serdik, işte görüyorsunuz sayın seyirciler şu kadar ayçiçek yağı var, bu kadar pirinç var, sucuk var, şeker var, helva var, el sabunu bile unutulmamış filan, anlattık, cümleten afiyet olsun diye bitirdik yayını... Ertesi gün reytingler geldi. Koli'si Başkan'ın kendisinden dört misli fazla seyredilmişti. Sayın ahalimiz, veren'i değil verilen'i merak etmişti.

...»

O hafta, Ankara'da maymun fosili bulundu. 10 milyon yaşındaydı. Adı, Ankarapithecus'tu. Arkeologlar izah etti: Ankara maymunu, tek vücutta üç karakter barındırıyordu. Hem orangutan, hem şempanze, hem goril'in özelliklerini taşıyordu. Vaziyete göre pozisyon alıyordu. Ormana orangutanlar hâkim olursa, orangutan gibi davranıyordu. Goriller mi geldi başa? Aniden goril oluveriyordu. Ortalığı filler basarsa, fil olacak hali yok, sempatik görünmek için şebeklik yapıyordu. Dönek, yalaka bi maymundu.

...»

Galatasaray'ın eski futbolcusu Ümit Davala, AKP'li oldu. Rozeti, Tayyip Erdoğan tarafından takıldı. İzmir il örgütü yönetim kuruluna girdi. AKP'nin sahaya sürdüğü ilk futbolcu Hakan Şükür değildi yani.

...»

23 Nisan'da, Başbakan evinde istirahata çekildi.
Törenlere katılmadı.
Belinde kas spazmı olduğu açıklandı.
Talihsizlik işte, milli günlerde hep hastalanıyorlardı.

...»

Çocuk Bayramı'nda çocukları temsil etsin diye...
TBMM kürsüsüne çocuk çıkarıldı.
Ancak, bu çocuk denilen, 21 yaşındaydı.
İmam hatipliydi.

...»

23 Nisan geçti, 24 Nisan sabahı Başbakan iyileşti!
Filistin Devlet Başkanı Mahmut Abbas'la görüştü.
Türkiye, geleneksel olarak, Arafat'ın ve onun kurduğu El Fetih'in yanındaydı. AKP ise Hamas'a yakındı. Tayyip Erdoğan her ne kadar kabul etmese de, El Fetih'in kontrolündeki Batı Şeria'ya soğuk duruyor, zoraki konuşuyor, Hamas kontrolündeki Gazze'yi dilinden düşürmüyordu. El Fetih laik, Hamas şeriatçıydı. El Fetih, Filistin devletini temsil ediyor; Hamas, terörist kabul edildiği için tanınmıyordu.

...»

Mahmud Abbas'tan kısa süre önce, İsrail'in öldürmek için fellik fellik aradığı Hamas lideri Halid Meşal, Ankara'ya gelmişti. Kriz çıkmıştı. Çünkü ABD höt dedi. Bizim Başbakan, adeta avukatlığını yaptığı Hamas'ın liderine randevu bile veremedi, görüşmedi. Ziyaret, skandala dönüştü. Dışişleri Bakanı Abdullah Gül, bu ziyaretin devletle-hükümetle alakası yokmuş gibi, Halid Meşal'le Dışişleri Bakanı olarak değil, sıradan milletvekili olarak görüştüğünü açıkladı. Oysa, kaldığı otelin parasını bile Dışişleri Bakanlığı ödemişti. Gazetelerde "Hamas davetinin altından o çıktı" başlıkları atıldı. Bilin bakalım kimdi? Ahmet Davudoğlu'ydu... Bu Hamas sevdası, başımıza daha çok iş açacaktı.

...»

Nisan ayında, biri yarbay, 15 şehit vardı.
İstanbul'da belediye otobüsüne molotof atıldı.
Üç kadın yanarak can verdi.

...»

Tayyip Erdoğan ilk kez "masa" dedi.
"Elde silahla dolaşmaya gerek yok, demokratik yaşam sürmek istiyorsan, gelirsin, masada her şeyini konuşursun" dedi. Kimse farkında değildi ama altı sene sonra ortaya çıkacaktı, PKK'yla masaya oturulmuştu.

...»

Başbakan'ın "masa" dediği gün... Başbakan'ın en yakın danışmanı Cüneyd Zapsu, Washington'daydı, Amerikalı muhataplarına "delik ve süpürge"den bahsetmişti. "6-7 sene daha görevdeyiz, Tayyip Erdoğan meseleleri aydınlığa kavuşturmak için beni buraya gönderdi, bu adamdan yararlanmayı bilmelisiniz, delikten aşağı süpürmek yerine, onu kullanın" demişti. Daha ne desindi!

...»

İstanbul'da Dünya İşkadınları Zirvesi yapıldı. Başbakan'ın eşi Emine Hanım'ın konuşmasıyla başladı. SuriyeDevlet Başkanı'nın eşi, Afganistan Devlet Başkanı'nın eşi, Lübnan Devlet Başkanı'nın eşi falan katıldı. Hiçbiri çalışmıyordu. Hepsi "eş durumundan" işkadınıydı. Dünya böyle işkadını zirvesini ilk defa görüyordu. Ekstra komedi... Devletimizin zirvesinde sadece Cumhurbaşkanımızın eşi Semra Sezer, emekli olana kadar çalışan kadındı. Davet edilmemişti.

...»

AKP, Antalya'da kampa girdi.
"Haşema" da siyasi tarihimize girdi.
Erkek milletvekilleri yağlı güreşçi kıspetine benzeyen, dize kadar inen mayolarla yüzüyordu; haşema deniyordu. Önceleri sadece erkekler için üretiliyordu. AKP iktidarının yükselişiyle beraber, Ninja kıyafetine benzer şekilde, kadınlar için de üretilmeye başlandı.
Tesettür mayolarının hepsi birden "haşema" diye anılıyor ama, aslında bir markanın adı Haşema... 1980'li yıllarda İstanbul Üniversitesi Hukuk Fakültesi'nde okuyan bir grup öğrenci tarafından icat edilmiş, marka haline getirilmişti.
Peki, fikir nerden çıkmış derseniz... Denize mayoyla girmeye utanan bu öğrenciler, ya eşofmanla giriyorlarmış, ya da pantolonu kesip bermuda haline getirerek giriyorlarmış. Neticede, kendilerine özel dikim mayo yaptırmışlar, ortaya haşema çıkmış... Ve, aslında "AKP icadı" desek yanlış olmaz. Çünkü haşemayı icat edenlerin bazıları, AKP'den İstanbul, Karaman, Tokat milletvekili olmuştu.
Türban pazarı ise, senede 70 milyon adet satışa ulaşmıştı. Memleketin bir numaralı gündem maddesiydi.

...»

Tartışmalara 9'uncu Cumhurbaşkanı Demirel de katıldı. "Türban takmak isteyen Arabistan'a gitsin" dedi. Halbuki, aynı Demirel, başbakanlık yaptığı dönemlerde tam tersini söylüyordu. Mesela "Hâkim kılınacak olan şeyler İslam'ın ana kaideleridir" diyordu. "İmam hatip liseleri, imam yetiştirsin diye açılmadı, dinini bilen doktorlar avukatlar mühendisler olsun diye açıldı" diyordu. Böyle oy topluyordu. Şimdi çıkmış "Suudi Arabistan'a gitsinler" diyordu. Dün dündür dediği, herhalde buydu. Dinciler çok kızmıştı. Demirel'e "Hitler" filan dediler. "Sen kim oluyorsun da vatandaşı başka ülkeye kovuyorsun" deseler, amenna... Öyle demiyorlardı. "Çok meraklıysan sen git Arabistan'a" diyorlardı. Yani tam manasıyla, bu ne perhiz bu ne lahanaydı... Hem Arabistan gibi olalım istiyorlardı. Hem de Arabistan'ı hakaret olarak algılıyorlardı!

...»

Arabistan demişken... Mekke'de otel çöktü, 76 kişiyle birlikte Diyanet İşleri'nin Türk Hastanesi'nde görev yapan iki hemşiremiz, Songül Uzuner ve Handan Kurtuluş vefat etti. Suudi Arabistan, cenazeleri Türkiye'ye göndermedi, hac nedeniyle sınır kapıları kapatıldığı için aileleri de gidemedi, Mekke'de defnedildiler, Vahabilik kuralları gereği mezar taşları bile olmadı. Ankara Beypazarı Devlet Hastanesi personeliydiler.

...»

Sultanahmet Cami Koruma ve İhya Derneği'nin internet sitesinde, Atatürk'ün kalpaklı fotoğrafı, köpek vücuduna monte edilerek yayınlandı. Atatürkçü Düşünce Derneği suç duyurusunda bulundu. Söz konusu dernek, internet sitesini hazırlayan kişinin sorumlu olduğunu söyledi. Siteyi hazırlayan kişi ise, korsan giriş olduğunu, dışardan birinin yüklediğini söyledi. Kapandı gitti. Bu tür ufak tefek görülen olayların üstü örtüldükçe, cesaret veriyor, Atatürk'e ve Atatürkçülere yapılan saldırılar artıyordu.

...»

Danıştay Başkanlığı'na kadın hukukçu, Sumru Çörtoğlu seçildi. "İrtica ve bölücülük Türkiye Cumhuriyeti'nin varlığına tehdittir" dedi. Tayyip Erdoğan "Bu lafları hep dinliyoruz, yeni değil" karşılığını verdi!

...»

Cumhuriyet gazetesine iki defa el bombası atılmış, patlamamıştı. Gene atıldı, bu sefer patladı. Başbakan hiç şaşmamıştı, "İrtica haberlerinin artması nedeniyle zaten bekliyorduk" dedi. "Bu kadar irtica haberi yaparsan, bombalanman gayet normal" gibi bi şeydi yani!

...»

Üç gün sonra, Danıştay basıldı.
Alparslan Aslan isimli saldırgan, Danıştay 2'nci Dairesi'nin toplantı halindeki üyelerine 11 el kurşun sıktı. Başkan Yücel Özbilgin hayatını kaybetti. Mustafa Birden, Ayla Günenç, Ayfer Özdemir ve Tetkik Hâkimi Ahmet Çobanoğlu yaralandı. *Vakit* gazetesinin "İşte o üyeler" manşetiyle açık hedef haline getirdiği heyetin, tamamı vurulmuştu.
Kaçmaya çalışırken yakalanan saldırgan, Marmara Üniversitesi Hukuk Fakültesi mezunuydu, avukattı, İstanbul Barosu'na kayıtlıydı. Daha önce, Marmara Üniversitesi'nde oruç tutmayan öğrencilere satırla saldırmış, Diyarbakır'da şeriat gösterisine, Kadıköy Göztepe Parkı'nda cami eylemine katılmıştı. İlk ifadesinde "Türbanlı öğretmen kararının cezasını verdim" dedi. *Cumhuriyet* gazetesine bomba atanlar arasında olduğunu itiraf etti. Başbakan ise, hâlâ "Saldırı başörtüyle alakalı demek, çok çirkin" diyordu.
Alparslan Aslan'ın babası ilköğretim müfettişiydi. "Milletin değerlerine hakaret edenlere, bu millet dersini verir, bu memlekette İslam düşmanları var, Kuran düşmanları var, adı Mehmet, Mustafa olan birçok Ermeni ve Rum var, bunlar laiklik adı altında bu milletin değerlerine ihanet ediyor" diye bağırıyordu. "İsrail'e hizmet ediyorsunuz" diyerek, fotoğrafını çeken gazetecilerin üstüne yürüyordu.

...»

Yücel Özbilgin'in Kocatepe Camii'ndeki cenaze töreninde "katil hükümet" sloganları atıldı. Bakanlara pet şişe fırlatıldı. Hatta, bazı bakanların kafasına koruma için polis kaskı takıldı. Bir kadın "uyanın" yazılı pankartı Dışişleri Bakanı Abdullah Gül'e vurdu. Namaz bitti, protesto büyüdü. Adalet Bakanı Cemil Çiçek, polis kordonuyla, koştura koştura, caminin arka kapısından kaçmak zorunda kaldı.
Tayyip Erdoğan cenazeye katılmamıştı.
Antalya'ya kavşak açılışına gitmişti.
Görünmez el tarafından basına servis yapıldı.

"Ergenekon" başlıkları atıldı.
Neredeyse bütün gazeteler, muhabir imzası bulunmayan haberler yayınlıyor, Danıştay saldırısının arkasında "Ergenekon yapılanması" olduğunu yazıyor; kaynak belirtilmiyordu.

...»

Şırrak...
"Bir ihbar üzerine" Ankara'da evler basıldı.
Subaylar gözaltına alındı, el bombaları ele geçirildi. "Atabey" yapılanması denildi. Ergenekon'la bağlantılı olduğu iddia ediliyordu. "Başbakan'ın evinin krokisi"nin bulunduğu öne sürülüyordu.

...»

Tuhaf işler olmaya başlamıştı.
Kimliği belirsiz kişiler, gazetecilere telefon ediyor, "Elimizde müthiş belgeler var, ister misiniz?" diyordu. "Genelkurmay'ın önünde" buluşmak için randevu veriliyor, her giden gazeteciye sarı zarflar teslim ediliyor, zarflardan Atabey çetesiyle alakalı bilgiler, krokiler fışkırıyordu. Danıştay baskını, askerlere yıkılıyordu. Komediydi ama, gülünecek tarafı yoktu... Zarflardan adı çıkan insanlar, şakır şakır tutuklanıyordu. İki sene kadar sonra, bu krokilerin mrokilerin hepsinin palavra olduğu anlaşılacaktı. Ancak, o arada iş işten geçecek, bu mevzuya adı karıştırılan subaylar ordudan atılacaktı.

...»

Mayıs'ta 12 şehit vardı.
Haziran'da 13 şehit...
Temmuz'da 20 şehit vardı.

...»

Amasya Sultan Beyazıt Camii'nde Regaip Kandili vesilesiyle düzenlenen mevlit, TRT'den naklen yayınlandı. Amasya Müftüsü, mevlit duasında Atatürk ve şehitlerin adını bile anmadı.
TRT'deki kadrolaşma ayyuka çıkmıştı.
Mesela, "Gün Başlıyor" programının sunucusu İkbal Gürpınar, yönetimin baskılarına dayanamayarak istifa ettiğini açıkladı. "Konukların kıyafetlerini dekolte bulup, müdahale ediyorlardı, kahkaha atmama bile karışıyorlardı" dedi. Hadisenin matrak tarafı... Bu sunucumuz, pek yakında tesettüre girecek, dinci tabir

edilen kanallarda program yapacak, hatta "Allahuekber yihhuu" sloganıyla meşhur olacaktı.

...»

Yaz gelmiş, kuş gribi bitmiş, kene kâbusu başlamıştı.
Kırım Kongo Kanamalı Ateşi'nden ölen öleneydi.
1944'te ilk defa Kırım'da görülmüş, 1956'da Kongo'da görülmüş, literatürde bu adı almıştı. Kırım'da ve Kongo'da artık görülmüyordu... 2006'da Türkiye'de görülüyordu! Çünkü kuş gribinden kurtulalım derken, bütün tavukları imha etmiş, doğanın dengesini bozmuştuk. Kene yiyerek beslenen tavuklar ortadan kaybolunca, kene nüfusunda patlama olmuştu. Sağlık Bakanımız korunma yöntemini izah etti, "Pantolon paçalarını çoraba sokun" dedi.

...»

Yüksek Askeri Şûra'ya sadece 24 saat kala...
Ankara'da dört bin cep telefonuna mesaj geldi.
Yaşar Büyükanıt'ın Yahudi olduğu, Genelkurmay Başkanı olursa, İsrail'e çalışacağı yazıyordu. Aynı anda, internetten binlerce adrese e-posta gönderildi. Büyükanıt'ın yolsuzluk yaptığı anlatılıyordu. Altında "Genç Subaylar" imzası vardı. Tarihimizde benzeri görülmemiş bir müdahaleydi.
Kaynağı meçhul kampanya üzerine, hükümet derhal kararname hazırladı, Cumhurbaşkanı anında onayladı. Yine tarihimizde benzeri görülmemiş şekilde, ilk defa, Genelkurmay Başkanı'nın adı, YAŞ toplantısından önce kamuoyuna açıklandı. Hilmi Özkök emekliye ayrıldı. Son dakika iftirasıyla önü kesilmeye çalışılan Büyükanıt, Genelkurmay Başkanı oldu.

...»

Diyarbakır'da parkta bomba patladı. Yedisi çocuk, 10 vatandaşımız hayatını kaybetti.

...»

Ağustos'u sekiz şehitle, Eylül'ü 14 şehitle kapattık.

...»

Vatandaşın biri, Balıkesir'deki TOKİ töreninde "Artık şehit cenazesi görmek istemiyoruz" diye bağırdı. Tayyip Erdoğan "Askerlik yan gelip yatma yeri değil, canım kardeşim" dedi.

...»

Ertesi gün, TBMM'de tezkere oylandı.
İsrail'in güvenliği için Lübnan'a asker gönderdik.
Yaşar Büyükanıt'ın İsrail çıkarlarına hizmet edeceğini bangır bangır iddia eden dinci basın... Hükümetimizin aynı İsrail'i korumak için asker göndermesine çıtını bile çıkarmadı.

...»

Camide "seri cinayet" işlendi.
İsmailağa cemaatinin şeyhlerinden Bayram Ali Öztürk, Fatih İsmailağa Camii'nde vaaz verirken, bıçaklanarak öldürüldü. Müritlerden olan katil de, cemaat tarafından linç edilerek öldürüldü. Polis raporuna "Kafasını mihraba vurarak intihar etti" şeklinde geçti! Polisimizin raporları, laiklere göre başka, dincilere göre başka verilmeye başlanmıştı. Kendi aralarında kapattılar. Katilin katilleri bulunamadı.

...»

Ramazan geldi.
Parmak arası terlikli bi adam, kucağında genç bi kadınla manşetlerdeydi. İstanbul Belediyesi'ne bağlı Belbim'in genel müdürüydü. Evliydi, eşi türbanlıydı. Kucağındaki kadının saçı başı açıktı. Basın toplantısı düzenledi, "Yazlığım Alanya'da Dim Çayı'nın yakınında, Hatice Hanım'ı Dim Çayı'nda karşı kıyıya geçirirken kucağıma aldım, yoksa herhangi bir gönül ilişkimiz yok" dedi. Muhteşem bi izahattı.
Özel hayattır, elbette kimseyi ilgilendirmez ama... İktidarı, parayı bulunca türbanlı'yı boşayıp, türbansız'a geçenlerde artış vardı.

...»

İşsiz sayısı güneşte bırakılmış kartopu gibi eriyordu. Ha bire azalıyordu. Nasıl oluyor da oluyor diye kurcalandı... TÜİK'in "İş aramaktan umudumu kestim" diyen işsizleri, işsiz saymadığı ortaya çıktı!

...»

Balıkesir Dursunbey'de grizu patladı. 17 maden işçisi öldü, yevmiyeleri sadece 15 liraydı.

...»

15'er liralık işçiler sizlere ömürken... Kuruş kuruş yardım biriktiren Kızılay, altın madalyalar yaptırdı, tanesi 54 bin liraydı. Cumhurbaşkanı Sezer'e vermek istediler, kabul etmedi. Başbakan'a verdiler, aldı.

...»

Başbakan gene ABD'ye gitti.
Bush'la buluşmadan önce New York'a uğradı. Onuruna iftar tertiplediler, Robert de Niro da katıldı.
"Artislik yapma lan" diyen Tayyip Erdoğan...
Hollywood artistiyle iftar açtı.

...»

Seda Sayan televizyon programına türban takarak çıktı, tesettür defilesi yaptı. Mazhar Alanson, dört defa umre'ye gittiğini, kısmetse bu sene gene gideceğini açıkladı. Sanatçılarımız direksiyonu kutsal topraklara kırarken... Cüppeli Ahmet Hoca'nın Malta'da jetski'ye bindiği ortaya çıktı.

Cüppeli'nin cüppesiz (!) fotoğraflarını gazetelere servis yapan, eski müridiydi. Detay detay ispiyonluyordu. "Altın çerçeveli Versace, Ferre gözlük takar. Eşine İsviçre'den Chopard saat aldı. Havuzlu villasındaki musluğu bile Avrupa'dan aldık. Alpler'e gittik. Beş yıldızlı otellerde kalır. 'Televizyon seyretmeyin' der; evinde plazma televizyonu var. 'Çocuklarınızı okula göndermeyin, medreseye getirin' der; kızının başı açık, koleje gidiyor" diyordu.

...»

Fransa'da "Ermeni soykırımı yoktur" diyene, yasayla hapis cezası getirildiği gün... Nobel Edebiyat Ödülü'nün Orhan Pamuk'a verildiği açıklandı.

...»

Milli Eğitim'in tavsiye ettiği 100 Temel Eser'in, denetimsiz bırakılan yayınevleri tarafından ne hale getirildiği ortaya çıktı... Tolstoy'un kahramanı türbenin etrafında dolaşıyor, Tom Sawyer dua ezberliyor, Pollyanna Allah'ın bahşettiklerinin kıymetini bildiğini söylüyordu. Pinokyo "Allah rızası için" ekmek isterken, Üç Silahşörler'deki Aramis'in hidayete erdiği anlatılıyordu. Heidi, dua ederek huzur bulduğunu izah ediyor, La Fonteine'in tilkisi bile "Allah yolunuzu açık etsin" diyordu.

...»

Milli Eğitim Bakanı Hüseyin Çelik'in çorapları objektiflere takıldı. Üzerinde "Milli Eğitim Bakanı Hüseyin Çelik" yazıyordu. Kartvizit gibiydi çoraplar... Bi telefon numarası eksikti.

...»

Tayyip Erdoğan ölümden döndü.
Evinden meclise giderken, makam otomobilinde kendinden geçti, komaya girdi. Yanında Adana Milletvekili Ömer Çelik vardı. Derhal, Güven Hastanesi'ne yöneldiler. Şoför Harun Kandemir, koruma amiri Halit Özgül ve Ömer Çelik telaşla indi. Şoför böyle bir konuda eğitimli olmadığı için, anahtarı kontakta unuttu, zırhlı aracın kapıları kilitlendi. Başbakan içerde baygın halde mahsur kaldı. Yedek anahtarın, konvoydaki bir başka korumada bulunması gerekiyordu, ancak, yedek anahtar Başbakanlık'taydı. Yandaki inşaattan balyoz bulundu. Otomobilin camları kurşun geçirmezdi, sol ön cam 10 dakika vura vura zorla kırıldı, Başbakan karga tulumba çıkarıldı. İki saatte kendine gelebildi.
Oruçluydu. Gece sahura kalkmamıştı. Aşırı yorgundu. Kan şekerinin çakılmasının sebebi buydu. Solunum veya kalp kriziyle alakalı problem olsaydı, o mahsur kaldığı sürede, kaybedilebilirdi.
Sağlık, güvenlik, eğitim, beceri, aklınıza gelen gelmeyen her konuda skandaldı. Yüzlerce polis vardı ama ne ambulans vardı konvoyda, ne de doktor vardı... Lükste, şatafatta üstüne olmayan geri kalmış ülke, çok ağır bir tabloyla kendini göstermişti.
Başbakan'ın sağlığı hakkında şeffaf olunmadığı için, ahaliye bilgi verilmediği için, kulaktan kulağa söylentiler yayıldı. Epilepsi olduğu iddia ediliyordu. Sağlık Bakanı yalanladı.
Ve, kaderin oyunu... O gün kahraman ilan edilen "balyoz" kelimesi, yakında "vatan haini" olarak manşetlere konulacaktı.

...»

Almanya'nın "ağır dolandırıcı" diyerek, hakkında tutuklama kararı çıkardığı Yimpaş'ın patronu Dursun Uyar, Yozgat'ta bakanlarımızla birlikte cenaze törenine katıldı; omuz omuza saf tuttu. Cami avlusundaki fotoğraf gazetelerde kabak gibi yayınlandı. AKP'yle ilişkisi sorgulanmaya başlandı. Zaten şeker hastalığı yüzünden sinirli olan Tayyip Erdoğan, iyice sinirlendi, "Medya patronlarına sesleniyorum, elinizde belge varsa getirin" dedi.
Adam Avrupa'da aranıyor...

Bizim Başbakan hâlâ basından belge istiyordu!
Üstelik, Yimpaş'ta yöneticilik yapmış AKP milletvekilleri bile vardı; kendileri anlatıyordu. Mağdurlar arasında intihar edenler, kahrından felç olanlar vardı. Çarşaf çarşaf öyküleri yayınlanıyordu. Hatta, AKP destekçisi *Yeni Şafak* gazetesinin yazarı Fehmi Koru'nun da 70 bin dolar kaptırdığı ortaya çıktı. Yimpaş'a para yatırdığını, defalarca istemesine rağmen geri alamadığını yazarak, "Yetkililerimizin konuya duyarsız kalması, hükümete zarar verir" dedi. Önce can, sonra canan'dı.

...»

Basketbolda, Efes Pilsen, Yunan takımı Olympiakos'u yendi. Birinci sayfalardan bağıra bağıra haber yapıldı, büyütüldü, Yunanlıları şöyle mahvettik böyle mahvettik filan... Ertesi gün, Yunan bankası Alpha, Efes Pilsen'in sahibi Anadolu Grubu'nun Alternatifbank'ına ortak oldu. İç sayfalarda küçük küçük verildi.

...»

TGRT, dünya medya imparatoru Rupert Murdoch'a satıldı. RTÜK yasasına göre, yabancılar, bizim televizyonların yüzde 25'inden fazlasına sahip olamıyordu. Murdoch, Ahmet Ertegün'le ortak oldu, bu engeli aştı. Teee 1967'de kendi isteğiyle Türk vatandaşlığından çıkıp Amerikan vatandaşı olan Ahmet Ertegün, vatanını özlemiş olsa gerek ki, bu alışverişten 10 ay önce gene Türk vatandaşlığına geçmişti!

...»

O hafta... Suudi Kralı, İstanbul'a geldi. Basınımızın aklına da, Suudi Kralı'nın sahibi olduğu 57 bin metrekarelik Boğaz'a nazır Sevda Tepesi geldi. Bi kurcalandı... Üsküdar Belediyesi'ne verilen emlak vergisi beyannamesinde, Suudi Kralı'nın uyruğu "TC" yazıyordu. "Anayasa'da Türk demeyelim, Türkiyeli diyelim" falan deniyordu ama, malı götürmek isteyenler Türk olmak için kuyruğa girmişti!

...»

THY deve kesti.
Her an düşme tehlikesi yaşayan RJ100 tipi yolcu uçaklarının seferden kaldırılması şerefine, İstanbul Atatürk Havalimanı'nın apronunda deve kurban edildi. Deveyi vince astılar. Hatıra fotoğrafı çektirdiler. 700 kilo eti, çalışanlara dağıttılar. Dünya

çapında makara konusu oldular. Deve törenini organize eden THY Bakım Başkanı'nın "derhal görevden alındığı" açıklandı. Azzz sonra... Ödüllendirilir gibi, THY'nin Londra bürosuna atandığı, lojman ve makam aracı tahsis edildiği ortaya çıktı.

...»

Kurban Bayramı geldi, Saddam asıldı.
Hükümetimizden çıt çıkmadı.

...»

Hacettepe Üniversitesi'nde görevli profesör, trenlere mescit yapılmasını talep etti. "Virajlarda kıbleyi denk getiremeyiz" gerekçesiyle reddedildi. Kütahya Dumlupınar Üniversitesi'nde görevli yardımcı doçentin ise, evini dergâha çevirdiği, çarşaflı eşinin kendisini peygamber ilan ettiği anlaşıldı.

...»

2006'nın bilançosu 93 şehitti.

...»

Bir sene daha geride kalırken...
Bülent Ecevit artık yoktu.
Karaoğlan efsanesini ansiklopedi yapsak, sığmaz.
"Namuslu siyasetçi" denince, ilk akla gelen isimdi.
Muhteşem devlet adamıydı.
Koltukta ısrar ederek, maalesef, çok kötü final yapmıştı.

...»

Halkçı Parti ve SHP'nin genel başkanı, politikanın beyefendisi Aydın Güven Gürkan aramızdan ayrılmıştı. Yeşilçam duayeni Atıf Yılmaz'ı, halk müziği efsanesi Ali Ekber Çiçek'i, bestekâr Selahattin İçli'yi, söz yazarı Turgut Yarkent'i, dünyanın en önemli karikatüristlerinden Semih Balcıoğlu'nu, romancı-öykücü Erdal Öz'ü, gazeteci yazarlar Duygu Asena ve Halit Çapın'ı kaybetmiştik. 50 senedir, aşk, yalnızlık, cinsellik, töre gibi konularda milyonlarca insanın derdine ortak olan, köşesinden çare üreten, Türkiye'nin Güzin Ablası, Güzin Sayar vefat etmişti. Tiyatro sanatçısı Mümtaz Sevinç, ayrıldığı sevgilisi tarafından bıçaklanarak öldürülmüştü. Türk boksunun büyük şampiyonu Celal Sandal rahmetli olmuş, voleybolumuzun sembol ismi Paidar Demir ise trafik kazasında yitip gitmişti. Glenn Ford, Jack Palance ve James Brown, hatıralarda yaşayacaktı.

2007

Hrant Dink • Hepimiz Ermeni'yiz • Sözde değil, özde laik • Dindar cumhurbaşkanı • Cumhuriyet mitingleri • e-muhtıra • Dolmabahçe buluşması • Türban Çankaya'da • İkinci Cumhuriyet • Yandaş medya • Yalaka • Mahalle baskısı • Malezya mı oluyoruz? • Suudi Kralı'ndan madalya • Sayın Apo, şehit kelle • PKK kampları BBG evi gibi • Malatya misyoner cinayeti • Gemicik • Durmak yok, yola devam

Yeni seneye Hrant Dink suikastıyla girdik.
Şişli'de, sokakta, başına kurşun sıkılarak katledildi.
Genel yayın yönetmeni olduğu *Agos* gazetesindeki son makalesinde "2007 benim açımdan zor bir yıl olacak, kendimi güvercinin ruh tedirginliği içinde görebilirim ama, biliyorum ki, bu ülkede insanlar güvercinlere dokunmaz" diye yazmıştı. Son röportajında ise "Türklüğü aşağılama suçlaması, alnıma sürülen lekedir, ne Türk kimliğini aşağılarım, ne de Ermeni kimliğini aşağılatırım, mücadelem bununla" demişti.

...»

Katil kaçmıştı. Kaçarken, sokak kameralarına yakalanmıştı.
O görüntüler, televizyonlarda yayınladı. Adamın biri Trabzon Emniyet Müdürlüğü'ne geldi, "Haberlerde görünce tanıdım, o katil benim oğlum" dedi. Babası ihbar etmişti.
Katil, Ogün Samast'tı. Her "maşa" cinayetinde olduğu gibi, 18 yaşından küçüktü. 32 saat sonra Samsun Otogarı'nda yakalandı. Otobüse binmiş, Trabzon'a dönüyordu. Suikast silahını atmamıştı, üzerinde ele geçirildi.
Tabancayı Yasin Hayal'den aldığını söyledi. Yasin Hayal, 2004 senesinin ramazan ayında Trabzon'da McDonald's'a bomba atan ve yakalanınca "Efsaneyi şimdiden çekin" diye bağıran saldırgandı; sadece 10 ayda sokağa salınmıştı. Yasin Hayal'den

sonra, Ogün Samast'ın "abi" dediği Erhan Tuncel tutuklandı. Erhan Tuncel'in polis muhbiri olduğu ortaya çıktı.
Hrant öldürüldüğünde; İstanbul emniyet müdürü, terörden sorumlu müdür, koruma şubesi müdürü, çevik kuvvet müdürü, istihbarat müdürü, İstanbul'da bile değildi. Nerdeydiler? Hollanda'ya maça gitmişlerdi. Peki ya Emniyet Genel Müdürü? Yoktu! İki aydır atama yapılmıyordu, Emniyet Genel Müdürlüğü koltuğu boştu. Emniyet İstihbarat Daire Başkanı ise, Ramazan Akyürek'ti. Aynı Ramazan Akyürek, McDonald's bombalandığında, Rahip Santoro öldürüldüğünde, Trabzon Emniyet Müdürü'ydü.

...»

İstihbarat zafiyeti falan tartışılırken... Madımak'ta insanları diri diri yaktığı iddiasıyla aranan sanığın, İstanbul'da metroda gişe memuru olarak çalıştığı ortaya çıktı. 2002'de İstanbul Büyükşehir Belediyesi'nde işe alındığı anlaşıldı.

...»

Ve, köşesinde bangır bangır öldürüleceğini yazan Hrant'a koruma bile verilmemişti. Bu konuya dair en çok ses getiren kitabı, iki sene sonra, Nedim Şener yazacaktı. *Dink Cinayeti ve İstihbarat Yalanları* isimli kitap, müfettiş raporlarıyla polisin ihmallerini belgeliyor, Hrant'ın göz göre göre öldürüldüğünü anlatıyor, Emniyet İstihbarat Daire Başkanı Ramazan Akyürek'i işaret ediyordu. Bu kitaptan sonra Nedim Şener'in başına gelmeyen kalmadı. Katile 20 sene hapis istenirken, Nedim Şener'e 28 sene hapis istenecekti. Hatta, çok başka bir pakete dahil edilip, içeri bile tıkılacaktı.

...»

Hrant'ın cenaze törenine 100 binden fazla insan katıldı. *Agos* gazetesinden Balıklı Ermeni Mezarlığı'na kadar sekiz kilometre boyunca sessiz sel gibi yüründü. Uğur Mumcu'dan beri, Türkiye'nin gördüğü en kalabalık cenaze töreniydi.
Eşi Rakel Dink'in "Sevgiliye mektup" diye başladığı veda konuşması televizyonlarda naklen yayınlandı. "Sevdiklerinden ayrıldın, çocuklarından, torunlarından ayrıldın, burada seni uğurlayanlardan ayrıldın, kucağımdan ayrıldın, ülkenden ayrılmadın" diye haykırıyordu.

...»

Türkiye tek yürek olmuştu. Ancak, cenaze töreninde "Hepimiz Ermeni'yiz" pankartları taşınınca, birliktelik bozuldu. Çünkü "Hepimiz Ermeniyiz" pankartına anlayış bekleniyordu ama, "gerginlik olmasın" diye Türk bayrağı açtırılmamıştı. Türk bayrağı taşımak adeta suçtu; provokasyon sebebi sayılıyordu. "Hepimiz Ermeni değiliz" diyene, ırkçı damgası yapıştırılıyordu. O hafta sonu, futbol maçlarının tribünlerinde "Hepimiz Türk'üz" pankartları açıldı. Ordudan atılmış eski uzman çavuş, "Hepimiz Ermeni'yiz"i protesto etmek için, "Bagajımda bomba var" diyerek, Gelibolu-Lapseki seferini yapan arabalı vapura el koydu, kaptanı rehin aldı. İki saat sonra teslim oldu.

...»

Derken... Katilin posteri çıktı.
Yakalandığında cebinde Türk bayrağı vardı. Bu bayrak eline tutuşturulmuş, jandarmaların arasında hatıra fotoğrafı çekilmişti. Fonda da, Türk bayraklı bi afiş vardı, Atatürk'ün "Vatan toprağı kutsaldır, kaderine terk edilemez" sözü yazıyordu.
Bu rezalet televizyonlarda yayınlandı, ortalık karıştı. Jandarma suçlanıyordu. "İşte derin devlet" manşetleri atılıyordu. Oysa, söz konusu fotoğraflar, jandarma karakolunda değil, Samsun Emniyet Müdürlüğü'nün çay ocağında çekilmişti. Jandarmayla beraber polisler de hatıra için kuyruğa girmişti. Medyaya servis yapan her kimse... Polisli fotoğrafları saklamış, jandarmalı fotoğrafları vermişti. Sanki "askerin himayesinde"ymiş havası yaymaya çalışıyorlardı. Fondaki "Vatan toprağı kutsaldır" afişi ise, afiş falan değildi, TEMA Vakfı'nın erozyonla mücadeleyi teşvik için bastırdığı takvimdi.
Aslına bakarsanız, buna benzer Türk bayraklı fotoğraf saçmalığı ilk değildi. Abdullah Öcalan'ın, Şemdin Sakık'ın, Avrasya feribotunu kaçıranların da, yakalandıklarında Türk bayrağı önünde fotoğrafları çekilmişti. Bu bayraklı mizansenleri hazırlayanlar, güya, kanunsuzlara karşı devletin gücünü gösteriyorlardı. Ama bu defa, farklıydı... Israrla "derin devletin işi" olarak sunuluyordu.

...»

Şak... Kuvayı Milliye Derneği'nin kaseti çıktı.
Dernek başkanı emekli albay, üzerinde bayrak, Kuran ve tabanca bulunan masanın etrafında "Bu uğurda ölmek var, öldürmek var" diye yemin ettiriyordu. Yandaş gazeteciler, videosu internete

düşen bu yemin törenini Danıştay baskınına bağlıyor, Hrant suikastına bağlıyor, ahalinin zihni allak bullak ediliyordu.

...»

Hrant'ın ardından, gayrimüslimler cennete gider mi gitmez mi tartışması bile yaşandı. Diyanet İşleri eski Başkanı Profesör Süleyman Ateş "cennetin gayrimüslimlere de açık olduğunu" belirtirken, *Milli Gazete* yazarı Mehmet Şevket Eygi "Kâfirlerin cennete gidebileceğini iddia etmek yanlıştır" diyordu.

...»

Katilin soyadı "marka" bile oldu, iyi mi!
Ogün Samast'ın akrabası, Türk Patent Enstitüsü'ne başvurdu, Samast'a patent aldı, tescil ettirdi. Eğitim, kültür, eğlence ürünlerinde marka olarak kullanılabilecekti.

...»

Türkiye'de herkes "Neler oluyor bize?" sorusunu sorarken...
Yeşilçam'ın ünlü çocuk yıldızı Sezercik, Sezer İnanoğlu, narkotik polisiyle silahlı çatışmaya girdi. Siyah-beyaz filmlerimizin, rengârenk umutlarımızın masum Sezercik'i, Polat Alemdarcık olmuştu.

...»

O arada, Adana'dan havalanan ve Türk inşaat işçilerini taşıyan kiralık uçak, Bağdat'a inerken, düştü. 29'u Türk vatandaşı, 34 kişi öldü. El Kaide'nin omuzdan fırlatılan füzesiyle vurulduğu iddia edildi. Amannn, kimin umurundaydı... "Ölü" yatırımlarla uğraşacak halimiz yoktu. En iyisi üstünü örtmekti.

...»

Ekonomi tıkırındaydı.
Sen ona bak'tı.
Mesela, İstanbul'daki eğlence merkezi Tatilya, Barzani'nin akrabası tarafından satın alınmış, sökülmüş, Erbil'e götürülmüştü. Çok daha önemli haberdi! Uçakta hayatını kaybeden işçilerin ağlayan çocukları arka sayfalara atıldı, oyuncaklara binerken kahkaha atan çocuklar manşetlere çıkarıldı.

...»

Aydın Doğan'ın en büyük kızı Arzuhan Doğan Yalçındağ, TÜSİAD'ın ilk kadın başkanı oldu. 36 sene önce Türk Sanayicileri ve "İşadamları" Derneği'ni kurarken, kadınların da iş dünyasında işveren seviyesine gelebileceğini tahmin etmemişlerdi... "İşadamı" kelimesinden kurtulmayı düşündüler, TÜSİAD'a uygun olsun diye "Türk İş Dünyasının Sesi" ve "Türk İş Dünyası Sanayicileri" gibi alternatif isimler tartıştılar. Sonra vazgeçtiler, aynen bıraktılar.

...»

Sabancı Holding, yatırımcı konferansı düzenlemiş, yabancı fon temsilcileriyle Başbakan'ı buluşturmuştu. Yabancılar endişelerini dile getirdi. "Parayı Türkiye'ye yöneltmemizin en önemli nedeni, Türkiye'nin laik olması... Bu ülke önümüzdeki dönemde laik kalabilecek mi?" diye sordular. Başbakan sakince cevapladı, "Laiklik, Anayasa'nın değişmez ilkesidir, endişeniz olmasın, Türkiye gelecekte de laik kalacaktır" dedi.
Yani?
"Türkiye laiktir laik kalacak" sloganını...
Türkiye'de ilk atan kişi, bizzat Tayyip Erdoğan'dı!

...»

İstanbul Mimarsinan Belediyesi'nin AKP'li Başkanı Cuma Bozgeyik'in kahkahalı görüntüleri televizyonlarda yayınlandı. Mustafa Kemal'in eşcinsel olduğunu ima eden fıkra anlatıyordu. "Atatürk şekerli kahve istemiş, Atatürk'e hayran olan efe bunu duyunca düşüp bayılmış. Neden bayılmış? Çünkü o yörede şekerli kahveyi ibneler içermiş" filan... Katıla katıla gülüyordu. Fazla aceleci davranmıştı AKP'li Belediye Başkanı... Göstermelik de olsa, yargılandı. Halbuki az biraz sabretseydi, yakında partisinin yapacağı yargı reformundan (!) sonra, Atatürk'e iftira atmak, hakaret etmek serbest olacaktı. Hatta, Atatürk'e açık açık "eşcinsel" diyene, soruşturma bile açılmayacaktı.

...»

Atatürk deyince aklıma geldi...
Tayyip Erdoğan, belediyenin törenine katıldı, yeni ulaşım aracını hizmete soktu. "Mustafa Kemal'in istikbal göklerdedir lafı, lafla olmaz, icraatla olur, biz o hedefi yakalıyoruz" dedi, ayakta alkışlandı. Küçük bi pürüz vardı... Hizmete sokulan ulaşım aracı, uçak değil, feribottu!

Üstelik, duyan da yerli malı üretim filan sanır...
İthaldi. Avustralya'dan alınmıştı.

...»

İnternette "darbe günlükleri" yayınlandı.
İddiaya göre, Deniz Kuvvetleri Eski Komutanı Özden Örnek'in tuttuğu günlüktü; "Ayışığı" ve "Sarıkız" parolasıyla darbeler planlanmıştı. Özden Örnek "Bana ait değil" dedi, yayınlayanların tespit edilmesi için savcılığa suç duyurusunda bulundu. ABD-Utah'tan, faili meçhul bir internet adresiydi. Bilahare, aynı günlükler *Nokta* dergisinde yayınlandı; o esrarengiz internet sitesi kamufle edildi, unutturuldu.

...»

Üç gün sonra, Tayyip Erdoğan'ın kaseti çıktı.
Televizyonlarda yayınlanan ses kaydına göre, yedi sene evvel, siyasi yasaklıyken, Avustralya'ya gitmiş, SBS Radyosu'na mülakat vermiş, "Sayın Öcalan düşüncelerinin değil, almış olduğu kelle'lerin hesabını veriyor" demişti. Kendisinin şiir okuduğu için hapse atıldığını, Apo'nun durumunun ise farklı olduğunu anlatıyor, "sayın" ve "kelle" sıfatlarını kullanıyordu. Büyük Hukukçular Derneği Başkanı Avukat Kemal Kerinçsiz, sayın-kelle yüzünden, şehit aileleri adına, Başbakan'a "üç kuruşluk" sembolik manevi tazminat davası açtı. Kazandı. Başbakan üç kuruş ödemeye mahkûm oldu. Kerinçsiz'in ne ödeyeceğini ise, yakında herkes görecekti.

...»

Bahar geldi.
Bir haftada 16 şehit-kelle (!) haberi geldi.

...»

Barzani, El Arabiya televizyonuna konuştu, "Türkiye Kerkük'e müdahale ederse, biz de Diyarbakır'a müdahale ederiz" dedi.

...»

"Sayın" Apo'nun avukatları Roma'da basın toplantısı düzenledi. Saç örnekleri almışlar, yurtdışına çıkarıp tahlil ettirmişlerdi. "Krom" ve "stronsiyum" maddesi bulduklarını öne sürdüler. Yani? Ufak ufak yemeğine katılarak, zehirlendiğini iddia ediyorlardı. Apo'ya derhal profesör heyeti gönderildi.

Kan-idrar örnekleriyle saç telinden numune alındı. Adli Tıp Kurumu açıkladı, zehirlenme yoktu. Ancak, amaca ulaşılmıştı... İmralı'da adeta unutulan Apo, yeniden Avrupa'nın gündemine getirilmişti.

...»

O sırada, Kenan Evren'e Kürt meselesini sordular.
"Eyalet sistemi"ne geçmek gerektiğini açıkladı.
"Sekiz eyalet"e bölünmemizde fayda olduğunu söyledi.
Hangi eyaletlermiş bunlar?
"Ankara, İstanbul, İzmir, Adana, Erzurum,
Diyarbakır, Eskişehir ve Trabzon"du.
Peki niye?
"Bavyera'ya gitmiştim, baktım üç bayrak çekmişler, biri Türk, biri Alman, öbürü Bavyera eyalet bayrağıydı. Amerika da böyle yönetiliyor. 81 şehre Ankara'dan hâkim olmak zor. Huzur bulmak istiyorsak, cesur adımlar atmalıyız" diyordu... Aynı lafı başkası söyleyince "suç" oluyordu.

...»

Nisan, türbülans ayıydı.
12'sinde... Genelkurmay Başkanı Büyükanıt, karargâhta basın toplantısı yaptı. "Cumhuriyet'in temel değerlerine sözde değil, özde bağlı bir cumhurbaşkanı seçileceğine inanıyor, umut ediyoruz" dedi.

...»

13'ünde... Cumhurbaşkanı Sezer, Harp Akademileri'nde konuştu. "Rejim hiçbir dönemde bu kadar büyük tehdit altında olmadı. Dış güçler, laik cumhuriyeti ılımlı İslam cumhuriyeti yapmak istiyor. TSK iç ve dış odakların hedefi haline geldi, TSK'ya karşı zaman ayarlı oyun oynanıyor" dedi.

...»

14'ünde... Cumhuriyet mitingleri başladı. Başkent tarihinin gelmiş geçmiş en kalabalık mitingi, Tandoğan'da yapıldı. Atatürkçü Düşünce Derneği'nin öncülüğünde organize edildi; 60'ın üzerinde sivil toplum kuruluşu destek verdi. Tuncay Özkan'ın sahibi olduğu Kanaltürk 12 saat 35 dakika, CNNTürk, Habertürk, NTV gibi haber kanalları 2'şer saatten fazla yayınlarken... TRT sadece 2 dakika 18 saniye gösterdi! Yandaş medya, ABD'den Japonya'ya tüm dünya basınının geniş yer verdiği mitingi, görmezden geliyor, sansürlüyordu. Başbakan, Tandoğan'a gelenlerin "bindirilmiş kıtalar" olduğunu söyledi. "Şahsımı Çankaya'da görmek istemeyebilirsin ama, buna sen değil meclis karar verecek" dedi. İşine gelince "Halk karar verir" diyor, işine gelince "Meclis karar verir" diyordu. Türkiye iki dudağının arasına bakıyor; Tayyip Erdoğan, cumhurbaşkanı adayı olup olmayacağını bir türlü açıklayamıyordu.

...»

15'inde... TBMM Başkanı Bülent Arınç "Dindar cumhurbaşkanı seçeceğiz" dedi. Mustafa Kemal dahil, öbürleri dinsizdi herhalde!

...»

18'inde... Malatya'dan gelen haberle sarsıldık. Beş saldırgan, Hıristiyanlık kitapları dağıtan Zirve Yayınevi'ni bastı. Alman vatandaşı Tilmann Geske, Necati Aydın ve Uğur Yüksel'i domuz bağıyla bağlayıp, işkenceyle katletti. Uğur Yüksel'in otopsi raporu, vahşetin boyutlarını anlatıyordu: Kalçası, anüsü, beli, sırtı doğranmış, elinin parmakları uzunlamasına kemiğine kadar soyulmuş, boğazı delik deşik edilmiş, yemek ve soluk borusu kesilmişti... Dinci basının utanmadan "çocuk" diye savunduğu canilerin eseri buydu. Peki, kimdi bu katiller? 19-20 yaşındaydılar, sabıkaları yoktu, üniversite hazırlık öğrencisiydiler, İhlas Vakfı'na ait erkek yurdunda kalıyorlardı. Bir gün önce açık arazide atış talimi yaparken yakalanmışlar, serbest bırakılmışlardı! Alman kurban Tilmann Geske, eşi ve çocuklarıyla birlikte 2003'ten beri Malatya'da yaşıyordu. Eşinin isteği üzerine Malatya Ermeni Mezarlığı'nda toprağa verildi. Necati Aydın 1999'da, Uğur Yüksel 2005'te Hıristiyanlık dinini seçerek, nüfus cüzdanlarına yazdırmışlardı. Uğur Yüksel, İslami kurallara göre toprağa verildi. Necati Aydın ise, İzmir Karabağlar'daki Hıristiyan Mezarlığı'na defnedildi. Necati Aydın, Protestan misyonerdi, Malatya'daki evini kiliseye çevirmişti, pastör unvanına sahipti, lisedeyken Kuran kursu yurdunda kaldığı, hafız olduğu, defalarca hatim indirdiği ortaya çıktı.

...»

24'ünde... Tayyip Erdoğan, Çankaya hayallerinden şimdilik vazgeçti. "Cumhurbaşkanı adayım, Abdullah Gül kardeşimdir" dedi. Ancak, kardeş kardeşe aday olmak yetmiyordu. Yargıtay Onursal Başsavcısı Sabih Kanadoğlu uyarıda bulundu.

"Anayasa'ya göre, cumhurbaşkanı seçiminin ilk turunda meclisin üçte iki çoğunluğu, yani, en az 367 milletvekilinin katılımı gerekir" dedi. 367 şarttı. AKP'nin 14 eksiği vardı. Adam adama markaj başladı.

...»

25'inde... İstanbul'da özel güvenlik şirketinde çalışan Nurullah İlgün adında biri, Ankara'ya, YÖK binasına geldi. YÖK Başkanı Profesör Erdoğan Teziç'le görüşmek istediğini söyledi. İçeri sokmadılar. Silah çekti, havaya üç el ateş etti, kaçtı, yakalandı. "YÖK Başkanı siyaset konuşuyor, üstüne vazife olmayan işlere karışıyor, öldürme niyetim yoktu, korkutmak istedim" dedi. Kimdi bu saldırgan? Neyin nesiydi? Üstünde durulmadı. 17 sene hapis cezası yiyecek, unutulacak, dört senede çıkacaktı.

...»

27'si gündüz... Cumhurbaşkanlığı seçiminde birinci tur yapıldı. 361 oy kullanıldı. TBMM Başkanı Arınç, salona giren ve oy kullanmadan çıkan 7 CHP'linin adını tutanağa geçirdi, "368 sayısına ulaşıldı" dedi. Gel gör ki, 357 kabul, 3 ret, 1 geçersiz oy vardı. Abdullah Gül, zaten seçilememişti. CHP, 7 milletvekili meselesine itiraz etti, 367 şart diyerek, Anayasa Mahkemesi'ne başvurdu, seçimin iptalini istedi. Anavatan Partisi lideri Erkan Mumcu ile DYP lideri Mehmet Ağar da oylamaya katılmayanlar arasındaydı.

...»

27'si gece... Cumhurbaşkanlığı oylaması bitti. Saat 23.30: Genelkurmay Başkanlığı'nın resmi internet sitesinde sürpriz bildiri yayınlandı. Tarihe "e-muhtıra" sıfatıyla geçecek olan bildiride "Türk Silahlı Kuvvetleri laikliğin kesin savunucusudur, bu konuda taraftır" deniyordu.

...»

28'inde... Genelkurmay'ın bildirisi, neredeyse tüm siyasetini "mağduriyet" üstüne kuran AKP'nin gökte arayıp yerde bulduğuydu. Muhalefetteyken "mağdurum" diyen AKP, iktidarda gene mağdur olmayı başarmıştı. Dünya demokrasi tarihinde, 11 sene aralıksız tek başına iktidarda kalıp, mağdur olmaya devam eden tek parti AKP'ydi! Neyse... Hükümet, Genelkurmay'ın bildirisine karşı bildiri yayınladı. Adalet Bakanı Cemil Çiçek okudu. "Genelkurmay, hükümetin emrindedir. Genelkurmay'ın açıklaması, yüce yargıyı etkilemeye yönelik bir girişim olarak algılanacaktır, üzücüdür" denildi.

...»

29'unda... İstanbul Çağlayan'da Cumhuriyet mitingi yapıldı. İki milyona yakın insan katıldı. Kadınlar ön plandaydı. "Çankaya yolları şeriata kapalı, ne şeriat ne darbe" sloganları atıldı. Atatürk posteri ve Türk bayrağı seliydi. Haber kanalları naklen yayınlıyordu. Trabzon, Gaziantep, Mersin, Adana'da televizyonlar seyredilmesin diye, genel bakım ayaklarıyla elektrik kesintileri yapıldı. Denizli'de belediyenin iş makinesi ana hatları kopardı, şehir elektriksiz kaldı. Dünyada birinci haberdi. İran'da bile manşetti. Hatta, *İtimad* gazetesi "İslamcılarla laikler karşı karşıya geldi" yorumunu yapmıştı.
Adeta 10 sene gibi süren Nisan ayı nihayet bitti.
Başıyla sonu arasında... 10 şehit vardı.

...»

1 Mayıs'ta harp çıktı!
İstanbul Valiliği, Taksim'deki kutlamaları yasakladı. DİSK yürümeye kalkıştı. Gaz bombaları atıldı. 900 kişi gözaltına alındı. Bölgedeki okullar tatil edildi. İşçiler gelmesin diye otobüs, vapur, metro seferleri durduruldu; ahali perişan oldu. Köprü trafiği bile kesildi. Başka şehirlerden 15 uçak dolusu polis taşındı. İşine gücüne gitmeye çalışan sıradan vatandaşlar arada kaldı, coplandı; restoranlarda oturan turistler bile dövüldü. Adeta intikam alınıyor, gözdağı veriliyordu... Tandoğan-Çağlayan mitinglerine "darbeci zihniyet" diyen hükümetimizin "demokrasi"si şahaneydi!
İşçi kesiminden sadece DİSK ayakta kalmıştı.
Çünkü yargı ve medya gibi, sendikalara da el atılmıştı.

...»

Tes-İş Başkanı Mustafa Kumlu, Türk-İş Başkanı seçildi... Tayyip Erdoğan her fırsatta "Biz AKP'yi Tes-İş salonlarında kurduk" diyordu. Aralarından su sızmıyordu. Hak-İş zaten çok yakındı, zihniyet kardeşiydi. AKP'li belediyelerde Hak-İş'e üyelik konusunda yönlendirme yapıldığı öne sürülüyordu.

...»

İşçi böyleyken, memur nasıldı?
1995'te kurulan Memur-Sen'in üye sayısı 2002'ye kadar sadece 41 bindi. AKP iktidara geldi, Memur-Sen'in üye sayısı beş senede 250 bin kişiye ulaştı. AKP'nin pek sevdiği Memur-Sen, KESK'in karşısına dikiliyordu. Senden-benden başlamıştı. KESK'e üye olanın terfisi zordu... Memur-Sen'e üye olursan, yürü ya kulum deniyordu.

...»

Anayasa Mahkemesi "367 şart" deyip, ilk turu geçersiz saydığını açıkladı; gündem siyasete geri döndü. AKP'nin cumhurbaşkanı seçemeyeceği netleşmişti. Şırrak... 4 Kasım'da yapılması gereken genel seçimi öne çektiler. "22 Temmuz'da sandık başına gidilecek" dediler. Halbuki, o güne kadar "erken seçim" isteyenlere, bizzat Başbakan tarafından "ihaneti vataniye" deniyordu.
Temmuz'da en son seçim, teee 1946'da yapılmıştı.
Belli ki, insanların tatilde-yazlığında olacağı hesap edilmiş, özellikle laik kesimin sandığa gitmeye üşeneceği düşünülmüştü.

...»

Tayyip Erdoğan'la Yaşar Büyükanıt, Dolmabahçe'deki başbakanlık ofisinde buluştu. İki saat baş başa görüştüler. Türk siyasi tarihinin en büyük muammalarından biri olarak kaldı. Büyükanıt'ı sıkıştırdılar... "Ne konuştuğumuzu zamanı gelince açıklayacağım, şimdilik şunu söylüyorum, 27 Nisan bildirisinde ne söylendiyse, işte onlar konuşuldu" dedi. Başbakan'ı sıkıştırdılar... "Mahrem bir görüşme yapmışız, açıklamaya mecbur muyuz, bu benimle mezara gider ama, açıklamaya kalkarsa, o zaman ben de ilgili şeyleri açıklarım" dedi.
Tayyip Erdoğan'ın bahsettiği o "ilgili şeyler" her ne ise, bu kitabın baskıya girdiği 2013 senesinde hâlâ "meçhul şeyler"di.

...»

Dolmabahçe buluşmasından hemen sonra...
AKP en büyük "seçim kozu"nu masaya sürdü.
"Cumhurbaşkanını 5+5 seneliğine halk seçsin" yasası çıkarıldı, Köşk'e gönderildi. Veto yedi ama aynen iade edildi. İkinci veto hakkı yoktu. Ya onaylanacak, ya referanduma sunulacaktı. Referandum kararı çıktı. "İlla türbanlı olacak, illa türbansız olacak" inatlaşması, sistemi allak bullak etmişti.

(Buraya parantez açmanın zamanı sanırım... Tayyip Erdoğan'ın cumhurbaşkanı olmasına itiraz edilmeseydi, AKP böylesine yüksek oy oranıyla yoluna devam edebilir miydi? İnternet muhtırasıyla seçmen duygularına müdahale olmasaydı, 2007 seçiminin sonucu nasıl çıkardı? Makarayı az geri sararsak... Tayyip Erdoğan şiir miir bahane edilerek hapse tıkılmasaydı, yasaklanmasaydı, o zamanlar tasarlanan AKP, şimdiki AKP olur muydu? Bu soruların cevaplarını elbette bilemeyiz. Ancak, Tayyip Erdoğan engellenmeye çalışıldıkça, AKP büyüdü, kesin gerçek bu... Peki, toplum mühendislerinin hesap edemediği netice miydi bu? Yoksa, toplum mühendislerinin tam olarak hesap ettiği netice miydi?)

...»

İzmir-Gündoğdu'da Cumhuriyet mitingi yapıldı.
Al sancak, Alsancak'taydı.
İki milyon kişi katıldı. Doğma büyüme İzmir çocuğuyum, böyle bir şey görmedim. CNN International, BBC, Alman ve Fransız kanalları bile naklen yayınladı. Körfez'de binlerce Türk bayraklı, Atatürk posterli tekne vardı. Karşıyakalılar, teknelerine Zübeyde Hanım'ın fotoğraflarını yapıştırmış, "Anamızı da aldık geldik" pankartı açmıştı... Ki, tesadüf o gün hakikaten Anneler Günü'ydü. Kordon boydan boya gelincik tarlasına dönmüştü. Hatay'dan Güzelyalı'ya, Bornova'dan Buca'ya, bütün İzmir'de balkonlara bayrak asılmıştı. "Ege'nin efesi, laikliğin kalesi" sloganları atıldı. Sabah 8'de başladı, gece yarısına kadar kalabalık dağılmadı.

...»

Tayyip Erdoğan, Erzurum'da TOKİ törenine katıldı. Cumhuriyet mitinglerine nazire yaparcasına, her AKP'linin elinde Türk bayrağı vardı. Caddelere, elektrik direklerine, her yere bayrak asılmıştı. Üç gün sonra... 19 Mayıs törenleri yapıldı. Aynı Erzurum'un caddelerinde ilaç için tek bayrak bile yoktu!

...»

Ankara-Ulus'ta Anafartalar Çarşısı'nın önündeki durakta bomba patladı, sekiz kişi hayatını kaybetti. İzmir'de bomba patladı, bir kişi hayatını kaybetti. Mayıs çok kanlı geçmişti... 18 şehit vardı.

...»

Terörle Mücadele Koordinatörü emekli Orgeneral Edip Başer, daha fazla dayanamadı, "Vazo gibi durmanın manası yok, istifa edeceğim" dedi. İstifa edemeden, hükümet tarafından görevden alındı. Güya, geçen sene ABD'yle ortak mekanizma kurulmuştu. İşbirliği yapılacak, karşılıklı koordine edilecek, terör sona erdirilecekti. Hikâyeydi. Ahalinin gözünü boyamaktan ibaretti. Ertesi gün, rezalet ortaya çıktı...
Edip Başer'in yardımcısı emekli Tümgeneral Yaşar Karagöz, tek tek anlattı. "Başbakanlık Müsteşarı'ndan defalarca randevu istedim, telefonuma bile çıkmadı, birbirimizi hiç görmedik, beni şimdi görse inanın tanımaz, çünkü yüzümü hiç görmedi. Sekiz ay boyunca orada bulunduk, Başbakan'ın kadrosundan bir kişi gelip 'Bir ihtiyacınız var mı?' diye sormadı. Yaka tanıtma kartı bile vermediler, sadece turnikeden geçebilmem için kart verdiler. Sekreterimiz vardı ama ne faks cihazı verdiler, ne fotokopi makinesi verdiler. Bilgisayarımız yoktu. Cep telefonu vermediler, yedi ay sonra sim kart verdiler, hiç kullanmadan iade ettim. Devletten beş kuruş almadık. Çay paramızı, şeker paramızı bile Edip Paşa cebinden ödedi" dedi.
Ahalinin gazını almak için "ABD'yle yakın işbirliği yapıyoruz, terörle mücadeleyi koordine ediyoruz" dedikleri, işte buydu.

...»

Haziran'da biri yarbay, ikisi binbaşı, 22 şehit vardı.

...»

Herkes Kuzey Irak'a sınırötesi operasyon bekliyordu ki...
Tayyip Erdoğan çıktı, "Kuzey Irak'ta 500, Türkiye'de dağlarda 5 bin terörist var, burası halledildi mi ki, oradakilerle uğraşma safahatine gelinecek?" dedi.

...»

Hakkâri'de şehit düşen binbaşının bayrağa sarılı tabutu, İstanbul Atatürk Havalimanı'nda "kamyonet kasası"nda taşındı. Şehit naaşı, bavul muamelesi görmüştü. Tarihimizde ilkti. "Böyle rezalet olur mu?" denilince... "Kurallara göre, tören kıtaları aprona giremiyor" cevabı verildi. Aprona "deve" girebiliyor, asker giremiyordu!

...»

O gün... Ümraniye'de bir gecekonduya polis baskını yapıldı.

27 adet el bombası bulundu. Bombaların sahibi olarak emekli Astsubay Oktay Yıldırım tutuklandı. Seçim atmosferinde haber bile yapılmamıştı.

...»

Siyaset toz duman, satışlar süt liman'dı.
İzmir limanı satıldı.
Mersin limanı satıldı.
Erdemir'i satın alırken "Milli kuruluşlar asla yabancıya satılmamalı" diyerek, gözlerimizi yaşartan Oyak yönetimi, Oyakbank'ı Hollandalı ING'ye sattı!
Oyakbank'ı satın alan Hollanda bankası, geçen sene Türkiye'yle alakalı olarak "iktisadi yön" raporu hazırlamıştı. Raporun kapağında çok enteresan bir fotoğraf vardı. Kabaca tarif edersek... Bir kadın fotoğrafıydı. Mutfaktaydı. Çok mutlu. Gülümsüyordu. Elinde bir hindi vardı. Yolunmuş. Cillop durumda. İngilizce hindi malum, Turkey... İnsanın iştahını kabartan bu lezzetli fotoğrafın başlığı neydi biliyor musunuz?
"Tamamiyle yolundu"ydu!
Evet, aynen buydu, tamamiyle yolundu.
"İktisadi yön"ümüzü gösteriyordu.

...»

1970, Kasımpaşaspor kayıp.
1980, yok.
1990, yok.
2000, yok.
2002, Kasımpaşalı iktidar.
2004, üçüncü ligde.
2005, ikinci ligde.
2006, birinci ligde.
2007, Kasımpaşaspor Süper Lig'e çıktı!

...»

Seçim mitingleri başladı.
AKP'nin sloganı "Durmak yok, yola devam"dı.

Başbakan her çıktığı kürsüde "Beraber yürüdük biz bu yollarda"yı söylüyordu. En büyük vaadi, istikrar'dı. Sihirli kelime gibiydi. "Aman istikrar bozulmasın" deniyordu. İstikrardan kastedilen, düşük kur, düşük enflasyon, dünyaya göre yüksek faiz'den oluşan "sıcak para" sarmalıydı. Ahali, kredi kartından ve mortgage'dan gırtlağına kadar borca girmişti. Dövizin, enflasyonun biraz yükselmesi, borcu olanların iflası anlamına geliyordu. Devletin malı mülkü satılmış, iç-dış borç artmış, kimsenin umurunda değildi. Herkes kendi cebine bakıyordu.

...»

Tayyip Erdoğan, her gittiği şehirde TOKİ töreni dümeniyle seçim mitingi yapıyor, propaganda için devlet imkânlarını kullanıyor, Yüksek Seçim Kurulu sesini çıkarmıyordu. CHP türban ve yolsuzluklardan, MHP ise terörden dem vuruyordu.

...»

Miting ortamının en kritik meselesi, Mehmet Ağar'la Erkan Mumcu arasında yaşananlardı. Demokrat Parti'yle Anavatan Partisi birleşmiş, anketlere göre yüzde 10'u aşan ortaklığa dönüşmüştü. Seçime günler kala birbirlerine girdiler... Erkan Mumcu çekildi. Cemaat baskısından, akçeli mevzulara kadar pek çok iddia ortaya atıldı ama, bu kitabın yazıldığı tarihte bile hâlâ muammaydı. Seçime birlikte girselerdi, meclisin sandalye dağılımı değişecek, cumhurbaşkanlığı seçimi dahil, tarih başka türlü akacaktı. Bu ortaklığa son anda her kim dokunduysa, AKP açısından tam zamanında dokunmuştu.

...»

Ergün Poyraz'ın yazdığı *Musa'nın Çocukları, Tayyip ve Emine* ile *Musa'nın Gül'ü* kitapları peş peşe piyasaya çıkmıştı. Satış rekorları kırıyordu. Başbakan, toplatılması için mahkemeye başvurdu, mahkeme reddetti. İşin enteresan tarafı... Ergün Poyraz'ın ağır ithamlar içeren kitapları, AKP eski Şanlıurfa Milletvekili Faruk Bayrak'ın yayınevi tarafından dağıtılıyordu. Aynı yayınevi, Tayyip Erdoğan'a en sert muhalefeti yapan Tuncay Özkan'ın kitaplarının da yayıncısı ve dağıtımcısıydı.

...»

Tarihi sıcaklar yaşanıyor, avanta kömür servisi tam gaz devam ediyordu. Gizlisi saklısı kalmamıştı, bulgur makarna kolileri alenen evlere teslim ediliyordu.

...»

İstanbul Büyükşehir Belediyesi, Türkiye'de ilk defa "klimalı

tabut" almak için ihale açtı. Güle güle kullanın bari. İyi günlerde... Zaten Başbakanımız her fırsatta gururla anlatıyordu. "Belediye başkanıyken dedim ki, 'Hayatı boyunca Mercedes kullanamayanların hiç olmazsa cenazelerini Mercedes'le taşıyalım' dedim, benim milletim yaşarken binemedi, bari cenazeleri binsin" diyordu.
Siz ölün, gerisi kolay'dı!

...»

Amiral battı...
Genelkurmay Askeri Mahkemesi, Deniz Kuvvetleri eski Komutanı İlhami Erdil'e haksız mal edinmek ve yolsuzluktan üç sene hapis cezası verdi. Rütbesi söküldü. Oramirallikten er'liğe indirildi. Tam seçim atmosferinde, Tekirdağ Saray Cezaevi'ne konuldu. AKP'ye ilaç gibi gelmişti. "Askere posta koyan, hesap soran hükümet" propagandası yapılıyordu.

...»

Ki, Başbakan'ın oğlunun gemi aldığı ortaya çıktı.
Başbakan "gemicik" olduğunu söyledi.
"Gemi var, gemicik var, oğlumun aldığı gemicik" dedi.
Gemiciğin boyu 96 metreydi.

...»

Plajlar boşaldı...
Türkiye sandık başına gitti.

Kalfalık dönemi

Cumhurbaşkanı Abdullah Gül • Mahalle baskısı • İkinci Cumhuriyet 11'i

22 Temmuz 2007...
Sandıklar açıldı.
Ampul, abajur olmuştu.
Dört sene daha başucumuzda duracaktı.
Ananı da al git, sayın-kelle, babalar gibi satışlar, gemicik filan, ahalimiz için sorun teşkil etmemişti. Her iki kişiden biri AKP'ye oy vermişti. Yüzde 47'yle gene tek başına iktidardı.
CHP'yle beraber MHP de meclisteydi. 2002'de baraja takılan DTP'liler, taktik değiştirmiş, bağımsız aday olarak gelmişlerdi. En enteresanı, yargılaması devam eden ve sekiz aydır hapiste bulunan Sabahat Tuncel'di. Milletvekili seçilince "kaçma ihtimali olmadığı için" serbest bırakıldı.

...»

Bismillah... Tayyip Erdoğan ve Abdullah Gül hakkında kitap yazan Ergün Poyraz'ın evi basıldı, tutuklandı. "Terör örgütü üyesi olmak, teröristlerin fikir babası olmak, devletin gizli bilgilerini ele geçirmek, gecekondudaki bombalarla alakası olmak" gibi çoook uzun bi listeyle suçlandı. Artık neresine denk gelirse orasınaydı!

...»

"AKP yüzde 47 aldı ama öbür tarafta yüzde 53 var, çoğunluk hâlâ AKP'nin karşısında" deniyordu. Başbakan çıktı, hesabı kendince izah etti. "Yüzde 84 oranında oy kullanıldı, bunun yüzde 47'sini aldık, yüzde 100 üzerinden hesap yaparsanız, aldığımız oy yüzde 55,4'tür; kusura bakmasınlar, bu hesapları iyi biliriz, biz bu hesapların içinde piştik" dedi.
Geçti mi böylece yüzde 53'ü?

Geçti.
Yüzde 100 üzerinden hesap yapıp...
Yüzde 115'i bulan ilk ve tek başbakandı!

...»

Utangaç bi seçmendi, AKP seçmeni...
İki kişiden biri AKP'ye oy vermişti ama iş ortamlarında, arkadaş sohbetlerinde, açık açık "Evet, ben AKP'ye oy verdim" diyenlerin oranı neredeyse 10'da 1'de kalıyordu. Halbuki, insan gurur duymaz mı oy verdiği partiden? Hem AKP'ye oy veriyorlardı, hem de "AKP'ye oy verdim" demek istemiyorlardı.

...»

Kabine üyelerini yeri gelince tek tek anlatırız ama, en şahanesi Ertuğrul Günay'dı... CHP milletvekili olan, CHP Genel Sekreteri olan, 1994 belediye seçiminde Tayyip Erdoğan'ın karşısına CHP'den rakip olan Ertuğrul Günay, sol'dan sağ'a, AKP'ye geçmiş, Kültür ve Turizm Bakanı olmuştu.

...»

Köksal Toptan, TBMM Başkanı seçildi. O da köken itibariyle AKP'li değildi... Süleyman Demirel'in hem avukatı, hem milletvekili, hem bakanıydı. 2002'den itibaren AKP'liydi. Eşinin başı açıktı. Çankaya'ya türban çıkacağı için, hem Başbakan hem Cumhurbaşkanı türbanlı olacak, bari TBMM Başkanı türbansız olsun diye düşünülmüştü. Üçünün birden türbanlı olacağı günler de gelecekti, acelesi yoktu.

...»

Bekir Coşkun, *Hürriyet*'teki köşesinde "O benim cumhurbaşkanım olmayacak" diye yazdı. Başbakan çok öfkelendi. "Bunu diyenler vatandaşlıktan çıkmalı, çeksin gitsin" dedi.
AKP'yi beğenmiyorsan, defolup gidecektin yani...
En güzel cevabı, Bekir Coşkun'un eşi Andree verdi. "Ben Fransız asıllı Türk vatandaşıyım. Bir Türk'e âşık oldum, onunla evliyim. Bu topraklarda doğdum, annem babam bu topraklarda öldü, bu topraklara gömüldü, ben de bu topraklarda öleceğim, bu topraklara gömüleceğim. Fransa'nın Ankara Büyükelçisi'nin bize teklif ettiği Fransa pasaportunu reddettik, çifte vatandaşlığı bile kabul etmedik. Başbakan'ın sözleri gururumu rencide etti, içimi

acıttı. Cevabım şudur, hayır Sayın Başbakan, bir yere gitmiyoruz, buradayız" dedi.

...»

103 gün devam eden itiş-kakış bitti.
Abdullah Gül, 11'inci cumhurbaşkanı seçildi.
Sadece AKP'liler oy verdi.
Türban, devletin zirvesindeydi.
Ahmet Necdet Sezer "hoşça kalın" dedi.
Çankaya'dan ayrıldı.

...»

Türkiye, Sezer'in gidişiyle birlikte, aslında nelere veda ettiğinin farkında değildi. Arkasında partisi de yoktu, ordusu da... Gerçek manada ilk ve tek "sivil cumhurbaşkanı"ydı. Tek başına geldi, tek başına gitti. Yeminini tuttu. Hukuku üstün kıldı. Hangi değerleri "korumaya çalıştığını" Türkiye ağır ağır öğrenecekti.

...»

Yandaş medyanın manşetlerinde "Gül kokusu, Güller açtı, Gül döktüm yollarına, demokrasi şaheseri, Başkomutana selam" başlıkları vardı. Bir gazete "halk çocuğu" manşetini kullanmıştı, ki, en başta Mustafa Kemal, öbür cumhurbaşkanlarının ne çocuğu olduğunu siz düşünecektiniz gari!

...»

Ve, o gün görülmemiş bir şey oldu.
Dört sene 10 aydır görülmemiş bir şey...
Yandaşlar dahil, gazetelerin hiçbirinin birinci sayfasında Tayyip Erdoğan yoktu. Tamamında Abdullah Gül vardı. İkisinin arasında her zaman yaşanan ama, her zaman inkâr edilen rekabetin, makamlararası miladıydı. Abdullah Gül'ün popülaritesi, tarihte ilk defa, Tayyip Erdoğan'ı geçmişti.

...»

11'inci cumhurbaşkanı seçilince...
Türban filan derken, çarşaf'a dolanılmıştı.
Çünkü referandum yasasında "11'inci cumhurbaşkanını halk seçer" yazıyordu. Langır lungur yasa yapılırsa, olacağı buydu. 11'inciyi meclis seçtiğine göre, şimdi ne olacaktı? Hadi bakalım, AKP kendi yazdığı yasayı kendi bozdu, "11'inci" ifadesini çıkardı.

Zaten, aslına bakarsanız, referandumun detaylarından falan kimsenin haberi yoktu. Ahalimizden tek istenen, Kıbrıs'taki gibi "yes be annem" demesiydi. Okumasına, düşünmesine ihtiyaç yoktu.

...»

Okuyup düşünenler ise, sosyolog Profesör Şerif Mardin'in ortaya attığı "mahalle baskısı" kavramını konuşuyordu. Kabaca özetlersek, "İslami hayat tarzının dayatılacağını, laiklerin kendisini dışlanmış hissedeceğini" anlatıyordu.

...»

Hemen peşinden "Malezya mı oluyoruz?" merakı başladı. Gazeteler Malezya'ya muhabirler gönderiyor, İslami sosyal hayata dair Malezya dizileri yapılıyordu. Malezya'da laiklik mücadelesi veren hukukçu Malik İmtiaz, *Hürriyet*'e gayet güzel izah etmişti... "10 sene önce bu hale geleceğimizi kimse tahmin etmiyordu, bu gidişle 10 sene sonra Malezya İran olur, Türkiye de Malezya olur" diyordu.
Aslına bakarsanız, taaa Malezya'ya gitmeye gerek yoktu. Malezya bayrağına bakmak yeterliydi. ABD bayrağıyla yan yana koyun, görün... Malezya bayrağı, ABD bayrağının ılımlı İslam versiyonuydu!

...»

Profesör Teziç'in görev süresi bitti, YÖK Başkanlığı'na Yusuf Ziya Özcan atandı. Türkiye henüz Malezya olmamıştı ama Malezya'dan YÖK Başkanımız olmuştu! Çünkü Yusuf Ziya Özcan, Malezya İslam Üniversitesi'nde öğretim üyesi olarak çalışmıştı. İşin matrak tarafı, YÖK bu üniversiteye denklik vermiyordu. Daha matrak tarafı... Rektör değildi. Dekan bile değildi. Herhangi bir fakülteyi yönetmemişti ama, üniversitelerin hepsini birden yönetecekti.

...»

"İkinci Cumhuriyet" tartışmaları başlamıştı.
Cengiz Çandar, köşe yazısında İkinci Cumhuriyet takımının ilk 11'ini saydı: Cengiz Çandar, Mehmet Barlas, Hasan Cemal, Murat Belge, Etyen Mahçupyan, Orhan Pamuk, Mehmet Altan, Eser Karakaş, Şahin Alpan, Ali Bayramoğlu ve Mehmet Ali Birand'dı.

...»

Cumhurbaşkanı Gül, ilk icraat olarak, kızı Kübra'yı evlendirdi. Düğün, İstanbul Gösteri ve Kongre Merkezi'ndeydi. 3 bin davetli katıldı. 6 bin polis nöbet tuttu. Şarkıcı Kıraç, özel beste yaptı, nikâh sırasında o çalındı. Tavandan ışık şelalesi döküldü. Takılar desen... Derishow'un hazırladığı torbalarla toplandı.

...»

Kaşla göz arasında Petkim satıldı.
Yeni sahibi, adı sanı duyulmamış Rus-Kazak ortaklığı bir firmaydı. Maliye Bakanımız "Satıyoruz satıyoruz bitmiyor, ne komünist ülkeymişiz be" diyordu. Gel gör ki... Kazak'ı bi çıkarttık kardeşim, altından Ermeni çıktı! Ermeni lobisinin en güçlü işadamı, Rus-Kazak şirketi üzerinden, Petkim'i almıştı. Skandal basına yansıyınca, ihale apar topar iptal edildi. İlla birine verilecekti... Pantolon olmadı gömlek verelim misali, Ermeni uymadı, Azeri firmaya verildi.

...»

Anadolu Grubu'na ait Abank, Yunan bankası Alfabank'a satıldı. Ekonomi sayfalarımızda sevinçten havai fişekler fırlatılırken... Bankacılık Düzenleme ve Denetleme Kurumu izin vermedi, vetoladı. Çünkü Türk bankasını satın almaya çalışan Yunan bankasının yönetim kurulu üyelerinden biri, Yunan Gizli Servisi'nin eski başkanıydı! Apo, Kenya'daki Yunan elçiliğinde saklanırken, bu arkadaş, Yunan istihbaratının başındaydı. Gençliğinde Ankara'da casus olarak görev yapmıştı.

...»

Bankalarımız şakır şakır Yunanistan'a giderken... Çanakkale Yağlı Pehlivan Güreşleri'nin ağası kim oldu biliyor musunuz? Bölgeden sebze-meyve ticareti yapan Yunan işadamı Anestis Milonays oldu. 70 bin lirayı bastırdı, er meydanı ağası oldu, davul zurna eşliğinde omuzlara alındı, çayırda şeref turu attı.
Raki, caciki, lokumi falan derken...
Koca Yusuf'u Yusufaki yaparlarsa, şaşmazdık gari!

...»

Ve, Başbakanımız valilere talimat verdi. "İcabında sayın valim, atlayacaksın kamyonun şoför koltuğuna, sen gideceksin, kapıyı çalacaksın, kömürü sen vereceksin, bunu yaptığın gün bu Türkiye ne olur biliyor musun, uçar uçar" dedi.

Demek ki neymiş?
Verecektin avanta kömürü, Türkiye uçacaktı!
Olay buydu.
8 milyon aileye avanta kömür dağıtılmıştı.

...»

Zaten o nedenle...
Bankalar limanlar telefonlar satılıyor ama, Kömür İşletmeleri Kurumu'yla Taş Kömürü Kurumu asla satılmıyordu. Stratejik, jeopolitik ve "demokratik" önemi vardı. Başkasının eline geçmesi sakıncalıydı!
Mesela, en çok zarar eden kurumlardan Devlet Demiryolları, ilk defa bu sene 50 milyon lira kârâ geçtiğini açıkladı. İnsan taşıyarak değil... Kömür taşıyarak!
Herkes Roma'ya biz Soma'ya lafı vardır ya... Aynen öyle olmuştu. Soma'dan Tunçbilek'ten Seyitömer'den yüklenen kömürler, ülkenin değişik noktalarına vagonlarla taşınıyor, faturası hükümete gönderiliyor, avanta kömür taşıyarak kara geçiliyordu. İnsan taşıyarak zarar eden Devlet Demiryolları, avanta kömür taşıyarak köşeyi dönüyordu.
Tren anca gara kadar getirebildiği için, Başbakanımız valilere "kamyonun direksiyonuna atla" diyordu. Malum, raylar, evlerin kapısına kadar gidemiyordu!

...»

Verdiler kömürü...
Verdiler kömürü...
Referandum yapıldı.
Yüzde 69 "evet" çıktı.
42 milyon seçmenin sadece 27 milyonu sandığa gitmişti. Sandık başında yapılan ankette, evet oyu verenlerin yüzde 60'ı "neye evet dediklerini bilmediklerini" açıkladılar.

...»

Haşim Kılıç, Anayasa Mahkemesi Başkanı oldu.
Tarihte ilkti... Hukukçu değil, iktisatçıydı. Eşi türbanlıydı.

...»

Abdullah Gül'ün Çankaya Köşkü'ndeki ilk Cumhuriyet Bayramı resepsiyonuna, Hollywood yıldızı Kevin Costner da katıldı. Nerden tanışıyorlarmış derseniz... Tanışmıyorlardı. Konser vermek için İstanbul'a gelmişti, hazır gelmişken kolundan tutup, Ankara'ya, resepsiyona götürmüşlerdi. Köşk'ten çıkınca Anıtkabir'e de uğradı. Eline bayrak tutuşturup, sallattılar. "I love you Kevıııınn" tezahüratı yapıldı. Evlere şenlikti. Hollywood seferber olsa, Türkiye'de çevrilen komedi filmleriyle boy ölçüşemezdi!

...»

PKK, referandum günü Dağlıca'yı basmıştı; 12 askerimizi şehit ederken, sekiz askerimizi kaçırmıştı. İki hafta sonra, iyi niyet gösterisi adı altında, Kuzey Irak topraklarında, DTP milletvekilleri Aysel Tuğluk ve Fatma Kurtulan'a teslim ettiler. Masa kurmuşlar, üstüne PKK bayrağı ve Apo posteri koymuşlar, yanına esir askerlerimizi dizmişler, teslim tutanağı imzalayarak, törenle serbest bırakmışlardı. Kevin Costner meselesi ne kadar komikse, bu da o kadar dramatikti. DTP'lilerin tutanakla teslim aldığı askerlerimiz, Erbil'de Amerikan askerlerine devredildi, memlekete Amerikalılar getirdi.

...»

O gün, Tayyip Erdoğan ABD'ye gitti.
Bush'la görüştü.
İtiraf edilmiyordu ama...
Kuzey Irak'a harekât için müsaade isteniyordu.
Malum, terörle mücadele koordinatörlüğü fiyaskoyla sonuçlanmıştı. Bi şeyler yapıyormuş gibi görünmek lazımdı.
Ahalinin ağzına bir parmak bal çalmak gerekiyordu.
Beyaz Saray'daki görüşme neticesinde, ABD'nin "anlık istihbarat" vereceği açıklandı. PKK'yı havadan izleyecekler, sınırdaki hareketleri anında bize bildireceklerdi. Tayyip Erdoğan "Hamdolsun istediğimizi aldık, pozitif duygular içindeyim" dedi.

...»

PKK, basını davet ediyor, Brezilya'dan futbolcu transfer eder gibi imza töreni yapıyor, esir askerlerimizi kafamıza çuval geçiren Amerikalılara teslim ediyor... Türk halkı hâlâ ABD'den "anlık istihbarat" geleceğine inandırılıyordu. Değil predator, teleskop verseler nafileydi, bakarkörlüğe çare yoktu.

...»

Teröristler elini kolunu sallaya sallaya Kuzey Irak'tan Türkiye'ye

girerken... Irak Türkmen Cephesi Genel Başkanı Doktor Sadettin Ergeç, Erbil'den kalkan tarifeli uçağa bindi, Atatürk Havalimanı'nda gözaltına alındı, iyi mi... Giriş yasağı vardı, anında yakalamıştık!
Meğer, adamcağız önceki ay Türkiye'de kalp ameliyatı olmuş, çıkışı üç dört gün gecikince gıyabında para cezası kesilmiş, para cezasından haberi olmadığı için ödenmemiş, ödenmediği için "yurda giriş yasağı" konmuştu. Cep telefonundan Genelkurmay'ı aradı, anca beş saat sonra kurtulabildi.

...»

Bizim liboş gazeteciler ise, Barzani'yle röportaj kuyruğuna girmişti. Tayyip Erdoğan pek sinirlendi, esti gürledi. "Fırsat bulsalar İmralı'dakini de konuşturacaklar" dedi. Breh breh breh... O zamanlar biri çıkıp, "Barzani'yi AKP kongresine onur konuğu olarak davet edecekler, Apo'ya ulusal sesleniş konuşması yaptıracaklar, hayaldi gerçek olacak" deseydi, herhalde contaları yakmış diye, alay edilirdi!

...»

10 Kasım geldi...
Takvimde başka gün yokmuş gibi, Suudi Arabistan Kralı Abdullah bin Abdülaziz el Suud, Ankara'ya geldi. Anıtkabir'e gitmeyi reddeden Kral'a, Çankaya Köşkü'nde madalya takıldı, Türkiye Cumhuriyeti Devlet Nişanı verildi. Kral da, bizim Cumhurbaşkanı ile bizim Başbakan'a madalya taktı.
Sadece madalyayla kalsa, gene iyiydi. Protokol tarihinde bir ilk yaşandı... Cumhurbaşkanımız, Başbakanımızla birlikte, Suudi Kralı'nın ayağına, kaldığı otele gitti. Yan yana oturup poz verdiler.

...»

Aynı gün... Isparta'da bir beden eğitimi öğretmeni hakkında, Cumhuriyet mitingine katıldığı ve öğrencilerine 19 Mayıs'ta Atatürk tişörtü giydirdiği gerekçesiyle soruşturma açıldı. Suçlu bulundu, ceza olarak maaşı kesildi. Arka sayfalarda, küçücük yer verilen bu hadise, milat'tı. Atatürkçü avı başlamıştı.

...»

Atlasjet'in İstanbul'dan havalanan MD83 tipi uçağı, geceyarısı 1.30'da Isparta'da düştü. 50 yolcu ve 7 mürettebatın tamamı hayatını kaybetti. Yaklaşma cihazının bozuk olduğu, sola

dönmesi gerekirken, tam tersi istikamete dönüp, Türbetepe'ye çakıldığı öne sürüldü.
Atlasjet, bu hurda uçağı World Focus adındaki bir başka şirketten kiralamıştı. World Focus, aynı uçağı 2005 senesinde THY'ye de kiralamıştı. Sık sık arıza yaptığı, buna rağmen uçurulduğu ortaya çıktı. Hatta, World Focus'un eski yönetim kurulu başkanı, "Para yoktu, uçakların periyodik bakımı bile yapılamıyordu, bu sorumluluğu taşıyamam diye istifa etmiştim" dedi.
Kurbanlar arasında, İsviçre CERN'deki deneylere Türkiye adına katılan Profesör Engin Arık da vardı. Ekibiyle birlikte, Isparta'ya konferansa gidiyordu. Kaderin oyunu... Engin Arık'ın CERN'de katıldığı deneyin adı da "Atlas"tı.

...»

Faciadan sadece bir hafta sonra... Yılın Başarılı Havacılık Ödülleri dağıtıldı. Yılın Başarılı Havacılık Yöneticisi Ödülü kime verildi biliyor musunuz? Kazadan sonra hakkında inceleme başlatılan Sivil Havacılık Genel Müdürü'ne verildi. Ödülü kim takdim etti biliyor musunuz? Ulaştırma Bakanı!
Bu kitabın piyasaya çıktığı 2013'te, mahkeme hâlâ bitmemiş, kazanın sebebi ve sorumluları hâlâ ortaya çıkmamıştı.

...»

Temmuz ayında 13 şehit vardı.
Ağustos ayında 12 şehit vardı.
Eylül ayında 5 şehit vardı.
Şırnak'ta minibüs tarandı, 12 vatandaşımız öldü.
Ekim ayında 35 şehit vardı.
Kasım ve Aralık'ta dokuz şehit daha vardı.
2007 bilançosu 138 şehide ulaşmıştı.
Öfke doruktaydı.
Ahalinin gazını almak gerekiyordu.

...»

F16'larımız Kuzey Irak'taki PKK kamplarını, Kandil'deki mağaraları vurdu. Uçaklardaki termal kameralarla çekilen bombalama görüntüleri, ilk defa, televizyonlarda yayınlanıyordu. Film gibi seyrediyorduk. Genelkurmay Başkanı Büyükanıt "PKK kampları artık Biri Bizi Gözetliyor Evi gibi" dedi.
Komandolarımız sınırötesine geçti. Güya temizlik harekâtı yapılıyordu. Şöyle mahvettik, böyle mahvettik manşetleri

atıldı ama... Aylardır Kuzey Irak'a gireceğimiz konuşuluyordu. Neredeyse bi davul zurna çalmadığımız kalmıştı. O kamplarda keriz gibi kim kalmış olabilirdi ki?
Neticede... Hükümet memnun, Genelkurmay memnun, ahali memnun, ABD memnun, hatta, kimsenin burnu kanamadığı için PKK bile memnundu!
Kuzey Irak'a girmemizle çıkmamız bir olmuştu. "ABD anca bu kadarına izin verdi" denilince, Tayyip Erdoğan öfkelendi, "Türkiye Cumhuriyeti Başbakanı şerefsiz değildir" dedi.

Tek darbeyi DTP yemişti... DTP Genel Başkanı seçilir seçilmez, sahte çürük raporu aldığı, asker kaçağı olduğu ortaya çıkan Nurettin Demirtaş, tutuklandı, cezaevine tıkıldı.

...»

TMSF, *Sabah*-atv'yi Ciner Grubu'na vermişti.
Seçimden bir ay önce...
Sabah-atv'ye tekrar el koydu.
Seçimden üç ay sonra...
Sabah-atv'yi Çalık Grubu'na sattı.
Tayyip Erdoğan'ın damadı... Çalık Holding'in genel müdürüydü. 750 milyon dolarlık kredi, devlet bankaları Vakıfbank ve Halkbank'tan alınmış; eksik kalan 350 milyon dolar, Katarlı ortaktan temin edilmişti. Devlete ait mallar, haraç-mezat özel sektöre satılırken... Özel sektöre ait mal, devlet bankaları eliyle Başbakan'ın damadının genel müdür olduğu şirkete geçiyordu. AKP'yi destekleyen çok sayıda gazete ve televizyon olmasına rağmen... "Yandaş medya" denilen kavram, işte bu satıştan sonra "resmen" literatüre yerleşti.

...»

Sabah'ın başyazarı Mehmet Barlas'tı.
Başbakan'ı tebrik ederken, yanağını okşadı.
"Yanaka" lakabı takıldı.
Tesadüf o ki...
Başbakan'ın damadı manşetlerdeyken, bir başka damat'ın düğünü basıldı. Süleyman Demirel iktidarında memleketin en güçlü adamı olan, bilahare, malına mülküne TMSF tarafından el konulan Cavit Çağlar, villasındaki nikâhla oğlunu evlendiriyordu. TMSF villayı bastı. Geline-damada takılan takıların tespitini yaptı.

Tesadüf o ki...
TMSF kontrolündeki Star Televizyonu'nda yayınlanan "Sevgili Dünürüm" isimli dizide, fotokopi gibi, tıpa tıp aynı sahne yaşanmıştı. Batık banka sahibini canlandıran Haluk Bilginer oğlunu evlendirirken, rol icabı TMSF baskın yapmış, takılara el koymuştu. Bir ilk daha'ydı... Dizi, gerçek olmuştu!

...»

Sabah-atv'yle birlikte, Türkiye'nin en büyük bölge gazetesi *Yeni Asır* da, Çalık Grubu'na geçmişti. Henüz devir-teslim onayı çıkmadan... *Yeni Asır*'ın logosundaki Atatürk figürü kaldırıldı. İzmir ayağa kalktı. "Tayyip Erdoğan'ın damadı satın aldı, Atatürk uçtu" yorumları yapıldı. TMSF Başkanı "satışı baltalamaya yönelik komplo" kuşkusuyla soruşturma açtı. Halbuki, komplo momplo yoktu. Gazeteyi yönetenler, kendi kafalarınca yeni patronlarına göre pozisyon almıştı! Atatürk figürü derhal yerine kondu, mevzu kapatıldı ama... Hem Tayyip Erdoğan'ı, hem TMSF'yi, hem de Çalık Grubu'nu çok zor durumda bırakmışlardı. "Kraldan çok kralcılar" hep vardı, ancak, AKP dönemi hakikaten bambaşkaydı.

...»

Almanya tarafından ipliği pazara çıkarılan Yimpaş'ın patronu Dursun Uyar'a, Sermaye Piyasası Kanunu'na aykırı davranmaktan iki sene hapis cezası verildi. Tam cezaevine gireceği gün, hastaneye yattı. "Takayasu" olduğu açıklandı. 1908'de Japon doktor Takayasu tarafından keşfedilen hastalık türüydü. Bayılma, ateş filan yapıyordu. Küçük bi pürüz vardı... Kadın hastalığıydı!
O kadar kusur kadı kızında da olurdu.
Takayasu hastası...
Bakanlarımızın kankası...
Dursun bize Uyar'dı.
Gel gör ki, Takayasu raporu kurtaramadı, tutuklandı, Karabük Kapalı Cezaevi'ne kondu. Bir gece yattı. Kapalı cezaevini beğenmedi, savcılığa başvurdu, yarı açık olsun dedi, şak diye kabul edildi, Eskipazar Yarı Açık Cezaevi'ne nakledildi. Zaten rica minnet yatıyordu, bi de kapalı mı yatsaydı yani.

...»

Kaderin cilvesi mi desek, yoksa, bak sen şu tatlı tesadüfe mi desek, aynı gün... Adalet Bakanı Mehmet Ali Şahin, Silivri

Cezaevi'nin Mart ayında "hizmete gireceğini" açıkladı!
Ki, o Adalet Bakanı'nın eşi Saniye Hanım'a, Başkent Üniversitesi Hastanesi'nde, o Silivri'ye tıkılacak olan Profesör Mehmet Haberal tarafından böbrek nakli yapılmıştı.

...»

2007'nin son günü...
Tayyip Erdoğan'ı sırtından atan Cihan öldü.
Onu unutmayacağız.
Saygıdeğer bir at'tı.

...»

2007 senesi adeta yaprak dökümü gibiydi.
Siyasetin beyefendileri Erdal İnönü ve İsmail Cem'i kaybettik.
Hayırsever işadamı Kadir Has'ı, Vakko'nun yaratıcısı Vitali Hakko'yu kaybettik. Basın dünyasından Ufuk Güldemir'i, Şakir Süter'i kaybettik. Rock müziğin genç yıldızı Barış Akarsu'yu trafik kazasında kaybettik. Amasra'ya Barış'ın heykeli dikildi, o heykeli yapan dünyaca ünlü heykeltıraşımız Profesör Tankut Öktem'i de bir başka trafik kazasında kaybettik. Türkü ana Zehra Bilir, Nurten İnnap, Yıldıray Çınar, caz divası Nükhet Ruacan, tiyatro-sinema ustaları Savaş Dinçel, Lale Oraloğlu, Orçun Sonat, *Hababam Sınıfı*'nın Tulum Hayri'si Cem Gürdap, Türkiye'nin Kaptan Cousteau'su Haluk Cecan artık aramızda değildi. Eski bakan Yıldırım Aktuna'yla DEP eski milletvekili Orhan Doğan vefat etti. "Otel ayısı" lakabıyla tanınan eski bakan Mustafa Taşar, trafik kazasında can verdi.
İlk Müslüman kadın Başbakan Benazir Butto'yu havaya uçurdular. Boris Yeltsin gitti. Pavarotti gitti. Sophia Loren'in eşi, film yapımcısı Carlo Ponti öldü.
Benim çocukluk arkadaşımı...
İzmir'in en ünlü hemşerilerinden... Pak Bahadur'u kaybettik.

2008

Velev ki siyasi simge • AKP kapatma davası • Laiklik karşıtı eylemlerin odağı • Ergenekon • Kasaptaki ete soğan doğramam • Sahte haham • Deniz Feneri • Mezarda emeklilik, kundakta sigorta • En az üç çocuk • Ermeni açılımı • Teğet

Tarihte ilk defa...
Yılbaşı gecesi, Anıtkabir'in elektriği kesildi.
Bir saat karanlıkta kaldı, trafo arızası denildi.

...»

Modacı Cemil İpekçi, hayata bakışını izah etti, "Eşcinselim, muhafazakârım, Abdullah Gül sıcacık, Tayyip Bey babacan, parka giyerim, şalvar severim, sürme çekerim, kadın olsam türban takarım, büyükdedem Zaza, ninem Bağdatlı, anneannem yörük, babam Endülüslü Sabetay dönmesi, TC vatandaşıyım, Osmanlı çocuğuyum, AKP'ye yakınım" dedi... Hakikaten güzel bir tarifti.

...»

Başbakan ise, daha başka bi tarif yaptı. "Başörtüsüne siyasi simge diyorlar, velev ki siyasi simge olarak takıldığını düşünün, simgelere yasak getirebilir misiniz, dünyanın neresinde böyle bir yasak var?" dedi. Milli Görüş gömleğini çıkardığını söylüyordu ama, türbanı çıkarmadığı kesindi.

...»

Hemen ertesi gün...
Yargıtay Başsavcısı, AKP hakkında inceleme başlattı.
Hemen ertesi gün...
Tayyip Erdoğan'ı "sayın-kelle"den mahkûm ettiren Avukat Kemal Kerinçsiz tutuklandı. N'ooluyor demeye kalmadı, aralarında

emekli Tuğgeneral Veli Küçük'ün de bulunduğu 33 kişi hapse tıkıldı. Danıştay baskınından sonra telaffuz edilen "Ergenekon Örgütü" manşetlere çıkmıştı. Operasyonu, Özel Yetkili Savcı Zekeriya Öz yönetiyordu.

...»

Hemen ertesi gün...
Türbanı üniversitede serbest bırakan yasa taslağı hazırlandı.
Kipa, İngilizlere satılmıştı.
Migros da İngilizlere satıldı.
Bankacılık ve sigortacılık gibi, perakendecilik de komple yabancının eline geçmişti... E memleketi yönetenler "babalar gibi satıcı" ve "pazarlamakla mükellefçi" olunca, memleketin gençlerine kala kala, tezgâhtar, kasiyer, sucuk tattırıcısı olmak kalmıştı.

...»

Tabii bazı gençlerin durumu farklıydı...
Mesela, Cumhurbaşkanı Gül'ün oğlu Mehmet Emre, henüz 15 yaşında ticaret hayatına atıldı, internet üzerinden alışveriş şirketi kurdu. Bilahare, bardakta mısır işine girdiği, Ankara'daki alışveriş merkezlerinde stant açtığı ortaya çıktı. Cumhurbaşkanımız "Oğlum, Bill Gates'i örnek alıyor, finansörü annesi" diyordu.

...»

Ali Babacan, hem Dışişleri Bakanımızdı...
Hem Avrupa Birliği Başmüzakerecimiz olmuştu.
22 Temmuz seçiminden bu yana nerelere gitmişti?
ABD'ye, Suriye'ye, Filistin'e, İsrail'e, Ürdün'e, İran'a, Mısır'a, Lübnan'a, Irak'a, Afganistan'a, Suudi Arabistan'a, Katar'a, Birleşik Arap Emirlikleri'ne gitmişti.
Avrupa'ya hiç gitmiş miydi?
Hiç gitmemişti.
Güpegündüz havai fişekler fırlata fırlata Avrupa Birliği'ne gittiğini zanneden Türkiye, işte bu yöne doğru gidiyordu.

...»

AKP'yle MHP "çene altı" formülünde uzlaştı.
Üzerinde anlaştıkları yasa taslağına göre, üniversitelere türbanla girilmeyecek, geleneksel Anadolu başörtüsüyle girilecekti. Başbakan Yardımcısı Cemil Çiçek "Türban kesinlikle giremeyecek, sadece çenesinin altından bağlayan girebilecek,

hatta, nasıl olacağını göstermek için yasa tasarısına fotoğraf koymayı bile düşündük" diyordu.
Yani az daha, dünya demokrasi tarihinin ilk ve tek "resimli anayasası"na sahip olacaktık. Çene altından da bağladın mıydı... Oldu sana fiyonglu anayasa!
TBMM Türban Komisyonu kuruldu.
Hepsi erkekti, hiç kadın milletvekili yoktu.
Kadınlarla alakalı kararı, erkekler verecekti.
Kadın örgütleri sokaklarda protesto yürüyüşü yaparken... AKP'li MHP'li kadın vekiller adeta vitrin süsü gibi tutuluyor, elinin hamuruyla erkek işlerine karıştırılmıyordu.
Gazetelerde, katalog gibi, model model "başörtüsü bağlama" fotoğrafları yayınlanıyordu, şöyle mi olsun, bu şekil nasıl filan... Aslında boşuna "çene" yoruluyordu. Çünkü türbancılar itiraz ediyordu. "Geleneksel başörtüsünde saç teli görünüyor" diyorlardı. Bazıları da, başörtüsünün demode, türbanın moda olduğunu söylüyordu. Dinimiz, türbana indirgenmişti... Sanki, AKP'den önce bu memleket Müslüman değilmiş gibi, insanlara illa türbanı dayatıyorlardı.
İmam Hatip Mezunları Derneği Başkanı ise, üniversitelere türbanın yanı sıra çarşaf ve sarık'la girilmesinin de zenginlik olacağını anlatıyor, "Kaç kişi burkayla gelir ki, gelen de bir iki gün gelir, sonra genel ortama uyar" diyordu.
AKP'nin YÖK'ü susuyordu.
Üniversitelerarası Kurul, ODTÜ'de olağanüstü toplandı.
198 rektörün 120'si katıldı.
"Türbana hayır" bildirisi çıktı.
Peki, AKP'nin YÖK'ü niye susuyordu?
Maliye Bakanımız izah etti.
Kemal Unakıtan, müsteşarıyla fısıldaşırken mikrofon açık unutuldu, cümle âlem duydu... Müsteşar gülerek "Yeni YÖK Başkanı'nın havası değişmiş, ne güzel konuşuyor" deyince, Maliye Bakanımız "İsterse konuşmasın" diyordu! Sıkardı yani biraz, maça isterdi... Durum buydu.
Türban yasası mecliste oylandı.
MHP tam destek verdi, 411 milletvekili evet dedi.
1967 senesinde Ankara Üniversitesi İlahiyat Fakültesi'ndeki eylemle Türkiye'nin gündemine giren... 1997'de Anayasa Mahkemesi kararıyla yasaklanan türban, üniversitede yeniden serbest bırakılmıştı.

...»

AKP'nin, 2007 seçim zaferinden sonra hâlâ 2007 öncesindeki gibi "ılımlı" olacağını zanneden medya, hükümete diklenmeye kalktı. *Hürriyet* mesela... "411 el kaosa kalktı" manşetini attı. Başbakan köpürdü, açtı ağzını yumdu gözünü... "Gazetelerinizin baş köşelerinde çırılçıplak kadın resimleri basıyorsunuz, bugüne kadar hanginize müdahale yapıldı, edep yahu" diye bağırdı. Yandaş medyada ise, gayet "edep"li başlıklar atılıyordu. "İt ürür kervan yürür, kudurdular, asıl tehdit laikperestler, sistemin safraları, laikliğe tapınıyorlar, Kemalizm tortusu" deniyordu!

...»

Danıştay katiline son sözü soruldu.
"Genelkurmay, türban ve şeriatın önüne geçmeye çalışmasın, çok kan dökülür, Abdullah Gül ve Tayyip Erdoğan'ın şeriat ilan etmesini istiyorum, ülkeye şeriat getirmelerini istiyorum" dedi. İki defa müebbete mahkûm edildi.

...»

Diyarbakır'ın en işlek caddesinde, dersanenin önüne park edilen bombalı otomobil patlatıldı. Hedef, o sırada geçmekte olan askeri servis aracıydı. Subay öldüreyim derken, çocuk katliamı yapılmıştı. Altısı öğrenci yedi kişi hayatını kaybetti. Patlama 16.55'te meydana geldi. Sadece beş dakika sonra zil çalacak, sınıflar boşalacak, dersane dışarı çıkacaktı. 700 çocuk, saniyelerle kurtulmuştu.

...»

Şubat ayının sonu...
Kar buz fırtına, Kuzey Irak'a girdik, iyi mi!
Fotoğraflar Sibirya'da çekilmiş gibiydi.
Aylarca sallanmıştık, karakış bastırmıştı. Yer yer üç metreye varan kar kalınlığında operasyon yapmaya çalışıyorduk. PKK, kolay hedef olmamak için kış aylarında baskınlara ara verir, baharda saldırırdı. Biz tersini yapmış, eksi 10 derecede saldırmıştık. Güya bahar gelmeden PKK'nın belini kıracaktık. Fikir cazip görünüyordu ama, komandolarımızın sırtında 40'ar kiloluk kumanya-mühimmat vardı. Bırak vuruşmayı, yürümekte bile zorlanıyorlardı.

...»

Türban yasası günlerdir Çankaya'da bekliyor, onaylanmıyordu. Bazı saftirikler, Cumhurbaşkanı'nın veto edebileceğini yazıyordu. Eşi türban yüzünden Türkiye'yi Avrupa İnsan Hakları Mahkemesi'ne şikâyet etmiş Abdullah Gül, türbanı veto eder miydi? Elbette asla... Peki niye bekliyordu? Nefis bir zamanlama için bekliyordu. Kuzey Irak'a harekâtın başladığı gün, şırrak, onayladı! Mehmetçik'e dua edilirken, herkesin gözü kulağı ordayken, kimsenin türban konuşacak hali yoktu. Gargaraya getirilmişti.

...»

Harekâta dönersek... Fiyaskoydu.
Girdiğimiz bölgelerde terörist merörist kalmamıştı.
Sadece, direnç gösterecek üç beş kişilik gruplar bırakmışlardı.
Çünkü "anlık istihbarat"ları vardı.
Biliyorlardı.
Türkiye'nin sınırötesi harekât başlatacağını, bizzat PKK'nın yayın organları taaa 48 saat önceden Youtube'dan duyurmuştu.
Harekâtımız devam ederken, TEKEL'in sigara bölümü, British American Tobacco'ya satıldı. Hakurk'u aldık sanırken, Samsun'u vermiştik; Amediye'yi aldık sanırken, Maltepe'yi vermiştik.
Irak'a girdik zannederken, Irak'taki "koalisyon güçleri" British American bize girmişti!
"PKK bozguna uğradı" palavraları yazılıyordu.
Manşetten "Kandil'e çıkış yolları tutuldu" bile dediler.
Halbuki, Kandil'in en yakın noktası kuş uçuşu 90 kilometreydi.
Yarısı İran'daydı. Etrafını sarmaya kalksan, kontrol etmen gereken alan 3 bin 400 kilometrekareydi. Basınımız sallıyordu.
Ha bire şehit tabutu geliyor...
Kocatepe'de aralıksız cenaze namazı kılınıyordu.

...»

Tayyip Erdoğan'dan çoook önce...
"Analar ağlamasın" diyen, Bülent Ersoy'du!
Popstar Alaturka yarışmasında harekâtı masaya yatırdı. "Vatan bölünmez, bilmem ne olmaz falan ama, analar doğursun, toprağa versin, bu mudur yani? Başkalarının masabaşı savaşı için evladımı harcayamam, oyun oynanıyor, oyuncağı oluyoruz" dedi.
"Halkı askerlikten soğutma suçu"ndan soruşturma açıldı.
DTP'li Ahmet Türk "Bülent Ersoy kadar cesur olamadılar" deyince, AKP Milletvekili Hüsrev Kutlu "O kadar cesur olsaydık, biz de bir yanımızı kestirirdik" cevabını verdi.
"Oğlum olsa askere göndermezdim" diyen Bülent Ersoy'un,

askerliğini 1976'da bahriyeli olarak Gölcük'te yaptığı ortaya çıktı, fotoğrafları yayınlandı, asker arkadaşları bulundu, askerlik hatıraları anlattırıldı. Bu hayati mevzuyu bile magazinleştirmeyi başarmıştık.

...»

O sırada, ABD Savunma Bakanı, Ankara'ya geldi.
"Yeter artık, harekâtı bir an önce bitirin" dedi.
Höt demişti.
24 saat geçmeden, apar topar Irak'tan çekildik.
Oteldeki odandan "çık" deseler...
Bavulunu bu kadar çabuk toplayamazdın.
O dereceydi.

...»

Türkiye, Irak'tan çekilince...
Ulusa Sesleniş konuşması da zart diye geri çekildi.
Tayyip Erdoğan'ın Ulusa Sesleniş konuşması, üç gün önce kaydedilmişti. Anadolu Ajansı tarafından abonelere servis edilmiş, "Üç gün sonra saat 13.17'ye kadar ambargoludur" denilmişti. Dedim ya, zart diye geri çekildi. Çünkü Başbakanımız, Ulusa Sesleniş konuşmasında "Harekât kararlılıkla devam etmektedir" diyordu!
Üçü korucu 27 şehit vermiştik.
Genelkurmay Başkanı Yaşar Büyükanıt "Tereyağından kıl çeker gibi çekildik, çekilmemiz için dışardan etki olmadı, etki olduğunu ispat etsinler üniformamı çıkarırım" dedi.
"Peki niye böyle aceleyle çekildik?" diye sorulunca, iyice sinirlendi. Genelkurmay'ın resmi internet sitesinden zehir zemberek bildiri yayınlandı. "Bu saldırılar, hainlerden daha fazla zarar vermektedir" denildi.
Genelkurmay'ın mantığına göre, "Niye çekildik?" diye soran CHP'yle MHP'nin vatana millete verdiği zarar, PKK'dan fazlaydı!
Ve, aslına bakarsanız PKK'ya falan gerek yoktu.

...»

Kütahya'da tren devrildi, dokuz kişi öldü.
İstanbul Davutpaşa'da ruhsatsız maytap fabrikası patladı.
Ortalık savaş alanına döndü, 21 kişi öldü.
Kendi kendimizi öldürme konusunda üstümüze yoktu.

...»

Üniversite kapılarında "kaos" yaşanıyordu.
Hürriyet haklı çıkmıştı.
Bazı üniversiteler türbanlı girişine izin veriyor, bazıları vermiyor, türbanlı kızlar oturma eylemi yapıyor, kavgalar çıkıyordu.
Türbana izin vermeyen rektörlerin fotoğrafları basılıyor, hedef gösteriliyordu. YÖK Başkanı rektörlere yazı gönderdi, "Türbanlılara kapıları açın" dedi. YÖK, hükümetin emrindeydi ama, yargıda pürüz vardı. Ankara Cumhuriyet Başsavcılığı, YÖK Başkanı hakkında soruşturma başlattı.
CHP, türban yasasını Anayasa Mahkemesi'ne götürürken... Tayyip Erdoğan'ın danışmanı Cüneyd Zapsu "Türbanını çıkar demek, sokaktaki bir kadına donunu çıkar demekten farksızdır" diyordu.

...»

Bu lafı eden Cüneyd Zapsu, geçen sene, bir başka "başörtüsü" haberiyle manşetlerdeydi... Eşi Beyza Zapsu, kendisi gibi "başı açık" bir grup kadınla birlikte, İstanbul Çamlıca'daki Subaşı Camii'nde "kadınlı-erkekli" yan yana saf tutup, cuma namazı kılmıştı. Fotoğrafları yayınlanmıştı. "Sosyete tarikatı" denilen bir gruba mensup oldukları iddia edilmişti.
Bir taraftan Almanya'dan madalyası vardı, bir taraftan Amerikalılara "Tayyip Erdoğan'ı deliğe süpürmeyin" diyordu, bir taraftan "küresel terörizm finansörü" diye tanınan Suudi işadamı Yasin el Kadı'yla akçeli işler yapıyordu... Cüneyd Zapsu, AKP'nin özeti gibiydi.
Hatta, mahkemeye başvurmuş; küçük asker anlamına gelen "Cüneyt"i, Arapça "Cuneyd" olarak değiştirmişti. Anne babasının kendisine Cuneyd adını verdiğini, nüfus dairesinde "sehven" Cüneyt yazıldığını söylemişti. Bu karar... Mahkemelerimizin, AKP iktidarı boyunca kabul edip düzelttiği ilk ve tek "sehven" olarak tarihe geçti. Pek yakında, insanların hayatlarını karartan "sehven"ler başlayacak, hiçbiri kabul edilmeyecekti.

...»

Şok...
Yargıtay Cumhuriyet Başsavcısı Abdurrahman Yalçınkaya, AKP'nin kapatılması için Anayasa Mahkemesi'nde dava açtı. Cumhurbaşkanı ve Başbakan dahil, 71 kişiye siyaset yasağı isteniyordu.
"Dindar cumhurbaşkanı" ile "velev ki türban", bardağı taşıran damlalardı. İddianamede... AKP'nin demokrasiyi araç olarak kullanıp, şeriat düzeni getirmeyi hedeflediği, takıyye yaptığı öne sürülüyordu.

Tayyip Erdoğan'ın "Ben İstanbul'un imamıyım, elhamdülillah şeriatçıyım, yılbaşına karşıyım, Ata'ya saygı duruşunda sap gibi ayakta durmaya gerek yok" sözleri, deliller arasındaydı.

...»

O gün, Doktor Sümer Güllap vefat etti.
Diyeceksiniz ki, o kim?
Bayılıp, balyozla çıkarıldığında Tayyip Erdoğan'a ilk müdahaleyi yapan, doğru teşhisi koyan, Güven Hastanesi'nin doktoruydu.
Henüz 42 yaşındaydı. Sağlık sorunu yoktu. Vefat ettiği gün bile çalışmıştı. Aniden komaya girdi, solunum cihazına bağlandı, kurtarılamadı. Güven Hastanesi Başhekimi "Çok şaşırdık" dedi. Kapatma davasının telaşı arasında, anca arka sayfalarda küçücük haber olabildi. Türkiye'de neredeyse tüm ölümler "şüpheli" bulunurken, 20 sene sonra kabirler açılırken, bu genç kadının ölümü üzerinde hiç kafa yorulmadı maalesef.

...»

Başsavcı'nın iddianamesinde "AKP'nin kapatılması, Almanya ve Avusturya'daki Nazi Partisi'nin, İtalya'daki Faşist Parti'nin kapatılması kadar hukuka uygundur" deniyordu.
Aynı Başsavcı, bir ay önce DTP'nin kapatılması için dava açmıştı. Tayyip Erdoğan, DTP davası açıldığında, hukuka saygı gösterilmesini istemiş, "Yargıya intikal eden konularda konuşmamız yanlış olur" demişti. Şimdi aynı Tayyip Erdoğan, aynı hukuka, "garabet" diyordu!
Başsavcı'ya hakaret yağmuru başlamıştı.
"Dinsiz" olduğunu yazanlar vardı.
Kaderin cilvesi... "Dinsiz" denilen Başsavcı'nın adı bile Abdurrahman, yani, rahmet sahibi olan, Allah'ın kulu demekti. "Başörtüsü düşmanı" ilan edilmişti ama, Bavsavcı'nın annesi başörtülüydü.
Hatta, sekreteri bile türbanlıydı.
Sabih Kanadoğlu döneminde işe alınan sekreter, özel hayatında türbanını takıyor, mesaisine başlarken saçını açıyordu.
İftira kampanyası o kadar çirkinleşmişti ki... Başsavcı'nın, sanki suçmuş gibi "Apo'nun hemşerisi olduğu"na dikkat çekiliyordu.
Kimisi de "ırkçı" olduğunu öne sürüyor, DTP'ye kapatma davasını Kürt düşmanlığına bağlıyor, gene ıskalıyordu. Çünkü Başsavcı, baba tarafından Kürt kökenliydi.

...»

Peş peşe olaylar zinciriydi.
Bi kapatma davası, bi Ergenekon...
Bi kapatma davası, bi Ergenekon'du.
AKP'ye kapatma davası açıldı, hemen bir hafta sonra, *Cumhuriyet* gazetesi başyazarı, 83 yaşındaki İlhan Selçuk ve İstanbul Üniversitesi eski Rektörü Profesör Kemal Alemdaroğlu, Ergenekon'dan gözaltına alındı. İşçi Partisi Genel Başkanı Doğu Perinçek tutuklandı.

...»

Türkiye kaynıyordu. AKP davası, DTP davası, herkesin gözü kulağı Anayasa Mahkemesi'ndeydi. Anayasa Mahkemesi Başkanı Haşim Kılıç, atladı uçağa, dokuz günlüğüne Birleşik Arap Emirlikleri'ne gitti!

...»

O toz duman arasında...
Sosyal Güvenlik Reformu yapacağız dediler.
Bi reform yaptılar kardeşim...
"Mezarda emeklilik" çıktı.
65 yaşında emekli olunacaktı.
Yasa yürürlüğe girmeden önce sigortalı olanlar, paçayı kurtaracak, emekli olmak için 65'e kadar beklemeyecekti. Hadi bakalım, bebekler bile sigortalanmaya başlandı.
Mezarda emeklilik...
Kundakta sigortaya dönmüştü.
Tayyip Erdoğan, gazetecilerin bulunduğu bi ortamda, ATO Başkanı Sinan Aygün'e "Bizim Memo'nun kaydını yaptın mı?" diye sordu. Böylece... Cumhurbaşkanımızın bardakta haşlanmış mısır ticaretine başlayan oğlu Mehmet Emre'nin Ankara Ticaret Odası'na kayıt yaptırdığı ortaya çıktı.
Abdullah Gül'ün oğlu, 14 yaşında SSK'lı olmuştu.
Peki, nerede sigortalı olmuştu?
Ali Babacan'ın ailesine ait tekstil şirketinde olmuştu.
E koskoca cumhurbaşkanın oğlu ATO'ya kaydoluyorsa, ahalimizin de kendi çocuklarını tornacı-frezeci olarak sigortalatmasında herhangi bir sakınca olamazdı herhalde... Bakkallarda, berberlerde "kâğıt üstünde çırak" patlaması yaşandı. Televizyonlar, bebek arabalarıyla emzikli bebeklerini sigortalatmaya koşan aileleri haber yapıyordu. "Sigorta primi hava parası" icat olmuştu. Masraflar 260 lira falan tutuyordu. 500 lirayı bastıran, çocuğunu

anında sigortalı işe sokmuş oluyordu.
Hadise öylesine komediydi ki, henüz doğmamış çocuğunun utrason fotoğrafını getirip, sigortalatmaya kalkışan bile vardı. Sadece Nisan ayında, 1 milyon 400 bin çocuk sigortalı yapıldı. Bunların 200 bini 0-2 yaş grubundaydı. Eşi benzeri görülmemiş bi dünya rekoruydu.

...»

Emeklilik yaşı 65'e çıkarılırken, abra kadabra...
TÜİK hesap yaptı, ömrümüzü uzattı!
Türk insanının ortalama ömrünün 85 olduğunu açıkladılar.
"65 yaşında emekli olana kadar öleceğiz" denilince "Merak etmeyin, 85'e kadar yaşayacaksınız" demeye getiriliyordu.
Küçük bi pürüz vardı... Bebekken ölenleri, 50'li 60'lı yaşlarında vefat edenleri düşünürsek, ortalama ömrün 85 olabilmesi için, yüzbinlerce insanın 120 yaşına kadar filan yaşaması gerekiyordu!
Rezaletin daniskasıydı.

...»

ABD'den buğday, Kanada'dan mercimek, Arjantin'den mısır, Sudan'dan susam, Ukrayna'dan arpa, İtalya'dan bakla, Çin'den sarmısak, Yunanistan'dan pamuk, Şili'den elma, Brezilya'dan portakal, Panama'dan muz, Almanya'dan vişne, İran'dan fasulye, Meksika'dan nohut ithal etmeye başlamıştık. Şahane tarım politikamız (!) nedeniyle "kendi kendine yeten yedi ülkeden biri"nin son hali, buydu.
Pirinç fiyatları bir ayda yüzde 150 zamlandı. Tarım Bakanımız "pirinç yerine, bulgur yememizi" tavsiye etti. Üniversite sınavına girerken, Allah zihin açıklığı versin diye okuyup üfleyip çocuklarımıza yutturduğumuz üç adet pirinç tanesi bile, Avustralya'dan ithaldi artık.

...»

Başbakan, Diyarbakır'a gitti.
Bölgede acayip yatırım yapacaklarını açıkladı.
3 milyon 800 bin kişiye iş bulunacağını söyledi.
O sırada, bir vatandaş Başbakan'ın yanında duran Maliye Bakanı'nın kolundan tuttu, "İşçileri perişan ettiniz, emekli maaşları çok düşük kaldı" dedi... Bu tür durumlarda, hele ki bakanlarımızın koluna filan dokunan protestocu vatandaşlar derhal dövülüp gözaltına alınırdı. Kimse dokunmadı. Çünkü doğruları söyleyen o vatandaş, Tarım Bakanı'nın ağabeyi Mehmet Eker'di!

...»

Cep telefonundan mesaj atma sayısında Avrupa şampiyonu olmuştuk. Pek sevmiştik mesajlaşmayı... Ancak, teknolojiyle aramız pek iyi olmadığı için mesaj faciaları yaşanmaya başlanmıştı. Ankara'da bir koca, babaevine kaçan eşine cepten mesaj gönderdi. "Sıkışınca konuyu değiştiriyorsun" yazdı. Yazdı ama... Telefonu çakma telefondu. Türkçe karakter olmadığı için "ı" harfleri "i" olarak çıkmıştı. Mesajı yanlış anlayan kadın, babasına gösterdi, babası "Benim kızım fahişe mi ulan" dedi, damadın evini bastı. O karambolde, damat gelini bıçakladı, öldürdü. Damadı hapse attılar, içerde canına kıydı, iyi mi...
Bir düğün, bir mesaj, iki cenazeydi.

...»

Recep İvedik vizyona girmişti, gişe rekoru kırıyordu.
Ve maalesef, bir başka film "gerçek" oluyordu.
1988 senesinde *Arabesk* isimli komedi filminde, "gelinlik"le "otostop" yapmaya kalkışan genç kız, yollarda tecavüze uğruyor, memleketin trajikomik haline *Recep İvedik*'teki gibi gülmekten kırılıyorduk. 20 sene sonra, 2008'de... Barış mesajı vermek için "gelinlik" giyerek İtalya'dan yola çıkan, "otostop"la İsrail'e giden İtalyan sanatçı Pippa Bacca, Gebze'de ölü bulundu. Manyağın biri tecavüz edip öldürmüştü. "Biz bu filmi görmüştük" ama bu sefer utancımızdan yerin dibine girmiştik.

...»

Mart'ın son günü, Paris'te Expo oylaması yapıldı.
İzmir, 2015 Fuarı'na adaydı.
İzmir'i CHP'nin elinden almak isteyen AKP, var gücüyle bu işe yükleniyordu. TRT, oylamayı naklen yayınladı; İzmir'in kazandığı açıklandı. Havai fişekler fırlatıldı. İzmir Valisi, Cumhuriyet Meydanı'nda kurulan kürsüye çıktı, "Cumhurbaşkanımız başta olmak üzere, Paris'te bulunan tüm ekibi kutluyorum" dedi. Gel gör ki, yarım saat sonra pardon denildi. Milano kazanmıştı. Böylece, 1 Nisan tarihli gazetelere manşet yapmak için 1 Nisan şakası aramaya gerek kalmamıştı!
AB'ye girdik diye, havai fişek...
Expo'yu aldık diye, havai fişek...
Durmak yok, yola devam'dı.

...»

Tayyip Erdoğan kadınlara çağrı yaptı.

"Sevgili hanım kardeşlerim, milletin kökünü kazımak istiyorlar, en az üç çocuk yapın, tabii takdir sizindir, o ayrı mesele" dedi. Teklif var, ısrar yoktu.
Buna razıydık aslında... Çünkü Şubat 2002'de Sultanbeyli'de yaptığı konuşmada "Aile planlaması ihanet-i vataniyedir, Allah ne verdiyse çoğalın" demişti! Şimdi hiç olmazsa "en az üç"e inmişti.

...»

Diyanet İşleri Başkanlığı, Kutlu Doğum Haftası'nın tarihlerini değiştirdi. Bundan böyle 14-20 Nisan arasında kutlanacağını açıkladı. Önceki senelerde 20-26 Nisan arasında kutlanıyordu. Genelkurmay'ın e-muhtırası'nda "23 Nisan'a denk getirildiğine" dikkat çekilmişti. Ramazan Bayramı, Kurban Bayramı, üç aylar, mübarek geceler, hac, hepsi hicri takvime göre 10 gün kayıyor... Kutlu Doğum Haftası, o çok kızdıkları miladi takvime bağlanıp, 23 Nisan'a sabitleniyordu.
TRT'nin 23 Nisan Çocuk Şenliği'ne katılan ülke sayısı, her sene biraz daha azalıyordu. Fethullah Gülen Cemaati'nin organize ettiği Türkçe Olimpiyatları'na katılan ülke sayısı ise, her sene biraz daha artıyordu. Türkçe Olimpiyatları, yavaş yavaş 23 Nisan'ın yerini alıyordu.

...»

Cumhuriyet mitinglerinde başı çeken, AKP'yi yerden yere vuran Tuncay Özkan, sahibi olduğu Kanaltürk televizyonunu, hükümet destekçisi *Bugün* gazetesinin sahibi Akın İpek'e sattı. Laik kesimde soğuk duş etkisi yaratan bir alışverişti.

...»

Vakit gazetesinin 76 yaşındaki yazarı Hüseyin Üzmez, 14 yaşındaki kız çocuğuna cinsel tacizde bulunduğu iddiasıyla tutuklandı. Çocuk, uzmanlar nezaretinde ifade verdi, bütün rezilliği anlattı. Buna rağmen... Dinci basın "Ergenekoncuların komplosu" olduğunu yazıyordu. "Karanlık güçlerin Hüseyin Üzmez'e hap içirdiğini, o hap yüzünden ne yaptığını bilemez hale geldiğini" öne süren bile vardı!

...»

Sırf Nisan ayı 17 şehit'ti.
Şubat'taki harekâtın hikâye olduğu ortaya çıkmıştı.

...»

Sahte çürük raporundan hapse tıkılan, beş ay yatan DTP Genel Başkanı Nurettin Demirtaş tahliye edildi, askere alındı. Safranbolu'daki jandarma alayına teslim oldu. 15 ay vatani görev yapacaktı!

...»

1 Mayıs'ta, DİSK gene Taksim'e yürüdü.
Gene Disk'alifiye oldu.
Hükümet 30 bin polisle geldi.
Ortalığı savaş alanına çevirdi.
Haşarata sıkar gibi biber gazı sıkıldı.
Gazeteciler dövüldü. *Cumhuriyet* gazetesi muhabirinin kolu, polis copuyla kırıldı. Yüzlerce kişi hastanelik oldu. Şişli Etfal Hastanesi'nin acil servisine bile gaz bombası fırlatıldı. Yere düşen kadınların suratına tekme atıldı. "Yalan" dediler, "kadınlara vurulmadı" dediler... Güvenlik kameraları, mobese'ler güya görmemişti ama televizyon kameraları yakalamıştı; özellikle kadınlara hınçla vuruyorlardı. Polislerin yüzünde gaz maskesi vardı, kasklarında numara yoktu, hangi polisin kafa göz yardığı, hangisinin kol kırdığı saptanamıyordu.
Başbakan çıkıp ne dedi biliyor musunuz?
"Nedir bu böyle polisimize karşı düşmanlık" dedi!
Adım adım yaklaşan polis devletinin ilk gövde gösterisiydi.

...»

Ve, işçileri haşat ettiren Tayyip Erdoğan'ın "grev gözcüsü" olduğu ortaya çıktı! 1988 senesinde Darphane işçileri greve gitmiş, o zamanlar muhalefette olan Refah Partisi'nin İstanbul İl Başkanı Tayyip Erdoğan, grev gözcüsü gömleği giyerek, işçilerle hatıra fotoğrafı çektirmişti... Dün dündü.

...»

Türk Tabipler Birliği Başkanı Profesör Gençay Gürsoy, aşırı güç kullanıldı diye, emniyet müdürü hakkında suç duyurusunda bulundu. Şırrak... Hakkınızda arama kararı var diye Ankara'da kaldığı otelde, hem de sabaha karşı 4'te gözaltına alındı. Polisi şikâyet öyle mi... Bundan sonra böyleydi!

...»

İstanbul'daki Formula'yı üçüncü defa Ferrari pilotu Felipe Massa kazandı. 57 tur atıyorlar, 220 litre benzin yakıyorlardı. Velev

ki, kurşunsuz benzin kullanıyorlar... Felipe deposunu fullerse, İspanya'da 450 lira, Japonya'da 400 lira, İtalya'da 313 lira ödüyordu.
Peki ya İstanbul'da?
750 lira ödüyordu.
Tur bindiriyorduk, tur...
Benzin fiyatında dünya şampiyonu olmuştuk. Bizim benzin vergisini sollayabilen Formula otomobili henüz icat edilmemişti!

...»

İngiltere Kraliçesi, 37 sene sonra Türkiye'ye geldi.
Yemin ederken bile smokin giymeyen Cumhurbaşkanımız, smokin giydi, papyon taktı. Kraliçe de, Cumhurbaşkanımıza "şövalye nişanı" taktı. Suudi Kralı'ndan sonra, bir madalya da İngiltere Kraliçesi'nden kapmıştık yani... Etmişti iki madalya.
Cumhurbaşkanımız hatırasını anlattı.
"Majesteleri, size ilk defa 1971 senesinde Çemberlitaş'ta yol kenarından el sallamıştım, öğrenciydim o zamanlar, konvoyunuzun geçmesini beklemiş, size el sallamıştım, siz de karşılık vermiştiniz, yakınlarıma gidip Kraliçe'yi gördüğümü söylemiştim" dedi. Kraliçe "Hımmm, çok enteresan" dedi.
Sayın basınımız, first leydimiz Hayrünnisa Hanım'ın çok şık olduğunu, first leydimizin ışıltısı yanında Kraliçe'nin sönük kaldığını yazdı. Kraliçe, Bursa'ya gitti, Yeni Cami'de Kuran dinledi. İskender döner yedirmeye kalktılar, istemedi, zeytinyağlı enginar yedi.
İngiliz uçak gemisi HMS Illustrious geldi, işgal günlerinde olduğu gibi, İstanbul Boğazı'na demirledi. İngiltere Kraliçesi Elizabeth, elçilik binası yerine, bu geminin güvertesinde davet verdi.
Cumhurbaşkanımız ve devlet protokolümüz, İngiliz zırhlısının güvertesindeki davete gitti.

...»

La diva Turca... Dünyaca ünlü soprano Leyla Gencer vefat etmiş; vasiyeti üzerine yakılan bedeninin külleri Dolmabahçe Sarayı'nın önünden Boğaz'a serpilmişti. Yandaş medyanın köşe yazarı "Küllerinizle suyumuzu kirletmeyin" diye yazdı.
Çünkü Leyla Gencer'in annesi Polonyalı Katolik'ti. "Dindar Cumhurbaşkanı"nın Boğaz'a demirleyen İngiliz zırhlısına gitmesinden gurur duyarken... Türkiye'nin onuru Leyla Gencer'in küllerinin Boğaz'a serpilmesinden rahatsız oluyorlardı.

...»

1919'un 16 Mayıs Cuma günü...
Mustafa Kemal'in Bandırma vapuruyla
Samsun'a gitmek üzere yola çıktığı gün.
2008'in 16 Mayıs Cuma günü...
Bandırma limanı ile Samsun limanı satıldı!
Karadeniz, Marmara, Ege, Akdeniz...
Satılmayan liman kalmamıştı.

...»

Londra'da otomobiliyle otobüs hattını meşgul eden Deniz Baykal'a 120 pound ceza kesildi. Deniz Baykal parayı ödemedi, üstelik, polise verdiği adreste de bulunamadı. Çünkü İngiltere'de kimlik ve ehliyet taşıma zorunluluğu yoktu, yaralamalı-ölümlü kaza olmadığı sürece sadece isim ve adres isteniyordu. Cezayı yiyen uyanık vatandaşımız, Deniz Baykal'ın adını vermişti!

...»

Yes-No komedisi patladı.
CHP Genel Sekreteri Önder Sav'la eski Bolu Valisi'nin baş başa sohbeti, *Vakit* gazetesinde satırı satırına yayınlandı. CHP ortalığı ayağa kaldırdı. Makam odasında dinleme cihazı "böcek" arandı. Halbuki... *Vakit* muhabiri cep telefonundan Önder Sav'ı aramış, Önder Sav görüşmek istemediği için "no" tuşuna basmak istemiş, yanlışlıkla "yes" tuşuna basmış, telefonu sehpaya bırakmış, hat açık kaldığı için, muhabir de 44 dakika boyunca şakır şakır kaydetmişti. Yes'e no'ya basmayı beceremeyen muhalefet, AKP'nin ekmeğine yağ sürüyordu. CHP'linin CHP'ye ettiğini, hiçbir AKP'li edemezdi.

...»

Milletvekillerimizden oluşan TBMM futbol takımı, Engelliler Haftası'nda moral vermek için, görme engellilerle maç yaptı. Sadece yüzde 20 oranında görebilen, ayaklarındaki topu bile hayal meyal seçebilen engellileri, adeta eze eze 7-3 yendiler. Moral dediğin böyle verilirdi! Aynı milletvekillerimiz geçen sene de, kimsesiz çocukları perişan edercesine yenmeyi başarmış, ağlayan çocuklar zor susturulmuştu.

...»

Euro 2008 başladı.
Türk milli takımı, tarihinde ilk defa kırmızı veya beyaz yerine

"turkuvaz" renkli formayla sahaya çıktı. Turkuaz dediğin, aslında bir taş, firuze'ydi. Türkiye'de yok. Çin'de çıkarılıyor. İran'da çıkarılıyor. Geçmiş yüzyıllarda Türkiye üzerinden Avrupa'ya gittiği için, Fransızlar "Turquoise" demişti. Hepsi buydu. O halde, milli formamız neden "turkuvaz" haline getirildi? Kimse cevap veremiyordu.

...»

Sıcaklarla birlikte kene kâbusu geri dönmüştü. Ölen öleneydi. Karabük'te 75 yaşında bi kadıncağız vefat etti. Cenaze namazını kıldıran imam "Fuhuş arttığı için oluyor bu işler, cezalandırılıyoruz" dedi.
Seks kölesini biliyorduk ama...
Seks kenesi'ni ilk defa duyuyorduk.

...»

Tayyip Erdoğan, Medical Park Hastanesi'nin açılışını yaptı. Kendisine hediye edilen kişisel bilgi kartını gazetecilere göstererek poz verdi. Böylece, o güne kadar "devlet sırrı" gibi saklanan kan tahlili sonuçları kabak gibi ortaya çıktı: Başbakan ileri derece şeker hastasıydı.

...»

Anayasa Mahkemesi aylardır beklenen kararı açıkladı. Türbanı üniversitelerde serbest bırakan yasayı iptal etti.

...»

Aynı gün...
Gazetelerin Ankara temsilcilerine "imzasız" zarf geldi.
İstanbul-Göztepe'den postalanmıştı.
Zarfların üstündeki adresler, bilgisayarla yazılmıştı.
Zarflarda iki adet fotoğraf vardı.
Kara Kuvvetleri Komutanı İlker Başbuğ'u gösteriyordu.
Sivil kıyafetliydi.
Kudüs'te, Ağlama Duvarı'nın önünde çekilmişti.
Sadece *Vakit* gazetesinde yayınlandı.
Öbür gazeteler yayınlamadı.
Ama, internet sitelerinde şakır şakırdı... Büyükanıt'ta olduğu gibi "servis" başlamıştı. İlker Başbuğ'un Genelkurmay Başkanlığı'nın önünü kesmek için "Yahudi" olduğu ima ediliyordu. Halbuki Başbuğ, aynı seyahatte Mescid-i Aksa'ya da gitmişti, orada da

fotoğraf çekilmişti. Ondan hiç bahsedilmiyordu.
Artık tescillenmişti.
TSK hedefti.

Türban'a kapatma'ya dair her gelişmenin ardından...
Yeni bir "haber servisi" veya "tutuklama" geliyordu.

...»

Yargıtay Başsavcısı'nın Anayasa Mahkemesi'ne esas hakkındaki görüşünü sunup, "Açık tehlike var, AKP mutlaka kapatılmalı" dediği gün... Beş şehirde baskın yapıldı. Emekli orgeneraller Şener Eruygur ve Hurşit Tolon "Ergenekon"dan içeri atıldı. ATO Başkanı Sinan Aygün tutuklanıp, 14 gün sonra bırakıldı. *Cumhuriyet* gazetesi Ankara temsilcisi Mustafa Balbay, sorgudan hemen sonra bırakıldı.

...»

Sinan Aygün'ün "Ergenekon'un kasası" olduğu iddia ediliyordu. Bir sene önce "Ergenekon'un kasası" diye hapse tıkılan Kuddusi Okkır ise, ölüm döşeğinde tahliye edildi. Kanserdi. Teşhis tedavi imkânları engellenmişti. Canlı cenazeydi. Bırakıldıktan üç gün sonra vefat etti. "Ergenekon'un kasası" deniyordu, beş kuruşu yoktu. Cenaze aracının parasını bile haberi takip eden gazeteciler ödedi. Eşine miras olarak 19 bin lira borç bıraktı. Ergenekon davasının ilk kurbanıydı. Arkası gelecekti.

...»

Bir bu eksikti...
ABD'nin İstanbul Başkonsolosluğu'na baskın yapıldı.
Üç polis şehit düştü, üç terörist öldürüldü.
ABD resmen açıkladı, "El Kaide'nin işi" dedi.
Yandaş medya "Ergenekoncuların işi" diye yazıyordu.
Ergenekon baskınlarını 150'şer kişilik 40 ekip yapmıştı. 6 bin polis seferber edilmişti. Herkesin telefonları dinleniyordu ama... Adamlar pompalı tüfekle konsolosluğa gelmiş, kimsenin ruhu bile duymamıştı.

Sinagoglar bombalanıyor, banka, İngiliz Konsolosluğu bombalanıyor, *Cumhuriyet* gazetesine bomba atan saldırgan gidip Danıştay'ı basıyor, Hrant öldürülüyor, İstanbul'da dünyayı ayağa kaldıran korkunç olaylar yaşanıyor, hâlâ "İstihbarat zafiyeti yok" deniyor... Yakalana yakalana emekli paşalar yakalanıyordu!

...»

Hilmi Özkök, Cumhurbaşkanı'nı ziyaret etti.
Çıkışta "paşaların tutuklanması"yla alakalı fikrini sordular.
"Kasaptaki ete soğan doğramam" dedi.
Herhalde "kozmik" özdeyişti.
Çünkü "Dereyi görmeden paçaları sıvamam" biliniyordu, "Doğmamış çocuğa don biçmem" biliniyordu, "Fol yok yumurta yok" biliniyordu ama, "Kasaptaki ete soğan doğramam"ı bugüne kadar ne duyan vardı, ne bilen!

Bülent Arınç'ın izahatı ise, gayet anlaşılırdı.
"Türkiye bağırsaklarını temizliyor" diyordu.

...»

Son üç ayda, 29 şehit vardı.
Haber bile yapılmıyordu.
Şırnak'taki şehit, istisnaydı, haber yapıldı.
Niye derseniz...
Eski Başbakan'la adaştı, adı soyadı Mesut Yılmaz'dı.
Maalesef artık böyleydi, şehitlerimizin haber değeri taşıması için çok çok enteresan bi özelliğinin olması gerekiyordu.

...»

Mahkeme, Ergenekon iddianamesini kabul etti.
Örgütlenme modeli, Nazilere benzetilmişti.
Danıştay baskını dahil...
Bütün karanlık olaylar Ergenekon'a yıkılmıştı.

...»

Türkiye ilk defa "gizli tanık" kavramıyla tanıştı.
17 gizli tanık vardı, kimlikleri kodlanmıştı.
Dava, Silivri'de görülecekti.
Cezaevinde mahkeme kurulmuştu.
İddianamenin eklerinde, yüzbinlerce sayfa telefon dinleme kaydı vardı. Birinde "Mehmet Ağar'ın Tayyip Erdoğan'dan 60 milyon dolar aldığı" iddia ediliyordu. Bir başkasında "Deniz Baykal'a 5 milyon dolar götürüldüğü" öne sürülüyordu. Saçma sapan kahvehane muhabbetleri "belge" olmuştu. Birbirini tanımayan

insanlar, kimliği belirsiz ihbar mektuplarıyla "örgüt üyesi" haline gelivermişti.
Ergenekon'la alakalı pek çok iddia, örgütün şeması dahil, Tuncay Güney diye birinin evinde bulunan altı çuval belgeye dayandırılıyordu. Tuncay Güney, 2001'de polis şefi Adil Serdar Saçan tarafından dolandırıcılıktan gözaltına alınmış, evinden bu belgeler çıkmıştı. Ablasının kefaletiyle serbest kalmıştı. O dönemde, Ergenekon belgeleriyle alakalı herhangi bir işlem yapılmamıştı.

...»

Şimdi, aynı Tuncay Güney...
Kipa takarak, zülüf uzatarak, haham'ım diye dolaşıyordu.
Lise terkti. *Milliyet*, *Sabah* ve *Akşam* gazetelerinde, Samanyolu televizyonunda muhabir olarak çalışmıştı. 1997'de askere gitmiş, dört ay sonra eşcinsel olduğu gerekçesiyle askerlikten muaf tutulmuştu. ABD, İran, Irak, Suriye, Lübnan ve Suriye'ye gitmişti. Kahire'de görülen bir casusluk davasında, gıyabında yargılanan ve 15 sene hapse mahkûm edilen Tuncay Bubay isimli Mossad ajanının, aslında Tuncay Güney olduğu öne sürülüyordu. Karmakarışık, karanlık bir tipti. Tarikatlara, cemaatlere yakın olduğu, Emekli Sandığı'ndan maaş aldığı belirtiliyordu. *Sabah* gazetesi tarafından MİT ajanı olduğu iddia edildi; kod adı İpek'ti. Adının geçtiği resmi bir kontrterör belgesi bile yayınlandı. MİT belgeyi doğruladı, ancak "Elemanımız değil" dedi. *Yeni Şafak* gazetesine verdiği röportajda "Babamın kim olduğunu MİT'çi Mehmet Eymür'e sorun" demişti. Dolandırıcılıktan sabıkalıydı. ABD'ye, Kanada'ya nasıl gittiği, 10 senelik vizeyi nasıl aldığı, Toronto'da hangi parayla geçindiği, nerede yaşadığı muammaydı. Üstelik, çakma hahamdı. Toronto'daki sinagoglarda kaydı bile yoktu.

...»

İstanbul Güngören'de peş peşe iki bomba patladı.
18 kişi can verdi.
Suçluyu aramaya hiç gerek yoktu...
Yandaş basın anında bulmuştu:
"Ergenekon'un işi" manşetleri atıldı.
Bombacılar yakalandı. Elbette PKK'lıydı.

...»

Anayasa Mahkemesi tarihi kararı açıkladı.
AKP'nin...
"Laiklik karşıtı eylemlerin odağı" olduğu ilan edildi.
Kapatılmadı.
Hazine yardımının kesilmesine hükmedildi.
Altı üye kapatılsın demişti.
Dört üye hazine yardımı kesilsin demişti.
Başkan Haşim Kılıç komple ret vermişti.
Kapatılması için yedi oy gerekiyordu.
Laiklik ilkesi, Anayasamıza göre, değiştirilmesi teklif bile edilemeyen hükümler arasındaydı. Ama... "Laiklik karşıtı eylemlerin odağı AKP" devleti yönetmeye devam edecekti. E bundan sonra olacakları tahmin etmek hiç de zor değildi!

...»

Hemen ertesi gün, Konya'nın Balcılar beldesinde kaçak Kuran kursunun yurdunda gaz kaçağından patlama oldu. Bina çöktü. 17'si kız çocuğu, biri kadın hoca, 18 insanımız can verdi. Ne Milli Eğitim'in izni vardı, ne Diyanet'in izni vardı, ne deprem raporu, ne de itfaiye... Türkiye'nin hali gibiydi, adeta kaderine terk edilmişti... Takdiri ilahi deyip geçtiler. 18 cenaze, sıfır şikâyet vardı. Hatta, çocukların aileleri "Onlar şehit oldu, sakın kurs için kötü bir şey yazmayın" diye gazetecileri tembihliyordu.

...»

İlker Başbuğ, Genelkurmay Başkanı oldu.
Hürriyet Genel Yayın Yönetmeni Ertuğrul Özkök, Başbakan'la röportaj yaptı; laf dönüp dolaşıp İlker Başbuğ'a geldi. Ertuğrul Özkök "Tanıdığım az sayıda askerden biridir" deyince, Tayyip Erdoğan "Elbette tanırsın, o da sizden" dedi. Ertuğrul Özkök "Anlamadım" diye sorunca, Tayyip Erdoğan "Canım, o da Fenerbahçeli demek istemiştim" diye geçiştirdi.
Halbuki, Tayyip Erdoğan da Fenerbahçeli'ydi.
O halde neden "bizden" değil de "sizden" olmuştu?
Yakında bütün ülke nedenini öğrenecekti!

...»

Emekliye ayrılan Yaşar Büyükanıt'a zırhlı Audi alındı.
400 bin euro'ya mal olduğu konuşuluyordu.
Almanya'dan askeri uçakla getirildi.
Görünmeyen el, fotoğraflarını basına sızdırdı.

Audi'nin taşınmasına bir korgeneral refakat ediyordu.
Korgeneralin de uçakta uyurken fotoğrafı yayınlandı.

...»

Beşar Esad, ailece Bodrum'a geldi.
Tayyip Erdoğan tarafından ailece karşılandı.
Hükümetimizin canı ciğeriydi!

...»

Rixos Otel'de, özel villada kalan Başbakanımızın ilk defa "şortlu" fotoğrafı çekildi. Paparazziler uzaktan çaktırmadan yakalamıştı.
Rixos'a sekiz metre yüksekliğinde 70 metre uzunluğunda perde çekildi!

...»

Tuzla'da tersanede, kum torbalarıyla denenmesi gereken tüp şeklindeki kurtarma filikası, kum torbası yerine 19 işçi oturtularak denendi. Tankerin arkasından denize attılar. Camı kırıldı. Üç işçi boğuldu.
Tuzla'daki tersanelerde son iki senede hayatını kaybeden işçi sayısı 104'e yükselmişti. Aylardır patır patır ölüyorlardı.
"Gemicik" sahibi armatörlerimize toz kondurulmuyor, grev yapmaya kalkışan işçiler ve sendikalar, dış mihrakların aleti olmakla suçlanıyordu.

...»

Cumhurbaşkanımız, kayıp trilyon davasından mahkûm olan eski genel başkanı Necmettin Erbakan'ı affetti. "29 Ekim" doğumlu cumhurbaşkanımız, "29 Ekim" doğumlu eski Başbakanımızı kurtarmıştı. "Cumhuriyet çocukları" birbirine destek olmayacaktı da, kime olacaktı!
27 defa hacca giden, buna mukabil, partisinin 1 trilyon liralık Hazine yardımını zimmetine geçirmekle suçlanan Hoca yırtmıştı.
"Özgürlüğüne kavuştu" manşetleri atıldı. Sanırsın, Malta zindanlarında kırbaçlanıyordu... Halbuki, cezası zaten ev hapsine çevrilmişti, havuzlu yazlığında oturuyordu.

...»

CHP Milletvekili Kemal Kılıçdaroğlu, AKP Genel Başkan Yardımcısı Şaban Dişli'nin arsa-imar işlerinden 1 milyon dolar komisyon tokatladığını öne sürdü. Takdiri ilahi herhalde... Söz

konusu arsa, Silivri'deydi.
Recep, başkan...
Şaban, yardımcısı...
Ramazan'a da günler kalmıştı.
Mübarek üç aylardaydık!

...»

Ramazan'ın başladığı gün...
Almanya'da Deniz Feneri davası başladı.
Frankfurt Mahkemesi'ne kelepçeyle getirildiler. İtiraf ettiler.
Dernek Başkanı Mehmet Taşkan, toplanan yardımların arsa alımından gemi alımına kadar pek çok yerde kullanıldığını söyledi. Muhasebe sorumlusu Firdevsi Ermiş "Kriminal sisteme alet oldum" dedi, paravan şirketler kurduklarını, RTÜK Başkanı Zahid Akman'a elden para teslim ettiklerini anlattı. Euro 7 Genel Müdürü Mehmet Gürhan ise "Arsalar aldık, şirketler kurduk, toplanan paraları kâr amacıyla kullandık" diyordu. 20 milyon euro'nun kuryeler aracılığıyla Türkiye'ye götürüldüğü öne sürülüyordu. İddianamede "Siyasi etki yapılmaya, bilhassa Türk hükümeti tarafından tutukluluğa mâni olunmaya çalışılmıştır" deniyordu.
Hürriyet manşet yaptı.
Sen misin manşet yapan...

...»

Tayyip Erdoğan çıktı, Aydın Doğan'a bindirdi, "İftira kampanyası yapıyorlar, Hilton Oteli'nde istediği tadilatları bana ve belediyeme yaptıramadığı için bu adımları atıyor" dedi.
Aydın Doğan cevap verdi. "Başbakan'a 'Ceyhan'da rafineri yapmak istiyorum' dedim, 'Orayı bizim Çalık'a söz verdik' dedi. Sonra bana Hilton'u sordu, 'Ne yapacaksın?' dedi. 'Şu anda ne yapacağımı bilmiyorum, yenilenmesi lazım' dedim. O da bana, 'Belediye başkanıyla konuşayım' dedi. Hilton için gitmedim, konuyu kendisi açtı, şantaj başbakanlara yakışan bir şey değildir" dedi.
Tayyip Erdoğan, boykot çağrısı yaptı.
"Bu gazeteleri evinize sokmayın" dedi.
Yandaş medyada koro halinde yayın başladı.
Aydın Doğan'ın vergi kaçırdığı yazılıyordu.
Hürriyet birinci sayfasından cevap verdi. "Cüce, yandaş ve besleme" başlığı attı. Ali Dibo'dan girdi, Deniz Feneri'nden çıktı.

Özetlemeye çalışırsak... "Cüce, yandaş, sahibinin sesi, besleme basın, kalleşçe pusu kuruyorlar, Babıâli'nin DNA'sı bozuldu, genlerine fesat yerleştirildi" deniyordu. Çarşı karışmıştı.

...»

Şak...
Sanatçı Nurseli İdiz'le travestiler kraliçesi Sisi lakaplı Seyhan Soylu, Ergenekon'dan gözaltına alındı. Muvazzaf teğmenler tutuklandı. Sisi'yle teğmenlerin ne alakası var demeye kalmadı, Tuncay Özkan'la eski polis şefi Adil Serdar Saçan hapse atıldı.
Deniz Feneri'ne yoğunlaşan gündem, değişivermişti.
Bundan sonra hep böyle devam edecekti.
Bir Deniz Feneri, bir Ergenekon...
Bir kapatma davası, bir Ergenekon diye gidecekti.

...»

Deniz Feneri'nden mahkûm olan Mehmet Gürhan'ın, Kanal 7'nin sahibi Zekeriya Karaman'a vekâlet verdiği ortaya çıktı. Küçük bi pürüz vardı... İstanbul'daymış gibi vekâlet verdiğinde, Almanya'da cezaevindeydi! Peki, bu skandal vekâletnameyi kim düzenlemişti? Gazeteler aradı, taradı, İstanbul 10'uncu Noteri İsmet Büyükkılınç'ın düzenlediği anlaşıldı. Bu noter arkadaş, Büyükşehir Belediyesi'nin sattığı konutların kura çekilişini organize ediyordu. Son seçimde AKP'den milletvekili aday adayıydı.

...»

Ermeni açılımı yapıldı.
Dünya Kupası elemelerinde Ermenistan'la aynı gruba düşmüştük. Fırsat bu fırsat... Cumhurbaşkanı Abdullah Gül, milli maç için Ermenistan'a gitti, tribünden seyretti. Dink cinayetinin hassasiyeti çok tazeydi. Maalesef, bu hassasiyet "açılım fırsatı" olarak alet edilmişti. "Türkiye'yi soykırımla suçlayan Ermenistan'a niye gidiliyor?" diye sorana, anında "ırkçı" damgası yapıştırılıyordu, susturuluyordu.
Lafın sırası denk gelmişken, anlatayım...
Erivan'daki maça 500 kadar Türk seyirci gitmişti. Çoğu, Gürcistan üzerinden Ermenistan'a mal taşıyan kamyon şoförlerimizdi. Geldiler stata... Türkçe, yani anladıkları dilden "hoş geldiniz" diyen Ermeni gençler tarafından karşılandılar. Çok sevindiler. Üstelik, konuksever Ermeni gençleri sadece

hoş geldiniz demekle kalmıyor, üzerinde İngilizce ve Ermenice yazılar bulunan tişörtler dağıtıyordu. Bedava... Kamyoncularımız ekstra mutlu oldular. Güle oynaya giydiler. Tam turnikelerden geçiyorlardı ki, "Bi dakka hemşerim, n'apıyorsunuz?" diyen Türk gazeteciler tarafından durduruldular. Ve n'aptıklarını öğrendiler... Çünkü avanta baldan tatlıdır diye kapıp giyiverdikleri tişörtlerin üzerinde "Soykırımı tanıyorum" yazıyordu!

...»

Kendi kendilerini "aydın" ilan eden bazı tipler "Ermenilerden Özür Diliyorum" kampanyası başlattı. Cumhurbaşkanı Gül, üstü kapalı destek verdi, bu tür kampanyaların doğal karşılanması gerektiğini söyledi. CHP İzmir Milletvekili Canan Arıtman ise, ortalığı ayağa kaldıran bir iddiayı dile getirdi, "Cumhurbaşkanı Gül'ün anne tarafından etnik kökenini araştırın, neden bu kampanyaya destek verdiğini görürsünüz, Gül'ün annesinin Ermeni olduğunu İzmir'deki dayısı Doktor Ahmet Satoğlu asistanlarına söylemiş" dedi. Buyrun burdan yakın... Cumhurbaşkanı derhal açıklama yaptı, "Ailemizin kayıtlı geçmişi Müslüman ve Türk'tür" dedi. Canan Arıtman'a bir liralık manevi tazminat davası açtı.

...»

Lira, Yeni Türk Lirası, Türk Lirası filan derken, kafalar allak bullak olmuştu. Tam o günlerde... Çankaya Köşkü'nde aşırı harcama yapıldığı yönünde haberler çıkıyordu. Cumhurbaşkanlığı resmi açıklama yaptı. Bu senenin ilk altı ayında "20.196 bin YTL" harcama yapıldığı belirtildi. Yani? Yeni parayla 20 milyon lira, eski parayla 20 trilyon lira diyeceklerine... "20.196 bin" demişlerdi! Sayın ahalimiz de, ne var canım alt tarafı 20 bin lira deyip geçivermişti. Abra kadabra'nın böylesi görülmemişti.

...»

Bilahare, yılbaşında tedavüle girecek TL tanıtıldı.
Eski banknotlarda Atatürk'ün gergin ifadeleri vardı. Yeni banknotlara Atatürk'ün gülümseyen portreleri konulmuştu. AKP'nin ekonomi politikaları Atatürk'ün bile yüzünü güldürmüştü yani!

...»

ABD'de mortgage krizi patlamıştı. Bankalara el konuyordu. Lehman Brothers bile iflas etmişti, piyasalar yanıyordu. Sıcak para aniden çekilince, bizim yalancı bahara kar yağmaya başlamıştı. Dolar, bir ay içinde 1,2 liradan 1,7 liraya fırladı. Bizim Başbakan "Kriz inşallah bizi teğet geçecek" diyordu.

...»

CHP sorunca, Tayyip Erdoğan malvarlığını açıklamıştı. Bankada 1 milyon 800 bin lirası vardı. Aybaşında parasını dolara çevirseydi, 1,5 milyon dolar alabilirdi. Şimdi kaç dolar alabilirdi? Anca 1 milyon 60 bin dolar alabilirdi. Bir ayda 440 bin dolar içeri girmişti. Teğet dediği buydu!

Başbakan maaşı 9 bin liraydı. Yemese içmese her kuruşunu biriktirse, bu 440 bin doları ne zaman yerine koyabilirdi? 83 ay sonra... Altı senedir memleketi yönetiyordu ama, yedi senelik kaybı vardı. Teğet dediği buydu!

...»

Alışveriş bıçak gibi kesilmiş, işsizlik patlamıştı. Başbakanımız "TOBB'un 1 milyon 300 bin üyesi var, her üye bir kişiye iş verse, 1 milyon 300 bin işsiz kurtulur" dedi. Bu muhteşem önerinin yapıldığı gün... Türk sporcu Ömer Aslan, İtalya'da düzenlenen Dünya Geri Geri Koşma Şampiyonası'nda dünya rekoru kırarak, altın madalya kazandı. "Geriden dünya şampiyonu" olmuştuk.

...»

Habire PTT şubesi soyuluyordu.
Tek sütunlarda veriliyordu ama...
Son üç senede 314 defa soyulmuştu.

...»

Atatürkçüler, Ramazan Bayramı'nda hapse tıkılmıştı.
Hüseyin Üzmez, Cumhuriyet Bayramı'nda bırakıldı.
Adli tıp, akıllara ziyan bi rapor vermişti; cinsel tacize uğrayan kız çocuğunun "beden ve ruh sağlığının bozulmadığı"nı söylemişti.
Bu raporla kurtulan Hüseyin Üzmez, bizzat eşinin kullandığı otomobille cezaevinden ayrıldı. Normalde insan içine çıkamaz hale gelmesi gerekirken, televizyon televizyon dolaşıyor, anlatıyordu. "Hovardayım, birçok kadın hayatıma girdi, iyi ki girdiler, yoksa fahişe olurlardı, başlarını örtüp hayatlarını düzelttiler" diyordu.

...»

Can Dündar'ın yazıp yönettiği *Mustafa* belgeseli 29 Ekim'de vizyona girdi. Gittim, seyrettim *Mustafa*'yı... Sarhoş, hoyrat, kalpsiz, itiraz edeni asan, milleti küçümseyen, Batı hayranı, dinsiz, megaloman, bencil, basiretsiz, psikolojik bunalımda bir adam... Mustafa'daki Mustafa Kemal buydu.
Bence, Oscar hak edilmişti.
En azından Nobel verilmeliydi!

...»

Mustafa Yeni Türkiye Cumhuriyeti'ydi.
Liboşlar yere göğe sığdıramıyor, televizyonlarda ballandıra ballandıra reklamını yapıyor, herkesin okumasını tavsiye ediyorlardı. Bu kitapta; AKP'ye övgüler düzülüyor, Kemalist Türkiye'nin Müslümanlığa zarar verdiği anlatılıyordu. Özetle... Irak'ta Afganistan'da Müslümanları şakır şakır katleden Amerikalı arkadaş, dinimizi Kemalistlerin elinden kurtarmak gerektiğini söylüyordu. Ilımlı İslamcılar da alkışlıyordu.

...»

Obama, ABD Başkanı seçildi.
Beyaz Saray'a ilk kez "siyah" oturuyordu.
Bizim yalaka medya, hemen siyah'larla türban'lılar arasında paralellik kurdu. Burada olduğu gibi orada da mazlum'ların kazandığı filan yazılıyordu. Utanmasalar, Harvardlı Obama'ya "Arap Bacı" muamelesi yapacaklardı.

...»

O gün... Tayyip Erdoğan'a Eğirdir Komando Okulu gezdiriliyordu. Cemil Çiçek yerde mermi kovanları buldu, eğildi, aldı. Genelkurmay Başkanı İlker Başbuğ "Aman dikkat edin, iyi saklayın, yoksa Ergenekon'dan içeri girersiniz" dedi. Güldüler... "İleri görüşlü" komutandı. Adeta, kendi başına gelecekleri görmüştü.

...»

Bush, Irak'a veda ziyareti yaptı.
Gazeteci Muntazır El Zeydi, basın toplantısında ayakkabılarını çıkardı, Bush'un kafasına fırlattı. Amerikalılar geldi diye sevinip, Saddam'ın heykelini terlikle döven Iraklılar... Anca uyanmıştı.

...»

Türkiye ise, bir başka "terlik"i konuşuyordu.
THY Genel Müdürü Temel Kotil, hac'dan dönmüş, VIP salonunda fotoğraflanmıştı. Ayağında terlik vardı. Siyah çorap, bej terlikti. THY'nin açılımı Terlik Hava Yolları haline gelmişti.

...»

Belediye seçimi yaklaşıyordu. Adrese dayalı kayıt sistemiyle yeni seçmen kütüğü oluşturuldu. Seçmen sayısı aniden 6 milyon kişi arttı... 2007 seçiminde, yani sadece bir sene önce 42 milyon olan seçmen sayısı, 48 milyona çıkıvermişti. Böylesine hızlı artış oranı, 300 milyon nüfuslu ABD'de de bile görülmemişti. Üstelik, bu yerel seçimde ilk defa parmak boyası kullanılmayacaktı!
Mezardan seçmen fışkırmaya başlamıştı.
20 sene önce vefat etmiş vatandaşlar, seçmen listelerinde görünüyordu. 30 senedir aynı mahallede oturan, aynı sandıkta oy kullanan vatandaşlar ise, seçmen listelerinde görünmüyordu. Yaşayanlar buhar olmuş, ölüler seçmen oluvermişti. "Ahiret Kalkınma Partisi" olsa, kafadan yüzde 12 oy alırdı.
Komple yok kabul edilen, bir kişi bile seçmen yazılmayan mahalleler, köyler vardı. Derken... Türkiye İstatistik Kurumu genelge yayınladı, 60 günlük yasal süre doldu dedi, seçmen kütüklerinin hukuki dayanağı olan Adrese Dayalı Nüfus Kayıt Sistemi belgelerinin imha edilmesini istedi. Belgeleri kıyma makineleriyle imha ettiler. Bu saatten sonra "kanıt" görmek isteyen, rüyasında görürdü.
Seçim "korku filmi"ne dönmüştü. İnsanlar muhtarlıklara koşuyor, kendi oturdukları evde başkalarının seçmen göründüğünü, kendilerinin seçmen görünmediğini öğreniyordu. İstanbul'da oturup Ankara'da kayıtlı görünen bile vardı. Seçmen listelerine göre, Çorum Vali Konağı'nda bir değil, iki vali ikâmet ediyordu, iyi mi... Gazetelere sahte seçmen ihbarları yağıyor, en ufak bir adli soruşturma açılmıyor, Yüksek Seçim Kurulu'ndan çıt çıkmıyor, langır lungur seçime gidiliyordu.

...»

York Düşesi Sarah Ferguson, kurucusu olduğu İngiliz Çocuk Esirgeme Vakfı adına Türkiye'ye geldi, Ankara Saray Rehabilitasyon Merkezi'nde gizli kamerayla çekim yaptı. Zihinsel engelli kimsesiz çocuklarımıza nasıl kötü davranıldığını görüntüledi, İngiltere'de ITN televizyonunda yayınladı. İçler acısıydı. Çocuklar ellerinden karyolalara bağlanıyor, itilip

kakılıyor, kafes benzeri yerlere tıkılıyordu.
Bizim hükümet, derhal diplomatik kriz çıkardı.
Düşes, Türk düşmanı ilan edildi.
Mahkemeye verildi, 22 sene hapsi istendi.
Netice?
AKP'nin 2012'de çıkaracağı üçüncü yargı paketinden Düşes de faydalanacak, gıyabında açılan dava düşecekti.

...»

Ünlü kalp cerrahı Profesör Bingür Sönmez, yumurtayı bunca sene yasakladığı için hastalarından özür diledi. "Yiyebilirsiniz" dedi. Devlet büyüklerimize yumurta atanlar tutuklanırken, yumurta beraat etmişti.

...»

2008'de...
10'u polis, 11'i korucu, 157 şehit vardı.
Şubat ayındaki harekâtı hatırlıyorsunuz değil mi?
Kandil'e çıkış yolları tutuldu filan...
Goygoyculuğun bilançosu işte buydu.
Sırf Hakkâri Aktütün Karakolu'nda 17 şehit vermiştik.

...»

Şehitleri toprağa defnettiğimiz gün...
Hava Kuvvetleri Komutanı Orgeneral Aydoğan Babaoğlu'nun Antalya Serik'te turnuvaya katılıp, golf oynadığı ortaya çıktı. Beş yıldızlı otelin golf sahasında kabak gibi fotoğrafları yayınlanan komutan, durumu izah etti, "Saldırının hemen sonrasında başlattığımız hava harekâtının emrini bizzat burdan verdim, Aktütün'e mi gitseydim?" dedi.
E haklıydı.
Ne demişti Mustafa Kemal?
"İstikbal golflerdedir" demişti!

...»

Ve, memlekette kan gövdeyi götürürken...
Terzi kendi söküğünü dikemez hesabı, Birleşmiş Milletler "Güvenlik" Konseyi geçici üyeliğine seçildik.
"Dünya bize hayran, muhteşemiz, tarihi başarı, gurur günümüz" manşetleri atıldı. Oysa... Afrika'dan sadece Uganda aday olmuş, Uganda seçilmişti. Asya'dan Japonya ve İran aday olmuş, İran'ı

seçecek halleri yok, Japonya seçilmişti. Latin Amerika'dan sadece Meksika aday olmuş, Meksika seçilmişti. Avrupa'dan sadece Türkiye, Avusturya ve İzlanda aday olmuştu. İzlanda o sene ekonomik olarak iflas etmişti. Geriye kala kala Türkiye ve Avusturya kalmıştı, Türkiye ve Avusturya'yı seçmişlerdi. Başka da aday yoktu. Çünkü... Veto hakkı falan olmayan, tırışkadan bi makam olduğunu cümle âlem biliyordu. Buna rağmen, sayın ahalimize "tarihi başarı, gurur günümüz" diye kakalanıyordu.

...»

Dünyayı koruyoruz ayaklarıyla, Somali'ye savaş gemisi gönderdik. Somalili korsanlar, Aden Körfezi'nde geleni geçeni kaçırıyor, fidye pazarlığı yapıyordu. İki de Türk gemisi kaçırmışlardı. NATO deniz gücü kapsamında, Gökova ve Gaziantep fırkateynleri bölgeye gitti. Komutanları, Ender Kahya ve Cem Okyay'dı. Türkiye'nin gurur duyduğu bu subayları, üç sene sonra Maltepe Cezaevi'nde ziyaret edeceğim, hiç aklıma gelmezdi. Bilahare, Giresun fırkateyni gönderildi, onun komutanı Cem Dalkanat'dı, o da içeri tıkılacaktı.

...»

Bir sene daha geride kalırken...
DHKP-C'nin kurucusu ve lideri Dursun Karataş, artık yoktu. Hollanda'da kanserden ölmüştü. Cenazesi İstanbul'a getirildi, Gazi Cemevi'nin gasilhanesine konuldu, Gazi Mahallesi Selçuklu Camii'nde kılınan namazdan sonra, 20 bin kişinin katıldığı törenle Gazi Mezarlığı'nda toprağa verildi.
Banker Kastelli olarak tanınan Abidin Cevher Özden, artık yoktu. Ağzına kurşun sıkarak intihar etmişti. 70'lerin 80'lerin en zengin adamıydı, dünyanın en yüksek faizini veriyordu. Sıfırı tüketmiş, evine haciz gelmişti.
Şair Fazıl Hüsnü Dağlarca vefat etmişti. Beş gün sonra... Tayyip Erdoğan, Türk Dil Kurultayı'na katıldı, "Kurultayın manasına uygun olarak, Türkçemizin abideleşmiş şairi Fazıl Hüsnü Dağlarca'nın 'Sanat' isimli şiirini okumak istiyorum" dedi. Okudu. Salon alkıştan yıkıldı. Küçük bi pürüz vardı... O şiir, Fazıl Hüsnü Dağlarca'nın değil, Faruk Nafiz Çamlıbel'indi!

Yeşilçam efsaneleri Orhan Günşıray ve Kenan Pars, tiyatro duayenleri Suna Pekuysal ve Hadi Çaman aramızdan ayrılmıştı. Çılgın söz yazarı Aysel Gürel, Türk Sanat Müziği'nin unutulmazları Avni Anıl, Semahat Özdenses ve Necdet Tokatlıoğlu, halk müziği ustası Ahmet Sezgin, şiirimizin uçbeyi İlhan Berk, karikatürün müthiş imzası Eflatun Nuri, hatıralarımızda yaşayacaktı. Gazeteci Kazım Kanat'ı, dünya şampiyonu güreşçimiz Gazanfer Bilge'yi, Futbol Federasyonu Başkanı Hasan Doğan'ı kaybetmiştik. Atletizme büyük emeği olan Cüneyt Koryürek, trafik kazasında can verdi. İzmir'in boksör lakaplı eski belediye başkanı İhsan Alyanak, MHP Milletvekili Gündüz Aktan, MHP eski Milletvekili Mehmet Gül, AKP Milletvekili Osman Yağmurdereli vefat etti. O arada, Cengiz Aytmatov'la Aleksandr Soljenitsin gitti. Hollywood'tan Paul Newman, Richard Widmark, Charlton Heston öldü. Yves Saint Laurent'i kadınlar asla unutmayacaktı.

2009

Van münüts • Sen Türkiye'sin, büyük düşün • Domuz gribi • Aydın Doğan'a ceza • Rabbime sordum, Cleveland dedi • İngiliz vatandaşı Maliye Bakanı • Muhsin Yazıcıoğlu • Obama Türkiye'de • Profesör Mehmet Haberal • Profesör Türkan Saylan • AKP ve Fethullah Gülen'i bitirme planı • Asimetrik psikolojik harekât • TRT Şeş • PKK açılımı • İki cihanda lekeli • Analar ağlamasın • Habur • Dersim • Amirallere suikast yalanı • Yarbay Ali Tatar • Çukurambar • Kozmik oda

Yeni seneye kahrolarak girdik.
Ankara'da yılbaşı gecesini birlikte geçiren Bilkent Üniversitesi'nden yedi öğrenci, doğalgaz zehirlenmesiyle hayatını kaybetti. Bir de kedi can vermişti. Aslında, yılbaşı gecesi apartmandan sızıntı ihbarı yapılmış, ambulansla birlikte doğalgaz ekipleri gelmiş, üst kat komşuları hastaneye kaldırılmıştı ama çocukların katına bakılmamıştı.
Başkent Doğalgaz Şirketi'nin genel müdürü, facianın nedenine dair mantıklı izahat vereceğine, "Bazılarının belden üstü çıplaktı" dedi. Sonra da "Biliyorsunuz bugün cuma, fazla soru almayalım, müsaadenizi isteyeceğiz" dedi. Namaza gidecekti.
Oysa, polis raporuna göre, çocukların her biri başka odadaydı ve giyiniklerdi. Üstelik, facianın bununla ne alakası olabilirdi?
Aileler, sorumluların bulunması için dava açtı. Dört sene sürdü. Neticede... Hayatını kaybeden öğrencilerden Özgür'ün annesi, evin kiracısı olduğu için "kusurlu" bulundu, iyi mi! Bu kitabın piyasaya çıktığı Eylül 2013'te, dava hâlâ Yargıtay'daydı.

...»

Tayyip Erdoğan, Ankara büyükşehir adayını açıkladı. "Dürüst, itibarlı, eğitimli, saygın, liyakat sahibi Melih Bey kardeşimle devam edeceğiz" dedi. Senenin ilk faciası Ankara, ilk müjdesi Melih Gökçek'ti!

...»

Ergenekon tsunami gibiydi.
Dalga dalga vuruyordu.
Yargıtay Onursal Başsavcısı Sabih Kanadoğlu'nun evi basıldı. MGK eski Genel Sekreteri emekli Orgeneral Tuncer Kılınç, YÖK eski Başkanı Kemal Gürüz, Genelkurmay eski Adli Müşaviri emekli Tümgeneral Erdal Şenel, Profesör Yalçın Küçük, emekli Orgeneral Kemal Yavuz, Polis Özel Harekât eski Başkanvekili İbrahim Şahin gözaltına alındı. İstanbul Büyükşehir Belediyesi eski Başkanı Bedrettin Dalan aranıyordu.
Susurlukçu İbrahim Şahin'le... İbrahim Şahin'in Susurluk'tan mahkûm olmasını sağlayan Başsavcı Sabih Kanadoğlu, aynı örgüte mensup olmaktan, aynı çuvala konulmuştu. Sırf bu örnek bile, Ergenekon'daki iddiaların tel tel döküldüğünü göstermeye yetiyordu.
Ve, Sabih Kanadoğlu henüz evi basılmadan, evinin basıldığını TRT'den öğrenmişti. Çünkü henüz evler basılmadan, hangi evlerin basıldığı TRT ekranlarından duyurulmuştu! Devletin televizyonu "kâhin" gibiydi. Neler olacağını çok önceden biliyordu.

...»

O gün... 1951'de Türk vatandaşlığından çıkarılan Nâzım Hikmet, yeniden Türk vatandaşı yapıldı.
Kadere bakın ki, AKP tarafından itibarı iade edilen Nâzım Hikmet'in de o zamanlar evi basılmıştı. Darbeye teşebbüsten tutuklanmış, "Silivri" açıklarına demirleyen donanma gemisinde yargılanmıştı.

...»

Ergenekon savcısı Zekeriya Öz, sahte haham Tuncay Güney'in cevaplaması talebiyle Kanada adli makamlarına 37 adet soru gönderdi. Gel gör ki... Resmi yazışmada, Tuncay Güney'in adresi "1388 Eglinton Ave. West Toronto" olarak görünüyordu. Bu adreste Tuncay Güney değil, bir gazetecinin kardeşi oturuyordu. O gazeteci de, AKP destekçisi *Yeni Şafak* gazetesinin muhabiriydi.
Muhtemelen adresler karışmıştı.
Olsa olsa "sehven"di!

...»

Savcı Zekeriya Öz'e Mercedes makam aracı tahsis edildi.
YÖK Başkanı'na 374 bin dolarlık Mercedes S350 alındı.

...»

Bir yarbayın evi basıldı. "Kroki bulduk" denildi. Krokiden iz sürüldü. Ankara Zir Vadisi'ndeki metruk evin kuyusundan el bombaları ve 10 kilo plastik patlayıcı çıkarıldı. Yarbay isyan etti, "Kroki benim değil, el yazımı TÜBİTAK incelesin, karşılaştırsın, bulunan malzemeyi oraya polis koydu" dedi ama... Dinleyen yoktu.
Peşe peşe krokiler ele geçiriliyor, topraktan adeta cephanelik fışkırıyor, kazı çalışmaları TRT'den naklen yayınlanıyordu.

...»

Ergenekon definecileri bile türedi.
Üç uyanık, fırsat bu fırsat diyerek Ankara Altındağ'da "krokiden cephane arıyoruz" ayağıyla şakır şakır kaçak kazı yaptı. Kazı faaliyetleri olağan hale geldiği için kimse şüphelenmedi, ihbar edilmedi. Üç metre derine indiler, Roma dönemine ait 50 milyon dolarlık sikkeler-yüzükler buldular. Neyse ki, satmaya çalışırken polis tarafından enselendiler.

...»

Her akşam televizyonun karşısına oturuyor, dizi seyreder gibi, cephanelik kazılarını, lav silahlarını, el bombalarını seyrediyorduk, ki... "Kurtlar Vadisi" dizisinde "derin devletin mafya babası" karakterini canlandıran tiyatrocu Atilla Olgaç çıktı, ortalığı karıştırdı. "Kıbrıs'ta elleri bağlı esir Rum'u alnından vurdum, dokuz askeri daha öldürdüm, öldürdükten sonra karargâhta ağlıyor, ertesi gün gene öldürüyordum" dedi! Gündeme bomba gibi düştü tabii... Ergenekon haberlerini bile gölgede bıraktı. Halbuki, hepsi palavraydı. Kıbrıs'ta topu topu 20 gün kaldığı, eline tüfek bile almadığı, kantinde patates soyduğu ortaya çıktı. Özür diledi ama, bu işin şakası yoktu, Yunanistan'la Kıbrıs ayağa kalkmıştı. Türkiye'yi Avrupa İnsan Hakları Mahkemesi'ne bile şikâyet ettiler.

...»

Derken... Emekli Albay Mustafa Levent Göktaş tutuklandı. Bordo bereli efsane subaydı. TSK'da üç tane üstün cesaret madalyasına sahip tek askerdi. Emekli olduktan sonra avukatlık

yapmaya başlamıştı. Bürosu basıldı. "DVD bulduk" denildi. "51" numarasıyla kaydedilen DVD'den devlete ait gizli belgelerin çıktığı öne sürüldü. Albay Göktaş "Kesinlikle bana ait değil, büroma nasıl geldi bilmiyorum" dedi ama nafile... Bu esrarengiz DVD, Ergenekon davasının omurgasını oluşturacaktı.
Tayyip Erdoğan "Bunlar daha işin başı" dedi.
Vardı herhalde bi bildiği.

...»

Sahte haham Tuncay Güney "Ergenekon'un kara kutusu" sıfatıyla, TRT'ye çıkarıldı. Genelkurmay başkanlarına çeteci, Deniz Baykal'a MİT ajanı dedi. Kudüs Paktı'ndan girdi, Şanghay Beşlisi'nden çıktı. Ne belge, ne kanıt... Bulaştır bulaştırabildiğin kadar'dı.
Bu karanlık adam, seneler sonra, 2013'te yeniden piyasaya çıkacak, "Ergenekon davası bir projeydi, vicdanen rahatsızım, verdiğim ifadeler geçersizdir, devlet beni kullandı" diyecekti ama... İş işten çoktan geçmiş olacaktı. Hahamın yalanlarını bangır bangır duyuranlar, hahamın itiraflarını görmezden gelecekti.
Haysiyet cellatlığı başlamıştı.
İsimler ortaya atılıyor, manşetlerden infaz ediliyordu.
Köşe yazılarında listeler yayınlanıyordu.
Adeta, Nazi Almanyası'ndaki gibi kapılar işaretleniyordu.
...»

PKK itirafçısının biri, Güneydoğu'daki faili meçhul cinayetlerin sorumlusu olarak emekli Albay Abdülkerim Kırca'yı gösterdi. Malum medya, derhal "Ergenekoncu" ilan etti. Albay okudu, onuruna yediremedi, beylik tabancasıyla kafasına sıkarak canına kıydı. PKK'nın şahitliğiyle ölüme gönderilen bu albay... PKK kurşunuyla tekerlekli sandalyeye mahkûmdu. Teröristlerle çatışırken yaralanmış, felç kalmıştı. Cumhurbaşkanı Sezer'in elinden "Devlet Övünç Madalyası" almıştı.

...»

Türk Metal Sendikası'nın ve muhalif yayın yapan ART televizyonunun başkanı Mustafa Özbek içeri tıkıldı. Kamuoyu araştırma şirketi sahibi Erhan Göksel dahil, 15 şehirde 35 kişi gözaltına alındı. Ergenekon'dan sigaya çekilip bırakılan Profesör Uçkun Geray ise, tedavi gördüğü hastanede vefat etti.

Akademisyen, başsavcı, işadamı, sendikacı, gazeteci, subay, polis... Adeta her mesleğe, her işkoluna "gözdağı" veriliyordu. "Sabahın köründe kapı zilinin çalınma korkusu" salgın haline gelmişti. Herkes "sırada kim var"ı merak ediyordu. Hatta... Basına açık bir toplantı sırasında tesadüfen kameralara yakalanmıştı; Rahmi Koç bile yanında oturan kişiye "Acaba bizi de alırlar mı?" diye fısıldıyordu.
Pek yakında Rahmi Koç Müzesi'nde sergilenen denizaltıda patlayıcı madde bulunacak, Ergenekon dosyasına dahil edilecekti... Rahmi Koç bu mevzularda pek konuşmasa iyi ederdi yani!

...»

CHP lideri Deniz Baykal, İstanbul Büyükşehir Belediye Başkanlığı'na Kemal Kılıçdaroğlu'nu aday gösterdi. Aslında, Ankara'dan aday olması bekleniyordu. Çünkü... Şaban Dişli'nin ipliğini pazara çıkaran, Deniz Feneri'ni yakından takip eden Kemal Kılıçdaroğlu, kısa süre önce Melih Gökçek'i hedef almıştı. Doğalgaz sayaçlarında yolsuzluk yapıldığını iddia etmişti. Bunun üzerine, televizyon duayeni Uğur Dündar, tarafları aramış, Star Haber'e davet etmiş, canlı yayında yüzleşmelerini sağlamıştı. Elbette, biri ak demiş, öbürü kara demiş, neticeye bağlanmamıştı ama... Kazançlı çıkan taraf Kemal Kılıçdaroğlu olmuştu, Ankara'daki popülaritesi tavana vurmuştu. Melih Gökçek'ten önce de, yine Uğur Dündar'ın hakemliğinde, TBMM çatısı altında, AKP Genel Başkan Yardımcısı Dengir Mir Mehmet Fırat'la yüzleşmiş, o canlı yayından da puan toplayarak çıkmıştı. Kılıçdaroğlu, Ankara'yı kazanabilir, tarih başka türlü akabilirdi. Her ne olduysa oldu, İstanbul'dan aday oldu. 1999'da, 2004'te Melih Gökçek'e karşı iki defa kaybeden Murat Karayalçın, Ankara'dan aday gösterildi. Kimsenin kalbini kırmak istemem ama, bu CHP varken, AKP'nin işi çok kolaydı.
Son ana kadar, Melih Gökçek'in yerine aday gösterileceği konuşulan Keçiören'in AKP'li Belediye Başkanı Turgut Altınok, sürpriz kararla siyasetten çekildi. Özel hayatına dair "belden aşağı görüntüler" olduğu, basına sızdırıldığı iddia ediliyordu. Türk demokrasi tarihine damgasını vuracak olan "gizli kamera"nın miladıydı.

...»

Obama yemin etti, Beyaz Saray'ı resmen devraldı.
Bir hafta sonra "van münüts" patladı.

Gazze'den füzeler fırlatılmış, İsrail'den savaş uçaklarıyla cevap verilmiş, çocuk çocuk binden fazla Filistinli hayatını kaybetmişti. Takdiri ilahi... Medeniyetlerin tekrar çatışmaya başladığı gün, "Medeniyetler Çatışması" tezinin babası, Amerikalı siyaset bilimci Samuel Huntington ölmüştü.
İşte tam bu atmosferde, Davos'ta, "Ortadoğu Barış Modeli" adıyla panel düzenlendi. Tayyip Erdoğan, kendi modelini izah etti... Yanında oturan İsrail Cumhurbaşkanı Şimon Peres'e "Çocukları nasıl öldürdüğünüzü biliyorum, siz öldürmeyi iyi bilirsiniz" diye bağırdı.
Panelin moderatörü *Washington Post* yazarı David Ignatius'tu.
Müdahale etmeye kalktı. Başbakanımız "van münüts" dedi.
Moderatörün elini ittirdi. "Benim için bitmiştir, daha da gelmem Davos'a" diyerek kalktı, gitti.
Aslında, Davos programında böyle bir panel yoktu.
Sürpriz şekilde programa konulmuştu.
Peki, kim istemişti bu panelin düzenlenmesini?
Araştırıldı taraştırıldı...
Bizzat Tayyip Erdoğan'ın istediği ortaya çıktı.
Çünkü... Cumhuriyetçi Bush'tan Demokrat Obama'ya geçişle birlikte, Türkiye'nin dış politikadaki rolü belli olmuştu. Bi fırça, bi van münüts, Tayyip Erdoğan Arap dünyasının yeni Nasır'ı olmuştu.
Hem İsrail'den "üstün hizmet madalyası" vardı...
Hem de İsrail'e fırça kaydığı için "kahraman" ilan edilmişti!

...»

İstanbul'da coşkulu kalabalıkla karşılandı.
"Davos Fatihi" pankartları açıldı.
Aldı Davos rüzgârını arkasına...
Miting meydanlarına fırladı.
Deniz Baykal'ı eleştirirken atasözü icat etti.
"İnce at da kargalar yesin" dedi.
"Ziya Paşa'nın güzel bir lafı vardır, eşek ölür kalır eseri" dedi.
Sonra "Pardon pardon, eşek ölür kalır semeri, insan ölür kalır eseri" diye düzeltti. Aslında düzelttiği filan yoktu... O laf Ziya Paşa'ya değil, Mehmet Âkif Ersoy'a aitti.
"İstanbul'un tarihçesini bilmiyorlar, tarih bilseler konuşmaya yüzleri olmaz, öyle elinde mercekle Romen Diyojen gibi dolaşılmaz" dedi. Mercekle dolaşan, hayali roman kahramanı Sherlock Holmes'tü. Mercek yerine fenerle dolaşan Diyojen'in İstanbulla alakası yoktu, Sinoplu filozoftu. Romen Diyojen

desen, zaten mercekle fenerle alakası yoktu, Malazgirt'te Alparslan'a esir düşen Bizans imparatoruydu. Özetle... Tarih dersi verirken, 1500 senelik hata yapmış, Diyojenleri karıştırmış, Sherlock Holmes'le harmanlamış, gene de denk getirememişti.

...»

Tarih sayfaları açılınca, eski defterler de açıldı. Tayyip Erdoğan'ın imam hatip lisesinde okurken, Kuran-ı Kerim dersinden bütünlemeye kaldığı, Arapçasının zayıf olduğu ortaya çıktı.
Deniz Baykal "Maganda üslubu ona yakışıyor" dedi.
Başbakan derhal 100 bin liralık tazminat davası açtı.
Halbuki... Başbakan'ın tavırlarına, Baykal'dan önce, Amerikalı gazeteci Andrew Finkel "magandalık" demişti. *Today's Zaman* gazetesinin yazarıydı. Başbakan'dan çıt çıkmamıştı, mahkemeye koşmamıştı.

...»

Tunceli Valiliği, avanta çamaşır makinesi, buzdolabı dağıtmaya başladı. Elektriği olmayan, çeşmesinden su akmayan evlere bulaşık makinesi bırakılıyordu. Vatandaş ne yapsın? Avanta beyaz eşyaları ahıra koyuyordu. İyi de... Öbür yoksul şehirlerimizin başı kel miydi? Neden illa Tunceli'de dağıtılıyordu? Niye, onca ilçe varken Nazımiye'den başlanmıştı dağıtıma? Çünkü AKP'nin iki tane belalısı vardı, biri Kemal Kılıçdaroğlu, biri Kamer Genç'ti... İkisi de Tunceli-Nazımiyeliydi.

...»

Tayyip Erdoğan, metrobüs törenine katıldı. Yalakalık sınırları aşıldı. "Son Osmanlı Padişahı 1'inci Recep Tayyip Erdoğan" pankartı açıldı. Mersin'e gitti, "2'nci Atatürk Erdoğan" pankartı açıldı.

...»

Başbakanımızın küçük oğluyla büyük gelininin Atatürk Havalimanı'nda kuyumcu mağazası açtıkları ortaya çıktı. Ortakları, Cihan Kamer'di. Mücevherdeki kdv'nin hükümetimiz tarafından sıfırlanmış olması tamamen tesadüftü! O gün itibariyle... Başbakan'ın büyük oğlu gemicik almış, damadının yönetici olduğu şirket gazete-televizyon sahibi olmuş, küçük oğluyla büyük gelini kuyumcu açmıştı.

E bu haberler çok can sıkmıştı.
Basına bi çekidüzen vermek lazımdı.
Doğan Yayın Grubu'na "vergi kaçırdığı" gerekçesiyle, dünya basın tarihinde görülmemiş oranda, 826 milyon lira ceza kesildi.
Doğan Grubu'na Deniz Feneri manşetlerinden itibaren müfettiş yağmış, hesapları didik didik edilmeye başlanmıştı.
Aydın Doğan son 10 senede sekiz defa Türkiye vergi rekortmeni olmuştu. Şimdi ne deniyordu? "Vergi kaçırdı" deniyordu. Hangi sene vergi kaçırdığı iddia ediliyordu? 2007 senesinde... Peki 2007 senesinde vergi rekortmeni kimdi? Gene Aydın Doğan'dı.
Aydın Doğan'a "örnek vergi mükellefi" plaketi veren kimdi? Maliye Bakanı'ydı... Aydın Doğan'a cezayı kesen kimdi? Maliye Bakanlığı'ydı.
Uzun lafın kısası...
Yazmayacaksın kardeşim.
Mesaj buydu.

...»

Basına tarihi ceza kesilirken, Maliye Bakanı Unakıtan ABD'deydi. Kalp ameliyatı oldu, yurda döndü. Eşi Ahsen Hanım, ameliyat yeri için Allah'a dua ettiğini belirterek, "Rabbime sordum, içime Cleveland doğdu" dedi.
CHP'liler "Rabbime sordum Cleveland dedi"yi pankart yaptı. Miting alanlarında sergileniyordu, ki... Kemal Kılıçdaroğlu'nun 10 aylık torununun sigortalı yapıldığı ortaya çıktı.

...»

THY'nin 128 yolcu yedi mürettebatla İstanbul'dan havalanan Tekirdağ isimli uçağı, Amsterdam'a iniş sırasında tarlaya çakıldı. Üçü pilot, dokuz kişi hayatını kaybetti. Kayıplarımıza rağmen, talihsiz mucizeydi; öbür yolcular enkazdan yürüyerek çıktı.
Deve'li terlik'li fotoğraflar gene manşetlerdeydi. Çünkü düşen uçağın "irtifa cihazı"nın arızalı olduğu anlaşılmıştı. Uzmanların tespitlerine göre... Uçak 594 metre yüksekteyken, arızalı cihaz "iki metreye inmiş gibi" göstermişti. Otomatik pilot da "iki metredeyiz" diye gaz kesmişti. Kaptan pilot müdahale etmeye çalışmış, ancak, aniden gazı kesilen uçak toparlayamamış, gövde üstü yere yapışmıştı.
Hollanda Başbakanı enkazı inceleyip, hastanede Türk yaralılarla ilgilenirken, yolcu yakınları İstanbul Atatürk Havalimanı'nda bekleşirken... Bizimkiler seçim mitinglerindeydi. Ulaştırma

Bakanımız mesela, Bingöl'deydi. Kriz masasını yönetmek için, zahmet edip Ankara'ya bile dönmedi.
Hayatını kaybeden dokuz kişiden dördü Amerikalıydı.
Bu Amerikalı yolculara ait dizüstü bilgisayarlarında "yeni bir askeri radar sistemi"ne ait planların bulunduğu ve bilgisayarların FBI ajanlarına teslim edildiği açıklandı.
De Telegraaf gazetesinde yayımlanan habere göre... Uçak düşer düşmez, ABD Lahey Büyükelçiliği devreye girmiş, bilgisayarlara el konulmuş, Frankfurt'tan acil olarak özel uçakla Amsterdam'a gelen FBI ajanlarına teslim edilmişti. Haarlem Savcılığı "Bilgisayarlarda gizli askeri bilgiler vardı, ABD'nin iade istemi yerine getirildi" demişti.
"Boeing görevlisi" etiketiyle seyahat eden Amerikalılar, ABD Savunma Bakanlığı tarafından görevlendirilmişti. Türkiye'deki işleri bitmiş, Amsterdam üzerinden Seattle'a dönüyorlardı.
Bu planlar, o zamanlar Türkiye'nin gündeminde bulunmayan "Kürecik" planları olabilir miydi acaba? Kaza mıydı, yoksa asıl hedef askeri radar sırlarını taşıyan Amerikalılar mıydı? Pilotlar haricinde sadece altı kişi hayatını kaybederken, dördünün bu Amerikalılar olması, enteresan ötesi değil miydi? Türkiye bu sorulara hiç kafa yormadı.
Çünkü şarkıcı Deniz Seki kokainden tutuklanmıştı.
Ahalimiz için en önemli mevzu buydu.
Bilahare, vahşi bi cinayetle sarsıldık.

...»

İstanbul Etiler'de çöp konteynerine atılmış bavuldan, vücut çıktı. Gitar çantasından, kafa çıktı. Aylarca konuşulacak olan bu kız, Münevver Karabulut'tu. Bahçeşehir'de villada öldürülmüştü. İşadamı Hayyam Garipoğlu'nun yeğeni Cem Garipoğlu aranıyordu.

...»

Bu arada, mitingler-Ergenekonlar paralel yürüyordu.
Polis Özel Harekât Daire Başkanı Behçet Oktay, otomobilinde başına sıkılmış kurşunla ölü bulundu. Tetikçi basın tarafından "Ergenekon tutuklusu İbrahim Şahin'in suikast timini organize etmekle" suçlanıyordu. Bu kitabın yayımlandığı tarihte, hâlâ, intihar mı cinayet mi muammaydı.

...»

Tayyip Erdoğan, Âşık Mahzuni'den şiir okudu.
"Milletin sırtından doyan doyana
bunu gören yürek nasıl dayana
yiğit muhtaç olmuş kuru soğana
bilmem söylesem mi söylemesem mi?" dedi.
Dediğine diyeceğine pişman oldu.
Çünkü basınımızın aklına rahmetli Âşık Mahzuni geliverdi.
Büyük ozanın, doğuştan duyma engelli oğlunun, senelerdir Ankara sokaklarında parklarda yattığı, karnını bile esnafın doyurduğu ortaya çıktı.
AKP altı senedir iktidardaydı.
Özeti...
Beraber yürüdük biz bu yollarda
yiğit muhtaç olmuş kuru soğana'ydı.

...»

TÜİK açıkladı, işsiz sayısında Cumhuriyet tarihinin rekoru kırılmıştı. 3 milyon 274 bin kişiye ulaşmıştı. Ambalajlı hali bile buydu. Zaten mitinglerden belliydi. Pazartesi, salı, çarşamba, mesai saatlerinde miting yapılıyor, hınca hınç doluyordu. Meydanlardaki kalabalık, işsiz güçsüzlüğün kanıtıydı.
Ekonomi Bakanımız Mehmet Şimşek "İşsizlik niye artıyor biliyor musunuz?" diye sordu. Sonra, cevabını da kendisi verdi. "Çünkü kriz dönemlerinde daha çok iş aranıyor" dedi. Hadise bu kadar basitti... İşsizler iş aramasa, işsizlik filan olmayacaktı, hep işsizlerin yüzündendi!

...»

Demokrat Parti Genel Başkanı Süleyman Soylu, vade biçti, "Altı ayda Tayyip Erdoğan'ın hurdasını çıkarırım" dedi. Breh breh breh... "Bu adam AKP'ye geçecek" diye yazsak, eminim, iftiradan mahkemeye verirdi.

...»

Mustafa Balbay gene gözaltına alındı.
Bu sefer tutuklandı.
Tuttuğu notlar, internet sitelerinde yayınlanıyordu.
Doğru olup olmadığına bakılmadan "vay vay vay neler yazılmış" deniyordu. "İyi de kardeşim, polisin elindeki bu notlar internette nasıl yayınlanıyor?" diye merak edilmiyordu.
Bülent Arınç ise "Emekli orgenerallere ait ses kayıtları çıktı,

aman Allahım neler konuşmuşlar, iyi ki bunların zamanında savaşa girmemişiz, bunların savaşacak halleri yok" diye şükrediyordu.

...»

TRT'nin Kürtçe kanalı TRT Şeş, yılbaşından itibaren yayın hayatına başlamıştı. Diyarbakır Müftülüğü, Hazreti Muhammed'in doğum gününde, ilk defa, Ulucami'de Kürtçe mevlit okuttu. TRT Şeş'te yayınlandı.

...»

Tayyip Erdoğan "Partimizin adı Ak Parti, AKP diyenler edepsizdir" dedi. O güne kadar AKP diyen gazetecilerin çoğu, anında Ak'a döndü. Minimalistti zaten Başbakanımız... 96 metre boyundaki gemi "gemicik" oluyorsa, upuzuuun Adalet ve Kalkınma Partisi neden ufalıp, kısaca Ak olmasındı?

...»

Bakın kısaltma deyince, aklıma geldi...
Edirnekapı-Topkapı tramvay seferleri başladı.
Tramvayın adı Railway Transport Equipment'tı.
Başharfleri RTE'ydi.
Tercüme edince, Raylı Taşıma Ekipmanı oluyordu.
Gene RTE'ydi.

...»

Aytaç Durak, Adana Büyükşehir Belediye Başkanı'ydı.
AKP'den istifa edip MHP'den aday oldu.
AKP'den istifa öyle mi...
Afişlerini taşıyan otobüsler trafikten men edildi. Kavşaklara koyduğu propaganda balonları polis tarafından söküldü. Oğluna ait yerel televizyon kapatıldı. Metro açılışı yaparken elektrikler kesildi. Gayet centilmence bi seçim oluyordu yani! Ve, bunlar hiçbir şey değildi, başına daha neler gelecekti.

Yüksek Seçim Kurulu "Nüfus cüzdanında vatandaşlık numarası olmayanlar oy kullanamaz" dedi. Ahali nüfus müdürlüklerine hücum etti. Güya, geçen sene çıkan yasayla mecburi hale getirilmişti ama, yumurta kapıya dayanmış, milyonlarca kişi TC numarası almamıştı. Gerçi, ahalimiz de haklıydı. Bu vatandaşlık numarası denilen proje, 1972 senesinde başlatılmıştı. Proje başladığında başbakanlık koltuğunda oturan Ferit Melen, taaa 21 sene önce vefat etmişti, hesap et gari... "Bugüne kadar numara mumara almamışız, bundan sonra da almasak olur, acelesi yok" diye düşünülüyordu.

...»

Kayseri Garnizon Komutanı Tümgeneral Rıdvan Ulugüler'in, Ergenekoncu olduğu, halkı fişlediği iddia edildi. İnternet siteleri böyle yazıyordu. Genelkurmay soruşturma açtı. İki astsubay tutuklandı. Tutuklanan astsubaylardan biri, itiraf etti... Fethullah Gülen cemaatinin Işık Evi'nde kaldığını, oradan tanıdığı ağabeyleri olduğunu, o ağabeylerinin isteğiyle Tümgeneral adına sahte emir yazdığını söyledi. Kendisine flash bellek verildiğini, yüzbaşının şifresini kırarak bilgisayara girdiğini, flash bellekteki word dosyasını sisteme kopyaladığını, bilgisayarı kapatıp, flash belleği iade ettiğini anlattı.
Hadise kabak gibi ortadaydı...
Ancak, Türkiye meşguldü.
Seçime günler kalmıştı.
TSK'nın neredeyse bütün komuta kademesini Silivri'ye gönderecek olan bilgisayarlı komplolar zincirinin "ilk halkası" arka sayfalarda küçücük haberlerle kaynadı gitti. İşaret fişeğiydi ama... Basınımızda saman alevi kadar değer bulmamıştı.
Bu general, iki sene sonra içeri tıkılacaktı.
Bu astsubay, iki sene sonra serbest bırakılacaktı.

...»

Seçime beş gün kala...
Ziraat Bankası bahar paketi açıkladı. Tarımdan, kredi kartına 7 milyar liralık borcu öteledi. Faiz indirimi ve ödeme kolaylığı sağladı. Bankanın genel müdürüne "Madem böyle bir imkân vardı, neden önceden yapmadınız da, tam seçim arefesinde yaptınız?" diye sordular. "Tamamen tesadüf" dedi.

...»

Seçime dört gün kala...
Savcılık emriyle tüm bankalara yazı gönderildi. Ergenekon sanıklarının kiralık kasası olup olmadığı soruldu. Gayet normaldi. Anormal tarafı şuydu: 143 kişilik listede, Ergenekon davasında sanık olmayan Profesör Türkan Saylan ve Profesör Mehmet Haberal'ın ismi vardı. Perşembenin gelişiydi.

...»

Seçime üç gün kala...
İkinci Ergenekon iddianamesi kabul edildi. Sarıkız, Ayışığı, Yakamoz, Eldiven isimleriyle darbe planları yapıldığı, Hilmi Özkök'ün önlediği, darbeci kadrolaşmanın bugün de devam ettiği öne sürülüyordu. Tam sandığa gitmek üzereyken, AKP gene "mağdur"du. Oy'a tahvil etmek için, zamanlama gene mükemmeldi.

...»

Seçime iki gün kala'madan...
BBP Genel Başkanı Muhsin Yazıcıoğlu'nu taşıyan helikopter, Kahramanmaraş'tan Yozgat'a gelirken, dağlık alana düştü.
İhlas Haber Ajansı muhabiri İsmail Güneş, helikopterdeydi. Cep telefonuyla 112'yi aradı. "Herkes öldü galiba, diğerlerinden ses yok, burada donacağız, her taraf sis, kar, kötüyüm, ayağım kırık, yerimizi hâlâ tespit edemediniz mi?" diye yardım istedi. Yürekleri parçalayan bu çaresiz telefon kaydı televizyonlarda yayınlanıyor, nereye düştükleri bi türlü bulunamıyordu.
Geceyarısı saat ikiye kadar üç ayrı telefondan sinyal alınmıştı. 11 helikopter, bir uçak, 2 bin askerle arama yapılıyordu. Keş Dağı'nın ısrarla kuzeyi aranıyordu. Canlı yayınlara çıkan köylüler ise "Dağın yanlış tarafında arıyorlar, olsa olsa güneyindedir" diye bağırıyor, dinletemiyorlardı.
"Telekulak Cumhuriyeti"nde onbinlerce insanın telefonu dinleniyor, kimin hangi saniyede nerede olduğu biliniyor, hatta, kapalı haldeki telefonlardan bile mikrofon gibi kayıt yapılabiliyordu ama... Muhabir İsmail'in 112'yi aramasına rağmen, üç ayrı telefondan sinyal alınmasına rağmen, her nasılsa helikopterin yeri bulunamıyordu.
Köylüler baktılar ki dinletemiyorlar... Arama yapılan bölgenin tam aksi istikametine gittiler ve enkazı tam da söyledikleri yerde buldular. 47 saat geçmiş, iş işten geçmişti. Cenazelerin üstünde iki parmak kalınlığında buz vardı.
Helikopterin burnu parçalanmıştı ama, gövdesi komple sağlam duruyordu. Muhsin Yazıcıoğlu'yla birlikte dört cenaze, helikopterin yakınında bulundu. Gazeteci İsmail Güneş'in cesedi, anca ertesi gün bulunabildi. Kopan koltuğu kızak yapıp, kırık bacağıyla yokuş aşağı kaymaya çalışmış, 500 metre kadar gidebilmiş, bir kaya dibine sığınmaya gayret etmişti. Diğerleri ilk darbede hayatını kaybettiyse bile, düzgün arama yapılsa, en azından İsmail'in kurtulması mümkündü.

Devletin haber ajansı, Anadolu Ajansı, helikopterin düştüğü gün, "Kurtarma ekipleri olay yerine ulaştı, Muhsin Yazıcıoğlu yaralı, şuuru açık, henüz hastaneye kaldırılmadı" şeklinde bir haber servis etmişti. Bu haberi, Kayseri Valisi Mevlüt Bilici'nin açıklamasına dayandırmıştı. Sekiz gün sonra... Aynı Anadolu Ajansı "Haberimiz teyit edilmemiştir" diyerek, söz konusu haberi iptal ettiğini duyuracaktı. Bu kaza, bu ölümler, bu çelişkili açıklamalar... Bu kitabın yayınlandığı tarihte hâlâ muammaydı.

...»

Ve, AKP'nin sloganı "Sen Türkiyesin Büyük Düşün"dü.
Tayyip Erdoğan, ahalimiz büyük düşünsün diye "sakın belediyeleri başka partilere teslim etmeye kalkmayın, bunlar bırak davarı, koyun güdemezler yahu, sakın haaa güdemezler" diyordu!
Türkiye düşündü.

29 Mart 2009...
Yerel seçim için sandığa gidildi.
İktidar, 2007 genel seçimine oranla yüzde 8 oy kaybına uğradı.
15 şehri kaptırmıştı. Ege ve Akdeniz sahilleri komple CHP olmuştu. MHP yükselmiş; Adana, Balıkesir, Manisa, Uşak, Isparta, Osmaniye'yi almıştı. Tunceli'de avanta buzdolabı işe yaramamıştı, DTP'ye geçmişti. Kılıçdaroğlu kaybetmişti ama, İstanbul'da CHP'yi 10 puan artırmış, pek çok ilçeyi kazandırmıştı. Sivas, rahmetli Muhsin Yazıcıoğlu'na vefa gösterdi. En çok oyu gene AKP almıştı ama, CHP'nin, MHP'nin, DTP'nin eli güçlenmişti.
2007 genel seçim sonuçları, sandıklar kapanır kapanmaz, 20 dakika sonra açıklanmıştı. Yerel seçim sonuçları öyle olmadı, bir türlü açıklanamadı. Yüksek Seçim Kurulu'nun bilgisayar sistemi çöktü. Sayımlar sırasında İstanbul'da Ankara'da elektrikler kesildi. Ankara'da zabıta aracında çuval çuval oy pusulası yakalandı, yakılmış oy pusulaları bulundu. Muhalefetin belediye başkan adayları sandık başlarında adeta nöbet tuttuğu için, genel seçimdeki gibi oldu-bittiye getirilememişti!

...»

Derhal kabine revizyonu yapıldı.
AKP'deki kaybın faturası, bakanlara kesildi.
Antalya belediyesi kaybedilmişti.

Antalyalı adalet bakanı koltuğunu kaybetti.
Van gitti, Vanlı eğitim bakanı gitti.
Eskişehir gitti, Eskişehirli maliye bakanı gitti.
Mersin gitti, Mersinli devlet bakanı gitti.
Ordu gitti, Ordulu enerji bakanı gitti.
Kastamonu gitti, Kastamonulu spor bakanı gitti.
AKP "seçimi kazandık" diyordu ama...
Bu kabine revizyonu "kaybetti"ğinin itirafıydı.

...»

Mehmet Şimşek, maliye bakanı oldu.
İngiliz vatandaşıydı.
Ahmet Davudoğlu, dışişleri bakanı oldu.
Milletvekili bile değildi.
Hariciye'miz hariçten gazel olmuştu.

...»

Başbakanımıza yeni uçak alındığı ortaya çıktı.
55 milyon dolarcıktı.

...»

NATO Zirvesi toplandı. Hazreti Muhammed'e hakaret eden karikatürler ve Roj TV yüzünden Danimarka'yla kavgalıydık, güya veto ediyorduk. ABD höt dedi. Vetoyu geri çektik, Danimarka Başbakanı Rasmussen NATO Genel Sekreteri oldu. Sarkozy'li Fransa'yı istemiyorduk. ABD höt dedi. Sarkozy'li Fransa, NATO'nun askeri kanadına geri döndü. "Van münüts" gitmiş, "yes sör" olmuştuk!

...»

Ve, Obama Türkiye'ye geldi.
ABD Başkanı sıfatıyla yaptığı ilk yurtdışı gezisiydi.
"İslam'la savaşta değiliz, ailemde Müslümanlar var, Türkiye ziyaretini mesaj vermek amacıyla yapıp yapmadığımı soruyorlar, cevabım evet" dedi. "Evet"i Türkçe söylemişti. Mesaj açıktı. Ortadoğu filminde üstleneceğimiz "ılımlı İslam rolü" tescillenmişti.

...»

Obama Anıtkabir'e gelmeden önce Misak-ı Milli Kulesi'ne oda parfümü sıkıldı. Çankaya Köşkü'nde dip köşe temizlik yapıldı.

Cumhurbaşkanımız, vişneli yaprak sarması, peynirli suböreği, içliköfte, tava lagos, deniz börülcesi, enginarlı mantı, limon kremalı safran sosu gezdirilmiş fıstıklı baklava, nevzine ve kaymaklı ayva tatlısı ile Corvus Teneia ve Sarafin Cabernet Sauvignon şarapları ikram etti.
TBMM'ye geçen Obama'ya TBMM Başkanımız lokum tattırdı, turkuvaz çini tabak hediye etti. Ayakta alkışlayan milletvekillerimiz, el sıkışmak için kuyruğa girdi. İstanbul'a geçen Obama'ya, Dolmabahçe Sarayı Müsabihan Köşkü'nde Türk Sanat Musikisi dinletisi sunuldu. Obama, gece boyunca Başbakanımızın elini bırakmadı, duygulu anlar yaşandı. Sultanahmet Camii'ne girerken ayakkabılarını çıkaran Obama, Ayasofya'ya girerken sütunun kenarında oturan kediyi okşadı. Ayakkabılar ve kedi, televizyonlarımız tarafından canlı yayına çıkarıldı. Ayakkabıların 45 numara, "Gli" isimli mübarek kedinin de şaşı olduğu ve daha önce Ayasofya'yı ziyaret eden Papa tarafından okşanarak kutsandığı ortaya çıktı. Tophane-i Amire'de üniversite öğrencilerine konuşan Obama, sanki beş vakit namaz kılıyormuş gibi "Ezandan önce bitirelim" dedi, çok takdir edildi.

...»

Konyalı kunduracı, Obama'ya özel ayakkabı imal etti, "Seçimi kazanırsa bir çift ayakkabı göndereceğim diye kendi kendime söz vermiştim" dedi. Adanalı kebapçı, beş koyun keserek yaptığı beş metrelik kebabı kargoyla Beyaz Saray'a gönderdi. Ceyhanlı bakkal, Obama'nın kızlarına Cooker cinsi yavru köpek hediye etmek istediğini açıkladı. Sivas daha atik davrandı, Kangal gönderildi. Bartınlı ev hanımı, first lady Michelle Obama'ya tel kırma işlemeli şal postaladı. Zonguldaklı bir vatandaş, Devrek bastonu hediye etti. Van'ın Gürpınar ilçesine bağlı Çavuştepe köyünde 44'üncü Başkan Obama onuruna 44 kurban kesildi. Davul zurnayla halay çeken Çavuştepe sakinleri adına basın açıklaması yapan Abdülkerim Kulaz, "Her zaman arkasındayız" dedi. Obama'nın ninesinin Kogelo köyünden hemşerileri olan ve Kayseri'de imam hatip lisesine devam eden Kenyalı öğrenciler, canlı yayına çıkarıldı, "Türkiye sizinle gurur duyuyor" diye omuzlara alındı, baklava yedirildi. Samsunlu yerel sanatçı, özel beste yaptı ve üzerinde "Mister Obama" yazılı kemençeyi ABD Büyükelçiliği'ne bıraktı. Vezirköprülü el sanatları öğretmeni, Obama Ailesi'ne seccade, yemeni ve Osmanlı yeleği postaladı. Beyşehirli balıkçılar, Obama'ya altı buçuk kilo sazan gönderdi.

"İyi güzel de, bu balıklar yolda kokmaz mı?" sorusu üzerine açıklama yapan Beyşehirli balıkçılar "Hiç bi şeycik olmaz, strafor kutularda buzlayarak yolladık" dediler. Uzaylı sanatçımız Mustafa Topaloğlu, "Hello Obama, hoş geldin başkanlığa, durdur bu savaşları, bitsin artık gözyaşları, geri getir umutları" şeklinde video klibini yayınladı, hit oldu.

...»

Obama'yı uğurladık...
Başkent Üniversitesi Rektörü Profesör Mehmet Haberal, İnönü Üniversitesi eski Rektörü Profesör Fatih Hilmioğlu, Samsun 19 Mayıs Üniversitesi eski Rektörü Profesör Ferit Bernay, Uludağ Üniversitesi eski Rektörü Profesör Mustafa Yurtkuran... Profesör Erol Manisalı, Profesör Ayşe Yüksel tutuklandı.
Çağdaş Yaşamı Destekleme Derneği Başkanı Profesör Türkan Saylan'ın evi basıldı, yedi saat didik didik arama yapıldı. Giresun Üniversitesi Rektörü Profesör Osman Metin Öztürk gözaltına alındı. *Milliyet* gazetesi adına "Baba Beni Okula Gönder" kampanyasını yürüten Tijen Mergen, emniyete götürüldü, sorgulandı. "Baba beni okula gönder" diyeceğine, "Baba beni tarikata gönder" deseydi, bırak evinin basılmasını, YÖK başkanı bile olurdu!
18 şehirde 83 adres basılmıştı. Çağdaş Yaşamı Destekleme Derneği, Atatürkçü Düşünce Derneği, Çağdaş Eğitim Vakfı "terörist yatağı"ymış gibi aranıyordu. Atatürk posterine, *Nutuk*'a delil diye el konuluyordu. Çağdaş Eğitim Vakfı'ndan burs verilen öğrencileri bile gözaltına aldılar.
Deniz Feneri'ne öyle, Çağdaş Eğitim'e böyleydi.

...»

O gün... Genelkurmay Başkanı İlker Başbuğ, harp akademilerinde konuştu. Dinleyenler arasında eski Genelkurmay başkanları İsmail Hakkı Karadayı, Hüseyin Kıvrıkoğlu ve Yaşar Büyükanıt vardı. Hilmi Özkök gelmemişti. Başbuğ ilk defa "irtica" yerine "cemaat" vurgusu yaptı. "Bazı din eksenli cemaatler, güçlü konuma geldiğine inanmaktadır, bu güç imajı ve algısı yanıltıcıdır, bu tip cemaatler hedeflerine ulaşmada en büyük engel olarak TSK'yı görmektedir, TSK aleyhine faaliyette bulunmaktadır" dedi.

...»

Gene o gün... Genelkurmay'ın bilgisayarları hacker saldırısına uğradı. Üç ayrı adresten bilgisayarlara girilmiş, bazı bilgiler kopyalanmıştı. Giriş yapılan adreslerden biri basıldı, Deniz Baykal'ın şoförünün evi çıktı, iyi mi... Uzmanlar inceledi, şoför kopyalama filan yapmamıştı. Haberi yoktu, kablosuz ağ üzerinden, sanki onun bilgisayarından giriş yapılmış gibi gösterilmişti. Esrarengiz işler oluyordu.

...»

Ergenekon'dan yakalama kararı çıkartılan Çağdaş Eğitim Vakfı Başkanı Gülseren Yaşer, ABD'de kanser tedavisi görüyordu. Kendisine telefonla ulaşan gazetecilere, "Başıma gelenler cemaat yüzünden, dokuz senedir onlarla mücadele ediyoruz, o nedenle gözaltına aldırmaya çalışıyorlar" diyordu.

...»

Kemoterapi gören Türkan Saylan hastaneye kaldırıldı. Ömrünü cehaletle mücadeleye adayan Profesör Saylan'ın "darbeci, misyoner, lezbiyen" olduğu yazılıyor, atılmadık iftira bırakılmıyordu.

...»

Anayasa Mahkemesi'nin yeni binası hizmete girdi.
Kapısında duran sembol heykel değiştirilmişti.
Gözü bağlı adalet tanrıçası Themis kaldırılmış... Gözleri açık, şalvarlı, gerdanlıklı bir Anadolu kızının heykeli konulmuştu.
Evrensel hukuk, Türk tipi olmuştu.
Tarafsız kalsın diye, adaletinin terazisi şaşmasın diye gözü bağlı olan hukuk... "Açıkgöz" hukuka dönüşmüştü!

...»

İstanbul Poyrazköy'de SAT Komutanlığı tarafından eğitim alanı olarak kullanılan arazide kazı yapıldı, toprağa gömülü halde lav silahları, el bombaları bulundu. Ergenekon'a ait olduğu öne sürüldü. Kardak krizinde adaya Türk bayrağını diken yarbay dahil, onlarca SAT subayı tutuklandı. Son saniye emriyle apar topar Kardak'a giderken, bindikleri Zodyak'ın benzinini bile kendi cebinden ödemişti. Faturasını gösteriyor, "Nasıl sanık olduk, bilemiyorum" diyordu.
Poyrazköy'deki arazi, Bedrettin Dalan'ın kurucusu olduğu İstek Vakfı'na aitti. Sit alanı olduğu için boş duruyor, 15 senedir SAT

Komutanlığı tarafından kullanılıyordu. Bu durum, linç fırsatı olarak değerlendirildi. "Dalan'ın cephaneliği bulundu" manşetleri atıldı. Mahkemeye, savcıya-hâkime filan gerek yoktu, yandaş medya idam sehpalarını kurmuştu, infaz ediyordu.

...»

"Aşk-ı Memnu" dizisindeki Behlül, yengesi Bihter'i dudağından öptü; izlenme rekorları altüst oldu.
Değil Kardak'a çıkan yarbayı, Ulubatlı Hasan'ı bile tutuklasalar, hikâyeydi... Herkes Bihter'in kocasını boynuzlamasını konuşuyordu.

...»

Lav silahı, el bombası falan derken, İstanbul Bostancı'da hücre evi basıldı. Bir emniyet amiri ve yoldan geçen bir garson vurularak hayatını kaybetti. Yedi polis ve bir kameraman yaralandı. Operasyon skandalıydı. Alt tarafı bir terörist vardı. Öldürülene kadar, altı saat çatışma oldu. Devrimci Karargâh diye, o güne kadar adı sanı duyulmamış bir örgüttü. Çok yakında gündeme bomba gibi düşecekti.

...»

Ergenekon savcıları İzmir'e gitti, Hilmi Özkök'ün ifadesini aldı, beraber yemek yediler. Hilmi Özkök "Bildiklerimi anlattım, soruşturmanın gizliliği var, başka bir şey açıklayamam" dedi.
Herkesin evini basıp, yaka paça adliyeye getirirlerken, Hilmi Özkök'ün ayağına gidiliyordu. Herkesin ifadesi yandaş medyada çarşaf çarşaf yayınlanırken, her nasılsa, Hilmi Özkök'ün ifadesinden kelime bile sızmıyordu.
Hilmi Özkök Ergenekon savcılarıyla yemek yerken, İlker Başbuğ basın toplantısı düzenledi. "Ahlaksızca yayınlar yapılıyor, TSK'nın hiçbir yerde gömülü silahı veya mühimmatı yoktur, kazılarda bulunan silahların hiçbiri TSK envanterine dahil değildir; MKE'nin ürettiği el bombaları sadece TSK'ya verilmiyor, Emniyet'e de veriliyor; kafile numaralarından takip ediyoruz, bizim mühimmat eksiğimiz yok" dedi.
Bir boş lav silahını gazetecilere gösterdi. "Kullanılmaz, işe yaramaz, neden paketlenip gömülmüş?" diye sordu. Dolu bulunan lav silahlarının SAT Komutanlığı'na ait olmadığını, MKE'nin lav silahlarını yabancı ülkelere de sattığını söyledi. Türk ordusu, terörist olmadığını kanıtlamaya çalışıyordu.

Mühimmatta parmak izleri vardı. Tutuklu subaylarla karşılaştırıldı, parmak izleri tutmadı. Buna rağmen, subaylar serbest bırakılmadı. Peki, kime aitti o parmak izleri? İşte onun cevabı verilmiyordu. Peki, Emniyet'in el bombalarından eksik var mıydı? Onun cevabı da verilmiyordu.

...»

Cumhurbaşkanı, yani Başkomutan Abdullah Gül, sürpriz açıklama yaptı, "Kürt meselesinde iyi gelişmeler olabilir, tarihi fırsat var, çok ümitliyim, çözüm hiç bu kadar yakın olmamıştı" dedi.
TSK'nın kolu bükülürken...
Başkomutan "tarihi fırsat" diyordu.

...»

O kadar yalakalık yaptığımız Obama, 24 Nisan konuşmasında Ermenice "Meds Yeghern" dedi. Bizim hükümet "soykırım demedi" diye neredeyse havai fişek fırlattı ama... Büyük felaket anlamına gelen "Meds Yeghern", Ermeni literatüründe zaten soykırımın tarifiydi.

...»

Sonra Mısır'a gitti Obama... Kahire Üniversitesi'ndeki konuşmasına "Selamünaleyküm" diye başladı. Türk basınında komple manşet oldu. Küçük bi pürüz vardı... *Milliyet*, *Sabah*, *Star* ve *Yeni Şafak* "Esselamü aleyküm" diye yazdı. *Zaman* ve *Vakit* "Selamün aleyküm" diye yazdı. *Habertürk* ve *Vatan* "Selamün Aleyküm" diye yazdı. *Hürriyet*, *Cumhuriyet* ve *Bugün* "Essalamüaleyküm" diye yazdı. *Posta* "Esselamu aleyküm" diye yazdı. *Akşam* "Esselamün aleyküm" diye yazdı. *Taraf* "Selamünaleyküm" diye yazdı. İslami vurguyu koro halinde "tek tip" manşet yapmıştık ama, aynı kelimeyi "tek tip" yazmayı becerememiş, yalakalıkta koordinasyonu denk getirememiştik!

...»

Tam o günlerde... ABD eski Başkanı Ronald Reagan'ın anıları yayımlandı. Turgut Özal'la çok iyi anlaştıklarını belirten Reagan, "Bir Türk askeri yılda 6 bin dolara mal oluyor, onun yerine Amerikan askeri koymak zorunda kalırsak, maliyet 90 bin dolara çıkıyor" diyordu. Conilerin yerine neden Mehmetlerin sürüldüğü bundan daha net izah edilemezdi.

...»

Baharla birlikte pusular başlamıştı.
Nisan ayında 14 şehit vardı.

...»

Terörizmi konuşurken "töreriz" patladı.
Mardin'in Bilge Köyü'nde düğün sırasında katliam yaşandı. Gelin-damat aileleri birbirlerine el bombalarıyla, uzun namlulu silahlarla saldırdı. Gelin-damat dahil, 44 kişi öldü. 70 çocuk öksüz ve yetim kaldı. Dava dört sene sürdü, neticede "namus" meselesi çıktı.

...»

19 Mayıs sabahı gazeteleri açtık...
Türkan Saylan manşetlerdeydi.
Vefat etmişti.
Sen dur dur, diren, tam 19 Mayıs'a denk getir.
Hakikaten mübarek kadındı.

...»

Hükümet, izdihamla toprağa verilen Profesör Saylan'ın cenaze törenine katılmadı. Hatta, kızlarımızın eğitimine en büyük katkıyı sağlayan "kadın"ın cenazesine, "kadın" milli eğitim bakanı bile katılmadı. Lütfedip çiçek bile göndermediler. Baş sağlığı bile yayınlamadılar. İstanbul Valisi Muammer Güler bile katılmadı. Sadece Türkan Saylan gibi bir büyük değerini değil, örfünü adetini de kaybetmişti Türkiye... Musalla taşında bile senden-benden ayrımı yapıyorlardı.
Zincirlikuyu'da toprağa verildi. Kabristandaki belediye görevlisi Halil Düldül, her gün sulayıp, her gün dua ediyordu. Çünkü kızı üniversitede, Profesör Saylan'ın bursu sayesinde okuyordu.

...»

60 yaşındaki YÖK Başkanı'nın motosiklet üstünde fotoğrafları yayınlandı. Doğum gününde eşi tarafından hediye edilmişti. Meğer, içinde ukdeymiş. Motoruyla poz veren YÖK Başkanı "En büyük hayalimdi, hayallerim gerçek oldu" diyordu. AKP'nin yakında seçim sloganı olarak kullanacağı "hayaldi gerçek oldu"nun ilk talihlisi, YÖK başkanımızdı!

...»

İsrail'e atıp tutan sayın hükümetimizin, Suriye sınırındaki mayınları temizleme işini, İsrailli firmaya vermeye çalıştığı ortaya çıktı. Kimseye çaktırmadan yasa tasarısı hazırlamışlardı.

Mayınları temizleyen, temizlediği araziyi 44 sene kullanma hakkına sahip olacaktı. Van münüts'te son perdeydi.
N'ooluyor denince... Tayyip Erdoğan lafı başka tarafa çekti. "Paranın dini, dili, milleti olmaz, farklı etnik kimlikte olanlar ülkemizden kovuldu, bu aslında faşizan bir yaklaşımın neticesiydi" dedi. İsrail meselesini gargaraya getirirken, İsmet İnönü dönemine ilk kez "faşist" demişti.

...»

Aynı günkü gazete sayfalarında... Piyasaya çıkan bir kitabın tanıtımı vardı. *Dersim 1938 ve Zorunlu İskan* isimli kitap, İsmet İnönü döneminde Tunceli'de nasıl vahşetler yaşandığını anlatıyordu. Başbakan'ın "faşizm" çıkışıyla, bu kitabın piyasaya çıkışı, tesadüfe bak, aynı güne denk gelmişti.
Henüz ünlü olmadığı için, kitabın yazarının ismi satır aralarında kalmıştı. Hüseyin Aygün'dü. Ve, yine nasıl bir tesadüfse... O günden itibaren Tayyip Erdoğan'la Hüseyin Aygün'ün "İnönü, faşizm, Dersim" açıklamaları, hep "paralel" yürüyecekti.

...»

Sincan patladı.
Çin yönetimi, Sincan özerk bölgesindeki protesto gösterilerini kanla bastırdı. Urumçi'de binden fazla Uygur Türkü öldürüldü. Caddeler ceset doluydu. Gazze'den beter katliamdı. İsrail'e "İnsan öldürmeyi iyi bilirsiniz" diye posta koyan arkadaşlar, Türklerin katledilmesini eften püften açıklamalarla geçiştirdi.

...»

Sanayi Bakanı Nihat Ergün, Çin mallarını boykot çağrısı yapmaya kalktı. Yarım saat sonra, Sanayi Bakanlığı yazılı açıklama yaptı. "Bakanın şahsi görüşüdür, hükümetin böyle bir kararı yok" denildi! Bakanın lafı, bizzat kendi bakanlığı ve kendi hükümeti tarafından resmen yalanlanmıştı.

...»

Bebek mamasından kefen bezine kadar, kapılarımız ardına kadar açıkken, her şey Çin'den girerken... Uygurların lideri Rabia Kadir'in Türkiye'ye giremediği anlaşıldı. ABD'de sürgünde yaşayan 62 yaşındaki bu mücadeleci kadın, iki defa vize istemiş, vermemiştik. Bi onun ithalatı yasaktı!

...»

Taraf gazetesinin manşeti, Türkiye'nin gündemi oldu.
Genelkurmay'da "AKP ve Fethullah Gülen'i bitirme planı" hazırlandığını yazdılar. Planın detaylarını gösteren bir belge yayınladılar. Genelkurmay Harekât Dairesi Başkanlığı için, Nisan 2009'da, Kurmay Albay Dursun Çiçek tarafından hazırlandığını iddia ettiler. AKP derhal suç duyurusunda bulundu.
Söz konusu belgenin, Ergenekon'dan tutuklanan gazi Serdar Öztürk'ün bürosunda ele geçirildiği söyleniyordu. Serdar Öztürk'ün avukatı "O belgeyi cemaatçi yapılanma büroya koydu" dedi.
Serdar Öztürk'ün bilgisayarı, avukatının olmadığı ortamda polis tarafından kopyalanmıştı. Belge o şekilde bulunmuştu. Bu uygulama yasalara aykırıydı. Yasayı masayı dinleyen yoktu.
Serdar Öztürk, subaydı. 1994'te PKK'yla çatışırken sol gözünü kaybetmiş, gazi olmuş, Devlet Övünç Madalyası almıştı. İki sene hastanede yatmış, malulen emekli edilmiş, sınavlara girmiş, hukuk fakültesini kazanıp, avukat olmuştu. Tutuklanınca, Cumhurbaşkanı Abdullah Gül'e mektup yazıp, madalyasını iade etmişti. "Bir insan hem kahraman, hem terörist olamaz" demişti.

...»

İki ay önce... Nisan 2009'da... Herkül isimli internet sitesinde Fethullah Gülen röportajı yayınlanmıştı. Fethullah Gülen "Bazı şer odakları, en samimi müminleri terörist gibi göstererek, irtica yaygarası koparabilirler" demişti. Fethullah Gülen'in durup dururken neden böyle bir endişeyi dile getirdiğine kimse kafa yormamıştı.

...»

İki ay sonra... *Taraf* gazetesi, Genelkurmay planının Nisan 2009'da hazırlandığını yazıyordu... Ve, yaygarayla polis baskınları yapılıyor, bilgisayarında belge bulunduğu söylenen subaylar, terörist suçlamasıyla içeri tıkılıyordu. Fethullah Gülen'in Nisan 2009'da dile getirdiği endişe, TSK'nın başına gelmişti!
İlker Başbuğ, kuvvet komutanlarıyla birlikte karargâhta basın toplantısı düzenledi. *Taraf*'ın yayımladığı fotokopi belge için "kâğıt parçası" dedi. "Bu kâğıt parçasını hazırlayanlar bulunsun, hesabı sorulsun, basına servis ediliyor, TSK'ya karşı medya üzerinden asimetrik psikolojik harekât yürütülüyor" dedi.
Ayrıca...
"Fotokopinin üzerinde hiçbir tarih yok arkadaşlar, bu belgenin

Nisan 2009'da hazırlandığını kim tespit etti?" diye sordu.
Böylece, basınımızın ne kadar tırışkadan teyyare olduğu bir kez daha ortaya çıktı. Çünkü hakikaten söz konusu belgenin üzerinde tarih filan yoktu. *Taraf* gazetesi Nisan 2009'da hazırlandığını yazmış, medyanın geri kalanı "kesinlikle doğruymuş gibi" üstüne atlamıştı. Utanç vericiydi.
Nisan 2009'a dair tek "ipucu" vardı.
O da Fethullah Gülen'in röportajıydı.

...»

Ve, bu atmosferde... Tayyip Erdoğan, Polis Eğitim Merkezi'nin açılışına gitti. "Rejimin güvencesi polistir" dedi. Asker ve polis, bizzat Başbakan'ın ağzından "karşı taraf" haline getirilmişti. O geceyarısı, apar topar "muvazzaf subayların sivil mahkemede yargılanması yasası" çıktı. Cumhurbaşkanı anında onayladı.

...»

Ergenekon davasının hâkimi, kendi talebiyle davadan çekildi. Hurşit Tolon'un tahliyesine karar verince, yandaş medyada linç edilmişti. "Sadece medya değil, kurumsal olarak da baskı altındayım" demişti. Hapis kararı veren hâkim "cici hâkim", tahliye kararı veren hâkim "darbeci hâkim" haline gelmişti.

...»

MGK toplandı. Toplantı sürerken, Albay Dursun Çiçek tutuklandı, Hasdal'a götürüldü. MGK bitti. Sürpriz toplantı yapıldı. Cumhurbaşkanı, Başbakan, Genelkurmay Başkanı, Adalet Bakanı katıldı. Hadi bakalım, Albay Çiçek serbest bırakıldı... Hukuk, eğilip bükülüyordu.

...»

71 yaşındaki işadamı Halis Toprak, yanında çalışan 17 yaşındaki Nazlıcan'la evlendi. Halis Toprak'ın kızları savcılığa başvurdu, 17 yaşındaki "üvey anne"lerinin Çocuk Esirgeme Kurumu tarafından koruma altına alınmasını, evliliğin iptal edilmesini talep etti. Halis Toprak "18 yaşında bir hanım bulsam neden evlenmeyeyim, ben salak mıyım?" diyordu. Pişkin pişkin ekranlara çıkıyor, "Nazlıcan'dan önce 50 tane kız getirdiler, onları beğenmedim, 25'lik erkek gibiyim, bu bana Allah'ın ikramıdır, bu ülkede benim gibi beş erkek ya vardır, ya yoktur, 60'ımdan sonra sekse daha fazla kafayı taktım, ben kadın

olsam beni seçerdim" diyordu. TSK infaz edilirken... Türkiye bu mevzuyu konuşuyordu.

...»

Tayyip Erdoğan "Kürt açılımı başlatıyoruz" dedi.
O gün... Tayyip Erdoğan'ın küçük oğlu Bilal, 21 günlük dövizli-bedelli askerliğini tamamladı, terhis oldu. Sırtına Türk bayrağı bağlayarak kışladan çıktı. Burdur Valisi Halil İbrahim Özçimen tarafından uğurlandı. Başbakanlık koruma ekibi eşliğinde Antalya'ya gitti.

...»

Kürt açılımı, Polis Akademisi'nde açıldı.
"Yol haritası" toplantısına, Hasan Cemal, Cengiz Çandar, Oral Çalışlar, Mümtazer Türköne, Mustafa Karaalioğlu, Fehmi Koru gibi AKP'ye yakın 12 gazeteci ile AKP söylemlerini destekleyen akademisyenler katıldı.

...»

Başbakan, DTP Genel Başkanı Ahmet Türk'le açılımı görüştü. Ancak, Başbakan olarak değil, AKP Genel Başkanı sıfatıyla görüştüğünü söyledi. Başbakan değilmiş gibi yapan bir başbakanı ilk defa görüyorduk... "Hükümet görüşmedi, devlet görüştü"yü de yakında görecektik.

...»

Cumhurbaşkanı Gül, Bitlis'e gitti.
Açılıma, anadil açılımını ilave etti.
Güroymak ilçesine "Norşin" dedi.

...»

Günler geçiyor, Kürt açılımında neyi açacağımız açıklanmıyordu. Bülent Arınç çıktı, "Bu Kürt açılımı değildir, demokratik açılımdır" dedi. Açılımın adı bile değişmişti ama, hâlâ neyi açtığımızı, tarihi fırsatın ne olduğunu, neye destek istendiğini açıklamıyorlardı. Utangaç bi açılımdı!
Açılımı kayıtsız şartsız desteklersen "demokrat"tın. Bu açılımın içinde ne var dersen "faşist ve ırkçı" damgası yiyordun. Seç diyorlardı, ya bu taraftasın, ya öbür tarafta... Güya "birlik" için yapıyorlardı, daha ilk aşamada milleti bölüyorlardı.
Ve, sadece "faşist" demekle kalmıyorlardı. Mesela, Sezen Aksu

Başbakan'ı telefonla aradı, açılımı gönülden desteklediğini belirterek "Bu sürecin karşısında duranları iki cihanda lekeli kabul ediyoruz" dedi. O güne kadar herkesin Sezen'iydi, o günden itibaren AK'su oldu!
Açılımın sloganı "analar ağlamasın"dı.
"Yahu bu açılımda neyi açıyoruz?" diye soranlara...
"Analar ağlasın mı istiyorsun?" deniyor, susturuluyordu.
Cumhurbaşkanı'nın "Tarihi fırsat var" dediğinden beri, altı ayda, 44 şehit vardı. Açılıma zarar gelmemesi için, birinci sayfalarda yer verilmiyor, alenen sansürleniyordu.
Şehit ailelerinin açılıma destek verdiği iddia ediliyor, şehit aileleri de şehitliklerde basın toplantısı düzenleyip bu iddiayı yalanlıyordu. İstanbul Valisi Muammer Güler ne yaptı biliyor musunuz? Edirnekapı Şehitliği'nde basın toplantısı yapılmasını yasakladı! Açılım, şehitliği kapatmıştı.

...»

Köksal Toptan kenara alındı.
Mehmet Ali Şahin, TBMM Başkanı seçildi.
Cumhurbaşkanı, Başbakan, TBMM Başkanı...
İlk kez üçü bir arada, üçünün de eşi türbanlıydı.

...»

Mehmet Ali Şahin'in TBMM Başkanı seçildiği gün... Eşi Saniye Hanım'ın böbrek naklini yapan Profesör Mehmet Haberal, hükümeti ortadan kaldırmak suçlamasıyla, iki kez müebbetle yargılanmaya başlıyordu.

...»

Hürriyet yazarı Mehmet Yılmaz "Dokunan yanıyor" başlıklı bir analiz yaptı... "Fethullah Gülen hakkında dava açan DGM savcısının sevişme görüntüleri çıktı. Gülen'in beraat kararını temyiz eden savcının Başbakan'a hakaret eden ses kayıtları internette yayınlandı. Gülen hakkında suç duyurusunda bulunan gazeteci Ergün Poyraz hapiste. Ergenekon'dan aranan ÇEV Başkanı Gülseren Yaşer'e ait gizli çekilmiş video görüntüleri Gülen'in avukatları tarafından mahkemeye sunulmuştu. Emniyet'teki cemaat yapılanması hakkında rapor hazırlayan Ankara Emniyet Müdürü ve yardımcıları disiplin cezalarına çarptırıldı. Cemaatle ilgili çarpıcı açıklamalar yapan eski cemaat mensupları şu anda Silivri Cezaevi'nde ikâmet ediyor. Bunların tesadüf olduğunu düşünenlerin, gerçekten çok saf olmaları gerekiyor" diye yazdı... Bu analizin başlığındaki "dokunan yanar" pek yakında manşet olacaktı!

...»

Piyanist İdil Biret, Topkapı Sarayı'nda konser verecekti. Bir şarap firması sponsordu. Dinci basın "mukaddes avluda ecdadımıza şarap küstahlığı" başlıkları attı. Konser afişleri yakıldı. Sarayın önünde topluca namaz kılındı.

...»

Ordu Valisi Ali Kaban, itikadımıza uymuyor diyerek, camilerdeki pisuvarları kaldırttı. E haklıydı tabii... Çişimizi nasıl yapacağımıza vali bey karar vermeyecekti de, kim karar verecekti.

...»

Ramazan geldi. Her ramazanda binlerce insanımızın sirke-ekmekle gittiği Oruç Baba'nın, çakma Oruç Baba olduğu anlaşıldı. Ziyaret edildiği Şehremini'deki türbesinde değil, Eyüp'teki dergâhta yattığı ortaya çıktı. Çakma adresi ziyaret edenlerin sayısında bir kişi bile azalma olmadı.

...»

Diyanet İşleri Başkanı, hacılarımızın kargoya yüklediği zemzem sularının Suudi Arabistan izin vermediği için sınırda döküldüğünü, Türkiye'de yeniden doldurulduğunu, insanlarımızın "zemzem diye Şekerpınar suyu içtiğini" açıkladı. Getirilen sularda bir litre bile azalma olmadı.

...»

Faizsiz banka Albarakatürk, 2 milyon lira alacağı için, Necmettin Erbakan'a yakınlığıyla bilinen *Milli Gazete*'ye haciz işlemi başlattı. Yayın hayatı boyunca faizsiz sistem için çaba harcayan *Milli Gazete*, faizsiz banka kurbanı olmuştu.

...»

Kokainden içeri giren Deniz Seki tahliye edildi. Cezaevinden elinde Kuran-ı Kerim'le çıktı.

...»

Tarihi vergi cezası yiyen *Hürriyet*'te tarihi gelişmeler yaşanıyordu. "Deniz Feneri" filan derken, basının "amiral gemisi" hidayete ermişti... *Hürriyet* yazarı Ayşe Arman, türban taktı, sokaklarda dolaştı, haşemayla denize girdi, gözlemlerini yazdı. Güler misin, ağlar mısın'dı.
Hemen peşinden, *Hürriyet* genel yayın yönetmeni Ertuğrul Özkök ve *Hürriyet* yazarı Ahmet Hakan, birlikte umre'ye gittiler. Kâbe'yi tavaf ettiler, hicret yolunu kat ettiler. "Peygamber'in İzinde" başlığıyla dizi yaptılar.
İmam hatip kökenli olduğu için hadiseye vâkıf olan ve Ertuğrul Özkök'e rehberlik yapan Ahmet Hakan, en son sekiz sene önce kutsal topraklara gitmişti, o günkü yol arkadaşı, bugünkü Dışişleri Bakanı Ahmet Davudoğlu'ydu.
Ertuğrul Özkök deveye bindi. Kafasına kefiye takan Ahmet Hakan deveyi ipinden çekerek, Ertuğrul Özkök'ü gezdirdi.
Ertuğrul Özkök, hurma, takke ve tespih aldı; Ahmet Hakan da başyazar Oktay Ekşi'ye hediye etmek üzere Kâbe işlemeli seccade getirdi.
Maalesef, olmayacak duaya amin gibiydi.

...»

"Peygamber'in İzinde" dizisinin bittiği gün...
Aydın Doğan'a 3,7 milyar liralık yeni vergi cezası kesildi.
Uzanlar hukuk dışı yöntemlerle linç edilirken keyifli manşetler atan Doğan Grubu, şimdi yandım Allah diyordu. Tayyip Erdoğan hızını alamadı, Aydın Doğan'ı "gangster Al Capone"a bile benzetti.

...»

Cem Uzan hakkında tutuklama kararı çıktı.
Fransa'dan oturma izni aldı.

...»

Yargıtay Başkanı Hasan Gerçeker, adli yıl açılışında "Yandaş yargıyı değil, bağımsız, tarafsız yargıyı oluşturmak için uğraş vermeliyiz" dedi. "Yandaş basın"dan sonra "yandaş yargı" da literatürümüze girdi.

...»

Yağmur yağdı.
İstanbul'da 21 kişi boğularak can verdi.

Ayamama Deresi taşmıştı.
Tayyip Erdoğan "Derenin intikamı ağır olur" dedi.
Belediye Başkanı Kadir Topbaş, daha bilimsel bi açıklama yaptı, "Sprey gazları ozonu deliyor, buzullar eriyor, bu şiddetli yağışlar ondan" dedi. 15 senedir İstanbul'u, yedi senedir Türkiye'yi yönetenlerin hiç kabahati yoktu yani... Sprey kullananların işiydi.
Basınımız, utanmadan "görülmemiş afet" manşetleri attı.
Halbuki, görülmüştü.
Hem de aynı yerde, aynı basınımızın burnunun dibinde, Basın Ekspres Yolu'nda görülmüştü. Ayamama Deresi 1995'te taştığında, bugünkü Başbakanımız, Belediye Başkanı; bugünkü Çevre Bakanımız, İSKİ Müdürü'ydü. O günden bugüne hiçbir şey yapılmamış, aynı dere gene faciaya yol açmıştı.

...»

Münevver'in kafasını kesip çöpe atan Cem Garipoğlu, 197 gün sonra teslim oldu. Gündem değişiverdi. Ne dere kaldı, ne sel kurbanı... Herkes testereyle biten aşk'ı konuşuyordu.
Cem'in Münevver'i öldürmesiyle, teslim olması arasında geçen 197 günde, İstanbul'da 249 cinayet daha işlenmişti. Onlar kimsenin umurunda değildi. Cinayet dediğin, enteresan olmalıydı.

...»

O güne kadar tık yoktu... Sağlık Bakanı Recep Akdağ çıktı, "Domuz gribi salgını çok ciddi, aşı yapılmazsa beş bin kişi ölecek, aşı yapılırsa bile 400 kişi ölecek" dedi, iyi mi!
Kuş gribinden onca insan öldüğünde "Risk yok, pişirin yiyin" demişlerdi. Keneden onca insan öldüğünde "Risk yok, pantolon paçalarını çoraba sokun" demişlerdi. Domuz gribinden henüz ölen mölen yoktu ama, her nedense "43 milyon aşı almamız lazım, 21 milyon kişiye bulaşacak, 5 bin kişi ölebilir" diyorlardı.
Sizce de garip değil miydi bu grip?
Meksika'da başlayan, ABD'den Avrupa'ya sıçrayan domuz gribi, şiddetli ateş yapıyordu. Gripli yolcuları vücut ısısından yakalamak için İstanbul Atatürk ve Ankara Esenboğa'ya termal kameralar yerleştirildi. Aferin'di... Ancak, 9 milyon yabancı turistin giriş yaptığı Antalya Havalimanı'na termal kamera koymamışlardı. Ve, maalesef domuz gribine ilk kurbanı Antalya'da verdik. Panik başladı.
Nezle olup burnu akan, ölüyorum diye hastaneye koşuyordu.

Doktorlar ikiye bölünmüştü. Kimisi "Mutlaka aşı yaptırın" diyordu, kimisi "Gerek yok" diyordu. Kafalar allak bullaktı. Güya otoritedir diye, taaa ABD'den canlı yayın yaptık, Profesör Mehmet Öz'ü ekrana çıkardık, ne şiş yansın ne kebap demeye getirdi, "Ben aşı yaptırdım, eşim yaptırmadı" dedi.
Gripten çok, korku salgını yaşanıyordu. Sağlık Bakanı yangına körükle gidiyor, "Beş ay kimseyle öpüşmeyin" diyordu. Milli Eğitim Bakanlığı, dezenfekte etmek için, Türkiye'deki bütün okulları dört günlüğüne tatil etti.
Hay Allah, tesadüf işte, denk geldi...
Okullar tatil edildiği için, 29 Ekim törenleri yapılamadı!
Sağlık Bakanlığı 43 milyon doz sipariş vermişti. Tamamı ithaldi. MHP'li eski Sağlık Bakanı Osman Durmuş çıktı, bu aşılarda "adjuvan" diye bir madde olduğunu, öldürücü yan etkileri olabileceğini söyledi, "Türk milleti kobay olarak kullanılıyor" dedi. Hakikaten öyle görünüyordu. ABD Federal İlaç Dairesi, domuz gribi aşılarında söz konusu maddeye kesinlikle izin vermiyordu. Türkiye'ye Fransa'dan getirilen aşılarda ise, o madde vardı. Hatta, Almanya Başbakanı Merkel'in bile ABD'deki aşıyı tercih ettiği ortaya çıkmıştı. Özellikle, hamileler ve çocuklar için riskten bahsediliyordu.
Bunlar yetmezmiş gibi, dinci basın "domuz gribi aşısında domuz hücreleri bulunduğunu" iddia etti. Çarşı iyice karıştı. Diyanet'in telefonları kilitlendi, "Aşı olalım mı, caiz mi?" diye soruyorlardı. Tam bu kargaşada, Sağlık Bakanı aşı oldu. Cumhurbaşkanı ve Başbakan'ın da aşı olacağı duyuruldu. Başbakan'ın tepesi attı, Sağlık Bakanı'nı fırçaladı. "Ben aşı olmayı düşünmüyorum, bu iş cebren olmaz, kimseyi zorlayamazsın, hemen laflarını düzelt" dedi. Tayyip Erdoğan "Aşı maşı olmam" deyince, yalaka basınımızdaki domuz gribi haberleri bıçak gibi kesildi. Hadi cümleten geçmiş olsun... Artık domuz bile domuz gribinden ölse, zatürree'den diyeceklerdi!
Peki, bu tartışmalı aşılar ithal edilirken hükümetimizin aklı neredeydi? Başbakan'ın canı can da, ahalimizinki patlıcan mıydı? Kol kırıldı, yen içinde kaldı. Bu tarihi skandal, ihalesiyle, ithalatıyla muamma olarak kaldı. Halının altına süpürüldü. Sadece 4 milyon kişi aşı olmuştu. Sağlık Bakanlığı, elde kalan aşıların bir bölümünün Filistin'e gönderileceğini açıkladı. Başbakan'ın bile yaptırmayı reddettiği aşılarla Filistin'e jest yapıyorduk!
...»

Bursa'nın Alpagut köyündeki özel maden ocağında grizu patladı, 19 işçi hayatını kaybetti. Faciadan sonra anlaşıldı ki, ocak tel tel dökülüyordu, Çalışma Bakanlığı tarafından eksiklerini gidermesi için Aralık sonuna kadar süre verilmişti. Facia aralık sonuna kadar beklememişti.

...»

Haklarını aramak için Ankara Abdi İpekçi Parkı'nda toplanan Tekel işçilerine, gazla, copla, tazyikli suyla saldırdılar, döve döve havuza attılar. CHP'li MHP'li milletvekillerine bile gaz sıkılmıştı. Peki sorun neydi? Tekel'in sigara fabrikalarını satmışlardı. Açıkta kalan işçileri "4C" denilen statüye geçirmeye çalışıyorlardı. Neydi bu statü? 1500 lira civarında maaş alan işçilere şu teklifte bulunuyorlardı: Başka bir devlet kurumuna geçeceksin. 550 lira maaş alacaksın. Hangi şehire gönderirsem o şehirde çalışacaksın. 10 ay çalışacaksın, iki ay ücretsiz izin yapacaksın, bu 10 ay da garanti değil, istediğimde kapının önüne koyarım. Birikmiş ikramiyelerin yanacak. Kullanmadığın izinler silinecek. Sendikalı olmayacaksın, olursan zaten kovarım.
Hükümetimizin teklifi buydu.
Ben işçilerin yerinde olsam...
İstersen bi de domalayım derdim!

...»

Sigarasız hayat başladı. Kapalı alanlarda sigara içmek resmen yasaklandı. Şahane bir karardı. Ancak "dumansız hayat" diyenler yanılıyordu. Türkiye'nin biber gazı dumanıyla boğulacağı günler başlıyordu.
Sağlık Bakanlığı, dumansız hava kampanyası için afişler hazırladı. Topluma örnek olması için Futbol Federasyonu Başkanı'nın da o afişlerde poz vermesini istedi. Halbuki, Futbol Federasyonu Başkanı Mahmut Özgener, memleketin en büyük "tütün" tüccarlarından biriydi! Dolayısıyla afişe girmedi.

...»

THY Yönetim Kurulu Başkanı Candan Karlıtekin sürpriz kararla istifa etti. Neden? Uçak alımlarıyla mı ilgiliydi? Çıt çıkmıyordu. AKP'deki "suskunluk kuralı" hakikaten takdire şayandı. Yerine Hamdi Topçu oturdu. Hamdi Topçu, sadece bir ayda 65 uçak siparişi vererek rekor kırdı. 4 milyar dolarlık işti.
4 milyar dolarlık imzalar atılırken... Ev kredisi borcunu

ödeyemeyip bunalıma giren dört çocuk babası aşçı, Avrasya Maratonu'na katıldı, tam Boğaziçi Köprüsü'nden geçerken, atladı, canına kıydı.

...»

Ermenistan'la İsviçre'de masaya oturup, sınır kapısının açılması dahil, müzakereler yaptığımız ortaya çıktı. İki ülkenin dışişleri bakanları "protokol" imzaladı. Üç gün sonra, Bursa'da, Ermenistan milli maçı vardı. Ermenistan rencide olmasın diye, Azerbaycan bayrağının stata girmesini yasaklamaya kalktılar. Kapılarda üst araması yapıldı, Azerbaycan bayraklarına el kondu. Kaderin cilvesi, 2-0 yendik, ikinci golümüzü Azeri kökenli futbolcumuz Servet Çetin attı.

...»

Ve açılımın, PKK açılımı olduğu ortaya çıktı...
Kandil'den ve Kuzey Irak'taki Mahmur Kampı'ndan gelen 34 PKK'lı, Habur Kapısı'ndan giriş yaptı. Üniformalıydılar. Sadece silahları yoktu. Kendilerine "barış grubu" diyorlardı. 50 bin kişi tarafından karşılandılar. Cumhurbaşkanı, Başbakan ve TBMM Başkanı'na mektup getirmişlerdi. Kürt haklarının Anayasa ile güvence altına alınmasını istiyorlardı.
"34 mülteci teslim oldu" denildi.
Halbuki resmen, devletin teslim'iyet töreniydi.
Savcılar ve hâkimler, ayaklarına, Habur Sınır Kapısı'na gitti.
"Etkin pişmanlık yasasından yararlanabilirsiniz" dediler.
Hiçbiri kabul etmedi. "Önderlik çağırdı, geldik, herhangi bir konuda pişman değiliz" diyorlardı. "Sıkıysa tutukla" demeye getiriyorlardı. Hepsi serbest bırakıldı. Televizyonlar canlı yayın yapıyor, ahali gördüklerine inanamıyordu.
DTP milletvekilleriyle birlikte otobüsün üstüne çıktılar, Diyarbakır'da şehir turu attılar. Halaylar çekiliyordu. Tayyip Erdoğan "Habur'daki manzara karşısında umutlanmamak mümkün mü? Çok güzel şeyler, umut verici, sevindirici gelişmeler oluyor" dedi. Yani bi tek madalya takmadığımız kalmıştı.
Şehit aileleri protesto gösterileri yaptı.
Gaziler protez ayaklarını çıkarıp, fırlattı.
Vicdanlar kanıyor, basınımız bu haberlere yer vermiyordu.
Genelkurmay sert tepki gösterdi.
"Yaşananlar asla kabul edilemez" açıklaması yaptı.

...»

O gün... Savcılığa gönderilen imzasız mektubun içinden, İrticayla Mücadele Eylem Planı'nın ıslak imzalı orijinali çıktı!
Muhteşem zamanlamaydı...
Habur rezaleti unutuldu, gündem gene darbe'ye döndü.
Yandaş gazetelerde, Türk Silahlı Kuvvetleri hakkında şu sıfatlar kullanılıyordu: "Tiksiniyorum, rezil, zavallı, mezhep kıştırtıcısı, Onuncu Yıl Marşı'ndan nefret ediyorum, oligarşik arpalık, işkenceci, iftiracı, asker bu milleti ne zaman sevecek, inkarcı, ihanet planı yapıyor, pişkin, cunta, suçlu, Harbiye müfredatı değiştirilsin, bunlara silah emanet edilir mi, sahtekâr, ayıklanmalı."
Soluklanın, az daha devam edeyim: "Pespaye, mafyatik, lekeli, kepaze, suç şebekesi, ahlaksız sistem, rezil, zavallı general, zırva, genelkurmay başkanları padişahçılık oynuyor, illegal, saygısız, hastalıklı, şaşı, kör, beceriksiz, hallaç pamuğu gibi atılmalı, garabet, sorumsuz, yola döşenen mayından farksız, gırtlağına kadar battı, kaypak, kirli."
Gazetecilerin böylesi...
İstiklal Savaşı'ndaki mütareke basınında bile görülmemişti!

...»

PKK açılımı için TBMM'de oturum yapıldı.
Başka gün kalmamış gibi, ısrarla 10 Kasım'a denk getirildi.
CHP Genel Başkan Yardımcısı Onur Öymen, bu oturumda konuştu, "Çanakkale'de Kurtuluş Savaşı'nda Şeyh Sait İsyanı'nda Dersim isyanında Kıbrıs'ta analar ağlamadı mı? Hiç kimse çıkıp, analar ağlamasın mücadeleyi durduralım dedi mi?" diye sordu. Hedef haline getirildi. Tunceli'de "Hitler Onur Öymen" pankartları açıldı. "Kürt ve Alevi soykırımcısı" ilan edildi.
Kemal Kılıçdaroğlu, o gün Tunceli'deydi. Annesi vefat etmişti, cenaze töreni için oradaydı. Protestoların merkezinden protestoya katıldı, Onur Öymen'i istifaya davet etti.
AKP'ye DTP'ye hiç gerek yoktu, Onur Öymen'i linç kampanyasında Kılıçdaroğlu başı çekiyordu. PKK açılımına karşı çıkan CHP, bizzat, en popüler milletvekili Kılıçdaroğlu tarafından köşeye sıkıştırılıyordu.

...»

Tam o atmosferde, DTP Genel Başkanı Ahmet Türk, İzmir'e gitti. PKK'ya yakınlığıyla bilinen dernekler, DTP konvoyunun geçeceği güzergâhta broşürler dağıtmıştı. Türkçe-Kürtçe broşürlerle, konvoyun hangi saatte, nereden geçeceği bildiriliyordu.

Habur'daki gibi gövde gösterisi yaparak, şeref turu atarak İzmir'e gireceklerdi. Havalimanından il başkanlığına giderken, PKK bayrakları açtılar. İnfial yaşandı. Konvoya taş atıldı. Polis havaya ateş etti, 11 kişi yaralandı.
Ahmet Türk "Faşistler İzmir'de saldırdı" dedi.
Halbuki, o faşist dediği İzmir'in kaymak tabakasındandı.
Ahmet Türk'ün yazlığı Çeşme'deydi.
İzmir'deki bu hadise, bardağı taşıran damlaydı.
Kandil'den gelen 8 PKK'lı savcıya çağırıldı.
Herkes şaştı.
Oysa, taaa seçimden sonra itiraf edilecek bir gerçek vardı.
Açılım meselesi, PKK zaferine dönüşmüştü. Toplumda böyle algılanmıştı. AKP'nin oyları güneşte kalmış kartopu gibi eriyip, yüzde 32'lere inmişti. Kamuoyu anketi yaptırıyor, gidişatı görüyorlardı. Bu yüzden şimdilik U dönüşüne karar vermişlerdi.

...»

Tayyip Erdoğan ABD'ye, Obama'ya gitti.

...»

Tokat-Reşadiye'de pusu kuruldu, yedi şehit verdik.
Hükümetimiz açılımı askıya almış...
PKK anında misilleme yapmıştı.

...»

Şırrak, ertesi gün DTP kapatıldı!
Anayasa Mahkemesi, Ahmet Türk ve Aysel Tuğluk'un milletvekilliğini düşürdü. Aralarında Leyla Zana'nın da bulunduğu 37 kişiye beşer sene siyaset yasağı getirdi. DTP hazırlıklıydı, DTP tabelası indirildi, BDP tabelası asıldı. Nasıl olsa, burası Türkiye'ydi... Çaycı alırken bile savcılıktan temiz kâğıdı isterler ama, parti kurarken tescilli PKK'lı bile olsan, ses çıkarmazlardı.
Üstelik, çok usturuplu bir cezaydı, adeta ölçülüp biçilmişti.
Mesela, neden üç veya dört milletvekili değil de, kuyumcu terazisi gibi sadece iki milletvekili düşürülmüştü?
DTP'nin 21 milletvekili vardı.
İkisi yasaklanınca, 19 kalmıştı.
Meclis grubu için 20 milletvekili gerekiyordu.
Stepnede, ÖDP Genel Başkanı Ufuk Uras vardı.
BDP'ye katılırsa, gene 20 bulunmuş oluyordu.

Hem ahalinin Habur'da biriken gazı alınacaktı.
Hem de, durmak yok yola devam kapsamında...
BDP yoluna devam edecekti.

...»

PKK'nın şehir yapılanması KCK'ya yönelik operasyon başlatıldı. BDP'li belediye başkanları tutuklanıyordu. Diyarbakır Belediye Başkanı Osman Baydemir, belediye binasının önünde basın toplantısı yaptı, "Hükümete ve devlete mesajımız var, 'hastirin' diyoruz" dedi!

...»

Genelkurmay Başkanı Başbuğ da, Trabzon'da Oruçreis fırkateyninin güvertesinde basın toplantısı yaptı. "TSK'ya karşı asimetrik psikolojik harekât yürütülüyor, Oruçreis fırkateyninde olmamın özel bir anlamı vardır, herhalde herkes açıkça ne demek istediğimi anlamaktadır" dedi.
Açıkça anlaşılmıştı.
Yakında ne İlker Başbuğ kalacaktı...
Ne de fırkateynlere atayacak komutan.

...»

Üç gün sonra... Deniz Yarbay Ali Tatar, lojmanında banyoya girdi, beylik tabancasını kafasına dayadı, tetiği çekti. "Amirallere suikast yapacak" iddiasıyla tutuklanmış, 10 gün sonra bırakılmış, hakkında tekrar yakalama kararı çıkarılmıştı. İnsanlarla kedinin fareyle oynadığı gibi oynuyorlardı. Yarbay Tatar dayanamamış, bunalıma girmiş, canına kıymıştı.

...»

Hemen ertesi gün... Ankara polisi, Çukurambar'da bir otomobili durdurdu, sivil kıyafetli iki subayı gözaltına aldı. Biri albay, biri binbaşıydı. Binbaşının kâğıt parçası yutmaya çalıştığı ve o kâğıtta Bülent Arınç'ın evinin krokisi olduğu iddia edildi. "Arınç'a suikast" manşetleri patladı.
Suikastçı diye yakalanan subaylar, Özel Kuvvetler Komutanlığı'na bağlı Seferberlik Tetkik Kurulu Başkanlığı'nda görevliydi. Savcılar, Seferberlik Tetkik Kurulu'nun "kozmik oda"sını aramak istedi. Kozmik sırlar nedeniyle izin verilmedi. Silahlı Kuvvetler hükümet üyelerine suikast yapacak, suikastın yazışma evraklarını da muhasebe kaydı tutar gibi kozmik odada

saklayacaktı öyle mi? Toplum buna inandırılmıştı. Hatta, Tayyip Erdoğan çıktı, "Tarihi süreçteyiz, aziz milletimiz oynanan oyunu görüyor" dedi.
Savcılara verilmeyen izin, hâkime verildi. Hâkim Kadir Kayan "kozmik oda"ya girdi. Suikast meselesi, adeta kapıyı açmak için levye olarak kullanılmıştı. Türkiye tarihinde ilkti.

...»

Başdöndürücü bir sene daha geride kalırken...
Tiyatromuzun duayenleri Gazanfer Özcan, Cüneyt Gökçer ve Aykut Oray, Yeşilçam'ın usta yönetmenleri Halit Refiğ ve Zeki Ökten aramızdan ayrılmıştı. Başbakan Adnan Menderes'le yaşadığı aşkla tanınan opera sanatçımız Ayhan Aydan ve devlet sanatçısı bestecimiz Nevit Kodallı'yı kaybetmiştik. "Hani Benim Gençliğim Anne", "Başım Belada" gibi Ahmet Kaya şarkılarının söz yazarı Yusuf Hayaloğlu ve Kurtalan Ekspres'in gitaristi Bahadır Akkuzu artık yoktu. Unutulmaz kalemler Nezihe Araz, Nezihe Meriç, Demirtaş Ceyhun vefat etti. Beşiktaş'ın efsane futbolcusu "güzel adam" lakaplı spor yazarı Vedat Okyar rahmetli oldu. Tiyatrocu Yaman Tarcan, 11 aydır işsizdi, intihar etti.
Michael Jackson gitti.
Charlie'nin Meleği Farah Fawcett gitti. Patrick Swayze gitti.
David Carradine, Tayland'da otel odasında tavana asılı halde bulundu.

2010

Balyoz • İleri demokrasi • İster asar ister kesersin • Başsavcı İlhan Cihaner • Şarkıcı açılımı • Roman açılımı • Artist açılımı • Futbolcu açılımı • 12 Eylül referandumu • Yetmez ama evet • Yargıtayyip Danıştayyip Sayıştayyip • Deniz Baykal'ın kaseti • Kemal Kılıçdaroğlu • Yeni CHP • Mavi Marmara • Hamas • Devletin zirvesi siperde çömeldi • İthal inek Angus • İçki içme, üzüm ye • Hanefi Avcı, *Haliç'te Yaşayan Simonlar* • Wikileaks • Fuhuş ve casusluk davası

Bismillah, senenin ilk günü...
"Kozmik odayı inceleyen hâkimi takip ediyorlar" dediler, askeri plakalı iki otomobili durdurdular, yedi askeri gözaltına aldılar. 24 saat heyecan fırtınası esti. "Kozmik takibe suçüstü, bu kez kaçamadılar, sivil araçta yakalandılar, dinleme cihazları var" manşetleri atıldı. Televizyon ana haber bültenlerinde "hâkimin suikasttan kıl payı kurtulduğu" bile söylendi.
Utanmazlığın daniskasıydı.
Çünkü suikastçı diye gözaltına alınan askerlerin, lojmanlarda görevli aşçı, marangoz ve elektrikçi oldukları ortaya çıktı. Otomobillerinde sebze-meyve bulunmuştu.
Aşçı uzman çavuş, Deniz Kuvvetleri Komutanı'nın lojman aşçısıydı. Yarbay Ali Tatar gibi donanmanın seçkin subaylarını "Deniz Kuvvetleri Komutanı'na suikast yapacak" diye içeri tıkıyorlar, aynı Komutan'ın aşçısını "Hâkime suikast yapacak" diye yakalıyorlardı!
Hemen peşinden, kozmik hâkime kargoyla faili meçhul zarf geldi. İçinden tehdit mektubuyla sekiz adet Kalaşnikof mermisi çıktı. Ucuz bir komediydi... Birileri aşçı rezaletini unutturmaya çalışıyordu. "Bakın gördünüz mü, aşçı dediler ama kurşunla tehdit ediliyor" haberleri yapıldı. Hatta, kozmik hâkimin zehirlenme endişesiyle evinden sefertasıyla yemek getirdiği bile yazıldı. Bizzat hâkim yalanladı.

...»

Memleket kozmik odayla yatıyor, kozmik odayla kalkıyordu.
Peki neydi bu kozmik oda? 50 metrekarelik bir odaydı. Giriş-çıkışı 24 saat kesintisiz kamerayla takip ediliyordu. Göz retinası taramasıyla, üç günde bir değiştirilen şifreyle girilebiliyordu.
Yurtiçi ve yurtdışı operasyonel belgelerden, istihbarat bilgilerinden oluşan 10 bin civarında dosya vardı. Genelkurmay İstihbarat Dairesi'nin "ikizi" olarak nitelendiriliyordu. Sadece Genelkurmay Başkanı, kuvvet komutanları ve 12 subayın girme yetkisi vardı.
Bülent Arınç'a suikast yapacaklar diye gözaltına alınan albay ve binbaşı, serbest bırakıldı. Genelkurmay'dan bilgi sızdırdığı tahmin edilen "köstebek" bir subayı takip etmek için, Genelkurmay'ın emriyle Çukurambar'da bulundukları ortaya çıktı.
"Krokiyi yuttu" haberleri falan, hepsi palavraydı. Ama, isim yazılı bir kâğıt parçası hakikaten vardı. Arınç'ın apartmanının ismi yazıyordu. Subaylar, o kâğıdın kendilerine ait olmadığını, ceplerine polis tarafından sokuşturulduğunu söylediler, kriminal inceleme istediler. Subayların ısrarına rağmen, bu inceleme yapılmadı. Hadiseye karışan subaylarla-polislerin el yazısı örnekleri alınsaydı, vaziyet kabak gibi anlaşılacaktı. Yapılmadı.
Üstelik... Subayların suikastçı olmadığının kesinleşmesine rağmen, serbest bırakılmalarına rağmen, kozmik odadaki arama durdurulmadı, devam ettirildi.

...»

Başbakan Lübnan'a gitti, İsrail'i yerden yere vurdu.
Ertesi gün... İsrail Dışişleri Bakan Yardımcısı Danny Ayelon, Türkiye Büyükelçisi Oğuz Çelikkol'u Dışişleri Bakanlığı yerine meclisteki bürosuna çağırdı. Önce koridorda ayakta bekletti. Sonra küçücük odaya aldırdı, kendisi yüksek koltuğa otururken, büyükelçimizi daha alçak koltuğa oturttu. Tokalaşmadı. Sehpaya İsrail bayrağı koydurttu. Gazetecilere bu halde fotoğraf çektirtti, "Görüyorsunuz, bizden aşağıda oturuyor, biz yüksekteyiz" dedi.
Tayyip Erdoğan'ın Arap âlemindeki şöhreti artıyor...
Arada olan Türk milletinin onuruna oluyordu.

...»

Denizli'de yerel basının manşet yaptığı bir kitap, ana haber bültenlerinde yer aldı. Camilerde ücretsiz olarak dağıtılıyordu. Eşi emekli imam olan bir kadın yazmıştı. "Hanımı türbanlı diye benim oğlumu ordudan attılar, dinime laf söyleyenlere karşı sessiz kalmamak için bu kitabı çıkardım" diyordu. Kitapta bazı ilahiler vardı. "Tayyibim" başlıklı ilahide "Tayyip, Allah yolunun bekçisidir, Tayyip'i üzmek, Allah'ı üzmektir" deniyordu. Bilahare, Aydın'da yerel basının manşet yaptığı bi konuşma, ana haber bültenlerinde yeraldı. AKP Aydın İl Başkanı "Başbakanımız bizim için ikinci peygamber gibidir" diyordu. İş bu hale gelmişti.

...»

Deniz Feneri kepazeliğinden beri, Mehmetçik Vakfı'na bağış rekoru kırılıyordu. Şırrak, kurban vurgunu peydah oldu... Diyarbakır'daki May-Et firmasının, kesmediği halde, kurban kesilmiş gibi Mehmetçik Vakfı, Lösev ve Deniz Feneri Derneği'ne makbuz verdiği tespit edildi. Mehmetçik Vakfı Başkanı'na 1 milyon 100 bin sene, Lösev Başkanı'na 364 bin sene, Deniz Feneri Derneği Başkanı'na 44 bin sene hapis istendi. Hepsi birden "tencere dibin kara" durumuna düşürülmüştü. Mehmetçik Vakfı ve Lösev'in önü kesilmiş; Çağdaş Yaşamı Destekleme Derneği, Çağdaş Eğitim Vakfı ve Atatürkçü Düşünce Derneği de zaten Ergenekoncu ilan edilmişti... Bir taraftan avanta kömürlerle gıda kolileriyle "sadaka toplumu" yaratılıyor, öbür taraftan "bağış sistemi" çökertiliyordu.

...»

Mehmetçik Vakfı Başkanı'na 1 milyon 100 bin sene hapis istendiği gün... Mehmet Ali Ağca gene serbest bırakıldı. 2006'da bırakılmış, sonra pardon yanlış hesaplamışız denilerek tekrar içeri tıkılmış, sekiz sene daha yatacağı açıklanmış, dört senede bırakılmıştı. Bu sefer hakikaten çıkmıştı.
"Mesihim" diyordu.
İdam yemişti, toplam 10 senede yırtmıştı.
İşte bu da mesihin mucizesiydi!

...»

Hrant'ın katili Ogün Samast, cezaevinde Selma Şahin'le evlendi. Nikâh, Kandıra Cezaevi'nin bulunduğu Akçakese öyününün muhtarı tarafından kıyıldı. Nikâh şahitliklerini infaz koruma memurları yaptı.

...»

İstanbul, 2010 Avrupa Kültür Başkenti olmuştu.

Sanırsın olimpiyatı aldık, o havalarda sunuluyor, her şehre nasip olmadığı anlatılıyordu. Halbuki, biz olana kadar Avrupa'da 39 şehir kültür başkenti olmuştu. Neredeyse kültür başkenti olmayanı dövüyorlardı, o haldeydi... Üstelik "İstanbul'a nasip oldu" deniyordu ama, aslında "üç şehre nasip" olmuştu. İstanbul'la beraber Essen ve Pecs de 2010'un kültür başkentiydi. İşin bu tarafını söylemiyorlardı.
Peki hiç mi faydası yoktu? Elbette vardı. Tek bir örnek anlatayım... AKP Merkez Karar Yönetim Kurulu Üyesi ve *Yeni Şafak* yazarı Ayşe Böhürler'in "İstanbul'un Sırları" projesine, Avrupa Kültür Başkenti Ajansı tarafından 210 bin lira destek verilmişti. Bütçe devasaydı, güzel güzel harcandı.

...»

İstanbul kültür başkenti oldu diye köpürtülürken, Tekel işçileri memleketin başkentinde çadırları kurmuş, iki aydır oturma eylemi yapıyor, tek sütun haber bile yapılmıyorlardı. Sansürleniyordu. Çaresiz kaldılar, seslerini duyurabilmek için açlık grevine başladılar. Medyanın iktidar yalakalığı, kolayca halledilebilecek meseleyi dallanıp budaklandırıyordu.
Tayyip Erdoğan "Bizi Tekel işçisi değil, milletimiz iktidar yaptı" dedi. Tekel işçileri "milletimiz"den sayılmıyordu. Derhal "Ergenekoncu" ilan edildiler. Hükümeti yıkmak için karanlık güçlere alet oldukları yazılıyordu.
DHKP-C, İBDA-C...
Bunların adı üstündeydi zaten 4-C!
Ekstra dramatik tarafı, çadırlarda anket yapılınca anlaşıldı. Tekel işçilerinin yüzde 70'i AKP'ye oy vermişti.
Neticede, Danıştay işçilerin lehine yürütmeyi durdurdu. 78 gün devam eden direniş sona erdi. Çadırlar söküldü. Ancak... İşçi tufaya gelmişti. Danıştay'ın kararına rağmen, özlük haklarında değişiklik yapılmadı. Bir ay sonra tekrar toplanıp, Ankara'da yürüyüş yapmak istediler. Geçmiş olsun... Polis hazırlıklıydı. Şehir girişlerine barikatlar kuruldu. Yaklaşana verdiler biber gazını, verdiler copu, püskürttüler, Ankara'ya sokmadılar. Basınımız da zaten darbe mevzularına odaklanmıştı. Tekel işçileri unutuldu, kaderlerine terk edildi.

...»

Kozmik hâkim, 27 gün boyunca sayfa sayfa not aldı.
Arama nihayet bitti.

Genelkurmay resmi açıklama yaptı, "görev ve yetki alanı dışında faaliyet tespit edilmediğini" duyurdu. Güvenlik gereği, kozmik odadaki savaş planlarının iptal edildiği, hepsinin yenileneceği açıklandı.
Aynı gün... Zamanlama gene şahaneydi.
Taraf gazetesi şu manşetle çıktı:
"Fatih Camii bombalanacaktı!"
2003 senesinde, dönemin Birinci Ordu Komutanı Çetin Doğan liderliğinde "Balyoz" kod adıyla darbe planı yapıldığı iddia ediliyordu. Darbe kararının, 29'u general 162 subayın katıldığı toplantıda alındığı öne sürülüyordu. Plana göre, camiler bombalanacak, F16'mız Ege'de kasten düşürülecek, kaos yaratılacak, 200 bin kişi gözaltına alınacak, halka ateş açılacak ve darbe yapılacaktı.
Çetin Doğan isyan etti, "Düzenli olarak yapılan plan semineriydi, herhangi bir savaş anında çıkabilecek karışıklıkları önleme planıydı. Cami bombalanması, uçak düşürülmesi filan yapıştırma, üretim, iftira... Bunları hangi dinsiz, imansız, hasta adam düşünebilir?" dedi.
Genelkurmay Başkanı Başbuğ basın toplantısı yaptı. "Bu iddiayı ortaya atan vicdansızlara soruyorum... Biz askere Allah Allah diye taarruz ettiriyoruz. Bu ordu nasıl olur da Allah'ın evine bomba atmayı düşünür? Hicap duyuyorum, lanetliyorum" diye bağırdı. Öfkesinden kürsüyü yumrukladı.
Çirkin bir kısırdöngü başlamıştı. Manşetlerinden iftira üstüne iftira atıyorlar, köşelerinden "Cevap ver Başbuğ" diye makale yazıyorlar, Başbuğ cevap verince de "Demokratik ülkede nasıl olur da genelkurmay başkanı bu kadar konuşur, susturun şu adamı" diyorlardı.

...»

Gazetecilik mesleğindeki ahlaksızlık, zirvedeydi. Kim olduğu meçhul tipler "gazeteci-yazar" sıfatıyla ekranlara çıkarılıyordu. Ahalinin zihni öylesine bulandırılmıştı ki... "Anıtkabir'e denizaltıyla saldıracaklar" manşeti bile atsan, inanan olabilirdi. Gazete sayfalarından haber değil, adeta virüs yayılıyordu. Bulaştırıyorlardı. Listeler yayınlıyorlardı. Şu da işin içinde bu da işin içinde diyerek, AKP'ye karşı olanları "darbeci" ilan ediyorlardı. İşadamlarından yurtsever gazetecilere, profesörlerden siyasilere, yargıçlardan askerlere, yüzlerce kişi "alakası olmadığını" anlatmaya çalışıyordu.

Herkes n'oluyor diye merak ederken...
Tayyip Erdoğan neler olduğunu izah etti:
"Hazmedeceksin, ileri demokrasi bu" dedi.
Demokrasi'den ileri demokrasi'ye geçmiştik!
Taraf gazetesindeki "Balyoz" manşetini yazan muhabir Mehmet Baransu, beş bin sayfalık belgeleri "bavul"la savcıya getirdi. An itibariyle... Yakamoz, Sarıkız, Ayışığı, Eldiven, Kafes, Balyoz, Çarşaf, Sakal, Oraj, Suga isimleriyle darbe planlarımız olmuştu. Ayrıca... Dursun Çiçek, Poyrazköy, Çukurambar gibi, hükümeti devirme ve suikast planlarımız vardı. Gazetelerde "Altay, Atak, Barbaros, Alev, Fişek, Acar" isimleriyle başka başka darbe planları olduğu da yazıldı. Ancak, bunların arkası gelmedi.

...»

Tam Gün Yasası meclisten geçti.
Doktorlar ya hastaneyi, ya muayenehaneyi seçecekti.

...»

TÜSİAD Başkanlığı'na gene bir kadın, Ümit Boyner seçildi.

...»

Selahattin Demirtaş, BDP Genel Başkanı oldu. Asker kaçağı olduğu için hapse tıkılan Nurettin Demirtaş'ın kardeşiydi. Baba başbakan, oğul milletvekili görmüştük. Baba başbakan, torun milletvekili görmüştük. Karı-koca genel başkan da görmüştük. Kardeş-kardeş genel başkanı ilk defa görüyorduk.

...»

Ve, donanma gene intiharla sarsıldı.
Güney Deniz Saha Komutanlığı'nda görevli Kurmay Albay Berk Erden, İzmir'deki lojmanında başına ateş ederek canına kıydı. Üniforması üzerindeydi.
Onur intiharlarına bir yenisi eklenmişti.
20 gündür internetten alçakça yayın yapılıyordu. Eşinin bir başka albayla yasak aşk yaşadığı iddia ediliyordu. Ne birlikte fotoğrafları vardı, ne şahit, ne de ses kaydı... Sadece kuru iftira vardı.
Kurmay Albay Berk Erden hakkında geçen sene gene internet üzerinden "bir kadınla ilişkisi var" diye yayın yapılmıştı. Tutmamıştı. Sonra "suikastçı" diye yayın yapılmıştı. Gene tutmamıştı. Bu sefer, eşi üzerinden yayın yapılmış ve maalesef neticeye ulaşılmıştı.

Deniz Kuvvetleri Komutanı Oramiral Eşref Uğur Yiğit, cenaze törenine katıldı. "Teröristler Habur'dan ellerini kollarını sallayarak girerken, subaylarımın terör örgütü kurduğu söyleniyor, milletimize şikâyet ediyoruz" dedi.

...»

Millete şikâyet öyle mi?
3'üncü Ordu Komutanı Orgeneral Saldıray Berk, Ergenekon'dan ifadeye çağırıldı. Hakkında yazılan iddianamede "Alevi köylerin ihtiyaçlarını gidermek için ordunun imkânlarını kullanmaktadır, kendisini meşrep olarak Aleviliğe yakın hissetmesinden kaynaklandığı değerlendirilmektedir" deniyordu.
"Mezhep" iddianameye girmişti.
Alevilik, adeta delil'di.

...»

Erzincan Başsavcısı İlhan Cihaner'in evi basıldı. Tutuklandı. "Cemaat soruşturması açtım, başıma bunlar geldi" diyordu. 2007'de Fethullah Gülen ve İsmailağa cemaatlerine yönelik soruşturma açmıştı. Bu soruşturma apar topar elinden alınmış, Erzurum Özel Yetkili Savcısı Osman Şanal'a verilmişti. Başsavcı Cihaner'i şimdi içeri tıkan, bu özel yetkili savcıydı. Orgeneral Saldıray Berk'i ifadeye çağıran savcı da, aynı savcıydı.

...»

AKP Kahramanmaraş Milletvekili Avni Doğan "40 yıl onlar bizi fişledi, şimdi biz onları fişliyoruz" dedi. Memlekette olan bitenin tarifiydi. AKP Çorum Milletvekili Ahmet Aydoğmuş ise, biraz daha net izah etti, "Ak Parti iktidarına karşı çıkanların kanını tahlile yollamak gerekir, kanı bozuklar" dedi.

...»

Genelkurmay Başkanı İlker Başbuğ'un ses kaydı internete düştü... Toplumda kuşkulara meydan vermemek için Seferberlik Başkanlığı'ndaki aramaya izin verdiğini anlatıyor, "Giremezsin desen girebilirler mi, nah girerler" diyordu. Geçen ay NATO toplantısı için Brüksel'e gitmişti, yurtdışında görevli subaylara konferans vermişti. İnternete düşen konuşması, gizli gizli orada kayda alınmıştı.

...»

Tayyip Erdoğan, şarkıcı açılımı yaptı.
Şarkıcıları türkücüleri popçuları Beşiktaş'taki ofisinde topladı, Kürt açılımına destek vermelerini istedi. Katılanlar arasında, İbrahim Tatlıses, Kayahan, Emel Sayın, Arif Sağ, Nuri Sesigüzel, Orhan Gencebay, Muazzez Ersoy, Ferdi Tayfur, Sertab Erener, Alişan, Demet Akalın, Nükhet Duru, Neşet Ertaş, Safiye Soyman, Bülent Ersoy, Cengiz Kurtoğlu, Erol Evgin, Fatih Kısaparmak, Ferhat Göçer, Işın Karaca, Kenan Doğulu, Mustafa Sandal, Yavuz Bingöl, Seda Sayan, Nihat Doğan, Kibariye filan vardı.
Faydalı bi toplantı oldu...
Mesela Bülent Ersoy, sanatçılara havalimanında VIP'ten geçme hakkı verilmesini istedi. Neşet Ertaş "30 senedir Türkiye'de değildim, nedir bu açılım?" diye sordu. Kibariye çıkışta gazetecilere konuştu, "Ben anlamam anacım, çağırdılar geldim" dedi. Nihat Doğan söz alınca eski sevgilisi Seda Sayan salonu terk etti. Haftaya askere gidecek olan Alişan, Başbakan'dan harçlık istedi.
Tarkan davetliydi, katılmadı.
"AKP'yi reddetti" filan diye yazıldı.
Üç gün sonra, kokainden gözaltına alındı.

...»

Şarkılı türkülü gayet eğlenceli devam ediyorduk ki...
ABD Temsilciler Meclisi keyfimize limon sıktı.
"Ermeni Soykırımı Karar Tasarısı"nı kabul etti.
Güya çok sert tepki gösterdik.
Washington Büyükelçimiz Namık Tan'ı derhal geri çektik.
Obama'nın ittirmesiyle "Ermeni açılımı" yapan hükümetimiz, ABD'nin "soykırım" kararıyla şoke olmuştu, kendi tabanına bile izah edemez hale gelmişti. Bi rüzgâr yaratıp, höt zöt diyormuş gibi yapmak gerekiyordu. Başbakanımız yaptı... Kaçak çalışan Ermenileri kapının önüne koymakla tehdit etti, "Ülkemde 170 bin Ermeni var, 70 bini vatandaş, 100 binini idare ediyoruz, ülkemde tutmak zorunda değilim, gerekirse hadi bakalım memleketinize diyeceğim" dedi.
Kürt açılımı yapıp, Kürt partisini kapatmıştık.
Ermeni açılımı yapıp, Ermenileri kovuyorduk.
Derken, İsveç parlamentosu da soykırımı tanıdı.
Stockholm Büyükelçimiz Zergün Korutürk'ü geri çektik.
Yaygarayla çektik... Bundan böyle İsveç'i tanımıyoruz filan, atıp tuttuk. 15 gün sonra ahalimiz unuttu, büyükelçimiz sessiz sedasız

Stockholm'e geri döndü. Stockholm elçimiz geri dönünce, sayın basınımızın aklına Washington büyükelçimiz geldi. O nerede diye bakıldı. O-hoo, çoktan geri dönmüştü!

...»

Elazığ'da deprem oldu.
Sadece 6 şiddetindeydi ama, Kovancılar ilçesine bağlı köyleri yerle bir etmişti. Bölgede inceleme yapan bakanımız "57 vatandaşımızı kaybettik" dedi. Ertesi gün Başbakanımız "51 vatandaşımızı kaybettik" dedi. Üçüncü gün "42 vatandaşımız" olduğu anlaşıldı. Alt tarafı 300 haneli üç köyde üç gündür kaç kişinin öldüğünü sayamıyorlardı.

...»

Ve, TSK'ya balyoz indi.
Hava Kuvvetleri Eski Komutanı İbrahim Fırtına, Deniz Kuvvetleri eski Komutanı Özden Örnek gözaltına alındı. Çetin Doğan ve Engin Alan'la birlikte, muvazzaf amiraller-generaller tutuklandı. Bazı gazetelere göre 70 subay gözaltına alınmıştı, bazı televizyonlara göre 50 subay tutuklanmıştı. Kimisine göre sekiz şehirde baskın yapılmıştı, kimisine göre 12 şehirde evler aranmıştı. Takip edilemez haldeydi.
Ankara Emniyet Müdürlüğü'nün internet sitesine e-posta geldi. Meçhul ihbarcı, Mehmet Ali rumuzunu kullanmıştı. "Kozmik odadaki aramadan sonra telaşlandılar, Seferberlik Tetkik Kurulu'nun kirli silahlarını toplayıp Ankara'ya getiriyorlar" diyordu. Bir kamyona ait plaka veriyordu.
Derhal operasyon düzenlendi. O plakalı kamyon Gölbaşı'nda durduruldu. Brandayla örtülü kasasından el bombaları çıktı.
Haberi ilk olarak TRT verdi. Son dakika bilgisi olarak duyurdu. "Seri numaraları kazınmış 900 adet el bombasının bulunduğu" söylendi. Öbür televizyonlar üstüne atladı.
"Ergenekon cephaneliği yakalandı" yaygarası koparıldı.
Halbuki, TSK'ya ait el bombalarıydı. Muğla Güllük'ten getiriliyordu. Özel Kuvvetler Eğitim Komutanlığı'nındı. Seri numaraları kazınmış değildi, seri numaraları vardı.
"Kamyonla bomba taşınır mı?" tartışması başladı.
Ya neyle taşınır?
Bu sefer "Sivil kamyonla taşınır mı?" tartışması başladı. O uygulama da yeni değildi. Taaa 1990'dan beri sivil kamyonla taşınıyordu. Bunun üzerine "Peki, niye trenle taşınmadı?"

tartışması başladı... Ki, en matrağı oydu. Muğla'dan Ankara'ya tren yoktu. Aslına bakarsanız, Muğla'da treni boşver, ray bile yoktu. Hadise trajikomik bir hal almıştı.

...»

TSK'nın kamyonu "terör örgütü kamyonu" olarak gösterilirken... Uşak'ta bir otomobil hatalı solladı, karşı yönden gelen kamyonun altına girdi, sürücü öldü. Otomobilin bagajında cep telefonuyla patlatılmaya hazır, beş kiloluk bomba düzeneği bulundu. Sürücünün cebinden şifreli krokiler çıktı. "PKK kuryesi" olduğu yazıldı. Gerisini öğrenemedik... Çünkü savcılık tarafından alelacele gizlilik kararı alındı, yayın yasağı getirildi. TSK terör örgütü gibi sunuluyor, tescilli terör örgütünün bombaları kamuoyundan gizleniyordu.

...»

Dedim ya, virüs gazeteciliği yapılıyordu. Bulaştırılıyordu. Mesela, araştırmacı gazeteci ayaklarıyla makale döşenen biri, "Ergenekon öyle örgüt ki, ona üye olduğunu bilmeyenler var" demişti! Aslında haklıydı... Başsavcı Cihaner'in evi basıldığında, kızı Sıla'ya ait olan *Garfield, Kırmızı Başlıklı Kız, Cinderella, Temel Reis, Buggs Bunny* ve *Alaattin'in Sihirli Lambası* gibi çizgi filmlere el konulmuştu. İddianamede deliller arasında gösterilmişti. Tembel kedi Garfield, Ergenekon'daydı, haberi yoktu!

...»

Ergenekon, boşanma davalarında bile "delil" oluyordu.
Emekli Tümamiral İlker Güven, eşi Sunahanım Güven'e boşanma davası açmıştı. Sunahanım Güven "Kocam bir bavul gizli askeri belgeyi sattı, evdeki çantalarda beş milyon doları vardı" dedi. Adamcağızı "işte Ergenekon'un köstebeği" diye manşet yaptılar. Halbuki, donanmada "iki" İlker Güven vardı. Biri tuğamiraldi, biri tümamiraldi. Ergenekon'dan evi basılan emekli tuğamiral, öbür İlker Güven'di.
"Askeri belge" lafının üstüne atlamış, İlker Güven'leri karıştırmışlardı. Üstelik "Evinde beş milyon doları var" denilen Tümamiral İlker Güven, kirada oturuyordu, evi yoktu, borçları nedeniyle otomobilini bile satmıştı. Boşanma duruşmasından çıkarken gazetecilere dert yanıyor, "Ergenekon moda olduğu için, hanımefendinin aklına bu gelmiş herhalde" diyordu.

...»

Bakın, memleketin "Ergenekon ruh hali"ni anlatmak için bi örnek daha vereyim: Balıkesir Dursunbey'de özel maden ocağında grizu patladı, 14 işçi hayatını kaybetti. Dinci televizyon kanallarında, komutanların gözaltına alınmasıyla grizu patlaması arasında bağlantı kuruldu, iyi mi... "Aralık ayında ifadeye çağrıldıklarında Bursa'da grizu patlamıştı, şimdi de Balıkesir'de grizu patladı, zamanlama çok manidar değil mi?" yorumları yapıldı!

...»

Kafes iddianamesi kabul edildi.
Hangisi Kafes, hangisi Poyrazköy, hangi subay hangi davadan içerde, hepsi birbirine karışmıştı. Gazete ve televizyon haberlerinde artık kimlerin tutuklandığı değil, kaç kişinin tutuklandığı yazılıyordu. Bu kitabın arşiv çalışması sırasında maalesef gördüm ki... Tutuklandığında adı yazılmayan, hapisteyken adından hiç bahsedilmeyen, duruşmalar sırasında tek kelime geçmeyen, üç senedir dört senedir içerde yattığını anca karar açıklanıp, 18 sene yedikten sonra duyduğumuz subaylar bile vardı.

...»

Tayyip Erdoğan "Roman açılımı" yaptı...
İstanbul Abdi İpekçi Spor Salonu'nda, memleketin dört bir tarafından getirilen Roman vatandaşlara konuştu. "Size Şopar derler, Çingene derler, halbuki siz benim Roman kardeşlerimsiniz, kırmızıyı severler, birbirini överler, çalgısız yaşayamaz ölürler" dedi.

"Birbirini överler" lafını duyan Kibariye, dayanamadı, "Çuk yakışıklı adamsın, üstüne tanımam anacım" diye bağırdı. Ahırkapı Orkestrası çaldı, Kırkpınar cazgırı Pele Mehmet mani okudu, darbukacı Balık Ayhan "Sen adamın kralısın, kasım kasım Kasımpaşalısın" şarkısıyla noktayı koydu.
Türkiye ekran başında göbek atarken... Salonun kapısında "Parasız eğitim istiyoruz" pankartı açan üniversite öğrencileri Ferhat ve Berna, sürüklene sürüklene karakola götürüldü, tutuklandı. Bu çocukları hem okudukları Ankara ve Trakya üniversitelerinden attılar, hem de 601 gün hapis yatırdılar, 601 gün!

...»

Peşinden, artist açılımı yapıldı.

Tayyip Erdoğan, sinemacıları tiyatrocuları dizi oyuncularını Dolmabahçe'de topladı, Kürt açılımına destek istedi. Hülya Avşar, Cem Yılmaz, İzzet Günay, Kenan Işık, Yılmaz Erdoğan, Ata Demirer, Mehmet Aslantuğ, Özcan Deniz, Ediz Hun, Kenan İmirzalıoğlu, Tamer Yiğit, Şener Şen, Metin Akpınar, Göksel Arsoy, Demet Akbağ, Gülse Birsel, Meltem Cumbul, Şahan Gökbakar, Mehmet Ali Erbil filan katıldı.
Kadir İnanır protesto etmişti, katılmamıştı.
"Halk açken, sarayda toplantı yapılmaz" demişti.
"Amerikan özentisi" demişti.
"Popülizm" demişti.
"Bu tür magazinel toplantılara hizmet etmem" demişti... Bu "ilkeli" arkadaşın, üç sene sonra aynı sarayda "akil" rolü üstleneceğini, herhalde hiçbir senarist hayal edemezdi.

...»

"Yandaş gazeteci"den sonra "yandaş sanatçı" tartışmaları başlamıştı. Bu mevzu başlı başına kitap olur ama... Özetle söylüyorum ki, iktidara ceket iliklemeyen, baskılara boyun eğmeyen sanatçı sayımız, utanç verici derecede azdı.
Bi açılım da Kültür Bakanı Ertuğrul Günay patlattı.
"Bu toprakların çocuklarıyla bu toprakların şarkısını söyleyelim" dedi, Kürt şarkıcı Şivan Perver'i sahneye davet etti, hep birlikte "Bir başkadır benim memleketim"i söylediler. Küçük bi pürüz vardı... Kültür Bakanımız tarafından "bu toprakların şarkısı" olarak bilinen şarkı, aslında İsrail ilahisiydi.

...»

Devlet Resim Heykel Müzesi'ndeki pek çok tablonun araklandığı, yerine çakmalarının yerleştirildiği ortaya çıktı. Böylece... O tabloların karşısına geçip, sağ elini çenesine, işaretparmağını yanağına koyarak, hımmm sürrealist filan diye ahkâm kesenlerin, senelerdir çakma tablolara ahkâm kestiği anlaşıldı. Türkiye'de hiçbir şey "göründüğü gibi" değildi!

...»

"Darbecileri yakaladık" rüzgârıyla yelkenlerini şişiren AKP, fırsat bu fırsat, Anayasa için düğmeye bastı. 26 maddelik taslak hazırladı. "Referanduma sunulması halinde tümüyle oylanır" şartı koydu.
Ya hepsine birden evet diyecektik.
Ya hepsine birden hayır diyecektik.

Bazı maddelere evet, bazı maddelere hayır deme imkânımız yoktu. Tam şark kurnazlığıydı... 12 Eylül'e yargı yolunun açılması, memura toplu sözleşme hakkı verilmesi, kadına pozitif ayrımcılık, çocuk hakları gibi herkesin alkışladığı maddeleri "oltanın ucundaki balık yemi" gibi koymuşlardı. Bunların yanına da, yüksek yargıyı komple iktidarın emrine sokacak maddeleri eklemişlerdi.
Yargıtayyip
Danıştayyip
Sayıştayyip olacaktı.
Başbakan "Hap gibi sunuyoruz, tablet gibi" dedi.
Hapı yutmamızı istiyordu.

...»

Başbakan Yardımcısı Cemil Çiçek ise, başka türlü yedirmeye çalışıyordu. "Tek tek oylamak yerine toptan oylarsak, domatesle patatesi karıştırmış gibi olmaz mıyız?" diye sordular. "Yemekte domatesle patates birlikte olmazsa, lezzet olmaz" cevabını verdi. Anayasa dediğin "türlü"ydü çünkü!
CHP Milletvekili Kemal Anadol "Çorba güzel de, pilav kurtlu kardeşim, belki ben dürüm yemek istiyorum, ıspanak yemek istemiyorum, niye dayatıyorsun?" derken... MHP Milletvekili Oktay Vural "Kendin pişir kendin ye zihniyetidir bu, Dimyata pirince giderken evdeki bulgurdan olacaklar" diye uyarıyordu. Cumhurbaşkanımız, yüksek yargıyı Köşk'e davet edip "mantı" ikram ederken... BDP'li Ufuk Uras "Herkes omlet yemek istiyor ama, kimse yumurta kırmıyor" diye şikâyet ediyordu.
AKP'li Kürşad Tüzmen, milletvekillerine "suşi" ısmarlarken... "Suşi"ye muhalefet olarak geliştirilen "işkembe" ziyafetinde, sirkeye uzanmaya çalışan CHP Milletvekili Mustafa Özyürek'in kafasına yanlışlıkla "mumbar dolması" dökülüyordu.

...»

Anayasa'ya "yemek kitabı" muamelesi yapılırken... Kaşla göz arasında, TBMM'yi by-pass ederek, *Resmi Gazete*'de yayınlamadan, yönetmelik çıkardılar. GDO'ların ithalatını serbest bıraktılar. Kapılar açılmış, genetiği değiştirilmiş organizmaların memlekete girişine izin verilmişti.
Yanına bi de cacık...
Hadi cümleten anayasafiyet olsun!

...»

Emre Taner emekliye ayrıldı.
Hakan Fidan, MİT Müsteşarı yapıldı.
Eski astsubaydı. AKP 2002'de iktidara geldi, 2003'te Başbakanlığa bağlı TİKA Başkanlığı'na atandı, 2007'de Başbakanlık Müsteşar Yardımcısı oldu, 2009'da MİT Müsteşar Yardımcısı oldu. Devletteki kariyeri, AKP'yle yükselmişti.

...»

Çetin Doğan dahil, 35 asker tahliye edildi.
Savcı itiraz etti, 20 gün sonra gene tutuklandılar.
Bırak, yakala, bırak, yakala...
Toplum algılaması "yalama" yapılıyordu.
İlk tutuklama kararı çıktığında tepki oluşuyor, bırakınca ahali sakinleşiyor, ikinci tutuklamada aynı tepki oluşmuyordu. İki ileri bir geri, adeta mehter taktiğiydi.

...»

Ergenekon'un 1 numarası belli oldu.
Yandaş medya yazmadı.
Mecburen kendi kendimi ihbar ettim.
Çünkü... Adana Hipodromu'nda dört yaşlı Arap taylarının katıldığı "Ergenekon Koşusu"nu "Özdil" kazanmıştı!

...»

Van'da arbede çıktı.
Deniz Baykal'ı taşıyan CHP otobüsü taşlı-yumurtalı saldırıya uğradı. Polis resmen seyretti. "Ergenekon avukatı, kahrolsun CHP" sloganları atan gruba müdahale edilmedi, dokunulmadı. Baykal "Polis hiç önlem almadığı gibi, bizi otobüsten inip yürümeye teşvik etti, tertiptir bu, taş atanlar da AKP'li" dedi. Sadece 39 polis görevlendiren Van Emniyet Müdürü'nün, sanki 163 polis görevlendirmiş gibi "sahte belge" hazırlattığı ortaya çıktı. AKP İl Başkan Yardımcısı'na da, saldırıya tahrikten dava açıldı.

...»

Ahmet Türk'e yumruk atıldı, burnu kırıldı.
DTP'nin kapatılması üzerine Güneydoğu'da protesto gösterileri yaşanmış, Muş Bulanık'ta iki kişi öldürülmüştü. Bu hadisenin davası, güvenlik gerekçesiyle Samsun'da görülüyordu. Ahmet Türk duruşmayı izlemeye gelmişti. Adliye çıkışında yumruk atıldı. Saldırgan, kahvede garsondu. Tutuklandı. Samsun

Emniyet Müdürü görevden alındı.
Açılım'ın Türkiye'yi ne hale getirdiğinin kanıtlarından biriydi.
BDP Genel Başkanı Selahattin Demirtaş, yumruklu saldırıdan iki gün önce verdiği röportajda bu atmosferi analiz etmişti. Toplumun kutuplaştığını belirterek, "Açılımla birlikte Kürtler kendilerini daha fazla öteki, Türkler kendilerini daha fazla tehlikede hissetti, artık iki tarafta da öfkeli gençlik var" demişti.
Yumruk'un atıldığı Samsun'da derhal iki polis şehit edildi.
Yumruk'a kadar sekiz şehit vardı.
Yumruk'tan itibaren neredeyse her gün mayın patladı.
Bir ayda 28 şehit verildi.

...»

Yumruk'tan bir hafta sonra... Kayseri'de şehit cenazesine katılan Enerji Bakanı Taner Yıldız'a yumruk atıldı. Onun da burnu kırıldı. Saldırgan, beden eğitimi öğretmeniydi. Kayseri Emniyet Müdürü görevden alındı.

...»

23 Nisan geldi. Tayyip Erdoğan, başbakanlık koltuğunu ilkokul öğrencisine bırakırken "ileri demokrasi"yi tarif etti.
"Yetki artık senin; ister asar, ister kesersin" dedi.

...»

"Manevi suikast" işlendi.
Deniz Baykal'ın kaseti çıktı.
İnternette yayınlanıyordu. Gizli kamera görüntüleriydi. Yatak odasında kaydedilmişti. Baykal'ı giyinirken gösteriyordu. Bir de giyinen kadın vardı. CHP Ankara Milletvekili Nesrin Baytok olduğu öne sürülüyordu. Deniz Baykal ve söz konusu kadın, hiçbir karede yan yana değildi. Ancak, sanki bu görüntülerin devamı varmış da, şimdilik bu kadarı gösterilmiş havası estiriliyordu.
Demokrasi tarihimizin kırılma noktalarından biriydi.
Cumhuriyet Halk Partisi komployla "dizayn" ediliyordu.
Montajdır-gerçektir'in dışında, ortalama zekâya sahip her vatandaşın kendine şu soruyu sorması gerekiyordu: Baykal bu işi yapıyorsa, senelerdir yapıyordur, bu kaset neden şimdi ortaya çıktı? Elbette kimse bu soruyla ilgilenmedi. Hatta, gizli kamerayı kimin koyduğuyla bile ilgilenmedi. Medyada linç kampanyası başlatıldı. CHP liderinin derhal istifası isteniyordu. Her seçim arefesinde

"rüşvet aldı, İsviçre'de parası var" gibi asılsız suçlamalar yöneltilen Baykal'a, bu defa bitirici darbe vurulmuştu.
Zamanlama dört dörtlüktü.
15 gün sonra CHP kurultayı vardı.
CHP Genel Başkanlığı'nı bıraktı.
Baykal, tasfiye edilmişti.

...»

Kemal Kılıçdaroğlu için basın'ç başladı.
Basın, onun adaylığı için bastırıyordu.
O güne kadar sanki suçmuş gibi Alevi ve Kürt olduğunu yazanlar, şimdi mutlaka CHP'nin başına geçmesi gerektiğini, genel başkan olursa CHP'nin en az yüzde 50 oy alacağını yazıyorlardı.
Kılıçdaroğlu "Adaylığım söz konusu değil, aday değilim" dedi.
CHP Genel Sekreteri Önder Sav ise "Baykal'a sahip çıkacağız, kimse avucunu ovuşturmasın" açıklaması yaptı.
24 saat sonra...
Kemal Kılıçdaroğlu "Adayım" dedi.
İlk destek veren Önder Sav oldu.
Kaset soruşturmasının sonucu beklenmemişti. "Kral öldü, yaşasın kral" devreye girmişti. Eski genel başkanı boşverip, yeni genel başkanı omuzlara almaları iki saniye bile sürmemişti. Baykal istifa ederken en çok ağlayanlar, şimdi en çok alkışlayanlar arasındaydı. CHP çok kötü bir sınav veriyordu. Komplonun peşine düşeceklerine, koltuk kavgasına düşmüşlerdi. "Bize bunu kim yaptı?" diyeceklerine, "Kim yaptıysa yaptı, iyi oldu, fırsat bu fırsat yeni yönetimden pay kapayım" duygusu hâkim olmuştu.
Kemal Kılıçdaroğlu sadece bir gün bekleseydi, aday olamayacaktı. Çünkü sadece bir gün sonra Ulusal Kriminal Bürosu, kaset raporunu açıkladı. Deniz Baykal'ın isteğiyle devreye giren söz konusu şirket, mahkemelere yeminli-bilirkişi hizmeti veriyordu. Rapora göre, görüntüler montajdı.

...»

Bursaspor şampiyon oldu.
Sadece "beşinci büyük" olmamıştı. "İlk" olmuştu.
O güne kadar şampiyonluk kupası, 17 defa Şükrü Saracoğlu'nda, 17 defa Ali Sami Yen'de, 13 defa İnönü'de, altı defa Avni Aker'de kaldırılmıştı. Şampiyonluk kupası, tarihimizde ilk defa "Atatürk" Stadı'nda kaldırılıyordu... Tabii o zamanlar, Kayseri Atatürk

Stadı gibi, Rize Atatürk Stadı gibi, Bursa Atatürk Stadı'nın da yıkılacağını ve Atatürk isminin silineceğini tahmin edemezdik. Bu kitabın yazıldığı tarihte, Bursa Atatürk'ü yıkıp, "Arena" yapmaya çalışıyorlardı.

...»

Yüksek Seçim Kurulu, referandum tarihini belirledi.
Tesadüfe bak şekerim...
"12 Eylül darbesini yargılayacağız" dedikleri referandum, takvimde başka gün kalmamış gibi, tam da 12 Eylül'de yapılacaktı.
Bülent Arınç "12 Eylül'e denk gelmesi Allah'ın lütfu" dedi.

...»

Zonguldak'ta grizu patladı, 30 işçi hayatını kaybetti.
Tayyip Erdoğan "kader" dedi.
Çalışma Bakanı Ömer Dinçer yüreklere su serpti.
"Bedenlerinde yanık yoktu, güzel öldüler" dedi!
Karadon'dan çıkarılan kömürün tonu 354 liradan satılıyordu.
Ölen işçiler, günde adam başı 5 ton kömür çıkarıyor, ayda 900 lira maaş alıyordu. Yani, bir ay çalışıp, bir günde çıkardığı kömürü bile satın alamıyordu. "Kader" denilen buydu.
2002'de 17 cenaze, 2003'te 22 cenaze vardı.
2004'te madenleri taşeronlaştırdılar...
Senelik ortalama cenaze sayısı dörde katlandı.
80'li rakamlara fırladı.
Hatta, 121 cenaze kaldırdığımız sene bile oldu.
"Güzel öldüler" denilen de buydu.
Madencileri defnederken, bir aile itiraz etti, "Bu bizim rahmetli değil" dedi. DNA testi yapıldı. Altı cenazenin karıştırıldığı anlaşıldı. Tek tek mezardan çıkardılar, aileleri değiştirip tekrar toprağa verdiler.

...»

Kemal Kılıçdaroğlu, CHP Genel Başkanı seçildi.
Kurultaya "kravatsız" katılmıştı. "Neden?" diye sordular. "Kendimi halka yakın hissettiğim için kravat takmadım" dedi. O salonda, Kemal Kılıçdaroğlu dışındaki bütün erkeklerin kravat taktığını düşünürsek... CHP'de halka yakın başka kimse yoktu demek ki!
Obama'nın TBMM'deki konuşmasını 365 gazeteci takip etmişti. Tayyip Erdoğan'ın AKP kongresini 420 gazeteci takip etmişti. Kemal Kılıçdaroğlu'nun "tek adam" olarak girdiği CHP

kurultayını 811 gazeteci takip etti. Obama'yı da Başbakan'ı da ikiye katlamıştı. CHP'nin İstanbul delegelerinin toplamı 140 kişiydi. Sırf, Doğan Grubu'nun akredite gazeteci sayısı 143'tü, delegeden fazlaydı.
Tarihte ilk defa, kurultay salonunda değişiklik yaptılar. Delegeleri tribüne alıp, delegelerin oturması gereken saha içindeki alanı gazetecilere tahsis ettiler. Parti liderini sandalyenin üstüne çıkıp alkışlayan, tezahürat yapan gazeteciyi ilk defa görüyorduk.

Kurultay bittikten sonra, Önder Sav röportaj verdi, perde arkasını anlattı. "Kemal Bey'le birkaç kez buluştuk. Kimsenin bilmediği-bilemeyeceği yerde buluştuk. Eşlerimize bile söylemedik. Gürsel Tekin mesela, Kemal'i elinde tuttuğunu sanıyordu. Herkes benim Kemal'le ayrı olduğumu zannetti. O kadar hedef saptırma yaptım ki, Kemal'in aday olduğunu kimse fark etmedi" dedi. CHP'nin hali buydu... Ve, yakında Önder Sav'ın da aynı şekilde kapının önüne konulacağını, Önder Sav bile fark edemeyecekti!

...»

Gazeteler 31 Mayıs'ta "yıldırım baskı" yaptı.
Çünkü 30 Mayıs gecesi iki müthiş haber patlamıştı.
Birincisi, İskenderun'daydı.
Askeri araca roketle saldırıldı, altı şehit verdik.
İkincisi, Akdeniz'deydi...
Helikopterle gelen İsrail komandoları, Mavi Marmara feribotunu, uluslararası sularda bastı. Sivillere kurşun yağdırdı. Dokuz vatandaşımız hayatını kaybetti. Yaralıları bile kelepçelediler. Kameraya kaydetmişlerdi, televizyonda yayınlıyorlardı. Dehşet ve çaresizlik içinde seyrediyorduk.
Mavi Marmara feribotu, sadece iki ay önce, İstanbul Büyükşehir Belediyesi tarafından İnsani Yardım Vakfı İHH'ya 1 milyon 800 bin liraya satılmıştı. Hadisenin nereye varacağını kavrayamayan basınımız, bu satışın sebebini hiç merak etmemiş, tek sütun haber bile yapmamıştı. Türk halkı, her zaman olduğu gibi, anca testi kırıldıktan sonra öğreniyordu.
İsrail, Hamas kontrolündeki Gazze'ye ambargo uyguluyordu. Mavi Marmara yolcuları bu ambargoyu delmeye gidiyordu. 2007'de TBMM Üstün Hizmet Ödülü alan İnsani Yardım Vakfı organize etmişti. Konvoyda, Mavi Marmara'yla beraber, daha

küçük ebatlarda altı gemi bulunuyordu. Gıda maddesi, giyecek, ilaç, çimento falan götürüyorlardı. 32 ülkeden 663 kişi vardı. Sadece Türkler öldürüldü.
Mavi Marmara konvoyu, bir haftadır Kıbrıs açıklarında bekliyordu. İsrail resmen "yaklaşırsa vuracağını" söylüyor, hükümetimizden çıt çıkmıyor, facia bağıra bağıra geliyordu. "Müdahale edin, kriz çıkacak" diyene "vay seni Siyonist" damgası yapıştırılıyordu.
Mavi Marmara, Türk bandıralıydı. İstanbul'dan Türk bandırasıyla yola çıkmıştı. Antalya limanına Türk bandırasıyla kayıt yaptırmıştı. Baskına bi uğradı ki... Komor bandıralı olduğu ortaya çıktı! Bandıra değişmişti. Değişmeseydi, hukuk gereği, savaş sebebiydi. Minare, kılıf meselesi... Bandıra değişince, devletin sorumluluğu ortadan kalkmıştı. İyi niyetle o gemiye binen insanlarımıza, yazık edilmişti.
Mavi Marmara, Haliç Tersanesi'nde yapılmıştı. Orijinal adı, Beydağı'ydı. İkizi vardı, Çıldır... O da satılmıştı. Türkiye Denizcilik İşletmeleri'ne ait Ankara feribotu satıldı, Samsun feribotu satıldı, Truva feribotu hurdacıya satıldı, Yeşilada jilet oldu, Tekirdağ feribotu tencere oldu, Bandırma feribotu tava oldu, Avşa feribotu çatal kaşık oldu. "Babalar gibi satış"ın bir başka yüzüydü.
Tayyip Erdoğan Şili'deydi. Başbakanlığa Bülent Arınç vekâlet ediyordu. Genelkurmay Harekât Başkanı Korgeneral Mehmet Eröz ve Deniz Harekât Dairesi Başkanı Tuğamiral Cem Çakmak'la acilen kriz toplantısı yaptı. Kadere bakın ki... Hükümetin "en önce akıl danıştığı" bu iki komutan, yakında tutuklanacaktı.

Hemen her şehrimizde protesto gösterileri yapılıyor, İsrail bayrakları yakılıyordu. İyi de... Terörle mücadeleyi İsrail'den aldığımız insansız hava aracı Heronlarla yürütüyorduk, onlar ne olacaktı? İsrail "Can güvenliğimiz yok" dedi, Heronlara komuta eden Batman'daki 15 personelini geri çekti. Heron'suz kalıverdik. "Vurulacağı belliydi, Mavi Marmara bile bile neden gönderildi, Hükümet niye müdahale etmedi?" diye soran gazeteciler topa tutuluyor, "Mossad ajanı" olmakla suçlanıyordu. Bu gazetecilerin imdadına, sürpriz bir isim, Fethullah Gülen yetişti. Çünkü... Hükümetimiz İsrail'e "korsan, haydut, eşkıya, katil, cani" diye saydırırken, Fethullah Gülen *Wall Street Journal*'a konuşuyor, "Bunlar yararlı şeyler değil, kimin suçlu olduğunu tayin etme işi Birleşmiş Milletler'e bırakılmalı" diyordu. Amerikan basınına "ilk defa demeç veren" Fethullah Gülen, Gazze'ye gemi gönderilmesini açıkça eleştiriyordu.

...»

O toz duman arasında, eski Adalet Bakanı Seyfi Oktay gözaltına alındı. Taaa 16 sene önce bakandı. Yargıda Alevi kadrolaşma yaptığı, Ergenekon davasına müdahale ettiği öne sürülüyordu. Tutuklanmadı ama bu kitabın yayımlandığı 2013'te hâlâ yargılanıyordu.

...»

Başbakanımız Şili gezisini yarıda kesti, yurda döndü,
ateş püskürüyordu, İsrail'e verdi veriştirdi, "Alçaklıktır,
devlet terörüdür, bedelini mutlaka ödeyecekler" dedi.
Cumhurbaşkanımız "Affetmeyeceğiz, asla eskisi gibi olmayacak,
pişman edeceğiz" dedi. Dışişleri Bakanımız "Barbarlıktır,
korsanlıktır, haydutluktur, yalnızlaştıracağız, cezalandıracağız"
dedi. Gel gör ki... Dışişleri Bakanımızın sadece iki hafta sonra
Brüksel'de otel odasında İsrail Ticaret Bakanı'yla gizlice
görüştüğü ortaya çıkacaktı. Cezalandırma bekleyen Türk halkı,
bu görüşmeyi İsrail basınından öğrenecekti.
Mavi Marmara'yı rehin alıp, çeke çeke İsrail'e götürdüler.
Cenazeler İstanbul'a, Fatih Camii'ne getirildi. Aralarında Şam
Müftüsü'nün de bulunduğu sekiz imamla cenaze namazı kılındı.

...»

O gün... Katolik Kilisesi Episkopos Vekili Luigi Padovese,
İskenderun'da evinin bahçesinde, Türk şoförü tarafından boğazı
kesilerek öldürüldü.

...»

Tayyip Erdoğan, Türk-Arap Forumu'nda konuştu.
Mehmet Âkif'in şiirini okudu.
"Türk Arap'sız yaşayamaz
kim yaşar der, delidir
Arap'ın Türk hem sağ gözüdür
hem sağ elidir" dedi...
Hızını alamadı, meclise geçti, "Araplara karşı ırkçılık yapılıyor,
bu ülkede köpeğini Arap Arap diye çağıranlar var" dedi.

...»

Sonra mevzuyu değiştirdi, futbolcu açılımı yaptı.

Aziz Yıldırım, Adnan Polat, Yıldırım Demirören, Sadri Şener, Ali Şen, Faruk Süren, Fatih Terim, Rıdvan Dilmen, Hakan Şükür, Ertuğrul Sağlam, Mahmut Özgener filan, hepsini topladı, açılıma destek istedi.

...»

Güney Afrika'daki Dünya Kupası başladı.
Hayatımıza vuvuzela girdi.

...»

Habur'da davul zurnayla karşılanan PKK'lılara tutuklama kararı çıktı.
Hemen ertesi gece... Şemdinli'de Irak sınırındaki bölüğe saldırıldı, 11 şehit verdik. Analar ağlamasın... Tam da Babalar Günü'ydü.
Başbakan, Genelkurmay Başkanı'yla birlikte, saldırıya uğrayan Gediktepe'ye gitti. "Çömelme açılımı" yapıldı... Kum çuvallarıyla çevrili siperden Kuzey Irak'a bakarken, hedef olmamak için hep birlikte çömelmişlerdi. Güya moral vermek için yapılan ziyaretin, moral bozucu fotoğrafıydı.
Davos'taki Superman...
Güneydoğuda Siper'man olmuştu.
BM "Güvenlik" Konseyi üyesi olmakla gurur duyan Türkiye, kendi topraklarında kum çuvallarının arkasına saklanıyordu.

...»

Ertesi gün... İstanbul-Halkalı'daki askeri lojmanlardan çıkan servis aracına bombalı saldırı düzenlendi. beş askerle birlikte, dersaneye giden 17 yaşındaki asker kızı Buse hayatını kaybetti.
Şehit askerlerden biri, Uzman Çavuş Mehmet Çağlar Bölük'tü.
Kardelen kampanyasıyla okuyan, öğretmen olan ve Kardelen kampanyasının televizyon reklamlarında oynayan Elif'in eşiydi. Bir başka deyişle... Türkan Saylan'ın "manevi damadı" şehit olmuştu.

...»

Gencecik damatlarımız, gelinlerimiz heba olurken... Rize'nin AKP'li Belediye Başkanı Halil Bakırcı, kuma açılımı yaptı, Kürt sorununa çözüm olarak "Güneydoğu'dan ikinci eş alınmasını" önerdi!

...»

Kemal Kılıçdaroğlu, Başbakan'dan daha cesur olduğunu göstermek için Genelkurmay Başkanı'yla birlikte Şırnak'a gitti, sıfır noktasındaki karakolları gezdi. Siperlerde ayakta durdular. Ayakta durdular ama... Siperlerdeki kum çuvalları neredeyse burun hizasına kadar yükseltilmişti!

...»

Politikacılarımızın "kahramanlık şovu" sona erdi...
O gece Şemdinli'de karakol bastılar, üç şehit daha verdik.

Gene o gece, "Aşk-ı Memnu" dizisinin final bölümü ekrana geldi. Başroldeki Bihter kendini kalbinden vurdu, Türkiye gözyaşlarına boğuldu. Şehitler iç sayfalarda, Bihter'in canına kıyması manşetlerdeydi.

...»

ABD Ankara Büyükelçisi James Jeffrey, Bağdat'a atandı. Onun yerine Francis Ricciardone geldi. Çok iyi derecede Türkçe ve Arapça konuşabilen yeni büyükelçi, Saddam karşıtı muhalefeti organize etmişti. "Irak'ın James Bond'u" olarak tanınıyordu.

...»

83 yaşındayken Ergenekon'un yöneticisi olmaktan gözaltına alınan İlhan Selçuk, 85 yaşında vefat etti. Gözaltına alınıp bırakılan kamuoyu araştırmacısı Erhan Göksel, ABD'de otel odasında ölü bulundu. Sanık olduğu davanın sonunu göremeyenlerin sayısı giderek artıyordu.

...»

Başsavcı İlhan Cihaner, Yargıtay tarafından serbest bırakıldı.
Dört ay yatmıştı. Görevinin başına döndü.
Dün teröristti, bugün Başsavcı'ydı.

...»

Balyoz'dan tutuklu bütün askerler gene tahliye edildi.
Vay sen misin tahliye kararı veren...
Yandaş medya, Balyoz hâkimi Yılmaz Alp'i anında manşete koydu. 1991'de, taaa 19 sene önce, Ankara Üniversitesi Hukuk Fakültesi öğrencisiyken molotoflu eyleme katıldığı yazılıyordu.
Yani? İşlerine gelmeyen hâkime "terörist" demeye getiriyorlardı.
Peki neydi bu molotof hikâyesi?
Hâkim Yılmaz Alp, 1991'de böyle bir iddiayla gözaltına alınmıştı. Ancak, çıkarıldığı mahkemede serbest bırakılmış, hakkında

takipsizlik kararı verilmiş ve suçsuzluğu kanıtlanmıştı. Sadece Emniyet'in elinde bulunan ve çoktan imha edilmiş olması gereken bu belgeler, birileri tarafından saklanmış, 19 sene sonra hâkimin aleyhinde sanki suç deliliymiş gibi kullanılmıştı. Türkiye'nin nasıl bir "istihbarat organizasyonu"yla karşı karşıya olduğunun vahim göstergesiydi.

...»

Liselere girerken üç aşamalı seviye belirleme sınavı yapılıyordu. Vazgeçildi. Artık sadece 8'inci sınıfta sınav yapılacaktı. AKP'li eski milli eğitim bakanının başlattığı uygulamayı, AKP'li yeni milli eğitim bakanı değiştirmişti. Eski bakanın üç aşamalı sınavını "eğitimde devrim" diye sunmuşlardı. Yeni bakanın tek aşamalı sınavını gene "eğitimde devrim" diye sundular.

...»

TSE Başkanı, oğlunu evlendirdi. Düğüne 37 bin kişi katıldı. Yanlış okumadınız... 37 bin kişi katıldı. Düğün, 26 bin metrekare kapalı alanı olan Konya TÜYAP Fuarı'nda yapıldı. İkram için 43 büyükbaş hayvan kesildi. Sadece Türk standartları açısından değil, dünya standartlarında bile rekordu.

...»

Türkiye'nin ekonomik büyümede sıçrama yaptığı, Çin'i bile solladığı anlatılıyordu. Ekonomi sayfalarında küçücük bir haber vardı. Yalova'nın Kazımiye Köyü'nde yaşayan çiftçi Turan Bektaş, 87,5 kilo kabak yetiştirmiş, İstanbul Sebze Hali'ne göndermişti. Bu 87,5 kilo kabak karşılığında, kendisine 1 lira 66 kuruş ödendi! Çünkü... Kabağın kilosunu 20 kuruştan, toplam 17 lira 50 kuruşa satın almışlar; navlun, stopaj, kadeve, komisyon neticesinde 21 lira 84 kuruş masraf çıkarmışlar, çiftçi Turan'ın sattığı kabaklar yüzünden 4 lira 34 kuruş borçlu olduğunu tespit etmişlerdi. Allah'tan, kasalar Turan'ındı... Kasalara el koyarak, 6 liradan saydılar, böylece 87,5 kilo kabak karşılığında 1 lira 66 kuruş ödeme yaptılar. "Büyüme" işte buydu.

...»

Üç tarafı denizlerle çevrili olmasına rağmen çipurayı çiftlikte yetiştirmeyi başaran Türkiye... Dünyanın en güzel meralarına sahipken, ineği de taaa Uruguay'dan getirmeyi başardı. Karkas etten sonra, canlı hayvan ithalatı başlamıştı. Türkiye'nin nüfusu

72 milyon, inek sayısı 10 milyondu. Uruguay'ın nüfusu alt tarafı 3 milyon, inek sayısı 13 milyondu... Çünkü üç çocuk değil, üç inek yapmaktı maharet!
Ve, inek ithal edildiğine göre yakında çoban da ithal edilir falan diye espri yapılıyordu ki... Edirne'de asgari ücretle Moldovalı çobanların çalıştığı ortaya çıktı.

...»

Dünya Kupası'nı Del Bosque'nin İspanya'sı kazandı. Türkiye'de Beşiktaş'ı çalıştırmıştı. "Bu göbekli haliyle olsa olsa Yeniköy Kasabı olur" diye kovulmuştu. Her şeyi olduğu gibi, futbolu da çok iyi biliyorduk yani! Yeniköy Kasabı'nın kupayı kazandığı gün, merak edip, sordurmuştum... İspanya'da kuzu pirzola 29 lira, kuzu kıyma 16 lira, dana kıyma 17 lira, dana kuşbaşı 19 liraydı. Aynı gün, İstanbul'da kuzu pirzola 48 lira, kuzu kıyma 38 lira, dana kıyma 32 lira, dana kuşbaşı 34 liraydı. Hesabını bilmezse kasap, kıçına kaçar masat dedikleri, olsa olsa buydu.

...»

Dünya Kupası'nın yıldızı "Ahtapot Paul"dü. Almanya'da hayvanat bahçesinde yaşayan kâhin ahtapottu. Karşı karşıya gelecek ülkelerin bayrakları iki şeffaf kutuya yerleştiriliyor, Ahtapot Paul hangisine giderse, maçı o kazanıyordu. Bizim durumumuz da Ahtapot Paul'e benziyordu. Referandumda "o mu, bu mu?" diye soruyorlardı. Evet ya da hayır diyecektik, başka seçenek yoktu.

...»

Genel seçim gibi mitingler yapılıyordu. CHP ve MHP "hayır" kampanyası başlatmıştı. Halk arasında "liboş" tabir edilen arkadaşlar "yetmez ama evet" sloganını icat etmişti. Fethullah Gülen ise, taaa okyanus ötesinden sesleniyor, "İmkân olsa mezardakileri bile kaldırıp evet oyu kullandırmak lazım" diyordu. Basınımızda "hayır" kelimesi adeta yasaklanmıştı, başlıklarda asla "hayır" kullanılmıyordu. Tayyip Erdoğan'ın dilinden düşmeyen "hayırlara vesile olsun" temennisi, bıçak gibi kesilmişti. Cep telefonlarından devamlı "Hayırlı kandiller" diye mesaj atan AKP'liler, bu kandilde "kandiliniz kutlu olsun" mesajı gönderiyordu. "Hayırlı cumalar" bile demiyorlardı.
İşin matrak tarafı, referandum öncesine denk getirerek ramazan ayını alet etmeye kalkmışlardı ama, hayır'lı ramazanlar, en hayır'lı ay, ramazanı şerifiniz hayır'lı olsun... Ramazan komple "hayır"lıydı!

Ankara'nın en işlek bulvarlarındaki reklam panolarına korsan afişler asıldı. Sanatçıların, işadamlarının fotoğrafları vardı, "referandumda evet" yazıyordu. Afişlerde yer alan insanların afişlerden haberi bile yoktu, izinleri alınmamıştı. Ahaliye şapşal muamelesi yapılıyor, "Bir kişiyi bile kandırsak, kârdır" mantığıyla hareket ediliyordu.
Sezen Aksu "evet" diyeceğini açıkladı.
12 Eylül 1980'e damgasını vuran sanatçı Hasan Mutlucan'dı.
12 Eylül 2010'a damgasını vuran sanatçı Sezen Aksu'ydu.

...»

Türkiye'nin ortanca yaşı 28'di.
1980'de darbe olduğunda, nüfusun yarısı henüz dünyaya bile gelmemişti. Yalaka köşe yazarları buna güveniyordu.
"Demokratım, darbecilere karşıyım" filan diye atıp tutuyorlardı.
"Nasıl olsa gençler o günleri hatırlamıyor" diye düşünüyorlardı.
Halbuki 12 Eylül 1980 darbesinden sonra yazdıkları arşivde kabak gibi duruyordu.
Bugün Kenan Evren'e karşı olduğu için "evet" oyu vereceğini yazan bi arkadaş mesela... Kenan Evren darbe yaptığında "Hukukçular Kenan Evren'in sözlerini mukaddes kitap gibi öpüp öpüp başlarına koysunlar" diye yazmıştı. Bir başkası "Böylesine olumlu bir harekâta destek olmak, milletçe hepimizin görevidir" diye döşenmişti. Bugün utanmadan "Evren yargılansın" diyen bi köşe yazarı, "Eğer ordumuz ihtilali başarmasaydı, başımıza gelecekleri düşünebiliyor musunuz, hep birlikte bin şükredelim" demişti. "12 Eylül darbe değildir, Kenan Evren'e tamamiyle katılıyoruz, 12 Eylül'ün gerekçesi haklıdır, halkın meşru müdafaaya geçtiği gündür" diyen, demokrat abla bile vardı!
Menderes'i alkışlayan, sonra askeri alkışlayan, sonra Demirel'i alkışlayan, sonra askeri alkışlayan, sonra Özal'ı alkışlayan, sonra askeri alkışlayan, sonra AKP'yi alkışlayan zihniyetti bu... Gelene ağam, gidene paşam'cılardı.

...»

Tayyip Erdoğan, hem ülkücü hem devrimci açılımı yaptı.
Çıktı meclis kürsüsüne... 12 Eylül darbesinde idam edilen Erdal Eren, Necdet Adalı ve Mustafa Pehlivanoğlu'nun ailelerine yazdıkları son mektupları okudu. Okurken ağladı. O güne kadar "cibilliyetsiz, katil, ırkçı, kafatasçı" dediği ülkücü-devrimcilere iade-i itibar ediyordu!

Devrimci 78'liler Federasyonu anında tepki gösterdi. Erdal Eren ve Necdet Adalı'nın "kirli politikalara alet edilmemesi" istendi. Ülkücülerin ise, kafası karışıktı. Muhsin Yazıcıoğlu'nun yokluğunda BBP'lilerin evet'e yakın olduğu görülüyordu. MHP tabanında da evet'çiler vardı. Başbakan'ın duygusal konuşması, sol'da değil ama sağ'da işe yarıyordu. İdamlıkların mektupları müthiş etkili manevraydı. Doğma büyüme ülkücülere Habur rezaletini bile unutturmuştu.
Tayyip Erdoğan hızını alamadı, "Benim bakanım Ertuğrul Günay 12 Eylül'de tutukluyken babasını kaybetti, 12 Eylül yönetimi babasının cenazesine katılmasına izin vermedi" dedi. Salon alkıştan yıkıldı. AKP milletvekilleri avuçları patlarcasına şakşaklıyordu. Küçük bi pürüz vardı... Daha bi kaç gün önce Profesör Mehmet Haberal'ın babası vefat etmişti. AKP yönetimindeki Türkiye, tıpkı 12 Eylül rejimi gibi, cenazeye katılmasına izin vermemişti.

...»

Hakkâri'de altı şehit daha düştü.
Toprağa verildikleri gün...
Abdülhamid'in torunu Osman Osmanoğlu vefat etti.
Başbakanımız, dört bakanıyla cenaze namazına katıldı.
Padişahımız Efendimiz Abdülhamid Han'ın torunu, 93 yaşındayken yatağında vefat etmişti. Tabutunu, Başbakanımızla beraber İçişleri Bakanımız omuzladı. Rahmetli Sultanzade'nin Meksika'da yaşayan kızı Martinez Hanım ile Fransa'da yaşayan kızı Bory Hanım cenazeye teşrif etmişlerdi. Hanedanımızın üyeleri Dorothe Ragot, Christine Dreyfuss, Sofia, Rotraud ve Roxanne hanımlar, Çadır Köşkü'ne gelen hükümetimizin taziyelerini kabul etti. Reisüll Kurra Efendi nezaretinde hatim indirildi. Helva dağıtıldı.
Hanedan'ın Michigan'da yaşayan ve bir dönem ABD Silahlı Kuvvetleri'nde subaylık yapan reisi, zahmet edip gelmedi. Kuru bi telgraf gönderdi. Bu nedenle... "Kimsesizlerin kimi" olan Başbakanımızın tabutu omuzlaması, Hanedan'ın kimsesiz kalmaması açısından çok iyi oldu!

...»

Manşetler Abdülhamid'in torununu anlatırken, arka sayfalarda şehitlerin öyküleri vardı. 20-21 yaşlarındaydılar. Canlarını vererek, Cumhuriyet'i ayakta tutmaya çalışıyorlardı. Hayatları boyunca İstanbul'u bile görmemişlerdi. Birinin babası portakal bahçesinde bekçi, birinin çiftçi, birinin işçi, birinin işsizdi... Bir tanesi takdirnameli öğrenciydi, garibanlıktan üniversite okuyamamış, askere gitmesi için yol parasını bile öğretmenleri vermişti. Götürüp, gömdüler çocukları bi yerlere.

...»

Başbakanımız, cenaze çıkışı Tarabya'da kuruyemişçiye girdi. Kilosu 70 lira olan "altın çilek"ten bir kilo aldı. Televizyonlar haber yaptı. "Başbakan aldığına göre, demek ki şeker hastalığına iyi geliyor" efsanesi yayıldı. Türkiye bu hale gelmişti. Başbakan yapıyorsa... Profesör ne demiş, doçent itiraz etmiş, hikâyeydi. Güney Amerika'dan ithal edilen altın çilek anında karaborsaya düştü. Hemen peşinden altın çilek'ten üretilen zayıflama hapları türedi. İşporta tezgâhlarında satılıyordu. Altın çilek haplarından ölenler bile oldu.

...»

Dünya Sağlık Örgütü'nden Sigarayla Mücadele Ödülü verdiler Tayyip Erdoğan'a... Ödülü alınca, hızını alamadı, içki içmek yerine, üzüm yenmesini tavsiye etti. O zamanlar "ayran" demek aklına gelmemişti. "Yahu arkadaş, siz bu alkolü nereden elde ediyorsunuz, meyvelerden elde ediyorsunuz, üzümden elde ediyorsunuz, içeceğine onu ye" dedi.
Mizah dergilerine kapak oldu. "Beyaz peynirle kavunun yanına 35'lik üzüm açtım" filan gibi espriler yapıldı. Başbakan sinirlendi, "Kimseye karışmıyoruz, aksırıncaya tıksırıncaya kadar içiyorlar" dedi.

...»

Yüksek Askeri Şûra'ya bir hafta kala, 28'i general 102 muvazzaf subay hakkında yakalama kararı çıktı. Böylece "Balyoz" meselesi yeni boyut kazandı. Çünkü yakalama kararı çıkarılan subayların neredeyse tamamı, ne tesadüftür ki, terfi listelerinde birinci sıradaydı. Özellikle Deniz Kuvvetleri felç edilmişti.
Yandaş medyada açık açık "ordunun lağvedilmesi, yeniden ordu kurulması" gerektiğini yazanlar vardı. Mesela, *Yeni Şafak* gazetesi "Genç subaylar Balyozcudan rahatsız" manşeti atmıştı. Haberin spotunda "Balyoz sanıkları rütbelerini koruduğu için, Yüksek Askeri Şûra'da terfi bekleyen subayların rahatsız olduğu" belirtiliyordu. Henüz yargı önüne bile çıkmamışlardı ama "Atın bunları" deniyordu. Yüksek Askeri Şûra bu baskıyla başladı.

Kuvvet komutanlıklarının görüşüleceği gün... Kara Kuvvetleri Komutanlığı'na atanmasına kesin gözüyle bakılan 1'inci Ordu Komutanı Hasan Iğsız "acil" koduyla Ergenekon'dan ifadeye çağırıldı. İmzasız ihbar mektubu savcılığa 10 ay önce gelmişti ama, "acil" kodlu ifade daveti 10 ay sonra, tam da YAŞ'a denk gelmişti! Tayyip Erdoğan veto etti, Hasan Iğsız emekliye sevk edilip, tasfiye edildi.
Necdet Özel, Jandarma Genel Komutanı yapıldı. Jandarma Genel Komutanı Atilla Işık'ın Kara Kuvvetleri Komutanlığı'na kaydırılması bekleniyordu. Atilla Işık tarihi protesto gerçekleştirdi, sürpriz şekilde emeklilik dilekçesi verdi, bıraktı. Teamüller bozulmuş, komuta kademesi allak bullak olmuştu. Yandaş medyada tuhaf bi telaş başladı.
"Necdet Özel'in önü kesiliyor" yorumları yapılıyordu. Atilla Işık bırakınca, Necdet Özel'in Kara Kuvvetleri Komutanlığı'na atanma ihtimali doğmuştu. E ne var bunda? "Necdet Özel şu anda Kara Kuvvetleri Komutanı olursa, Genelkurmay Başkanlığı yolu kapanmış olur, Genelkurmay Başkanı'nın üç senesi daha var, Necdet Özel şimdi Kara Kuvvetleri Komutanı olursa, iki sene sonra Genelkurmay Başkanı olamadan mecburen emekliye sevkedilir" deniyordu...
Her akşam televizyon karşısına geçip, yandaş arkadaşların bu tür hesaplarını dinliyorduk. Necdet Özel'e büyük alakaları vardı.
Netice?
Çankaya Köşkü'nde zirve üstüne zirve yapıldı. Pazarlık üstüne pazarlık... Kriz bir hafta sürdü. Mahkeme yeni karar aldı, pardon dedi, 102 subay hakkında verdiği yakalama kararını kaldırdı.
Hukuk, çocuk oyuncağına dönmüştü. İlker Başbuğ emekli oldu, Işık Koşaner Genelkurmay Başkanı oldu. Erdal Ceylanoğlu Kara Kuvvetleri Komutanı oldu. Terfi sırasında Ceylanoğlu'nun önünde yer almasına rağmen, Necdet Özel, Jandarma'da kaldı. Böylece, yeniden Genelkurmay Başkanlığı yolu açılmış oldu.
Balyoz'da ismi geçen subayların terfisi durduruldu.
İrticadan hiç kimse ihraç edilmedi.

...»

Hapisteki Ergün Poyraz'ın *Takunyalı Führer* isimli kitabı piyasaya çıktı. Kapağında, Başbakan Erdoğan, Nazi üniformasıyla resmediliyordu. Anında, en çok satanlar listesinin zirvesine fırladı. "Silivri kütüphanesi" oluşmaya başlamıştı. İçerde yazılan kitaplar, dışarda en çok okunan oluyordu.

...»

Referandum için sınır kapılarında oy verme işlemi başladı.
Anlaşıldı ki, sandığa atmak için ayrı ayrı evet ya da hayır kâğıtları yoktu. Tek kâğıt vardı. Sol tarafı beyazdı, evet yazıyordu, sağ tarafı kahverengiydi, hayır yazıyordu. Hangi seçeneği tercih ediyorsan, mühürü onun üzerine basıyordun.
Ancak... Mühürde "evet" yazıyordu!
Rezaletti.
Hayır'a bile bassan, evet yazıyordu.
Böylece, hem örtülü yönlendirme yapılıyordu, hem de sayım sırasında karışıklığa pek müsaitti. Gazeteler televizyonlar haber yaptı, "Bu ne biçim mühür?" diye soruldu. Yüksek Seçim Kurulu, hay Allah pardon dedi, üzerinde sadece "tercih" yazılı mühürlerin kullanılmasına karar verdi.

...»

TÜSİAD, referandumda taraf olmadığını açıkladı.
Tayyip Erdoğan kızdı, "Bitaraf olan bertaraf olur" dedi.

...»

Sandığa günler kala...
Eskişehir Emniyet Müdürü Hanefi Avcı tarafından yazılan *Haliç'te Yaşayan Simonlar-Dün Devlet Bugün Cemaat* isimli kitap piyasaya çıktı. Türkiye temellerinden sarsıldı.
Fethullah Gülen cemaatinin polis teşkilatı içinde nasıl örgütlendiğini, özel yetkili bütün savcı ve hâkimlerin değiştirilmesi gerektiğini, aksi halde cemaate muhalif hiç kimsenin hayatının güvencede olamayacağını, gündemi sarsan iddiaların cemaat tarafından yayıldığını, Ergenekon'un Balyoz'un cemaatin işi olduğunu, Deniz Baykal'a yönelik kaset komplosunun cemaat tarafından yapıldığını yazıyordu.
"Karşımızdaki kişiler polis, hâkim veya savcı değil, cemaatin elemanlarıdır" diyordu. Somut örnekler anlatıyor, isimler veriyor, şahitler gösteriyordu.

...»

PKK ateşkes ilan etti.
Murat Karayılan sebebini izah etti. "Öcalan'la konuştular, ateşkes ilan ettik, aslında Öcalan aradan çekilmişti, karşı taraftan diyalog talebi gelince, önderimiz bir fırsat daha verdi" dedi.
Murat Karayılan böyle deyince, "PKK'yla masaya mı oturuldu?" tartışması başladı. Tayyip Erdoğan, Kayseri mitingine çıktı,

"Bizim terör örgütüyle masaya oturduğumuzu söyleme şerefsizliğini yapanlar, bu alçakça iftirada bulunanlar, bunun hesabını her yerde verecek... Eyyy Kılıçdaroğlu, eyyy Bahçeli, bu iddianızı ispatla mükellefsiniz, ispatlayamazsanız müfteriniz" diye bağırdı. "Türkiye seninle gurur duyuyor" diye alkışladılar.

...»

Evet mi çıkacak, hayır mı çıkacak diye merak edilirken...
Sabancı Üniversitesi tarafından üretimine başlanan "milli robot"umuz basına tanıtıldı. "İnsansı"ydı. Yürü diyorsun, yürüyor; dur diyorsun, duruyor; otur diyorsun, oturuyor; kalk diyorsun, kalkıyordu. Tek eksiği vardı... Konuşamıyordu. Siz ona ne derseniz deyin, başını aşağı yukarı sallıyor, mevzu ne olursa olsun "evet" manasında tasdikliyordu.
Sandık başına gittik.
Yüzde 58 evet çıktı.

...»

Belediye seçiminde CHP'ye oy veren şehirler "hayır" demişti. MHP'ye oy veren şehirlerden ise "evet" çıkmıştı. Tayyip Erdoğan'ın idamlık mektupları etkisini göstermişti. 12 Eylül'le hesaplaşma vaadi, MHP tabanında karşılık bulmuştu. BDP güya boykot etmiş, sandığa gitmemişti ama, bu sayede Güneydoğu'dan komple evet çıkmasını sağlamıştı. Başbakan, teşekkür konuşmasında "Okyanus ötesinden destek veren kardeşlerimi de kutluyorum" dedi.

...»

O akşam, ev sahipliğini yaptığımız Dünya Basketbol Şampiyonası finalinde ABD'ye yenildik, tarihimizde ilk defa dünya ikincisi olduk. Tayyip Erdoğan "evet" çıkarmanın keyfiyle maça gelmişti. Burnundan geldi. Madalya töreni sırasında, bütün salon Cumhurbaşkanı ve Başbakan'ı yuhladı. "Türkiye laiktir laik kalacak" sloganları atıldı. Korumalar bazı seyircileri tartakladı, tribünlerden pet şişe fırlatıldı.

...»

Ertesi sabah, CHP lideri Kılıçdaroğlu'nun referandumda oy kullanamadığı ortaya çıktı! Eşi benzeri görülmemiş skandaldı.
Peki nasıl olmuştu bu iş?
Büyükşehir'e başkan adayı olunca, Ocak 2009'da ikametgâhını İstanbul Kâğıthane'ye yazdırmış, oyunu orada kullanmıştı.

Seçimi kaybedince, Temmuz 2009'da ikametgâhını yeniden Ankara'ya taşımıştı. Ancak, bu adres değişikliğini resmi olarak bildirmeyi unutmuştu. İstanbul'dan silinmiş, Ankara'ya yazılmamıştı. Askıya çıkan seçmen listelerini kontrol etmemiş, ettirmemişti. Seçmen kâğıdı gelmeyince jeton düşmüştü ama, YSK'ya yapılan itiraz nafileyle sonuçlanmış, iş işten geçmişti. Oy kullanamayacağını aslında günlerdir biliyordu. Kurmaylarıyla yaptığı toplantıda "AKP bu durumu aleyhimizde kullanabilir" endişesiyle, gizleme kararı almış, kamuoyuna açıklamamıştı.
Hayır diyelim derken...
Kendilerine bile hayır'ları olmamıştı.
CHP'linin CHP'ye ettiğini hiçbir AKP'li edemezdi.

...»

Referandum bitti.
Zincirleme reaksiyon başladı.
Hanefi Avcı derhal tutuklandı.
Devrimci Karargâh Örgütü'ne yardım ve yataklık yaptığı iddia ediliyordu. Hayatı boyunca terör örgütleriyle, özellikle sol tandanslı örgütlerle mücadele eden polis şefini, sol örgüte yamamışlardı. Hanefi Avcı hapse atılınca... Fethullah Gülen isim vermeden "Allah taksiratını affetsin" dedi!

...»

YÖK, üniversitelere resmi yazı gönderdi. Bundan böyle, türbanlı öğrencilerin derslerden çıkarılmayacağını, çıkarmaya kalkışan öğretim üyeleri hakkında disiplin işlemi yapılacağını bildirdi.
Kemal Kılıçdaroğlu'nun "yeni CHP"si sessiz destek verdi.
Üniversitelerdeki türban yasağı fiilen kalktı.

...»

HSYK üyeleri istifa etti.
Yerlerine gelecek üyeler için seçim yapıldı.
Adalet Bakanlığı'nın desteklediği liste komple kazandı.
HSYK'nın yeni üyeleri seçilir seçilmez... 20 yeni makam aracı alındı. Hepsi sıfır kilometreydi. Henüz 2010'daydık, 2011 model alınmıştı. 17 katlı yeni bina tahsis edildi. Odalar tefriş edildi. Hepsine sekreter verildi. Hepsine şoför verildi. 2'şer bin lira zam yapıldı.
Yeni HSYK'nın ilk icraatlarından biri ne oldu?
"Başsavcı" İlhan Cihaner "düz savcı" yapıldı!

...»

Cumhurbaşkanı Gül, komutanların türban hassasiyeti nedeniyle, Cumhuriyet bayramlarında çifte resepsiyon veriyordu. Gündüz devlet erkânını "eşsiz" ağırlıyor, akşam da sanatçılara, iş dünyasına "eşli" resepsiyon veriyordu. Referandumda evet çıktıktan sonra, tek resepsiyona döndü. Türbanlı first leydi'nin devlet erkânına ev sahipliği yaptığı ilk 29 Ekim resepsiyonuna, komutanlar katılmadı.
Başbakan, türbanlı first leydinin ev sahipliği yaptığı ilk "eşli" resepsiyona, gene "eşsiz" katıldı. Emine Hanım'ın dünürüne gittiğini söyledi. Dedikodu almış yürümüştü, Hayrünnisa Hanım'la Emine Hanım arasında soğukluk vardı. Ancak, cısss bi konu olduğu için özgür (!) basınımız tarafından yazılamıyordu.

...»

Tayyip Erdoğan'a resepsiyondaki sohbet sırasında "Hayatınız boyunca unutamadığınız soru oldu mu?" diye sordular. İstanbul Belediye Başkanı'yken bir televizyon programına katıldığını, İzmir'den bir vatandaşın telefonla yayına bağlanıp "Atatürk'ü seviyor musunuz?" diye sorduğunu, kendisinin de "Seviyorum desem, inanmayacaksın, sevmiyorum desem, zil takıp oynayacaksın" cevabını verdiğini anlattı. Gazeteciler pek bi sırıttı bu hatıraya... Hiçbiri çıkıp "Tamam da, seviyor musunuz sevmiyor musunuz, referandumdaki gibi evet veya hayır diye cevap verir misiniz?" demeye cesaret edemedi.

...»

Milli Güvenlik Kurulu toplandı. Cumhuriyet tarihinde bir ilk yaşandı. "Kırmızı Kitap" olarak bilinen, Milli Güvenlik Siyaset Belgesi değiştirildi. İrtica, iç tehdit olmaktan çıkarıldı. Aslına bakarsanız, laiklik karşıtı eylemlerin odağı olan parti iktidardaysa... İrticanın o kitapta bulunmasının zaten manası yoktu.

...»

Savarona basıldı.
Atatürk'ün yatını kerhaneye çevirdikleri anlaşıldı.
18 yaşından küçük kızlarla fuhuş partileri düzenleniyordu.

...»

Geçen sene Mayıs ayında, Hakkâri-Çukurca'da mayın patlamış, yedi asker şehit olmuştu. O mayının, PKK değil, TSK tarafından döşendiği açıklandı. Bölge komutanı tuğgeneral, tutuklandı. Faciayla sonuçlanan bu yanlışlık, bazı komutanların ses kayıtlarının internete düşmesiyle ortaya çıkmıştı. Facianın ortaya çıkması çok iyiydi ama... Komutanların telefonunu kim dinliyor, kim kaydediyor, medyaya kim servis ediyor, bu sorulara kimse kafa yormuyordu.

...»

Ünlü yönetmen-müzisyen Emir Kusturica, Antalya Film Festivali'ne jüri üyesi yapıldı. Ortalık ayağa kalktı... "Vay efendim, Sırpların Müslüman katliamına destek veren bu adam nasıl olur da, Türkiye'de jüri üyesi yapılır" denildi. Kültür Bakanı Ertuğrul Günay ateş püskürdü, Kusturica'nın jüri üyesi yapılmasını protesto etti. Halbuki... Aynı Emir Kusturica, üç ay önce Bursa Festivali'ne getirilmiş, konser verdirilmişti. AKP'li belediye olunca, Kusturica güzel, CHP'li belediye olunca, Kusturica çirkin'di.

...»

Türk Patent Enstitüsü açılım yaptı, bazı Kürtçe markaları tescilledi. En ilginçlerinden biri, Örümcek Adam manasına gelen Tevnepir Mirov'du. "Kurdcell" ve "Cola Kurda" başvuruları kabul edilmedi.

...»

Cumhurbaşkanı Gül, New York'ta Amerikan şirketlerinin yöneticilerine konuştu, reklamımızı yaptı. "Türkiye minimum risk, maksimum kazancın buluştuğu ülkedir, böyle ülkeyi dünyada zor bulursunuz" dedi.
Türkiye'ye dolar veya euro getirip, TL'ye çevirip, borsaya yatıranlar... Sadece 100 gün içinde, döviz bazında yüzde 36 net kâr elde ediyordu. Peki, yüzde 36 kâr elde eden bu arkadaşlar ne kadar vergi ödüyordu? Yüzde sıfır... Bir kuruş bile vergi ödemiyordu. E böyle ülke hakikaten dünyada yoktu.

...»

Memlekette satacak mal kalmamıştı. 49 seneliğine kiralıyoruz ayaklarıyla dereleri satmaya başlamışlardı. Tabiat harikalarına hidroelektrik santralları kuruluyordu. Çevreciler mücadele ediyor, mahkemeye veriyor, dereleri SİT alanı ilan ettirerek, baraj inşaatlarını engellemeye çalışıyorlardı. *Hürriyet* başyazarı Oktay Ekşi, bu hadiseyi kaleme aldı. Köşe yazısını "Analarını

bile satan zihniyetin marifetlerini görüyoruz" cümlesiyle bitirdi. Ertesi gün "özür diledi" ama, iş işten geçmişti.
Linç kampanyası başlatıldı. AKP resmi olarak kınadı, Başbakan mahkemeye verdi. *Hürriyet* binası önünde protesto gösterileri yapıldı, *Hürriyet* gazetesi yakıldı. 24 saat dayanabildi... Oktay Ekşi istifa etti. 44 senedir *Hürriyet*'te çalışan, 36 senedir başyazar olan gazeteci, bir cümleyle infaz edilmişti.

...»

Öğretmen adaylarının girdiği KPSS'de, soruların önceden araklandığı, bazı dersanelere sızdırıldığı ortaya çıktı. ÖSYM Başkanı Profesör Ünal Yarımağan istifa etti. Yerine, Profesör Ali Demir getirildi.

...»

Diyanet İşleri Başkanı Profesör Ali Bardakoğlu, görevden alındı. Cumhurbaşkanı Sezer tarafından bu makama getirilmişti. AKP'yle hep mesafeliydi. Kürt açılımına destek vermemişti. "Zihinlerdeki parçalanmayı artırır" diyerek, Kürtçe vaaza karşı çıkmıştı. Sık sık Atatürk'e atıfta bulunurdu. Kadın hakları konusunda çağdaş adımlar atmış, iktidar-muhalefet ayırmamıştı. Tayyip Erdoğan "Başörtüsünü Diyanet'e soralım" dediğinde... "Yasal düzenleme için Diyanet'in görüşünü sormak, laiklik ilkesine aykırıdır" cevabını vermiş, bardağı taşırmıştı! Görevden alındı. Yerine, Mehmet Görmez getirildi.

...»

Diyanet İşleri Başkanı değişir değişmez, bismillah ilk iş, Türkiye Diyanet Vakfı Kadın Merkezi Başkanı Ayşe Sucu görevden alındı. İmam hatip mezunuydu, türban takmıyordu. Saçı görünecek şekilde Benazir Butto tarzı örtünüyordu. Diyanet İşleri Başkanlığı'nın ilk eğitim uzmanıydı. Çağdaş yorumlarıyla tanınıyordu. Böylece... Diyanet'in yeni yönetim biçimi belli olmuştu.

...»

2010 senesinin Kurban Bayramı'nda...
Tarihimizde ilk defa ithal kurbanlık koyunlar geldi.

...»

Haydarpaşa Garı'nın çatısında yangın çıktı, kül oldu.
Kelimenin tam manasıyla "kül"tür başkenti olduk.

...»

Belçika devlet televizyonundaki bilgi yarışmasına, Flaman Parlamentosu Başkanı Peumans katıldı. Voltaire'in "dünyadaki en iğrenç halk olarak hangi milleti tanımladığı" soruldu. Cevap şıklarında Flamanlar, Yahudiler, Türkler vardı. Peumans hiç düşünmedi, "Türkler" dedi. Sonra da utanmadan "Aslında cevabın Yahudiler olduğunu biliyorum ama, Yahudiler hakkında konuşacak cesaretim yok, Türkler hakkında konuşmak sorun değil" dedi. Avrupa Birliği'nin merkezi Belçika'da halimiz buydu.

...»

Wikileaks depremi başladı.
"Bay Sızıntı" lakaplı Avustralyalı gazeteci Julian Assange, ABD büyükelçilerinin Washington'a gönderdiği kriptoları yayınlıyordu. ABD'yle iş tutan ülkelerin ipliği pazara çıkmıştı. Peyder pey 251 bin belge yayınlanacaktı. Depremin merkez üssü, Ankara'ydı. 8 bin civarında belge, ABD Ankara Büyükelçiliği kaynaklıydı.
Amerikalı diplomatların kriptolarına göre, Türkiye "İslamcı bir geleceğe doğru gidiyor"du. AKP'nin önde gelen pek çok yöneticisinin cemaat üyesi olduğu... Başbakan'ın çevresinin "dalkavuk" danışmanlarla doldurulduğu anlatılıyordu.
Bazı belgeler sansürlenerek yayınlanmıştı. Mesela, 8 Haziran 2005 tarihli yazışma, Başbakan Erdoğan'ın yakınında "köstebek" olduğu izlenimi yaratıyordu. İsmi gizlenerek xxxxx olarak belirtilen danışmanlardan biri, AKP'ye ait bilgileri Amerikalı diplomatlara aktarıyordu.
Çok iddia vardı ama, bir tanesi manşetlerde patlayacaktı.
30 Aralık 2004 tarihli kriptoda... Tayyip Erdoğan'ın İsviçre'de sekiz banka hesabı olduğu ima ediliyor, eski ABD Büyükelçisi Eric Edelman'ın bu iddiayı iki kişiden duyduğu öne sürülüyordu.

Tayyip Erdoğan, o sırada Libya'daydı.
Kaddafi adına verilen İnsan Hakları Ödülü'nü alıyordu.
Çok sinirlendi.
"Benim İsviçre bankalarında bir Allah kuruşu param yok, bu tür iftiraları atıp ispatlamayanlar ne kadar alçaksa, bu iftiraları yayanlar, siyaset malzemesi yapanlar da aynı derecede müfteridir, alçaktır" dedi.
Kaderin oyunuydu bi nevi.
Yandaş medyanın iftira manşetleri, bumerang gibi dönüp, Tayyip Erdoğan'ı vurmuştu. Neydi o bumerang derseniz... Geçen

seçimin arefesinde "Deniz Baykal'ın İsviçre'de gizli hesabı var" manşetleri atmışlardı... Ve, buna kanıt olarak da Pentagon'a ait olduğu öne sürülen bir belgeyi göstermişlerdi. Deniz Baykal mahkemeye başvurmuş, İsviçre Adalet Bakanlığı aracılığıyla, İsviçre'de banka hesabı olmadığı kanıtlamıştı. ABD Ankara Büyükelçiliği de, Pentagon'a ait öyle bir belge olmadığını açıklamıştı.
Peki, şimdi Tayyip Erdoğan da bağırmak yerine benzer yola başvurup, mahkeme kanalıyla İsviçre'de hesabı olmadığını belgeleyecek miydi? Bu sorunun cevabı merak ediliyordu.
Başbakanımız çıktı, küçük bi hatırlatma yaptı.
"Biz rahatız, iftira atanlar düşünsün... 'Tayyip Erdoğan'ın 1 milyar doları var' diyen kişi, Ergenekon'dan içerde" dedi.
Şırrak, Wikileaks haberleri bıçak gibi kesildi!

...»

Zaten, yeni mevzu hazırdı.
Fuhuş ve casusluk operasyonu başlatılmıştı.
Deniz Kuvvetleri'nde çete bulunduğu, bu çetenin fuhuş yaptırdığı, sonra da fuhuş yaptırdığı subaylara şantajla casusluk yaptırdığı iddia ediliyordu. Onlarca muvazzaf subay tutuklandı.
Tek örnek vereyim: Poyrazköy sanıklarından birine ait taşınabilir bellek, 15 ay sonra, casusluk davasındaki sanığın evinde "tekrar" bulundu, iyi mi! Seri numarası aynıydı. "Birileri"nin oraya buraya bellek sokuşturduğu... Bazen, hangisini nereye sokuşturduklarını unuttukları kanıtlanmıştı. Ama, ne fayda. İstediğin kadar kanıtla. Dinleyen yoktu.
Arama kararı çıkarılan adresler arasında, Genelkurmay Başkanlığı, Deniz Kuvvetleri Komutanlığı, Sahil Güvenlik Komutanlığı da vardı. Gölcük'teki Donanma Komutanlığı'nda döşemelerin altında sekiz çuval belge bulunduğu açıklandı.
Ertesi gün manşetler patladı. Balyoz ve İrticayla Mücadele Eylem Planı'nın "devamı niteliğinde belgeler" ele geçirilmişti. Enteresan ötesiydi... O güne kadar çürütülen ne kadar iddia varsa, onların yerine yenileri çıkmıştı. Gene hepsi dijitaldi. Üstelik, sekiz çuval belge saatler içinde nasıl incelenmiş de, hemen ertesi gün özetlenerek manşet olabilmişti? Hakikaten takdire şayandı!

...»

Balyoz davasının başlamasına 48 saat kala...
Hâkimlere "balyoz" indi.

Davaya bakacak olan mahkeme başkanı, HSYK tarafından görevden alındı, Gebze'ye gönderildi. Bu mahkeme başkanı, uzun tutukluluğa karşıydı, Profesör Haberal'ın tahliyesine karar vermişti. Onunla beraber... 14'üncü Ağır Ceza Mahkemesi Başkanı da, görevden alındı, Sakarya'ya gönderildi. Bu hâkim de, Albay Dursun Çiçek'in tahliyesine karar veren hâkimdi.
Dava başlamadan, sonu belli olmuştu.
196 sanık vardı, hiç tutuklu sanık yoktu.
Kimlik tespiti sırasında sanık sayısı 195'e düştü.
Çünkü sanık Recep Yavuz'a ait kimlik bilgilerinin, aslında, sanık Recep Yıldız'a ait olduğu anlaşıldı. Recep Yavuz'un sanık olmadığı ortaya çıktı. "Recep"ler karışmıştı.
İddianame çoook uzundu.
Yargı tarihimizde ilk defa, savcı tarafından değil, TRT spikerleri tarafından okunuyordu. Ve, aslında hiç şaşırtıcı değildi. El bombalarını canlı yayında bulan TRT, lav silahlarının kazısını naklen veren TRT, haham'ı konuk olarak ekrana çıkaran TRT, kimlerin tutuklanacağını evler bile basılmadan önce duyuran TRT... Konuya bu kadar "hâkim" olduğuna göre, iddianameyi de TRT okuyacaktı tabii!

...»

Ankara Valisi, Atatürk'ün Ankara'ya gelişinin yıldönümü kutlamalarındaki geleneksel garnizon koşusuna, tarihte ilk defa izin vermedi. Genelkurmay Başkanı Koşaner'di ama, erlerin koşması yasaktı.

...»

Ankara polisi, Ümitköy'deki restoranları bastı. "18 yaşından küçükleri içkili mekâna getiremezsiniz" diyerek, çocuklarıyla birlikte yemek yiyen anne babaların kimliklerini topladı. Ankara Barosu Başkanı Profesör Metin Feyzioğlu tesadüfen oradaydı, eşiyle yemek yiyordu, olaya müdahale etti. Gözaltına almaya kalkıştılar. Baro Başkanı olduğunu öğrenince bıraktılar, tutanak tutup gittiler.

...»

CHP gene kurultay yaptı.
Kemal Kılıçdaroğlu, Deniz Baykal'ın arkasından iş çevirip kendisine başkanlık yolunu açan Önder Sav'ın üstünü çizdi, CHP tarihinin en uzun süreli genel sekreterini yönetim dışında

bıraktı. Sav'uşturmuştu... Sezgin Tanrıkulu ve Muhammed Çakmak gibi dikkat çekici isimleri yönetime aldı. Diyarbakır Barosu eski başkanı olan Sezgin Tanrıkulu, anadilde eğitim başta olmak üzere, pek çok konuda BDP'yle birebir görüşlere sahipti. Muhammed Çakmak ise, her fırsatta Fethullah Gülen'e hayranlığını dile getiren ilahiyat fakültesi akademisyeniydi. Bu iki isim "yeni CHP"nin sembolleriydi.
"Asıl şimdi lider oldu" manşetleri atıldı. Basın'ç gene başlamıştı. CHP'nin Kılıçdaroğlu'yla ilk seçimde en az yüzde 50 oy alacağı, iktidar olacağı yazılıyordu. Mesela, *Hürriyet*'ten Ahmet Hakan "Ben mutlu olmayayım da kim olsun, Kemal'in lider oluşu yeni bir diriliştir, çok mutluyum çok" diye yazıyordu.

...»

2010'da beşi polis 104 şehit vardı.
"Ateşkes"le bile bu kadardı.

...»

Bir sene daha geride kalırken...
Ömrünü ve parasını kültüre adayan Şakir Eczacıbaşı, YÖK'ün kurucu başkanı Profesör İhsan Doğramacı, Galatasaray Başkanı Özhan Canaydın, Türkiye Barolar Birliği Başkanı Özdemir Özok ve sosyalist hareketin öncülerinden Nihat Sargın aramızdan ayrılmıştı. Türk karikatürü iki büyük ustasını, Turhan Selçuk ve Bülent Düzgit'i kaybetmişti. Ressamlarımız Ömer Uluç ve Ferruh Başağa, besteci Selmi Andak, gazeteci-yazar Deniz Som, satranç-briç ve bulmaca üstadı Şiar Yalçın vefat etmişti. Hollywood'dan Tony Curtis gitmişti.

2011

Ucube • Arap Baharı • Sehven • Soner Yalçın, Nedim Şener, Ahmet Şık • *İmamın Ordusu*, dokunan yanar • Kaşif Kozinoğlu • Mod Medyan • Hayaldi gerçek oldu • Çılgın proje • MHP'nin belaltı kasetleri • Püskevit • Aynı dağın yeliyiz biz • Şike davası • Genelkurmay Başkanı ve kuvvet komutanları istifa etti • Necdet Bey istifa'de etti • Somali • Kürecik • Görüşen şerefsizdir • Oslo • Van depremi • Bedelli askerlik • Padişah açılımı • Tayyip Erdoğan kanser mi? • Uludere

Âdettendir malum...
Yeni seneye girerken "yılbaşı bebekleri" haber yapılır.
Bu senenin dünyaya gelen ilk bebekleri Beyzanur, Muhammed, Yemen, Enes, Hüsna, Cuma, İkranur, Yüsra, Amine, Recep Tayyip'ti.
AKP'yle beraber Türkiye'nin isim haritası da değişmişti. Din vurgulu isimler artmıştı. Çünkü sadece "üç çocuk" kampanyası yapılmıyordu, aynı zamanda "Çocuklarınıza Kuran'da geçen isimlerden koyun" deniyordu. İsmin Kuran'da geçmiyorsa, adeta Müslüman değilsin muamelesi yapılıyordu.
Mekânların isimleri de değişiyordu. Mesela, Ulucanlar Cezaevi kapatıldı, restore edildi, "Utanç Müzesi" ismiyle hizmete açıldı. Deniz Gezmiş'in asıldığı, Bülent Ecevit'ten Muhsin Yazıcıoğlu'na, Nâzım Hikmet'ten Necip Fazıl'a kadar, sağdan soldan pek çok kişinin yattığı zulümhaneydi. Müzeye dönüştürülmesi takdire şayandı. Ama aslında herkes biliyordu ki "Tarihimizle yüzleşiyoruz, hukuku saygın hale getiriyoruz" palavrasının süsüydü. İnsanların duyguları alet ediliyordu.
Bu takıyye'ye kanıt mı istiyorsun?
Bi taraftan, adaletimizin "utanç" müzesi açıldı.
Bi taraftan, Hizbullahçılar sokağa salındı!

...»

Tutukluluk süresiyle alakalı kanunda değişiklik yaptılar. Uzun süre tutuklu kalınmayacaktı. Zannedildi ki, Ergenekon'dan üç senedir, dört senedir tutuklu olanlar faydalanacak... Hizbullahçıları bıraktılar.
"Mezar evler"le tanınıyorlardı. Fikirlerini beğenmedikleri insanları işkenceyle, domuz bağıyla öldürüp, bahçelerine, hatta evlerinin oturma odalarına gömüyorlardı. 188 kişiyi katletmekten, güya ömür boyu hapse çarptırılmışlardı. Hapishane kapısında davul zurnayla karşılandılar. Tekbirler eşliğinde halaylar çektiler. Endişeye gerek olmadığı, Yargıtay'daki dava bitene kadar yurtdışına çıkış yasağı konulduğu, her gün karakola gidip imza atacakları açıklandı. Ara ki bulasın tabii... Araziye uydular, kayboldular.

...»

Aynı gün... Deniz Feneri'nin Türkiye ayağını soruşturan Ankara'daki savcılarımız, nihayet Frankfurt'a geldi. Erişilmesi güç bir dünya rekoruydu. Anca 853 gün sonra gelebilmişlerdi. Adalet Bakanlığımızın sürati, refleksi muhteşemdi. Savcıları gönderirken "kaplumbağa" hızında olan Bakanlığımız, aynı savcıların tepesine binerken "atmaca" çevikliğinde olacaktı.

...»

Adaletimize dair bir başka çarpıcı örnek yaşandı. Tayyip Erdoğan "Hayır diyen darbecidir" demişti, mahkemeye verilmişti, suçsuz bulundu. Atatürkçü Düşünce Derneği Başkanı "Evet diyen gaflet içindedir" demişti, mahkemeye verilmişti, suçlu bulundu! Adalet dediğin, işte böyle olurdu.

...»

Ve, hukuksuzluklar unutulmasın diye Utanç Müzesi'nin ortasına "yağlı urganıyla darağacı" kurulurken... İnsanlık Anıtı "idam" edildi.
Tayyip Erdoğan Kars'a gitmiş, belediye tarafından heykeltıraş Mehmet Aksoy'a yaptırılan 24 metrelik heykeli göstererek, "Hasan Harakani Hazretleri'nin yanına ucube koymuşlar" diye bağırmıştı.
Halbuki, Hasan Harakani Hazretleri'nin türbesi 1033 senesinden beri, taaa bin senedir oradaydı. Heykel ise, 2006'da bizzat AKP'li belediye başkanı döneminde dikilmeye başlanmıştı.
O halde aslında mesele neydi?

Birincisi...
AKP'li belediye başkanı 2008'de CHP'ye geçmişti.
AKP'liyken "anıt"tı. CHP'liyken "ucube" olmuştu.
İkincisi...
Bu anıt, Ermeni açılımı sırasında Ermenistan'a ve dünyaya jest olarak planlanmıştı. Soykırım iddiası ABD'de bile resmen tanınınca, Ermenistan'a şirin görünmenin manası kalmamıştı.

...»

Galatasaray'ın yeni stadı açıldı. TOKİ Başkanı mikrofonu eline aldı, tribünlere hitaben konuşma yaptı. "Galatasaray yönetimi bize geldi, yardım istedi, Özhan Canaydın'ın karşımızdaki naif ve sessizce duruşu dün gibi aklımda" dedi. Hem Özhan Canaydın kısa süre önce rahmetli olmuştu, çıkıp kendisini savunamazdı. Hem de, koskoca kulübe "kömür torbası verilen gariban" muamelesi yapılmıştı. 50 bin kişi yuhladı. Tayyip Erdoğan çok sinirlendi, stadı terk etti.
Vatandaş "tek başına"yken fişlenmemek için susuyordu ama, tribünlerde kalabalığa karışınca basıyordu ıslığı... Stadyumlar, basketbol-voleybol salonları, hatta tenis kortları AKP için kâbus gibiydi.

...»

Arap Baharı patladı.
Wikileaks'in ilk somut sonucuydu.
Tunus first leydisi Leyla'nın yolsuzluk belgeleri Wikileaks'te yayınlandı, halk ayaklanması başladı. Ülkeyi 23 senedir demir yumrukla yöneten Zeynel Abidin bin Ali, Suudi Arabistan'a kaçtı.
İlk bakışta "ABD'nin ipliğini pazara çıkardı" zannedilen Wikileaks, ABD çıkarlarına gayet güzel hizmet ediyordu.
ABD hariç, ismi geçen her ülkede karışıklık çıkarıyor, hasar yaratıyordu.
10 gün sonra, Mısır patladı.
Tunus'a benzemedi, kanlıydı.
Sokak çatışmaları oluyor, insanlar ölüyordu.
Türkiye'nin istihbaratı, öngörüsü sıfırdı.
Tunus'tan sonra Mısır'daki Türk vatandaşları da olayların ortasında sıkışmıştı. Attık mı mangalda kül bırakmıyorduk ama, o sırada Mısır'da bulunan "Atıcılık" Milli Takımımız bile mahsur kalmıştı!
Bizim hükümet, dinci muhaliflerin safındaydı.
Mübarek'e sırtımızı dönmüştük.

Oysa, aynı Mübarek, Apo'nun Suriye'den çıkarılması konusunda arabulucuk yapmıştı, Türkiye Cumhuriyeti Devleti'nden "Üstün Hizmet Madalyası" bile almıştı. Dün dündü.

Mübarek'i en önce "yalaka basın" sattı.
Mübarek iktidarına yakınlığı nedeniyle "resmi gazete" olarak anılan *El Ahram* gazetesi, muhaliflerin yanına geçtiğini duyurdu. Son firavun'un işi bitmişti. 30 senedir Mübarek'in ne kadar mübarek bi adam olduğunu yazanlar... "Şu kadar milyar doları var, paraları şuraya kaçırdı" manşetleri atıyordu.
Mısır'da kan gövdeyi götürürken, bizim Başbakan, Suriye Başbakanı'yla beraber Asi Nehri üstünde baraj temeli atıyordu. "Asi Barajı dostlukla dolacak" diyordu. Esad'la aramızdan su sızmıyordu.

...»

Tunus patladı, Mısır patladı, "Acaba şimdi neresi patlayacak?" diye merak edilirken, Türkiye'de patlama oldu. Bizde patlayan "kayıtdışı"lıktı... Ankara'nın sanayi bölgesi Ostim'de çalışma belgesi bile olmayan jeneratör fabrikasında patlama oldu, dokuz kişi öldü. Hemen biraz sonra, torna atölyesi ruhsatıyla kaçak tüp üretimi yapan fabrikada patlama oldu, 11 kişi daha öldü.
İlk patlama "Uzay Çağı" caddesinde olmuştu. İkinci patlama "İvedik" bölgesinde oldu. Uzay Çağı'yla Recep İvedik'i yan yana getirip, peynirci dükkânında kaçak mazot üretirsen, olacağı buydu.

...»

Kaçak çalıştırılan işçilerimiz havaya uçarken, mecliste torba yasa çıkardılar. Keçi hakları'yla işçi hakları'nı aynı torbaya koydular. Bir maddesiyle keçilere ormanlarda dilediği gibi dolaşma özgürlüğü getiriyordu, öbür maddesiyle işçilerin protesto için sokakta yürüme özgürlüğünü yasaklıyordu. Aynı torbayla... "Keriz miyim niye ödeyeyim?" diyerek devlete vergi borcu takan patronlara af getirildi. "Enayi miyim niye ödeyeyim?" diyerek elektrik-su parasını ödemeyen sahtekâr vatandaşa af getirildi.

...»

Ankara Beypazarı'nın MHP'li belediye başkanı, AKP'ye transfer oldu. "Hizmet için geçtim" dedi. Peki neydi o hizmet? Ankara Büyükşehir Belediyesi, transfer karşılığında, cenaze arabası ve 80 tane tabut hediye etmişti! Cenaze arabası aynı anda dört cenazeyi taşıyabiliyordu. "Dört kollu"yu biliyorduk ama "arkayı dörtleyen" cenaze arabasını ilk defa görüyorduk. Full aksesuvar, çelik jant, deri döşeme, klimalıydı. Eşini, kaynananı, babanı, ananı da al bin! Hayırlı yolculuklar, doooğru cennete... Ayrıca, 2 bin 500 tane de gıcır gıcır kefen bezi hibe edilmişti.

...»

Türk Hava Yolları, Washington'a direkt uçuşlara başlamıştı. İlk seferin reklamı olsun diye, Apaçi, Novajo, Cheyenne, Mohikan kabilelerinden şefleri İstanbul'a getirmişlerdi. Devlet Bakanımız Zafer Çağlayan karşıladı. "Biz sizi Tom Miks'ten tanıyoruz, hani nişanlısı var Suzi" dedi. Halbuki Tom Miks, İtalyan çizgi romanıydı. Hikâye Dakota'da geçiyor ama çakma Amerikalıydı. Üstelik, küfür etseydi daha iyiydi. Çünkü Tom Miks, Kızılderililerin toprağına silah zoruyla oturanların askeriydi. Kızılderililerin Türk kökenli olup olmadığı merak ediliyordu. Bakanımız o mevzuya da girdi. "Ben baba tarafından Kürt'üm, Cemalan aşiretine mensubum, Mohikan-Cemalan kabilesi var, acaba aramızda akrabalık olabilir mi?" diye sordu. Kürt olup olmadıkları sorulan Kızılderililer, gülümsemekle yetindi, cevap bile vermediler.

...»

Mısır'da ordu yönetime el koydu.
Aynı gün, Türkiye'de orduya el kondu!
163 subay Balyoz'dan tutuklandı.
Hâkimler değişmiş, komutanlar içeri tıkılmıştı.
Korgeneral Korkut Özarslan, terfi teamüllerine göre 2017'de Genelkurmay Başkanı olacaktı. Annesi, oğlunun tutuklandığını duydu, dayanamadı, o gece vefat etti. Kanserden veya canına kıyarak hayatını kaybeden sanıklar hep haber yapıldı ama... Sanıkların yakınlarından kaç kişi "kahrından" gitti, onlar pek yazılmadı. Balyoz ve Ergenekon davaları bittikten sonra, hadisenin bu boyutunun da kitaplaştırılacağını tahmin ediyorum. Çünkü "aileler" de cezalandırılmıştı. Tuncay Özkan'ın, Mustafa Balbay'ın çocukları okuldan atıldı mesela... Kaç eş hastalandı, kaç evladın psikolojisi bozuldu, kesilen maaşlar, borçlar, geçim sıkıntıları, pırıl pırıl kaç hayat, kaç gelecek karartıldı?.. "İnsani bilanço"nun ilerde pek çok kişiyi "insan içine çıkamaz" hale getireceğinden eminim.

...»

Komutanların tutuklandığı gün, Cumhurbaşkanı İran'daydı. "Başkomutan" olarak neler hissediyordu? Taha Akyol köşesinde yazdı. Gazetecilerle sohbet ederken, Cengiz Çandar "Size kötü bir haberim var" demişti. Başkomutan endişelenmişti. "Eyvah, kötü bir şey mi oldu?" diye sormuştu. Cengiz Çandar damarına basarak "Beşiktaş yine yenildi" demişti. Boşkomutanımız koyu Beşiktaşlı ya... "Hayret yani, nedir bu böyle yenilgi üstüne yenilgi" demişti. Hep beraber kahkahadan kırılmışlardı. Durum buydu.

...»

Askerler hapse tıkıldı, polisler askerlikten kurtuldu.
10 senesini dolduran, muaf tutulacaktı. Polis aileleri teşekküre geldi, Tayyip Erdoğan "yırttınız" dedi. Emniyet Genel Müdürü, Tayyip Erdoğan'a Osmanlı tuğralı 1903 yapımı tabanca ve polis rozeti hediye etti. Başbakanımız, bi nevi polis olmuştu.

...»

Aynı gün... Ergenekon'dan tutuklanan teğmen'in cep telefonuna, polisler tarafından, dinci terör örgütü üyesine ait numaraların yüklendiği ortaya çıktı. Hangi polislerin yaptığı bile belliydi. "Sehven" denildi. Ekstra hazin tarafı... Bu teğmen, bu telefon numaraları "delil" kabul edildiği için 32 ay yatacaktı ama, delil denilen telefon numaralarının sahibi dışardaydı!
(Teğmen, polislerden şikâyetçi oldu. Teğmen'i suçsuz yere 32 ay hapis yatırdılar, polislerin ifadesini bile anca iki sene sonra aldılar. Polislerin ifadesi alınana kadar beş defa savcı değişti. Tübitak'tan istenen rapor 18 ay gelmedi. Bu kitap baskıya girerken, sehven'den henüz karar çıkmamıştı.)

...»

Yine aynı gün... Cumhuriyet tarihinin en kapsamlı öğrenci affı çıktı. Her ne sebeple olursa olsun üniversiteden atılana, dönüş yolu açıldı. "Her ne sebep olursa olsun" denilen, elbette türban'dı.

...»

Gazeteci Soner Yalçın tutuklandı.
Odatv'nin sahibiydi. Sansürsüz yayınlarıyla Türkiye'nin en çok takip edilen internet haber sitesiydi. Yazışleri müdürü ve haber müdürü de hapse atıldı. Odatv'nin yayınladığı son haber, Ergenekon ve Balyoz'la alakalıydı. "Operasyonları yürüten

polislerin, Amerikalılar tarafından eğitildiğini" ortaya koyuyordu. Televizyon kanalı satın almak üzere olan Soner Yalçın'ın mutlaka susturulması gerekiyordu.

...»

Libya patladı.
Kaddafi, Mübarek gibi kolayca teslim olmadı, iç savaş çıktı.
Kaç Türk vatandaşının Libya'da mahsur kaldığı bilinmiyordu. Gazeteler önce 4 bin diye yazdı, sonra 10 bine çıkarıldı, 20 bin filan derken, bir hafta sonra Başbakanımız anca açıklayabildi. "Asgari 25 bin" dedi. Azamisi gene meçhuldü.

...»

Libya olayları yalaka basınımıza ilaç gibi gelmişti. "Ne yapsam da subayların tutuklanmasını haber yapmasam, nasıl kıvırsam da Soner Yalçın'ın tutuklanmasını sansürlesem?" diye kafa yormaktan kurtulmuşlardı. Birinci sayfalarda varsa yoksa Kaddafi'ydi. Öbür haberleri arkalara atıyorlardı.
Deniz otobüsü, feribot, yüzebilen ne varsa Libya'ya gönderiyorduk. Çoğunluğu Türk inşaat şirketlerinde çalışan insanlarımızı yurda getirmeye çalışıyorduk. Ana haber bültenlerinde hükümetimizin ne kadar da muhteşem bir tahliye gerçekleştirdiği, dünyanın bize nasıl hayran kaldığı anlatılıyordu. Oysa... Rezaletin daniskasıydı. Libya'nın karışmasına sadece 48 saat kala, Türkiye Cumhuriyeti Trablus Büyükelçiliği'nin resmi internet sitesinde "Libya'da yaşayan vatandaşlarımıza" başlığıyla duyuru yayınlanmıştı. "Bazı vatandaşlarımız asayiş hakkında sorular yöneltmektedir, Libya'da güvenlik ve istikrar bakımından sıkıntı yaşanmamaktadır, Libya'da iş yapan şirketlerimizin endişe duymalarını gerektirecek durum yoktur, vatandaşlarımızın müsterih olmaları tavsiye olunur" deniyordu.
Yani?
Ahali huylanmıştı, "Kaçalım mı?" diye soruyordu...
Elçilik "Müsterih olun" diyordu.
Görmüştük ebemizin müsterihini!

...»

"Soner Yalçın'ın bilgisayarındaki belgede isimleri var" denildi, Nedim Şener, Ahmet Şık, Doğan Yurdakul, Müyesser Yıldız ve Profesör Yalçın Küçük tutuklandı. MİT'çi Kaşif Kozinoğlu hakkında tutuklama kararı çıkarıldı. Afganistan'daydı.

Kaçma şüphesi var denilen adam, koşa koşa geldi... Koşa koşa'yı abartmıyorum, Beşiktaş Adliyesi'ne koşarak girerken görüntülendi, tutuklandı.

...»

Araştırmacı gazeteciliğin sembol isimlerinden Nedim Şener, uzun süredir yandaş medyada hedef gösteriliyordu. *Dink Cinayeti*, *İstihbarat Yalanları* ve *Ergenekon Belgelerinde Fethullah Gülen* isimli kitapları yüzünden başı dertteydi. Ahmet Şık ise, *İmamın Ordusu* isimli kitabını piyasaya çıkarmak üzereydi. Tutuklamayla beraber Türkiye'nin en çok merak edilen kitabı haline gelmişti; Fethullah Gülen cemaatinin Emniyet Teşkilatı'ndaki yapılanmasını anlatıyordu. Kafasına bastırılarak götürülen Ahmet Şık, "Dokunan yanar" diye bağırıyordu. *İmamın Ordusu* kitabının yayınevi, polis tarafından basıldı. Kopyaları imha edildi. Henüz piyasaya bile çıkmamış kitap, suç olmuştu. Bir kitabın tutuklandığına ilk defa şahit oluyordu Türkiye... Şık'ır Şık'ır demokrasiydi.

...»

Nedim Şener'in tutuklandığı gün, Nedim Şener'in kitabını yazdığı Orhan Aslıtürk Türkiye'ye döndü. *Naylon Holding* isimli kitapta, Orhan Aslıtürk'ün hayali ihracat maceraları anlatılıyordu. Naylon faturadan bilmemkaç tane davası varken, yurtdışına kaçmış, 13 sene yurtdışında beyler gibi yaşamış, zamanaşımı dolunca gelmişti. Tebrik edip, bıraktılar. Çünkü burası Türkiye'ydi. Kaçanın anası ağlamaz diye boşuna dememişlerdi. Gene de efendi adammış... Kötü niyetli olsa, Nedim Şener'i hapishanede ziyarete gidip, "Kardeşim sende hiç kafa yok mu, Türkiye için mücadele etmeye değer mi" diyebilirdi.

...»

Gazeteciler içeri tıkılırken, içerdeki bir gazeteci dışarı çıkarıldı. 14 yaşındaki kız çocuğuna cinsel istismardan 13 sene hapis yiyen Hüseyin Üzmez serbest bırakıldı. Adalet sistemimiz "gazetecilere özgürlük" talebini yanlış anlamıştı!

...»

O furyada, Odatv'de muhabirlik yapan İklim Bayraktar gözaltına alınmış, savcılıktan serbest bırakılmıştı. "TBMM'deki odasında Deniz Baykal'ın tacizine uğradığı" iddia ediliyordu. Savcılık

sorgusunda "Kemal Kılıçdaroğlu'na gittiğini, 'Cihaz verirseniz tacizi ispatlarım' dediğini" anlatmıştı.
Deniz Baykal "karalama kampanyasının parçası" dedi.
İklim Bayraktar'a dava açtı, kazandı.

...»

Bu tuhaf hadise kapandı gitti ama... CHP kaynıyordu. Silivri'ye gönderilemeyen Deniz Baykal, kaset komplosuyla evine gönderilmişti. Yetmemişti. Bu sene yapılacak genel seçimde "aday gösterilmesin, milletvekili olmasın" isteniyordu. Çünkü "yeni CHP"de adeta "özerk bölge" kurulmuştu ama, ulusalcılar tasfiye edilememişti. Deniz Baykal'ın etkisinden korkuluyordu. Ve, çok yakında yaşanacak gelişmeler, CHP'nin neden "yeni"leştirildiğini gözler önüne serecekti.

...»

Malatya Zirve Yayınevi'ndeki katliam 2007'de olmuştu. Taaa dört sene sonra, Zirve Yayınevi soruşturması dediler, Profesör Zekeriya Beyaz'ın evini bastılar. Polis saatlerce arama yaptı. Misyonerlikle alakalı kitapların bulunduğu yazıldı. İlahiyat profesörünün evinde dini kitap değil de, *Red Kit* mi bulunacaktı birader? Tutuklama olmadı. Ama mesaj belliydi. Sahte haham'ları konuşturanlar, çağdaş yorumlarıyla rahatsızlık veren ilahiyatçı'ları susturmaya çalışıyordu.
Kimsenin gıkı çıkmasın isteniyordu.

...»

Mesela... Hükümetimiz bankacılık sistemini kafasına göre yönetmek istiyor, bankalar direniyordu. Ekonomiden Sorumlu Bakan Ali Babacan "Polisiye tedbirlerle yapmak istemiyoruz" dedi. Bankalar Birliği Başkanı ve İş Bankası Genel Müdürü Ersin Özince "Bankacıları da gazeteciler gibi polisler mi götürecek?" diye sordu. Ertesi gün... 13 senedir İş Bankası Genel Müdürü olan Ersin Özince, sürpriz şekilde, görevlerinden ayrılacağını açıkladı.

...»

Japonya 9 şiddetinde sallandı.
Neredeyse tek bina bile yıkılmadı ama tsunami öyle vurdu ki, yüksekliği 38 metreye ulaşan dalgalar yarattı. 16 bin kişi hayatını kaybetti. Nükleer santralda sızıntı oldu. Mersin ve Sinop'a kurulacak olan nükleer santrallar akla geldi... Tayyip Erdoğan

yüreklerimize su serpti, "Riski olmayan yatırım yoktur, evinize aygaz tüpü de koymamak gerekir, kozmetik yaşamda böyle sıkıntılar var" dedi!
Ha evine tüp bağlatmışsın, ha memlekete nükleer santral dikmişsin, Tayyip Erdoğan'ın mantığına göre aynıydı. Sonradan bu tezini revize edecek, "Düşebilir diye uçağa binmeyecek miyiz?" diye soracaktı.

...»

İbrahim Tatlıses vuruldu, çok şükür kurtuldu.
Asistanı da yaralanmıştı.
Senelerdir husumeti olan biri saldırmıştı.
Bir ay sonra...
Bedri Baykam bıçaklandı, çok şükür kurtuldu.
Asistanı da yaralanmıştı.
"Görüşlerini sevmiyorum" diyen biri saldırmıştı.
Polis, İbrahim Tatlıses olayı için dört tane özel ekip oluşturdu, İstanbul'dan Irak'a, Diyarbakır'dan Suriye'ye kadar arama yaptı, helikopterler, hatta dalgıçlar bile kullanıldı, MİT devreye sokuldu. Bedri Baykam olayında arama bile yapılmadı, saldırganın arkadaşı telefonla ihbar etti, gene kimse aramadı, saldırgan kendi kendine teslim oldu. İbrahim Tatlıses'i Başbakan, Başbakan yardımcıları, Sağlık Bakanı, Kültür Bakanı ziyaret etti. Bedri Baykam'ın ziyaretine kimse gelmedi.
Artık böyleydi.
Muhalifsen, sanatçı da değildin, insan da değildin.

...»

Ve, NATO uçakları Kaddafi güçlerini vurdu.
NATO dediğin elbette ABD'ydi ama, Kaddafi'nin kafasına ilk bombayı atma şerefi (!) Fransa'ya bırakılmıştı. Böylece, Libya petrolüne kimin oturacağı da belli olmuştu.
Tunus, Mısır ve Libya'nın patlayacağını öngöremeyen AKP hükümeti, nal toplayanlar arasında kalmıştı. Hatta Başbakanımız, vaziyeti öylesine kavrayamamıştı ki... "Böyle saçmalık olur mu, NATO'nun Libya'da ne işi var?" demişti. Figüran durumuna düştüğümüz anlaşılınca, "NATO'nun Libya'da ne işi var?" diyen hükümetimiz apar topar tezkere çıkardı. Dört fırkateyn ve bir denizaltı göndererek NATO operasyonuna katıldı. Yetmedi... İzmir'i NATO'nun hava harekâtı merkezi yaptı.

...»

Aslına bakarsanız, deniz harekâtının merkezi de Hasdal'dı.
Çünkü Libya'ya gönderilen savaş gemilerimizin bağlı olduğu Aksaz Üssü'nün komutanı, donanma kurmay başkanı, denizaltı filo komutanı, komple içerdeydi. Hasdal'da demirliydiler!
Hadisenin ekstra hazin tarafı vardı.
Fransa Cumhurbaşkanı Sarkozy, Kaddafi'ye karşı girişilen operasyona "dini boyut" kazandırarak, "Bu bir haçlı seferidir" demişti. Türkiye'nin de katıldığı denizden ablukanın komutası, İtalya'daydı. Komuta gemisinin ismi, Andrea Doria'ydı. Yani... Papa'nın talebiyle Osmanlı'ya savaş açıp, Preveze'de Barbaros'a yenilen Haçlı donanmasının komutanı Andrea Doria'nın ismini taşıyordu.
Dini bütün hükümetimiz, bütün sembolik değerleriyle "haçlı seferi" olduğu ilan edilen operasyonda... Andrea Doria'nın safındaydı.

...»

Libya'ya özgürlük (!) getirilirken...
ABD'nin 2003 senesinde Saddam'ı devirme ayağıyla başlattığı askeri harekât, fiilen sona erdi. Bağdat'taki son Amerikan bayrağı törenle indirildi. Irak'ın yönetimi, güya, bağımsız-egemen Irak'a teslim edildi. Resmi rakamlara göre, 4 bin 487 Amerikan askeri ölmüştü. 800 milyar dolar harcanmıştı. 113 bin Iraklının öldürüldüğü açıklandı ama, aslında rakamın 1 milyondan fazla olduğunu... ABD ve İngiltere'nin Irak petrollerine oturduğunu Uranüslüler bile biliyordu.

...»

Nevruz geldi.
Bir ilk daha yaşandı.
BDP Milletvekili Sabahat Tuncel, başkomisere tokat attı.
Açılım ilk nerede açılmıştı?
Polis Akademisi'nde.
Kime tokat attılar?
Polise.
Sabahat'ta mıydı kabahat?

...»

Bahar yağmurlarıyla birlikte, yumurta sağanağı başlamıştı.
Bakanlarımız konferans vermek için üniversitelere gidiyor, koruma polisleri güvenlik için "şemsiye" taşıyordu.

Cumhurbaşkanımız devreye girdi, olayları tatlıya bağlamak için, öğrenci konseyi başkanlarına Çankaya'ya yemek verdi. Bilkent öğrenci konseyi başkanı "Jaguar"ıyla geldi. Üstelik, kendisi bile kullanmıyordu, arkadaşını şoför yapmıştı. Örnek öğrenciydi yani!

...»

ÖSYM Başkanı Ali Demir koltuğa oturdu.
Bismillah, ilk üniversite sınavında...
Cevap şıklarına şifre konulduğu ortaya çıktı.
Soruyu bile okumadan doğru cevap bulunabiliyordu. Eşi benzeri görülmemiş kepazelikti. Milyonlarca çocuğun geleceğiyle oynanmıştı. ÖSYM'nin açılımı, Önceden Seçilmişleri Yerleştirme Merkezi gibiydi.
Cumhurbaşkanı toz kondurmadı.
"ÖSYM Başkanı'yla konuştum, tatmin oldum" dedi.
Başbakan "Ben de tatmin oldum" dedi.
YÖK Başkanı "Ben de tatmin oldum" dedi.
Aslına bakarsanız...
a, layığımızı bulduk
b, böyle başa böyle tarak
c, az bile az
d, yetmez ama evet
e, müstehak
Vaziyet buydu.
ÖSYM Başkanı adaylara mektup gönderdi, şifre olduğunu resmen itiraf etti. "Acemiliğimize geldi, sehven" dedi. Sınavın iptal edilmesi gerekiyordu. Hikâye tabii... Bırak iptali, savcılık soruşturmasının sonucunu bile beklemeden sınavın sonucunu açıkladılar. Hatta o sonuçları da, puanları yanlış hesaplayarak açıkladılar. Onbinlerce itiraz dilekçesi verildi. Üstünü örttüler, gitti.

...»

Türkiye seçim atmosferine girmişti.
Kemal Kılıçdaroğlu'nu genel başkan yapan Önder Sav, milletvekili adayı bile yapılmadı. Ergenekon sanıkları Mustafa Balbay, Mehmet Haberal, İlhan Cihaner ve Sinan Aygün CHP'den aday olurken, Tuncay Özkan kabul edilmedi. Seçilirse, CHP içinde genel başkanlığa oynamasından korkuluyordu.
Engin Alan, MHP'nin adayı oldu. Bordo bereli efsane komutan olmasının yanı sıra, manşetlerde yer alan bir özelliği daha vardı...

2004'te Çanakkale'de yaşanan hadiseyi bizzat Tayyip Erdoğan anlatmıştı. "Bir başbakan anma törenine gider de, korgeneral ayağa kalkmaz mı? Kalkmazsa bedelini öder, zaten bedelini ödedi, gereği yapıldı, gideceği yeri buldu" demişti. O bedel Silivri'ydi... Ayağa kalkmadığı için "gereği yapılan" ve "gideceği yeri bulan" korgeneral, Engin Alan'dı.
AKP ilk defa "türbanlı" aday gösterdi ama, Antalya'da 13'üncü sıradan gösterdi. İmkânsıza yakındı. Antalya zaten 14 milletvekili çıkarıyordu. "Türban"lının seçilmesi için AKP'nin hepsini alması gerekiyordu.
2 kişiden 1'inin oyuyla iktidara gelen AKP, 2 milletvekilinden 1'ini budamış, yeniden aday göstermemişti. Böylece 2 kişiden 1'inin "yanlış" oy kullandığı bizzat AKP tarafından kanıtlanmıştı!
Bülent Arınç, Manisa'da konuştu. "Siyasete Manisa'da başladım, Manisa'da bitireceğim, Bursa'dan aday yapılacağım söylentileri var, tekrarlıyorum, Manisa'dan seçileceğim" dedi. Bursa'dan aday yapıldı.
AKP Hakan Şükür'ü, MHP Saffet Sancaklı'yı sahaya sürdü. CHP futbolcu bulamadı, hakem Selçuk Dereli'yi aday gösterdi. Hak-İş Başkanı AKP'den, DİSK Başkanı CHP'den, Kamu-Sen Başkanı MHP'den aday olmuştu.

...»

Yüksek Seçim Kurulu, aralarında Leyla Zana, Sabahat Tuncel, Hatip Dicle, Gültan Kışanak ve Ertuğrul Kürkçü'nün de bulunduğu 12 bağımsız adayın, adaylığını iptal etti. Güneydoğu'da ayaklanma çıktı. Kepenkler kapatıldı. Polise saldırıldı, molotoflar atıldı. YSK "pardon" dedi, adaylıklarına izin verdi.

Hukukun ne hale geldiğinin göstergesiydi.
Susuyorsun, yasaklıyorlar...
Vuruyorsun, serbest bırakıyorlardı.

...»

Vergi cezalarıyla bunaltılan Aydın Doğan, küçülme kararı aldı, *Milliyet* ve *Vatan* gazetelerini Erdoğan Demirören'e sattı. Yakında, Star televizyonunu da Ferit Şahenk'e satacaktı. Sahibi olduğu NTV'den uslu uslu yayınlar yapan Ferit Şahenk ile sahibi olduğu *Habertürk*'ten uslu uslu yayınlar yapan Turgay Ciner'in medyadaki payı büyüyordu.

...»

Çok sayıda gazete piyasaya çıktı, çok sayıda gazete ve televizyon el değiştirdi ama... AKP dönemine damgasını vuran iki gazete vardı. Biri *Taraf*, öbürü *Sözcü*'ydü. İkisi de 2007'de yayın hayatına başlamıştı. Zıt kutuplardı. *Taraf* gazetesi, ikinci cumhuriyetçilerin adresiydi, özellikle TSK'ya yönelik faili meçhul haberlerin merkeziydi. *Sözcü* ise, ulusalcıların sesiydi. Star televizyonunun satışıyla birlikte ekranlardan uzaklaştırılmaya çalışılan Uğur Dündar'ın ve *Hürriyet*'ten çıkarılan Emin Çölaşan'ın *Sözcü*'ye geçmesi, medya tarihinin kritik dönemeçlerinden biriydi.

...»

Formula'nın 2012'de İstanbul'da yapılmayacağı açıklandı. 2005 senesinde başlarken, ayıptır söylemesi, "Formula mormula hikâye, etraftaki arazileri çok önceden kapattılar, villa siteleri yapıp kakalayacaklar, Formula'yı reklam aracı olarak kullanacaklar, satışlar bitince Formula'yı unutun" diye yazmıştım. Küfür etmişlerdi. "Türkiye'nin gelişmesini kıskanıyorsun" filan demişlerdi. Gerçeğin anlaşılması, kafaların dank etmesi, altı sene sürmüştü.

...»

Mitingler başladı.
AKP'nin seçim sloganı "Hayaldi gerçek oldu"ydu.
İngilizcesi, "dreams come true".
Disneyland'ın sloganıydı.
E yakışırdı...
Bizim memleket de Alice Harikalar Diyarı'na benziyordu.

...»

Çılgın proje açıklandı.
Karadeniz'le Marmara'yı birbirine bağlayan kanal kazılacak, Boğaz'dan geçen gemiler bu kanalı kullanacaktı. 50 kilometre uzunluğunda, 25 metre derinliğinde, 150 metre genişliğinde olacaktı. 20 milyar dolara mal olacaktı. 2023'te tamamlanacaktı.
Gemicik'i öğrenmiştik, bu da boğazcık'tı.
Köpürtüle köpürtüle anlatılan proje, taaa 17 sene önce, Bülent Ecevit'in yerel seçim vaadiydi. Orijinal fikir olmadığı, AKP'nin taklit ettiği ortaya çıkmıştı. Başbakan hiç bozuntuya vermedi, "Marmaray'ın mimari çizgilerini de merhum Abdülmecid Dedemiz çizmiş ama, biz gerçekleştiriyoruz" dedi.

...»

Şırrak, MHP kasetleri piyasaya çıktı.
CHP dizayn edilmiş, sıra MHP'ye gelmişti.
Baraj altında kalması için "belaltı" vuruluyordu.
Genel başkan yardımcılarının kadınlarla çekilmiş gizli kamera görüntüleri internete düşüyor, mecburen adaylıktan çekiliyorlardı. Herkes skandalın şehvetine kapılıyor, tıklıyor, seyrediyordu. İyi de, milletvekillerinin yatak odasına gizli kamerayı kim yerleştirdi? Bu soruyla hiç kimse ilgilenmiyordu. Söz konusu görüntüler "farklı ülkücülük" adıyla yayın yapan bir internet sitesinden servis ediliyordu. İnternet adresinin kaynağı, ABD ve Portekiz olarak görünüyordu. Deniz Baykal meselesinde olduğu gibi, MHP'yi infaz eden internet sitesinin yayını da, her nedense (!) bir türlü durdurulmuyordu.
"Tesadüf zinciri"nin son halkasıydı.
Muhalefette her kim varsa, teker teker imha oluyor, adeta oy verilecek parti bırakılmıyordu. Taaa 2002'de İsmail Cem yeni parti kurmuşken, ABD'den gelen Kemal Derviş son anda desteğini çekmiş, İsmail Cem bertaraf olmuştu. Mehmet Ağar ile Erkan Mumcu'nun ortaklığı barajı aşmışken, bi katakulli, ikisi de tasfiye olmuştu. Cem Uzan, yurtdışına kaçmak zorunda kalmıştı. Tuncay Özkan ile Doğu Perinçek'in oy oranları azdı ama, milyonları sokağa döküyorlardı, ikisi de Silivri'ye gönderilmişti. Muhsin Yazıcıoğlu'nun helikopteri düşmüştü. Deniz Baykal'ı gizli kamera kaseti götürmüştü. Şimdi de MHP'yi gizli kamera kasetleri vuruyordu. Tanganika'dan Alaska'ya, Patagonya'dan Sibirya'ya kadar son sekiz dokuz senesinde bu kadar "tesadüf"ü olan bi başka yer var mıydı?

...»

MHP kasetlerle darmadağın edilirken, Tayyip Erdoğan çok sıkı "milliyetçi" kesilmişti. Mesela "Abdullah Öcalan teslim edildiğinde hükümette olsaydınız, ne yapardınız?" diye soruldu. "Onun cezası zaten belli, idam" cevabını verdi. "Asardım" demeye getiriyordu. Milliyetçiler alkışlıyordu ama, o tarihlerde Oslo'da kimlerle masaya oturulduğundan haberleri yoktu.

...»

"PKK neden her seçimden önce ateşkes ilan edip, eylemsizliğe geçiyor?" diye kafa yorulmuyordu. Bu soruyu dillendirenler "Kandan mı besleniyorsun?" diye itham ediliyordu. Ve maalesef, PKK'nın neden her seçimden önce ateşkes ilan ettiğini, pek yakında, bizzat Abdullah Öcalan açıklayacaktı.

...»

Kemal Kılıçdaroğlu her çıktığı mitingte Kayseri'yi kurcalıyor, Kayseri Büyükşehir Belediyesi'nde yolsuzluk yapıldığını anlatıyordu. Kayseri öyle mi... Haşırt diye İzmir Büyükşehir Belediyesi basıldı. İzmir'in neredeyse bütün yöneticileri yolsuzluk, dolandırıcılık iddiasıyla tutuklandı.
Bir başka "çok hoş tesadüf" vardı... Ulaştırma Bakanı Binali Yıldırım, İzmir'den milletvekili adayı yapılmıştı. "İzmir projelerimizi 2 Mayıs'ta açıklayacağız" demişti. İzmir Belediyesi tam da 2 Mayıs'ta basıldı! İzmir projesi dediğin böyle olurdu.

...»

Yüksek Seçim Kurulu, oy pusulası için ihale açtı. 12 milyon liraya Korza Matbaacılık kazandı. Öbür firmalar itiraz etti. İhale iptal edildi. Tekrar ihale açıldı. Bu sefer 13'te 1 fiyata... 900 bin liraya gene aynı firma, Korza Matbaacılık kazandı, iyi mi... "Ne oldu da 13'te 1 fiyata indi?" diye soruldu. Matbaa sahibi "Vatan millet sevgisiyle indirdim, demokrasimize feda olsun" dedi!
İtiraz edilmese, ayyuka çıkmasa, 900 bin liralık iş, 12 milyon liraya verilmiş olacaktı. Başta YSK yöneticileri, bu ihaleye bulaşan bütün arkadaşlar, hiçbir şey olmamış gibi "vatan millet sevgisiyle" koltuğunda oturmaya devam ediyordu.

...»

Tayyip Erdoğan, Kastamonu'da konuştu.
"Camiye, tesettüre hakaret ettiler. CHP adayı Allah'ın ayetine sinir bozucu diyor. Allah-u Teala'ya dil uzatıyorlar. Haşa diyorum, Sübhanallah diyorum. Allah mekândan ve zamandan münezzihtir diyorum. Rabbimin mağfiretine sığınıyorum. Yaratan'a saygısızlıktır, benzetmesini bile yapamazsın. Müslümanlardan özür dilesin. Sizi bir aile efradı yaratmış Yaratan. Hamd olsun" dedi.
Amasya'da konuştu.
"Allah'a sığınırım. Ne diyor biliyor musunuz, statükonun Allah'ı Ankara'da oturuyor diyor. Teşbihi bile mümkün değil. Kendisi Alevi'dir. Allah'a şirk anlamına gelen, Yaratan'ı böyle edepsizce ağzına alana susmam. Bizim erkânımız, ahlakı Muhammedi ve edebi Ali'dir. CHP'li belediye, camiye hakaret içeren sergiye ev sahipliği yapıyor. CHP milletvekili adayı, güya bilimkadını, Allah'ın ayetine sinir bozucu diyor. Be hey kadın, biraz izan sahibiysen, vasiyetnameni yaz, de ki, ben böyle bir tabutla kalkmak istemiyorum de... Allah ıslah etsin. Şöyle ellerinizi göreyim, maşallah, maşallah" dedi.

Osmaniye'de konuştu.
"Bu canı veren Allah. Bu canın sahibi Allah. Dualarınızın himmetiyle güçlüyüz. Allah yâr ve yardımcımız olsun. Müslüman bir sokulduğu delikten bir daha sokulmaz. Elhamdülillah" dedi.
Bırak demokrasiyi...
Papa seçimlerinde bile "din" bu kadar kürsüye taşınmazdı.
Bu arada, Kemal Kılıçdaroğlu, Başbakan için "statükonun Allah'ı" demişti. "Vayyy Allah'a hakaret etti" diye, din düşmanı ilan edildi.

...»

Tayyip Erdoğan, Zonguldak'a gitti.
Mitinge çıktı, kendi sordu, kendi cevapladı.
Zonguldak Karaelmas Üniversitesi'ni kim kurdu?
2007'de biz kurduk.
Zonguldak'ta üniversite var mıydı?
Yoktu.
Kuracağız dedik, kurduk.
Halbuki, Zonguldak Karaelmas Üniversitesi taaa 1992'de kurulmuştu. Hatta, logosunda bile 1992 yazıyordu... Ve maalesef "Zonguldak seninle gurur duyuyor" diye alkışlanıyordu.

...»

Almanya'daki Eurovision'a Yüksek Sadakat grubunun "Live it up" şarkısıyla katıldık. Yarı finalde elendik. Azerbaycan kazandı. Ermenistan'a şirin görünmek için Türkiye'de Azerbaycan bayrakları yasaklanırken... Eurovision'u kazanan Azeri şarkıcı Nigar, sahnede kendi bayrağıyla beraber, bizim bayrağımızı sallıyordu. Ekran başında seyrederken, sevincimizle, utancımız birbirine karışıyordu.

...»

Devlet Bahçeli "püskevit" dedi.
Bu seçimin en akılda kalıcı lafıydı.
Yalaka medya püskevit'le alay etmeye kalktı. Devlet Bahçeli "Bisküvi demesini de biliriz, Allah şehide kelle dedirtmesin" dedi. Yalaka medya, bi daha püskevit meselesine girmedi.

...»

Kemal Kılıçdaroğlu, gündeme bomba gibi düştü. Bakan'lardan birinin ÖSYM Başkanı'na e-posta gönderdiğini, "Yeğenimi güzel

bir üniversiteye yerleştirin" dediğini öne sürdü. Bakan'ın ismini vermedi. Ertesi gün, Hayati Yazıcı'nın makamından açıklama yapıldı. "Sayın Bakan'ın ismi kullanılarak e-posta atılmış, kurgulanmış projedir, külliyen yalandır" denildi.
Tayyip Erdoğan, Hayati Yazıcı'yı savunurken "Benim bakanım bunu yapamaz, bazı bakanlarımla alakalı atılmış adımlarım varsa, birçoğu bugün milletvekili adayı olamadıysa, nedenleri vardır" dedi.
Buyrun burdan yakın...
Kaş yapayım derken, göz çıkarmıştı.
Hayati Yazıcı'yı savunayım derken, başkalarını zan altında bırakmıştı. "Maliye Bakanı Kemal Unakıtan'ı, Enerji Bakanı Hilmi Güler'i, Orman Bakanı Osman Pepe'yi, Devlet Bakanı Kürşat Tüzmen'i neden milletvekili adayı bile yapmadınız?" diye soruldu. Cevap verilmedi!

Üstelik...
Gazeteciler, profesörler, komutanlar imzasız e-postalarla hapse tıkılırken hiç sesini çıkarmayan Başbakanımız, şimdi isyan ediyordu. "İnternetten herkes adına her türlü ahlaksızlık yapılabilir, mail göndermek nedir ki, birisi çıkar senin adına da gönderir, iftira atmak bu kadar ucuz mu?" diye bağırıyordu.

...»

Engelliler Haftası kutlanıyordu.
Sağlık Bakanımız, Batman Devlet Hastanesi'ne gitti. Görme engelli vatandaşın biri "Taşeron firmada asgari ücretle geçici işçi olarak çalışıyoruz, koşulların iyileştirilmesini istiyoruz" dedi. Sen misin bunu diyen... Bakanımız sinirlendi. "Gözlerin görmediği halde sana iş vermişiz, daha ne istiyorsun?" dedi.
Nan'kör demeye getirdi!

...»

Tayyip Erdoğan, Malatya'ya gitti.
"En az üç"ün değişik versiyonunu izah etti.
"Malatya büyükşehir olmak istiyor. Nüfusun 750 bin olması lazım. Burada ufak bi açığımız var. 10 bin eksik... Bu 10 bin açığın 2013'e kadar giderilmesi lazım. Ne yapacaksınız? Hazır mıyız? Bayanların ellerini görüyorum, bazıları üç diyor, bazıları dört diyor. Üç olursa yeter... Ses az geliyor beyler... İki yıl içinde bu 10 bin açığı tamamlamalısınız, ona göre... Bunu

tamamladığınızda mesele bitti" dedi.
Her şeyi devletten beklemeyin.
Ha gayret yani.

...»

O arada, internete filtre sistemi getirildi.
Hükümetimizin "ayıp" bulduğu sitelere girilemeyecekti.
TÜSİAD Başkanı Ümit Boyner, yasakların endişe yarattığını söyledi. Bülent Arınç çıktı, küt diye "Boyner gibi düşünenler iktidara gelirse, porno sitelerini serbest bırakabilirler" dedi. AKP bir taraftan, kendisi gibi düşünmeyenlere "pornocu, ırkçı, darbeci" damgası yapıştırıyor... Öbür taraftan "Aynı sudan içmişiz biz, aynı dağın yeliyiz biz" nakaratıyla şarkılı türkülü reklam filmleri yayınlıyordu.

...»

"Aynı sudan içmişiz" denirken... Tayyip Erdoğan, Artvin-Hopa'ya gitti. "Su haktır satılamaz" pankartlarıyla karşılandı. Bu pankartı açan vatandaşlara durup dururken biber gazı sıkıldı. Emekli öğretmen Metin Lokumcu hayatını kaybetti. Arbede çıktı. Tayyip Erdoğan'ın otobüsüne taş atıldı. Kafasına taş denk gelen koruma polisi komaya girdi. Artvin Emniyet Müdürü görevden alındı.

...»

Harp Akademileri Komutanı Bilgin Balanlı tutuklandı.
Tutuklanan ilk muvazzaf orgeneral'di.
Emekli albaylarla ufak ufak başlayan süreç...
Muvazzaf orgenerale kadar gelmişti.
Hava Harp Okulu Komutanı tutuklandı.
Hava Kuvvetleri İstihbarat Başkanı istifa etti.

...»

Yargıtay Başkanı Hasan Gerçeker ve Danıştay Başkanı Mustafa Birden, yaş haddinden emekli oldu. Nâzım Kaynak, Yargıtay Başkanı seçildi. Bülent Arınç "Aynı görüşü paylaştığım benim güzel kardeşim, sınıf arkadaşım, yurtta beraber kaldığım pırıl pırıl Anadolu delikanlısıdır, çok mutlu oldum" dedi. Hüseyin Karakullukçu, Danıştay Başkanı seçildi. O da Bülent Arınç'ın arkadaşıydı. "Kurban olduğum Allahım, verdikçe veriyor" dedi. Yüksek yargı istediği kadar "bağımsızım" desin... Vaziyet buydu.

...»

Tayyip Erdoğan, 2002'de seçimi kazanır kazanmaz Süleyman Demirel'i ziyaret etmişti. "Engin tecrübelerinizden faydalanmak, tavsiyelerinize göre hareket etmek istiyoruz" demişti. Şimdi, aynı Demirel'i hedef tahtasına oturtmuştu. "CHP milli şefini değiştirdi, milletin anasını ağlatan o zat, CHP'nin akıl hocası" diyordu. Dün dündü, bugün bugündü. Siyasi hayatı boyunca CHP'yi kötüleyip, dincilerin avukatlığını yapan Demirel, dinciler tarafından CHP'nin avukatı olmakla suçlanıyordu.

...»

12 Haziran 2011...
Türkiye kaderini oylamaya gitti.

Ustalık dönemi

2012

Silivri • PKK tanık, TSK sanık • İlker Başbuğ terörist • Zavallı Apocuk, namazında niyazında delikanlıydı • Hakan Fidan • KCK • Stratfor • Esed • Men dakka dukka • Fantom • Stratejik derinlik • Beysbol sopası • Angelina Jolie • AKP'nin onur konuğu Barzani • Afyon cephanelik • Necdet Bey'e kilim, sucuk • Sincan'da 28 Şubat rövanşı • Dindar gençlik • 4 artı 4 artı 4 • Okul sütü akıl küpü • Camiyi ahır yaptılar • Hırsızlar imparatoru • 19 Mayıs yasak • 29 Ekim illegal faaliyet • Atatürkçüler terörist holigan • Bahtsız bedevi • Kutup ayısı • Muhteşem Yüzyıl • Turgut Özal'ın mumyasını kim zehirledi? • Göktürk-2 • Patriot

Sandıklar açıldı.
Ampul, avize olmuştu.
AKP, üst üste üçüncü seçimden de zaferle çıkmıştı.
Yüzde 49'a yükselmişti.
İki kişiden biri "Durmak yok, yola aynen devam" diyordu.

...»

Silivri'de tutuklu bulunan Profesör Mehmet Haberal ve Mustafa Balbay CHP'den, Engin Alan MHP'den milletvekili seçildi. BDP'nin de KCK'dan tutuklu altı milletvekili olmuştu. Leyla Zana 20 sene sonra meclise geri döndü. AKP'nin *Hürriyet*'ten attırdığı Oktay Ekşi, CHP milletvekili olarak TBMM'ye girdi.

...»

Seçim sonuçlarını noktasına virgülüne kadar doğru tahmin eden kamuoyu araştırmacısı Adil Gür, seçimden önce sustu, seçimden sonra açıkladı: Habur rezaleti yüzünden AKP erimiş, yüzde 32'ye inmişti; CHP 28'e, MHP 18'e fırlamıştı. AKP'nin iktidarda oturma ihtimali kalmamıştı. CHP tek başına veya MHP koalisyonuyla iktidara yürüyordu. Ancak... CHP'nin kasetle "yeni"den dizayn edilmesi, MHP'nin kasetle infaz edilmesi, AKP'nin oylarını tekrar artırarak, iktidarda kalmasını sağlamıştı.

...»

Yargıtay, Diyarbakır'dan milletvekili seçilen Hatip Dicle'nin hapis cezasını onadı, milletvekilliği düştü. BDP'li elenince, onun yerine AKP'nin adayı Oya Eronat milletvekili oluverdi. 2008'de dersane önündeki bombayla hayatını kaybeden öğrenci Eren'in annesiydi.
Bir taraftan PKK açılımı yap.
Öbür taraftan terör kurbanını milletvekili yap.
Bir taraftan Oslo'da masaya otur.
Öbür taraftan "Apo'yu asardım" de...
Hakikaten, hayaldi gerçek olmuştu.

...»

Ve, seçim bitti, PKK derhal başladı.
Silvan'da pusu kuruldu, 13 şehit vardı.

...»

Yandaş medya, generallerin içeri tıkılmasına TSK kadrolarının destek verdiğini iddia ediyor, bu yönde köşe yazıları döşeniyordu. İddianın kanıtını seçimden sonra manşet yaptılar. Mesela, Diyarbakır Hava Üssü lojmanlarındaki sandıklardan CHP'ye 662, MHP'ye 501 oy çıkarken, AKP'ye 1158 oy çıkmıştı.

Zaten artık generale menerale ihtiyaç yoktu.
Başbakanımız "mareşal" olmuştu.
İbrahim Tatlıses izah etti.
"Üç defa meydan muharebesi kazanana mareşal derler, üç defa seçim zaferi kazanana siyasetin mareşali derler" dedi.

...»

Bilahare... Başbakanımız er meydanına, Kırkpınar'a gitti.
Edirne'nin CHP'li Belediye Başkanı "seçimlerde üst üste üç defa başpehlivan" olduğu için, Başbakanımıza "altın kemer" taktı.
Yağlı güreşi çok görmüştük ama...
Yağcı güreşi ilk defa görüyorduk.

...»

2007 seçiminde, hapisteyken milletvekili seçilen Sabahat Tuncel

serbest bırakılmıştı. Bu sefer tutuklu milletvekilleri bırakılmadı. Meclis krizle açıldı. CHP ve BDP yemin etmedi, boykot etti. MHP dert etmedi, yemin etti.
Kemal Kılıçdaroğlu "Onurlu mücadele başlattık, tutuklu vekillerimiz meclise gelene kadar yemin etmeyeceğiz, gerekirse dört sene yemin etmeyiz" dedi. Tayyip Erdoğan "Tükürdüklerini yalayacaklar" karşılığını verdi.

...»

Şike bombası patladı.
Fenerbahçe Başkanı Aziz Yıldırım tutuklandı.
Cemil Turan, Bülent Uygun, Ümit Karan, İlhan Ekşioğlu, Mecnun Otyakmaz gibi, futbol dünyasının birbirinden şöhretli isimleri hapse tıkıldı. Fenerbahçe'nin küme düşürüleceği iddia ediliyordu.
E tabii futbol bu, hayat memat meselesi... Değil bazı milletvekillerini, TBMM'yi komple içeri tıksan bile kimse dönüp bakmazdı artık... Gene muhteşem bi zamanlama tesadüfüydü! Gündem değişivermişti.
Ve, bir başka tesadüf daha vardı.
Şike operasyonunu yürüten savcılar, Ergenekon savcılarıydı. Şikede de Ergenekon ve Balyoz taktiği uygulanıyordu. Medyaya "sızdırma bilgi" servisi yapılıyor, gündemde tutuluyordu. Daha ortada iddianame bile yokken, manşetlerde mahkemeler kuruluyordu.

...»

Aa-aaa, bir tesadüf daha...
Aziz Yıldırım'ın tutuklanmasından sadece 24 saat sonra, Zahid Akman ve Kanal 7'nin sahibi Zekeriya Karaman, Deniz Feneri'nden tutuklandı. Şike haberleri gazeteleri ve televizyon ekranlarını öylesine kaplamıştı, öylesine kamufle etti ki, Deniz Feneri tutuklamaları haber bile yapılmadı. Futbolun tozu dumanı arasında gargaraya getirilmişti.

...»

O arada, PKK yol kesti, Lice'de iki astsubayı kaçırdı. Kimse üzerinde bile durmadı. Oysa, iki sene sonra yapılacak tarihi pazarlığın ilk "tutsak"larıydı. Aynı gün... Abdullah Öcalan, avukatları aracılığıyla açıklama yaptı. "Devletin gönderdiği heyetle, barış konseyi için mutabakat halindeyiz" dedi. Bütün dünya ajansları bu açıklamayı flaş haber olarak duyurdu. Türk basını görmedi, görmezden geldi.

...»

Şike operasyonu, Ergenekon ve Balyoz'da olduğu gibi dalga dalga vuruyor, tam bitti derken, yeniden başlıyordu. Trabzonspor Başkanı ve Futbol Federasyonu Başkanı gözaltına alındı. Galatasaray Başkanı'nın ofisi arandı. Beşiktaş Asbaşkanı tutuklandı. Bulaştırılmayan kulüp kalmamıştı.
Hem trajik, hem komik tarafları vardı. Mesela, İstanbul Büyükşehir Belediyesporlu futbolcu İbrahim Akın telekulağa yakalanmıştı. "Şike parasını alayım mı, caiz mi hocam?" diye Erzurumlu imama fetva soruyor... İmam da "Caiz oğlum, hayır işi yaparsın, türbede kurban kestirirsin" cevabını veriyordu.
Şike "ulema"ya soruluyordu!

...»

Şike haberlerinin ardı arkası kesilmeyince, siyaset gündemden düşmüş, CHP'nin de gardı düşmüştü. Tıpış tıpış meclise gelip, yemin ettiler. "Bakın göreceksiniz, tükürdüklerini yalayacaklar" diyen Tayyip Erdoğan haklı çıkmıştı.

...»

AKP Bursa Milletvekili Hüseyin Şahin, memleketimizin geldiği noktayı izah etti, "Başbakanımıza dokunmak bile ibadettir" dedi.

...»

Reklamcı Ali Taran, kanser tedavisi gören eşini boşadı, şarkıcı Neco'nun kızı Ayşe'yle evlendi. Vay efendim, insan hasta olan eşini bırakır mıydı, bu ne vefasızlıktı, damat yaşlıydı, gelin çok gençti filan... Futboldan siyasetten sıkılan ahalimize ilaç gibi gelmişti. Bu mevzu manşetlerdeydi.

...»

Ergenekon'da mahkeme heyeti üç hâkimden oluşuyordu. Mahkeme Başkanı "Milletvekili seçildiler, kaçma şüphesi olamaz" diyerek Mustafa Balbay ve Mehmet Haberal'ın tahliyesini istiyordu. Diğer iki hâkim ısrarla "tutukluluğa devam" diyordu. 2'ye 1 tutuklu kalıyorlardı. E bu durum can sıkıyordu. Mahkeme Başkanı'nı zart diye görevden alıp, Bolu'ya tayin ettiler... Ali Taran'ın düğünü birinci sayfalarda kocamanken,

Ergenekon Hâkimi'nin sürülmesi, arka sayfalarda bile zor yer buluyordu.

...»

Geçen seneki Yüksek Askeri Şûra'ya bir hafta kala 28'i general 102 subay hakkında yakalama kararı çıkmıştı. Bu seneki Yüksek Askeri Şûra'ya 48 saat kala, Ege Ordu Komutanı, Genelkurmay İstihbarat Başkanı, Genelkurmay Adli Müşaviri ve emekli Orgeneral Hasan Iğsız hakkında yakalama kararı çıktı.

...»

Cumhuriyet tarihinde bir ilk daha yaşandı.
Genelkurmay Başkanı Işık Koşaner istifa etti.
Kara Kuvvetleri Komutanı Erdal Ceylanoğlu istifa etti.
Hava Kuvvetleri Komutanı Hasan Aksay istifa etti.
Deniz Kuvvetleri Komutanı Eşref Uğur Yiğit istifa etti.

...»

Peki ya, Jandarma Genel Komutanı Necdet Özel?
Bana mısın demedi.
İstifini bozmadı.
Koltuğunda oturmaya devam etti.
Apar topar Kara Kuvvetleri Komutanı yapıldı.
Üç gün sonra, Genelkurmay Başkanı yapıldı.

...»

Yüksek Askeri Şûra'nın oturma düzeni değiştirildi.
Eskiden, Genelkurmay Başkanı'yla yan yana otururlardı...
Tayyip Erdoğan, masanın başına tek başına oturdu.
"Mareşal" ilan eden İbrahim Tatlıses haklı çıkmıştı!
Kara, Deniz ve Jandarma komutanlıklarında sıkıntı yaşanmadı ama... Hava'da tutuklanmayan orgeneral kalmamıştı. Lojistikten bi korgenerali mecburen "or" yapıp, kuvvet komutanlığına oturtuverdiler.

...»

Taaa Nisan ayında Suriye patlamıştı.
Hükümetimizin gıkı çıkmamıştı.
Mayıs ayında muhaliflere ateş açıldı, yüzlerce kişi öldü.
Hükümetimizden gene çıt çıkmadı.
Haziran ayında Angelina Jolie Hatay'a geldi.

Hükümetimiz hoş geldiniz bile demedi.
Temmuz ayında kan gövdeyi götürüyordu.
Hükümetimiz oralı bile olmuyordu.
Ağustos başında, Obama, Başbakanımıza telefon etti.
Suriye'yi konuştukları açıklandı.
O gün... Beşar Esad kötü adam oldu!
Sayın medyamız düğmeye basılmış gibi, koro halinde Esad'ın ne kadar diktatör olduğunu yazmaya başladı. Yüksek Askeri Şûra bitti, Başbakanımız "Suriye bizim iç meselemiz, gereğini yapacağız" dedi.
Güya, komşularımızla "sıfır sorun" politikası güderken... Birbirleriyle "düşman" olan İsrail ve Suriye'nin "ortak düşmanı" olmayı başarmıştık!

...»

Yüksek Askeri Şûra'dan sonra Milli Güvenlik Kurulu'nun "masa düzeni" de değiştirilmişti. Eskiden askerler bir tarafta, bakanlar bir tarafta, karşılıklı otururlardı. Karışık kuruşuk oturmaya başladılar. Bu tür atraksiyonlar "demokrasi zaferi" diye sunuluyor, memleketin hayati meselesi halledilmiş gibi alkışlanıyordu.

...»

Ramazan ayı gelmişti.
AKP'nin memlekete en hayırlı tarafı, sosyetemizin ve liboşların aniden "mümin" olmasıydı. 2007 seçiminden sonra paparazzi kameralarını çağırıp poz vere vere kutsal topraklara, umre'ye gitmeye başlamışlardı. 2011 seçiminden sonra baktılar ki AKP iktidarda kalıcı, iftar'a sahur'a merak sardılar.
Gazetelerimiz "taze müminler"e hitap eden mönüler veriyordu. Bir tanesini aktarayım mesela... İftarda, önce hurma, sonra fesleğen yağıyla tatlandırılmış minestrone çorba, roka yaprakları ve kurutulmuş domates püresinin yanında balsamik sirke ve limon soslu sızma zeytinyağı gezdirilmiş dana carpaccio, taze rozmarinle sarılmış ve karemelize edilmiş tavuk göğsü fırın, üstüne, nane ile dinlendirilmiş franbuaz soslu panna cotta... Sahurda, brokoli çorbası, zeytinyağlı brüksellahanası, sote mantar ve graten soslu küp patatesler yanında, marine edilmiş jülyen dana bonfile veya tercihan, iceberg yapraklı ızgara levrek fileto, bir çay bardağı light yoğurt, üstüne ananas kompostosu. Pide?

Kepekli, kroton şeklinde.
Sanırsın, Buckhingham hidayete erdi.
Kraliçe Elizabeth oruç tutacak!

...»

Din adamlarına her ramazanda yöneltilen "Kan versem orucum bozulur mu?" filan gibi klasik sorular da değişmişti... Şimdi artık "Güneş kremi sürebilir miyim, pedikür orucu sakatlar mı, sahurdan önce sevişebilir miyim?" diye soruluyordu. Ana haber bültenleri, iftar vakitlerinde minareden naklen ezan okutmaya başlamıştı.
AKP iktidarından önceki kandil'lerde cep telefonundan mesaj bile atmayanlar... Ne kadar şahane Müslüman olduğunu göstermek istercesine, mesaj yağdırıyordu. Üstelik, eskiden sadece "hayırlı kandiller" gibi kısa mesajlar atılırken, hadise "edebiyata" dönüşmüştü. "Nur ışıklarından sağanaklarda ıslanın, sevap kapınızın önüne gül yaprakları serpilsin" falan gibi, ağdalı cümleler saydırılıyordu.

...»

1999 Marmara Depremi'nin simgesi, müteahhit Veli Göçer tahliye oldu. 195 kişinin ölümünden sorumlu tutularak 18 sene hapse mahkûm edilmişti, yedi senede çıktı. Rahmetlilerin ruhunu ve yakınlarını rencide etmek istemem ama... Veli Göçer çok bile yattı. Çünkü o depremde 20 bin insanımız hayatını kaybetti, Veli Göçer'den başka günah keçisi bulunmadı! Toplam 2 bin 100 dava açıldı. 1800'ü affa sokuldu. Geriye kalanları da zamanaşımına sokuldu. Kapatıldı.

...»

TRT Haber'in son dakika anonsu, Türkiye'yi ayağa kaldırdı. Murat Karayılan'ın İran'da yakalandığı müjdeleniyordu. Peşinden... Anadolu Ajansı, Murat Karayılan'ın İran'da yakalandığını duyurdu.
Yakalandı denilen Karayılan, Almanya'da Kürt Festivali'ne katıldı! Köln statındaki festivalde, Sabahat Tuncel ve Ertuğrul Kürkçü de vardı. Murat Karayılan, Avrupa'da elini kolunu sallaya sallaya dolaşıyor, stadyumda festival düzenliyor, Roj TV'den yayınlıyor... Bizim ahaliye hâlâ, "İran'da enselendi" deniyordu.

...»

Hakkâri'de konvoya saldırıldı, 10 şehit vardı.
Cenaze törenlerinin olduğu gün... Başbakanımız uçağa atladı; eşi, kızları, damadı, Nihat Doğan, Ajda Pekkan, Muazzez Ersoy ve Sertab Erener'i yanına aldı, Somali'ye gitti.
"Buradan vicdanlara sesleniyorum" dedi.
Kendi evlatlarımızı toprağa verirken...
Afrikalı çocuklara şefkat göstermek "vicdan"dı.

...»

Ajda ve Sertab, Mogadişu'da yerel sanatçılarla birlikte "moral dansı" yaparken... Yozgat'ta trajedi yaşanıyordu. Ana babaya "Oğlunuz şehit oldu" denmişti, cenaze töreni tertiplenmişti, hatta vali bile gelmişti ama... Cenaze gelememişti. Çünkü patlamayla birlikte Zap Suyu'na uçan şehidimizi kaybetmişlerdi. Bütün Yozgat cenazeye gelmişti, "Sizin şehidi bulamadık" dediler, töreni iptal ettiler. Bir hafta geçti kardeşim... Şehit hâlâ kayıp... Bir hafta sonra İçişleri Bakanı İdris Naim Şahin "Cesedi bulundu" dedi. Öğleden sonra bir açıklama daha yaptı, "Bulunan ceset parçaları ona ait değil" dedi.

...»

Şehide "ceset" diyen ilk İçişleri Bakanı'ydı.
Sekiz gün sonra nihayet bulup, ailesine verebildiler.

...»

Terör iyice tırmanmıştı.
Patır patır, her gün tabut geliyordu.
Hükümete yönelik homurtular artmıştı, ki... Genelkurmay Başkanlığı'ndan istifa eden Işık Koşaner'in ses kaydı internete düştü. "Emir komuta birliğini sağlayamıyoruz, tim komutanlarımız çatışma anında silahını mevziye bırakıp kaçıyor, sınır karakollarımız hatalı yapılmış, halimiz kepazelik" diyordu. Ertesi gün "varan iki" anonsuyla, tekrar ses kaydı yayınlandı. Bu sefer de "İçimizden hainler çıktı, maalesef helal süt emmemiş arkadaşlarımız çıktı, neyimiz var neyimiz yok çaldırmışız, ne konuşuyorsak adamların elinde var, namerdin eline malzeme verdik" diyordu.

...»

TSK darmadağın olmuşken...
30 Ağustos'ta ilk yaşandı.

Cumhurbaşkanı, tarihte ilk defa, Genelkurmay Karargâhı'ndaki Zafer Bayramı törenlerinde "Başkomutan" sıfatıyla ev sahibi oldu. Bu teklif, Necdet Özel'den gelmişti.

...»

Tayyip Erdoğan'dan 10 gün sonra Kemal Kılıçdaroğlu da Somali'ye yardıma gitti. Somali'ye ayak basmadan döndü. Çünkü Kenya'ya gitmiş, Somali sınırındaki Somali kampını ziyaret etmişti.
Somali'ye diye Kenya'ya gitmesi, yandaş medyada alay konusu edildi. Aslında... Somali'de Türkiye'nin elçiliği bile yoktu. CHP liderinin Somali'ye gidebilmesi için Dışişleri Bakanlığı'nın yardımcı olması gerekiyordu. Elbette yardım edilmeyecekti. Yardım yapılacaksa, AKP yapar'dı! Somali'de muhatap olmadığı için, CHP heyeti mecburen Kenya'ya gitmiş, sınırdaki Somali kampını ziyaret etmişti.
Ve, Kızılay Başkanı kısa süre önce, sürpriz şekilde istifa etmişti. Sebebi asla açıklanmadı ama... Kemal Kılıçdaroğlu'nun seyahatine yardımcı olmak istediği, bu yüzden istifaya zorlandığı iddia edildi.

...»

Mavi Marmara'nın üzerinden neredeyse bir buçuk sene geçmişti. Bu kadar zamandır toz kaldırmayan Tayyip Erdoğan, mevzuyu aniden köpürtmeye başladı. İsrail'le diplomatik ilişkileri ikinci kâtip düzeyine indirdi. Hatta rest çekti. "İsrail'in eskisi gibi at koşturamayacağını, Türk gemilerinin Doğu Akdeniz'de daha sık görüleceğini, donanmamızın Gazze'ye gidecek yardım gemilerine eşlik edebileceğini" söyledi. "Gerekirse savaşırız" bile dedi.

Kemal Kılıçdaroğlu, reste rest çekti, "Gemileri Gazze'ye götür, seni alnından öpeceğim" dedi. Tayyip Erdoğan pek sinirlendi, "Ben bu tertemiz alnımı, senin o lanetli ağızlarına, o lekeli dudaklarına sürdürmem" diye bağırdı.

...»

Ahali bu tür laga lugalarla oyalanıp uyutulurken...
Malatya'ya İsrail'i koruyacak NATO radarı döşeniyordu.
Adeta değişmez kural haline gelmişti.
Tayyip Erdoğan bir şey söylüyorsa, aslında o sırada perde arkasında tam tersi yapılıyordu. İsrail'e bağırıyorsa, İsrail'in

lehine bir gelişme oluyordu. PKK'ya bağırıyorsa, PKK'yla görüşülüyordu.

...»

Aldı gene İsrail rüzgârını arkasına, atladı uçağa, Arap Baharı turuna çıktı. Mısır'a, Tunus'a, Libya'ya gitti. "Arap kahramanı" gibi karşılandı. Mısır televizyonuna sürpriz açıklama yaptı. "Laiklik dinsizlik demek değildir, Mısır'ın laik anayasaya sahip olmasını tavsiye ediyorum" dedi. Bu ne perhiz, bu ne lahana turşusuydu... "Laiklik karşıtı eylemlerin odağı" iktidarımız, Mısır'daki dincilere "Laik olun" diyordu.

...»

Peki, nasıl oluyor da böyle oluyordu?
Aslında Mısır'da, Libya'da neler dönüyordu?
Suriye'deki meselenin üstüne niye atlamıştık?
Hani şu, van münüts'teki moderatör vardı ya... Davos'ta Başbakanımızın fırça kaydığı Amerikalı gazeteci David Ignatius... *Washington Post*'ta şunları yazıyordu: "Arap Baharı'nı yönlendirmek için geri planda kalmayı tercih eden Amerikan yönetimi, bu işe en uygun kişi olarak Tayyip Erdoğan'ı seçti. Çünkü Tayyip Erdoğan İslamcı partilerde saygın bir yere sahip... Beyaz Saray yönetimi, Obama'nın ilk yurtdışı gezisi için Ankara'yı düşünürken, bunları hesapladı. Obama ve Erdoğan, Mısır, Libya, Suriye ve İran olaylarıyla ilgili çok sıkı işbirliği yürütüyor. Sadece bu yıl içinde 13 defa görüştüler."
Demek ki neymiş?
Van münüts falan derken, arka planda bunlar oluyormuş!

...»

Peki, "kardeşim" filan diye sarılırken, Beşar Esad'ı neden aniden "kötü adam" ilan etmiştik? *Washington Post*'un yazarı "Beyaz Saray tutanakları"na dayandırarak, bu sorunun cevabını da veriyordu: "Bir zamanlar Esad'ın en yakın müttefiki olan Tayyip Erdoğan, şimdi en keskin düşmanı... Tayyip Erdoğan'da sıkça görüldüğü gibi, bu da kişisel... Çünkü Obama bastırıyor, Suriye meselesinde Türkiye devreye giriyor. Tayyip Erdoğan, aralarındaki dostluğa güvenerek Beşar Esad'ı 72 saatte ikna edebileceğini söylüyor. Beşar Esad, Tayyip Erdoğan'a reformlar yapacağı konusunda söz veriyor. Ancak, sözünü tutmuyor, ABD'nin istediği reformları yapmıyor. Türk Başbakanı mahcup durumda kalıyor. Öfkeleniyor. Bu öfke hâlâ devam ediyor. Türkiye'yi katı bir tavır izlemeye itiyor."

Kesip, saklanacak makaleydi.

...»

Başbakanımız Mısır'dayken...
MİT'ileaks patladı!
Oslo rezaletinin ses kayıtları internete düştü.
Tayyip Erdoğan'ın "Bölücülerle masaya oturduğumuzu iddia edenler şerefsizdir" dediği tarihlerde... Milli İstihbarat Teşkilatı'nın PKK'yla resmen masaya oturduğu ortaya çıktı. Norveç'in başkentindeki pazarlık görüşmelerine, o dönem Başbakanlık Müsteşar Yardımcısı olan Hakan Fidan ve MİT Müsteşar Yardımcısı Afet Güneş katılmıştı. Ses kayıtlarını internete kimin sızdırdığı gene meçhuldü.

Tayyip Erdoğan "Görüşen şerefsizdir" lafını değiştirdi.
"Hükümet görüşmüyor, devlet görüşüyor" dedi.
Halbuki, ses kayıtlarına göre, Hakan Fidan Oslo masasında kendisini teröristlere tanıtırken, açık açık "Müsteşar yardımcısıyım ama, Sayın Başbakanımızın özel temsilcisiyim" diyordu.
Milli İstihbarat Teşkilatımızın, İmralı'yla Kandil arasında "kurye"lik yaptığı, tarafların birbirine yazdığı mektupları taşıyıp, elden teslim ettiği anlaşılıyordu. Oslo sohbetinin en çarpıcı bölümü "patlayıcı"larla ilgiliydi. PKK'yı temsil eden terörist "Bizim güçler Türkiye'nin her tarafında var" diyor, MİT'çi de "Biliyoruz biliyoruz, metropolleri patlayıcılarla doldurdunuz" diyordu. Sadece 24 saat sonra, Ankara'nın göbeğinde Kızılay'da bomba patladı, dört kişi öldü, 34 kişi yaralandı.
Türk istihbaratı katmerli madara edilmişti. Hem "gizli buluşma" afişe olmuştu. Hem de "Biliyoruz diyorsunuz ama, burnunuzun dibinde bomba patlatırız, ruhunuz bile duymaz" mesajı veriliyordu.

...»

Oslo deşifre oldu, BDP boykottan vazgeçti.
Meclise gelip yemin ettiler.
Gözler, Leyla Zana'nın üzerindeydi. 20 sene önce, başında yeşil-sarı-kırmızı bantla meclis kürsüsüne çıkmış, yeminini Kürtçe

sözlerle bitirerek krize yol açmış, tutuklanmıştı. Bu sefer...
"Büyük Türk milleti önünde namusum ve şerefim üzerine ant içerim" diyeceğine "büyük Türkiye milleti" dedi.
Yemin, tekrar edilmeliydi. Oturumu yöneten Meclis Başkanı Cemil Çiçek, tekrar ettirmedi. Leyla Zana'ya sordular, "Türk yerine Türkiye dedim, kasıt yok, bilinçaltımın oyunu" dedi.
İtirazlar üzerine, ses kayıtları ve görüntüler incelendi. "Türkiye dememiş, Türk demiş" denildi, kapatıldı.

...»

KCK tutuklamaları başladı.
Öyle böyle değil, 50 kişi birden, 250 kişi birden, toplayıp toplayıp hapsediyorlardı. PKK'nın "şehir yapılanması" olduğu söyleniyordu. Aslında "paralel devlet yapılanması"ydı. Bölgede "özerklik" ilan edildiğinde, özerk devletin kurumlarını yönetmek için "KCK" denilen kadrolara ihtiyaç olacaktı.
O günlerde sayın ahalimiz farkında değildi ama... Oslo'nun basına sızdırılması da, BDP'nin boykotu bitirmesi de, KCK'nın sıkıştırılması da, TSK'nın felç edilmesi de "pazarlık"ın hamleleriydi.

...»

Kıbrıs Rum Kesimi, İsrail'le anlaşma imzaladı.
KKTC'yi yok saydı.
Akdeniz'de petrol ve doğalgaz sondajına başladı.
Derhal "misilleme" yaptık. Sismik araştırma gemimiz Piri Reis'i göndermeye kalktık. Kepazelik ortaya çıktı... Çünkü Piri Reis'e takmak için 1 milyon liraya yeni motor ithal edilmişti ama, 200 bin liralık vergisi ödenmediği için, yeni motor gümrükte rehin kalmıştı. Motoru gümrükten çıkaramayan Türkiye, denizin dibinden petrol çıkarmayı bekliyordu.
Piri Reis'e araştırma için 1500 metrelik sismik kablo yüklenmişti.
Oysa, Rumların diktiği platformun çıpası bile 1800 metreydi.
Adamların çıpası bile bizim sismik kablodan uzundu.

...»

Otomobil, içki, sigara, cep telefonuna 6 milyar liralık vergi bindirildi. Maliye Bakanı "Zam değil, güncelleme" dedi.
Aslında buna şükürdü.
"PKK'yla hükümet görüşmüyor, devlet görüşüyor" misali...
"Zamları hükümet yapmadı, devlet yaptı" da diyebilirdi.

Nitekim... Tayyip Erdoğan zamları eleştirenlere sinirlendi, "Sigarayı içmezsin, alkolü daha az tüketirsin, olur biter, kalkıp da Porsche kullanacağına, Fiat'a bin, Volkswagen'e bin" dedi.
Eskiden zam yapana kızılırdı.
Şimdi artık, zam yapan kızıyordu!

...»

Bitlis-Güroymak'ta mayın patladı, beş polis şehit oldu.
Gazetelerimizin tamamında "Güroymak'ta hain pusu, Güroymak'ta kahpe mayın, Güroymak'ta kalleş saldırı" manşetleri yayımlandı. İyi de... Cumhurbaşkanı açılım yapıp, bu Güroymak'a Kürtçe "Norşin" dememiş miydi? Gazetelerimiz alkışlamamış mıydı? "Norşin müjdesi, Norşin sevinci" manşetlerini atmamışlar mıydı? Hani Norşin şimdi? Açılım yaparken Norşin, açılım patlayınca Güroymak, öyle mi?
Basınımızın bu "yüzsüz" haline "iki yüzlü" denemezdi artık...
Dense dense "binbir surat" denebilirdi.

...»

Ertesi gün, Hakkâri'de 24 şehit vardı, 24 şehit.
Açılım'ın yıldönümüydü!
İki sene önce bugün, 19 Ekim'de...
Kandil'den gelenler Habur'da davul zurnayla karşılanmıştı.
Açılım, saçılım olmuştu.
Türkiye kan ağlıyordu.

...»

Şehitlerin toprağa verildiği gün...
Başta Zahid Akman, Deniz Feneri'nden tutuklu olan herkes serbest bırakıldı. Şike operasyonu başladığı gün tutuklanmışlar, haliyle, tek sütun haber bile olmamışlardı. Şimdi de, tüm Türkiye'nin dikkati şehitlerdeyken serbest bırakılmışlar, haliyle, gene tek sütun haber bile olmamışlardı.
Peki, bunları tutuklayan savcılara ne oldu?
Tayyip Erdoğan Somali'deyken, medyanın dikkati Somali'deyken, zart diye görevden alınmışlar, tek sütun haber bile olmamışlardı!

...»

Ve, Kaddafi'yi yakalayıp, linç ettiler.
Önce bacaklarından, sonra boynundan kurşunladılar. Cesedini

yerlerde sürüklediler. Kameraya aldılar, bütün dünya dehşetle seyretti. Arap Baharı'nın aslında karakış'ı vaat ettiğinin kanıtıydı. Halbuki, kısa süre önce Bakanımız Ali Babacan gururla anlatmıştı. Kaddafi'yi "silahla" devirenlere 100 milyon dolar verdiğimizi müjdelemişti. Hem de nasıl vermiştik biliyor musunuz? "100 milyon dolar 1100 kilo geliyor, tamamını yüklersek riskli olur, uçağı düşürür diye korktum, 10 milyon doları uçakla gönderdik, kalanı Türkiye'de elden teslim ettik" demişti... İşte bu uçakla-bavulla para verdiğimiz arkadaşlar, şimdi Kaddafi'yi katletmenin gururunu yaşıyordu.

...»

Van'da 7.2 şiddetinde deprem oldu.
Yıkıldık. 604 insanımız hayatını kaybetti. En büyük darbeyi Erciş yemişti. Binalar tost olmuştu. Maalesef, Türkiye'de "üç mesleği" canı çeken herkesin yapabildiği gene kanıtlanmıştı; siyasetçilik, gazetecilik, müteahhitlik... Mesela, Türkiye'de 115 bin doktor varken, 310 bin müteahhit vardı! Olacağı buydu.
Bir gün, iki gün, üç gün... Günler geçiyor, yeterli çadır gelmiyor, vatandaş gece sokakta yatıyor, gündüz yolları kesiyor, Kızılay kamyonlarına saldırıyor, bileği güçlü olan çadırı alıyordu. Çünkü itiraf edilmiyordu ama... Çadır stokları Suriyeli sığınmacılara tahsis edilmişti. Elde çadır kalmamıştı. "Memleketin bir yerinde deprem meprem olursa, ne halt ederiz?" diye düşünülmemişti.
Maddi yardım toplamak amacıyla "Van İçin Tek Yürek" kampanyası düzenlendi. Aynı anda 19 televizyon kanalında yayınlandı. Aynı anda "Muhteşem Yüzyıl" dizisi vardı. Kanuni'yle Hürrem, 19 kanalın hepsinin toplamından fazla izlendi.

...»

17 gün sonra... Van'da 5.6'lık deprem oldu. Hasarlı binaları yerle bir etti. En büyük can kaybı Bayram Otel'deydi. Enkazda hayatını kaybedenler arasında, gazeteciler Sebahattin Yılmaz ve Cem Emir ile Japon yardım gönüllüsü Doktor Miyazaki de vardı.
17 gün önce... İlk deprem olduğunda, Şehircilik Bakanı Erdoğan Bayraktar "Bugün itibariyle en güvenilir yer Van'dır, fay kırıldı, enerjisi boşaldı, binalara girilebilir, büyük depremin olduğu yerde bir daha deprem olmaz, dünyada bunun örneği görülmemiştir" demişti. Van Valisi de televizyona çıkmış, endişeye gerek kalmadığını belirterek "Bakın gazeteciler geliyor, kurtarma ekipleri geliyor, otellerde kalıyor, otellerde

yer bulamıyoruz" demişti. Yıkılan otel, Vali'nin örnek gösterdiği oteldi.

...»

Tayyip Erdoğan, şak diye mevzuyu değiştirdi.
"Bedelli askerlik benim için çok acil konu" dedi.
Allah Allah?
Halbuki seçimden önce ne diyordu... "Parası olan var, olmayan var, parası olan bastıracak parayı askerlikten kurtulacak, parası olmayan gidecek askerlik yapacak, olmaz öyle, biz yola çıkarken kimsesizlerin kimi olarak çıktık, ben şahsen Tayyip Erdoğan olarak böyle bir sorumluluğun altına giremem, gerekirse referanduma götürürüz" diyordu.
Alkışlamışlardı o zaman.
Şimdi ne yapıyorlardı?
Gene alkışlıyorlardı.
Analar ağlamasın'la başlamışlardı.
Kaçanın anası ağlamaz'a bağlamışlardı.
Bizzat Tayyip Erdoğan açıkladı. Temel eğitim bile kaldırılmıştı. 30 yaşından gün alıp 30 bin lirayı bastıran, bir gün bile askerlik yapmayacaktı. Yurtdışındaysan, 10 bin euro ödeyip, kışlaya uğramayacaktın. Taksit imkânı vardı. Kredi imkânı vardı.
Ensen kalınsa, canın sağolsun.
Garibansan, vatan sağolsun'du.

Milli Savunma Bakanı'na "Bedelliden faydalanacak milletvekili çocuğu var mı?" diye sordular. "Bu soru parlamentonun değerini düşürür, çok ayıp yani" cevabını verdi. Soranlar, terbiyesizdi! "Anayasa'nın eşitlik ilkesine aykırı değil mi?" diye sordular. Daha şahane bi cevap verdi. "Anayasamızda vatan hizmeti her Türk'ün ödevi olarak belirtilmiş, askerlik hizmeti eşitlikse, bayanların da askere gitmesi gerekirdi, her Türk'ün ödeviyse, hanımların da gitmesi gerekirdi" dedi.

...»

Odatv davasından tutuklanan MİT Asya Bölgesi Başmüşaviri Kaşif Kozinoğlu, Silivri Cezaevi'nde vefat etti. Henüz duruşmaya çıkmamıştı. Sadece dokuz gün sonra ilk defa hâkime ifade verecekti. Ne diyeceği en fazla merak edilen sanıktı. "Spor yaparken kalpten öldü" dediler.
55 yaşındaydı, sağlık sorunu yoktu. Bordo bereli subaydı. Dünya

Özel Kuvvetler Şampiyonası'nda teçhizatlı koşu, paraşütle atlama, sualtı dalışı, hayatı idame'de dünya şampiyonuydu. Vücudunda mermi izleri taşıyordu, gizli görevleri sırasında vurulmuş, ölmemişti. "Spordan öldü" deniyordu!

...»

Ergenekon'un tutuksuz sanığı emekli Orgeneral Hurşit Tolon, kaç gün sonra ilk defa hâkim önüne çıkıp, savunmasını verebildi biliyor musunuz? 3 sene 4 ay 14 gün sonra!
Belki de savunma vermeseydi iyiydi.
1232 gün sonra savunma verdi, tutuklandı.
O kadar çok muvazzaf subayı içeri atıyorlardı ki, Hasdal Cezaevi doldu. Yer kalmadı. Hadımköy'deki tugay komutanlığının eski karargâh binasını cezaevine dönüştürdüler. Yakında orası da dolacak, Hadımköy'de de yer kalmayacak, Maltepe devreye sokulacaktı.

...»

10 Kasım'da, CHP'de gene Dersim krizi çıktı.
Kemal Kılıçdaroğlu, iki sene önceki Dersim meselesi yüzünden Onur Öymen'in üstünü çizmiş, yeniden milletvekili adayı yapmamıştı. Onun yerine, adeta rövanş gibi... Dersim kitaplarıyla tanınan Hüseyin Aygün'ü "yeni CHP"ye davet etmiş, Tunceli'den milletvekili yapmıştı. Hüseyin Aygün de, tam 10 Kasım'da *Zaman* gazetesine konuşmuş, "CHP kendi tarihiyle yüzleşmeli, Atatürk'ün Dersim katliamından haberdar olmaması mümkün değil" demişti.

...»

Tayyip Erdoğan "yeni CHP"li Hüseyin Aygün'ün pasını gole çevirdi. "1938 Dersim olayları için devlet adına özür dilemek gerekiyorsa, ben özür dilerim ve diliyorum, CHP de özür dilesin" dedi... 13 bin kişinin öldüğünü, 11 bin kişinin sürgün edildiğini, çocukların kadınların katledildiğini söyledi. İsyanın elebaşı Seyit Rıza'nın asılmasını "yürek burkucudur" diye tarif etti, anlatırken gözleri doldu.

...»

Bu paslaşma ilk değildi.
Hüseyin Aygün, henüz milletvekili olmadan önce, 2009 senesinde *Dersim ve Zorunlu İskân* ismiyle kitap yazmıştı. Tayyip

Erdoğan, o kitabın piyasaya çıktığı gün, İsmet İnönü dönemine "faşizan dönem" demişti. Her defasında Hüseyin Aygün ortalıyor, Tayyip Erdoğan da golünü atıyordu.

...»

Mustafa Kemal'e vurulurken...
Padişah açılımı yapıldı.
TBMM Başkanlığı "Ölümünün 150'nci Yılında Sultan Abdülmecid" ismiyle, Dolmabahçe Sarayı'nda anma sempozyumu düzenledi. Milletvekillerine padişah tuğralı davetiyeler gönderildi.
Küçük bi pürüz vardı...
Sultan Abdülmecid hangi gün öldü?
26 Haziran'da.
Hangi gün doğdu?
25 Nisan'da.
Hangi gün taht'a çıktı?
1 Temmuz'da.
E anma töreni niye 17 Kasım'da yapılıyordu?
Çünkü Abdülmecid'le falan alakası yoktu. 17 Kasım, Mustafa Kemal için idam fermanı yazan Vahideddin'in memleketten kaçtığı gündü. Elbette inkâr edildi ama... Vahideddin anılıyordu.

...»

Cumhurbaşkanımız gene İngiltere'ye gitti.
Bu sefer Kraliçe'nin davetlisiydi.
First leydimizle birlikte, Buckingham Sarayı'nda gece yatısına kaldılar. Top atışıyla karşılandılar. Cumhurbaşkanımız ilk defa "frak" giydi. Kraliçe'nin kendisine verdiği madalyayı da göğsüne taktı.

...»

Tayyip Erdoğan ameliyat oldu.
Türkiye'nin ne kadar "özgür" ve "ileri demokratik ülke" olduğu bir defa daha kanıtlandı. Çünkü Başbakan üç gündür kayıptı. Marmara Üniversitesi Pendik Hastanesi'ne yattığı bütün basın tarafından biliniyordu. Sıkıysa yaz, kimse yazmıyordu... Aydın Doğan'a kesilmiş 1 milyar dolarlık fatura kabak gibi ortada dururken "Bana ne birader, ben mi kurtaracağım memleketi" havası hâkim olmuştu. Zaten bilgi alma, doğrulatma imkânı da yoktu. Hastane adeta duvar örmüştü, doktorlar telefonlarını bile

açmıyorlardı. Başbakanlığın lütfedip resmi açıklama yapması bekleniyordu.

Neticede öyle oldu, açıklamayı Başbakanlık yaptı.
Üç gün önceki ameliyat "son dakika" diye ekranlara taşındı! "Sindirim sistemi ameliyatı" olduğu açıklandı. Kalınbağırsağının 20-25 santimi alınmıştı. Başbakan'ın nesi vardı? Kanser miydi? Bu kitabın yazıldığı 2013 senesinde, Türk halkı bunu hâlâ bilmiyordu. Şeffaf bilgi verilmedi. Saklandı. Gizlendi. Öğrenilmesi engellendi. Kulaktan kulağa, dedikodular dolaşıyordu. Küba'da Castro'nun sağlık durumunu öğrenebiliyorduk, ileri demokrasi Türkiye'de Başbakan'ın sağlık durumunu öğrenemiyorduk.
Ameliyatı, Özel Amerikan Hastanesi'nin profesörü yapmıştı. Bu da, bir başka ileri demokrasi göstergesiydi. Çünkü bu profesör AKP'nin çıkardığı tam gün yasası gereği, özel hastaneyi tercih etmişti, üniversiteden istifa etmişti, üniversitede ameliyat yapması kanunen yasaktı. Anestezi ekibi de dışardan gelmişti. Vatandaşa öyle, Başbakan'a böyleydi.

...»

Diyanet'in Kuran kurslarında yaş sınırı kaldırıldı.
Çocuklar eskiden, beşinci sınıftan sonra gidebiliyordu.
Şimdi artık, ilkokula başladığı gün gidebilecekti.

...»

YÖK, katsayı farkını tamamen ortadan kaldırdı.
Üniversiteye giriş puanı hesaplanırken "imam hatip-genel lise farkı" kalmadı. Bu son görevini de başarıyla (!) yerine getiren YÖK Başkanı Yusuf Ziya Özcan, Polonya Büyükelçiliği'ne atandı. Bırak rektörlüğü, dekanlık bile yapmadan YÖK Başkanı olmuştu. Şimdi de, hariciyede herhangi bir görevde bulunmadan, şak diye hariç'ten büyükelçi olmuştu. YÖK Başkanlığı'na İstanbul Şehir Üniversitesi Rektörü Profesör Gökhan Çetinsaya getirildi.

...»

İsviçre CERN'de binlerce mühendis ve fizikçinin ortak çalışmasıyla "tanrı parçacığı"nı bulmak için deneylere başlandı. O gün... Başbakan Yardımcısı Bekir Bozdağ, din eğitimi almadığı halde din bilgisi olan mollaların, devlette kadrolu imam yapılacağını açıkladı. Böylece... Dünya devletleri, evrenin başlangıcına ulaşmaya çalışırken, Türkiye, sözün bittiği yere ulaşmayı başardı.

...»

Fas'ta seçim yapıldı, AKP kazandı!
Amblemi, gaz lambası'ydı.
Bizim AKP'den üç sene önce kurulmuştu, bizim AKP'den üç sene sonra iktidara gelebilmişti. Bizim "ampul" amblemli AKP'nin, amblemini de ismini de bu AKP'den örnek aldığı iddia ediliyordu.

...»

Time dergisi, geleneksel anketlerini internet üzerinden yaptı. "Yılın kişisi"ni ve "yılın sevilmeyen kişisi"ni seçti. Tayyip Erdoğan ikisinde de dünya birincisi oldu! Çünkü geleneksel sidik yarışımız devreye girmişti. AKP'lilerin 172 bin oyuyla yılın kişisi anketinde futbolcu Messi'yi, Steve Jobs'u geride bırakmış, Obama'yı 10'a katlamıştı. AKP'yi sevmeyenlerin tıklamasıyla da, öz kızını öldüren Amerikalıyı bile geçip, 180 bin oyla, en sevilmeyen kişi olmuştu. En başta da, en sonda da şampiyondu. Ve aslında, Türkiye'nin ortadan karpuz gibi ikiye bölündüğünün kanıtıydı.

...»

Cüppeli Ahmet tutuklandı.
İddiaya göre; yabancı hayat kadınlarıyla yatak maceraları vardı, koruması gizli kameraya almıştı, görüntüler ortaya çıkmasın diye korumasını mafyayla tehdit etmişti. Görüntüler şakır şakır internette dolaşıyordu. Cüppeli'yi bir sene yatırdılar.

...»

Fransa yasa çıkardı, "Soykırım yoktur" demek suç oldu.
"Soykırım yoktur" diyene bir sene hapis cezası verilecekti.

...»

Türkiye'de çoluk çocuk herkesin dikkati Fransa'ya odaklanmışken... Fransa meclisinin hepimizi soykırımcı ilan ettiği saatlerde... Bizim TBMM toplandı, milletvekili maaşına yüzde 100 zam yaptı!
"Özür dileriz, siz başka tarafa bakarken biz kaşla göz arasında bu işi yapmaya kalkıştık, suçüstü yakalandık" diyeceklerine... TBMM Başkanı Cemil Çiçek çıktı savundu. "Milletvekillerinin çektiği sıkıntıların hesabı yapılmıyor, mesela bir milletvekili

100 tane düğüne gidiyor, küçücük altın 180 lira, çeyrek altın götürsen, 'Koskoca vekilin getirdiğine bak' derler, ortasını götürsen 400 lira" dedi.

...»

İktidar böyle de, muhalefet farklı mıydı?
CHP Afyon Milletvekili Ahmet Toptaş "Memleketin sorunlarını üstleniyoruz, insan gibi yaşama hakkımız yok mu, inanın bir haftadır mecliste et yiyemedim" diye yakındı.

...»

2011'in son faciasına bizzat devletimiz imza attı.
Kuzey Irak'tan katırlarla giriş yapan kaçakçılar, terörist zannedildi. Şırnak-Uludere yakınlarında, F16'larla bombalandı. Aralarında çocukların da bulunduğu 34 kişi hayatını kaybetti. "CHP hükümeti Dersim'i bombaladı" denirken "AKP hükümeti Uludere'yi bombaladı" durumuna düşülmüştü. Genelkurmay, baş sağlığı mesajı yayınladı, orduevlerindeki yılbaşı kutlamaları iptal edildi. Necdet Özel'in Genelkurmay Başkanlığı'na kadar TSK'yı yerden yere vuran, devamlı ihmalle-kasıtla suçlayan yandaş basın... Şimdi, TSK avukatı kesilmişti. Talihsizlik olduğunu yazıyorlardı.

Hayatını kaybeden vatandaşlar, Uludere'nin Ortasu Köyü'ndendi. Yol geçen hanı gibi kaçakçılık yaptıkları, sınırdan ne zaman çıktıkları ne zaman girdikleri, bölgedeki bütün devlet görevlileri tarafından biliniyordu. O halde "hatalı istihbaratı" kim vermişti? Bu kitabın piyasaya çıktığı 2013'ün Eylül ayında bile hâlâ belirsizdi.
AKP hükümeti, Uludere meselesini tazminatla halletmeye çalıştı. Tayyip Erdoğan "Her bir kardeşimiz için 123 bin lira ödeyeceğiz" dedi. Başbakan'ın bu açıklamasını duyan şehit aileleri gazetelere telefon yağdırdı. "123 değil, gerekirse 323 ödensin ama, bizim başımız kel mi?" diye soruyorlardı.

...»

Bu sene 128 şehit vermiştik.
25'i polisti.
Çünkü bu sene, polisin askerden daha başarılı olabileceğini kanıtlamaya çalışmışlardı. Bizzat Başbakan "terörle mücadelede polisin daha etkin şekilde kullanılacağını" açıklamıştı. PKK

da takır takır polis vurarak cevap vermişti. Hatta, polislere saldırayım derken... Tunceli'de bir polisin öğretmen eşini, Siirt'te dört genç kızı, Batman'da sekiz aylık hamile kadınla üç yaşındaki kızını katletmişlerdi. Kadıncağıza apar topar sezaryen yapılmış, maalesef bebeği de kurtarılamamıştı.

...»

Tayyip Erdoğan'ı üç kuruşa mahkûm ettiren Avukat Kemal Kerinçsiz, "30 bin Kürt'ü ve 1 milyon Ermeni'yi öldürdük" diyen Orhan Pamuk'a da şehit aileleri adına tazminat davası açmıştı. Orhan Pamuk, altı şehit ailesine altı bin lira ödemeye mahkûm oldu. "30 bin Kürt'ü ve 1 milyon Ermeni'yi öldürdük" lafından sonra Nobel'in yanında 1 milyon 360 bin dolar para ödülü kazanmıştı. Karşılığında sadece altı bin lira ödedi. Fena bi alışveriş değildi!

...»

Bir sene daha geride kalırken...
Necmettin Erbakan artık yoktu.
Kaderin cilvesi olsa gerek... 28 Şubat süreciyle başbakanlıktan indirilen Erbakan'ın vefat haberi, gene 28 Şubat'ta, 28 Şubat 2010 tarihli gazetelerin manşetlerindeydi. Demirel, Ecevit ve Türkeş'le birlikte Türkiye'nin son 40 senesine damgasını vurmuştu. Çok kurnaz politikacıydı ama öğrencileri tarafından tufaya getirileceğini, yanından ayrılıp AKP'yi kuracaklarını hissedememişti. Tabutuna Türk bayrağı örtülmedi, hınca hınç cenaze töreninde bir tek Türk bayrağı bile görülmedi.

...»

Usame bin Ladin artık yoktu.
Amerikan komandoları tarafından Pakistan'da saklandığı evde öldürüldü. Uçak gemisindeki cenaze töreninden sonra denize atıldığı açıklandı. Öcalan'ı idam edilmemesi kaydıyla Türkiye'ye teslim eden, kılına zarar gelmesin diye sıkı sıkıya tembihleyen ABD, kendi teröristinin cenazesini bile yok etmişti.

...»

Steve Jobs artık yoktu.
Dünyayı değiştiren vizyoner, 56 yaşında gitti.

...»

Aydın Menderes artık yoktu.
Ömrünün son senelerini tekerlekli sandalyeye mahkûm geçiren... Trajedileri, intiharları, kazalarıyla Kennedy Ailesi'ne benzetilen Menderes Ailesi'nin siyaset sahnesindeki son ferdiydi.

...»

Sami Ofer artık yoktu.
AKP'den aldığı alengirli ihalelerle tanınıyordu.
Ölümü bile şaibeliydi.
İsrailli işadamı evinde ölü bulundu.

...»

Tayyip Erdoğan'ın annesi vefat etti.
Kısıklı'daki villasının bahçesinde taziyeleri kabul etti. İş dünyası kuyruk oldu. Televizyonlardaki eğlence programları yayından kaldırıldı. Adeta yas ilan edilmişti. Gazetelere kim daha büyük başsağlığı ilanı verecek yarışı yapıldı. Tenzile Erdoğan'ın tabutuna, Suudi Kralı'nın gönderdiği ipek örtü örtüldü. Karacaahmet'te toprağa verildi. Bilahare, Tayyip Erdoğan'ın 1988'de vefat edip Kasımpaşa Kulaksız Mezarlığı'na defnedilen babası Ahmet Erdoğan'ın naaşı çıkarıldı, annesinin kabrinin yanına taşındı. Van Erciş'teki depremde ağır hasar gören "Atatürk" ilkokulu yeniden inşa edildi, "Atatürk" levhası kaldırıldı, "Tenzile Ana" ilkokulu yapıldı! Bu okul, Kemal Kılıçdaroğlu'nun da eğitim gördüğü okuldu.

...»

Kayıp listemiz çook uzundu...
Yeşilçam'ın efsane yönetmeni Ömer Lütfi Akad, Hollywood'da film çeviren jönümüz Muzaffer Tema, tiyatro duayeni Sönmez Atasoy, ölümüyle Türkiye'yi şoke eden cıvıl cıvıl Defne Joy Foster, ilk kadın spikerimiz Jülide Gülizar, karikatürist İsmail Gülgeç, gazeteciler Hikmet Bilâ ve Orhan Tokatlı, ressam-seramik sanatçısı Ümran Baradan, Bayan Yoh Yoh Esin Afşar, Olacak O Kadar'ın olmazsa olmazı Fatma Murat, sanat müziğinin unutulmaz seslerinden Şükran Ay, en kapsamlı argo sözlüğünü hazırlayan yazar-şair-ressam Hulki Aktunç, ilk Türk kadın opera sanatçısı Meral Menderes, Türk reklamcılığının kurucusu kabul edilen Eli Acıman, sosyalist hareketin öncü isimlerinden Mihri Belli... Ve, kahramanlık türkülerinin davudi sesi, hayatı boyunca darbeci olmadığını anlatmaya gayret eden, 12 Eylül 1980'in "zoraki" sembolü Hasan Mutlucan, vefat etti.

Kıvırcık Ali olarak tanınan halk müziği sanatçımız Ali Özütemiz'i trafik kazasında... Ekolojik yaşam ve organik gıda denince ilk akla gelen isim Victor Ananias'ı ise, Fethiye'de yediği zehirli mantardan kaybettik.
İki Oscarlı Elizabeth Taylor ve "Komiser Kolombo" Peter Falk, doğal yollardan... İngiliz soul ve caz şarkıcısı Amy Winehouse, uyuşturucudan öldü.
Rezaletler, kepazelikler, skandallarla dolu 2011'i, Keşan Müftüsü taçlandırdı... Yılbaşına saatler kala yaptığı açıklamada, "Noel Baba pencereden bacadan giriyor, doğru dürüst biri olsa kapıdan girerdi, Kuran-ı Kerim evlere kapıdan girin diyor, neden bacadan giriyor ki?" dedi!

...»

"Türkiye Cumhuriyeti'nin 26'ncı Genelkurmay Başkanı...
Terör örgütü kurmak ve yönetmek suçundan tutuklandı.
Takdir yüce Türk milletinindir."
Bu tarihi sözlerin sahibi İlker Başbuğ, Silivri'ye tıkıldı.
Genelkurmay Başkanı "terörist" olmuştu.
Trajikti, komikti... Emrinde 700 bin kişilik silahlı askeri gücü bulunan komutan, dandik dundik internet siteleri kurup, hükümeti bu internet siteleriyle yıkmaya teşebbüsten suçlanıyordu.
Cumhuriyet'le hesaplaşma süreci başlamıştı.

...»

Atatürk'ün koltuğunda oturan Cumhurbaşkanı Gül, "Atatürkçü olmayı kendime hakaret sayarım, Atatürk ideolojisi darbeler ideolojisidir, Atatürk ideolojisi faşist ideolojidir" diyen Mümtazer Türköne'yi Atatürk Tarih Yüksek Kurumu yönetim kurulu üyeliğine atadı. Bu arkadaş, Kürt sorununun çözümü için de Apo'nun paşa yapılmasını, Bodrum'a yerleştirilmesini, maaşa bağlanmasını önermişti.

...»

Milli Eğitim Bakanlığı genelge yayınladı, 19 Mayıs törenlerinin stadyumlarda yapılmasını yasakladı. Stadyum şenliklerinin Hitler Almanyası'nı çağrıştırdığı öne sürülüyordu. Oysa herkes biliyordu ki... 19 Mayıs Atatürk'ü "An-ma" Bayramı olsun, anılmasın isteniyordu.

...»

Diyanet İşleri, Milli Eğitim Bakanlığı'yla ortaklaşa kampanya başlattı, ilköğretim öğrencilerini sömestr tatilinde umre'ye götürdü. Beş gün Mekke'de, beş gün Medine'de kalınıyordu.

...»

Deniz Feneri'nden el çektirilen üç savcı hakkında iddianame yazıldı. Resmen "sanık" oldular. Görevi kötüye kullanmaktan 11 sene hapisleri isteniyordu. Almanya dolandırıcıları yargılıyor, biz savcıları yargılıyorduk. Üstelik... Deniz Feneri savcılarının "sanık" olduğu davada, Deniz Feneri savcılarının tutukladığı Zahid Akman "tanık" olarak dinlendi, iyi mi... Savcılar sanık olmuş, sanık tanık olmuştu!

...»

BDP Genel Başkanı Demirtaş, anadilde eğitime karşı olduğunu açıklayan Genelkurmay'a bindirdi. "Ha onbaşı konuşmuş, ha genelkurmay başkanı, bizim nazarımızda zerre kadar değeri yok" dedi. Genelkurmay Başkanı'nın "terörist" diye hapse tıkılmasına gıkını bile çıkarmayan Genelkurmay Karargâhı, onbaşı denilmesine pek öfkelendi. "Onur ve saygınlığının zedelendiği" gerekçesiyle tazminat davası filan açtı. Neticede, dava reddedildi, Genelkurmay "zerre kadar" tazminat alamadı.

...»

12 Eylül iddianamesi kabul edildi.
Kenan Evren bir numaralı, Tahsin Şahinkaya iki numaralı sanık oldu. Zaten başka sanık yoktu! Aslında soruşturma açıldığında Nejat Tümer de sanıktı. Bir ay sonra öldü. Kala kala iki sanık kaldı. Onlar da tutuksuz yargılanıyordu. Biri 94, öbürü 86 yaşındaydı, işemeye gidecek halleri yoktu.
12 Eylül 1980 darbesinde, 650 bin kişi gözaltına alınmış, 230 bin kişi yargılanmış, 50 kişi asılmış, 171 kişi işkenceyle öldürülmüş, 300 kişi şüpheli şekilde ölmüş, 14 bin kişi vatandaşlıktan çıkarılmış, 30 bin kişi sakıncalı diye işini kaybetmişti... Güya yargılıyorlardı.

...»

"Madem herkesi yargılıyorsunuz, e-muhtıra'yı veren Büyükanıt niye dışarda geziyor?" diye sordular. AKP Milletvekili, Anayasa hukukçusu Profesör Burhan Kuzu, hukuki olarak izah etti, "Bana ne ulan, git savcıya söyle, atsın içeri" dedi. TBMM Anayasa

Komisyonu Başkanı, adalete işte böyle bakıyordu.

...»

Fransa Anayasa Konseyi "ifade özgürlüğüne aykırı" buldu, soykırımı inkâr yasasını iptal etti. Yargıyı iktidarın emrine sokmaya çalışan Türkiye... İktidarın emrine girmeyen Fransız yargısı sayesinde soykırımcı olmaktan kurtulmuştu.

...»

Hükümetimiz "Fransa soykırım arıyorsa Cezayir'e baksın, Ankara'ya Cezayir anıtı dikeceğiz, TBMM'de Cezayir Soykırımı Kanunu çıkaracağız" filan diyordu. Cezayir Başbakanı çıktı, "Türkiye yakamızdan düşsün, bizim kanımızdan faydalanmaya, sömürmeye hakkınız yok" dedi. Türkiye'yi rezil-i rüsva eden bu açıklama, bizim basın tarafından sansürlendi.

...»

Dört senedir devam eden Hrant Dink davasında "örgüt yok, sıradan cinayet" kararı çıktı. Katilin "abi" dediği polis muhbiri Erhan Tuncel tahliye edildi. İlker Başbuğ, Mehmet Haberal, Nedim Şener, Hanefi Avcı, Aziz Yıldırım'a "örgüt üyesi" denirken... Dink cinayetinde "örgüt mörgüt yok" diyorlardı.

...»

Aynı gün... İzmir Büyükşehir Belediye Başkanı Aziz Kocaoğlu'na "örgüt lideri" olmaktan 397 sene hapis istendi. İzmir'in Milletvekili Mustafa Balbay zaten tutukluydu. Başkan'ı da içeri tıkılmak isteniyordu. Yani bi tek "Teslim ol İzmir, etrafın sarıldı" diye megafonla anons yapmadıkları kalmıştı.

...»

Adana Büyükşehir Belediye Başkanı Aytaç Durak tutuklandı. AKP'den başkanken, gayet iyiydi. MHP'ye geçince, ayvayı yemişti. İçişleri Bakanlığı tarafından görevden alındı. MHP'den istifa etti ama paçayı kurtaramadı. İbreti âlem için 42 gün yatırıldı, öyle bırakıldı. Hapisten çıkınca... "Keşke Başbakanımızı dinleseydim, dinlemediğim için pişman oldum, insan büyüklerini dinlemeli, Başbakan benden yaşça küçük ama makam olarak büyük, örfümüz ananemiz bunu gerektirir, hata ettim, sağlıklı bir ortamda kendisinden özür dilerim" diyordu. Demokrasimizin vaziyeti buydu.

...»

"İleri demokrasi"mizin vaziyeti ise, şuydu... AKP İstanbul Milletvekili Hakan Şükür, Lig TV'de yorumculuk yapmaya başlamıştı. Hem vekilliğinin dışında ekstra maaş alması etik değildi, hem de mecliste olması gereken saatlerde ekranda olması anormaldi. Sordular kendisine "Bu davranışınız doğru mu?" diye... Başbakan'ı kastederek "Beyefendi'ye sorulmuş, gerisi laf-ı güzaf" cevabını verdi.

...»

Paul Auster'ın *Kış Günlüğü* isimli son kitabı ABD'den önce Türkiye'de yayımlanmıştı. "Kitaplarınızı imzalamak için Türkiye'ye gelecek misiniz?" diye sordular. "En çok endişelendiğim ülke Türkiye, hapisteki gazeteci sayısı 100'ü geçti, bu yüzden Türkiye'ye gelmeyi reddediyorum" dedi. Başbakanımız kızdı, "Gelsen ne olur, gelmesen ne olur, sanki sana çok muhtacız" dedi. "Türkiye seninle gurur duyuyor" diye alkışlandı. Kişi başına kitap okuma oranı Afrika'nın bile gerisinde olan Türkiye'de... Paul Auster'ın "gelmem" demesiyle, Hotantu kralının "geleyim mi" demesi arasında fark yoktu.
Takvimi merak ediyorsanız...
Bunca hadise, sadece Ocak ayı içinde yaşanmıştı.

...»

KCK soruşturmasını yürüten Savcı Sadrettin Sarıkaya, resmi yazı gönderdi, MİT Müsteşarı Hakan Fidan, eski müsteşar Emre Taner ve eski Müsteşar Yardımcısı Afet Güneş'i ifadeye çağırdı.
Neden?
Çünkü BDP Diyarbakır İl Başkanlığı'na polis baskını yapılmıştı, aramalar sırasında "mutabakat taslağı" bulunmuştu. Oslo'da PKK'yla masaya oturulup, varılan mutabakattı... MİT'çiler "devlete ve anayasal düzene karşı anlaşma yapmak" suçuyla ifadeye çağırılmıştı.
Hemen birkaç saat sonra... İstanbul Emniyeti'nde KCK operasyonlarını yürüten "terörle mücadele müdürü"yle "istihbarat müdürü" görevden alındı. Adeta bilek güreşi yapılıyordu.
MİT'çiler ifade vermeye gitmeyince, yakalama kararı çıktı. Yakalama kararı çıkınca, jet hızıyla tek maddelik kanun çıkarıldı. MİT mensuplarına ve Başbakan'ın özel temsilcilerine dokunulmazlık zırhı getirildi. Tayyip Erdoğan "kozmik odası"nı yargıdan kaçırıyordu. Cumhurbaşkanı aynı gün içinde jet hızıyla

onayladı. Hukuk dediğin işte böyle olurdu!
Hakan Fidan ak'landı, savcıların elinden kurtarıldı.
Ertesi gün, Savcı Sadrettin Sarıkaya görevden alındı.

...»

Beş sene önce, bir başka Savcı Sarıkaya, Savcı Ferhat Sarıkaya "terör örgütü elebaşı" diye Yaşar Büyükanıt'ı içeri tıkmaya çalışmış ve görevden alınmıştı. Adalet Bakanımız adeta isyan etmişti, "karanlık güçlerin savcının üstüne gittiğini" söylemişti. Bülent Arınç, görevden alınan savcıyı TBMM'de hukuk müşaviri olarak işe almayı teklif etmişti. Yandaş medya canhıraş makaleler döşenmiş, Savcı Sarıkaya'yı "tek parti zihniyetinin infaz ettiğini" yazmıştı. Şimdi... Bir başka Savcı Sarıkaya, Savcı Sadrettin Sarıkaya görevden alınıyor, hükümetimizden ve yandaş medyamızdan çıt çıkmıyordu!
AKP'nin işine gelen Savcı Sarıkaya, cici.
AKP'nin işine gelmeyen Savcı Sarıkaya, çirkin'di.

...»

O gün düğmeye basıldı. 2004'te AB'ye uyum ayaklarıyla AKP tarafından kurulan "Özel Yetkili" Mahkemeler, gene AKP tarafından lağvedildi. Güya lağvedildiler ama... Ergenekon, Balyoz, Askeri Casusluk davalarına bakmaya devam edecekler, bu davalar bittikten sonra kapatılacaklardı. Böylece "Zaten bu davalar için kurulmuşlardı, işleri bitince kapatılacak" diyenler haklı çıkmıştı.

...»

MİT Müsteşarı'nın kurtarılıp, Savcı'nın tasfiye edildiği gün... Tayyip Erdoğan, Medipol Hastanesi'ne yattı. Gene ameliyat oldu. "Sindirim sistemi operasyonunda son aşama"nın tamamlandığı açıklandı.
O dönemde yazılan iddialara göre... MİT krizinin tam ameliyat olacağı günlere denk gelmesi, Tayyip Erdoğan'ı kuşkulandırmıştı. Hastaneye bir gün önce yatmış olsaydı, krize müdahale edebilmesi imkânsızdı. Ameliyat olacağını yakın çevresi dışında kimse bilmediğine göre, MİT hamlesi neden şimdi yapılmıştı? Yoksa telefonları mı dinleniyordu? Bu şüpheyle "böcek" araması yaptırıldı. Çalışma ofisini didik didik arayan polisler, "temiz" olduğunu, dinleme cihazı bulunmadığını rapor etti. Polisler gitti, MİT görevlileri arama yaptı, portatif prizde

iki adet böcek bulundu. Nasıl olurdu? Polisler nasıl bulamazdı? Tayyip Erdoğan'la MİT'çiler durum değerlendirmesi yaptı, polise bilgi verilmemesi kararı alındı. Bir hafta sonra... Polisler gene çağırıldı, ofiste tekrar arama yaptırıldı, polisler gene "temiz" olduğunu söyledi. Polisler gitti, MİT görevlileri arama yaptı, bu defa dört adet böcek bulundu. Taraflar bir araya getirildi, yüzleşme yapıldı. Polisler kesinlikle böcek olmadığını, MİT'çilerin kendilerini suçlamak için ofise koymuş olabileceğini söylediler. Kırılma anıydı, Tayyip Erdoğan polisler yerine MİT'çilere güvendi. Elbette bunların hepsi iddiaydı ama şakır şakır yazılıyor, yalanlanmıyordu. Yine yalanlanmayan iddialara göre, Başbakanlık koruma ekibi, bu mevzu yüzünden değiştirildi.

...»

Kısa süre önce, Tayyip Erdoğan'a ait olduğu öne sürülen telefon kayıtları ortaya çıkmıştı. Remzi Gür'le konuşurken kaydedildiği, Remzi Gür'den para istediği öne sürülmüştü. Bu konuşma, hem Tayyip Erdoğan hem de Remzi Gür tarafından yalanlandı, montaj denildi.

Söz konusu telefon kayıtları internet yoluyla gazetelere gönderilmiş, kimse yayımlamamış, sadece Ulusal Kanal ve *Aydınlık* dergisi yayımlamıştı. Generallerin profesörlerin gazetecilerin telefon kayıtları hiç sorunsuz yayınlanırken... Tayyip Erdoğan'ın kayıtlarını yayımlayan Ulusal Kanal ve *Aydınlık* yöneticileri derhal tutuklanmıştı.

...»

Başbakan taburcu oldu.
MİT mevzusu taburcu olamadı, kanamaya devam ediyordu.
Hükümetle cemaat arasında kavga olduğu iddia ediliyordu.
Yargı'nın polis'in Fethullah Gülen cemaati tarafından ele geçirildiği öylesine kabullenilmişti ki, cemaatin isteği dışında böyle bi hamle yapılamayacağı varsayılıyordu. Israrla kurcalanıyor, deşiliyordu.

...»

Dolayısıyla... Plağın değiştirilmesi gerekiyordu.
Başbakanımız "imam hatip lisesi" plağını taktı.
"Dindar gençlik yetiştireceğiz" dedi.
"Dindar olmasınlar da tinerci mi olsunlar?" dedi.
Halbuki... "Dindar Cumhurbaşkanı" denilen Abdullah Gül, imam

hatipten değil, düz liseden mezun olmuştu. Bülent Arınç, Cemil Çiçek, Beşir Atalay, Egemen Bağış, Ahmet Davudoğlu, kabinenin çoğunluğu düz lisedendi. Dinsiz mi yetişmişlerdi? Ali Babacan kolej mezunuydu, ateist miydi?

...»

Tayyip Erdoğan, AKP Gençlik Kolları'na hitaben konuştu, "dindar gençlik"le neyi kastettiğini açıkladı. "Dininin, dilinin, beyninin, ilminin, ırzının, evinin, kininin davacısı bir gençlikten bahsediyorum" dedi.
Necip Fazıl'ın Gençliğe Hitabesi'nden alıntıydı. Bu cümlenin devamı vardı... Tayyip Erdoğan devamını söylememişti. Necip Fazıl bu cümlenin devamında, "halka değil, hakka inanan, meclisinin duvarında 'hâkimiyet hakkındır' düsturuna hasret çeken bir gençlik" diyordu. Tayyip Erdoğan orasını es geçmişti!
Ağzındaki baklayı çıkarmamıştı ama...
Aklındaki baklayı çıkarmıştı.
"Kindar gençlik" isteniyordu.
(Buraya parantez açıyorum... Herhangi bir imada bulunmak için söylemiyorum, gün gün arşiv tarayan, gazeteci gözlemi olarak aktarıyorum. Tayyip Erdoğan'ın gizemli ameliyatlarından sonra, dini vurguları, öbür dünya-bu dünya kıyaslamaları arttı. Hatta, yakında "vasiyetim" kelimesini bile kullanacaktı.)

...»

Cumhurbaşkanı Gül, Facebook hesabından "Çankaya Köşkü'nün aslında 1071 rakımlı olduğunu" duyurdu. O zamana kadar "864 rakımlı" bilinirdi. E daha ne olsundu? Memleket dindar cumhurbaşkanına kavuşunca... Hem Çankaya'nın "yüksekliği" bile artmıştı. Hem de, Türklerin Anadolu'yu fethi ile Abdullah Gül'ün Çankaya'yı fethi, aynı rakama denk gelmişti.

...»

atv'nin yeni dizisi "Uçurum"da fahişe-mama karakterine, CHP Milletvekili Profesör "Nur Serter"in adı soyadı verildi. Çok ayıp, çok nefret görmüştük ama... "Kindar"lığın böylesini ilk defa görüyorduk.

...»

Dindar-kindar almış yürümüşken, CHP'liler birbirini yemeye devam ediyordu. Olağanüstü kurultay yapıldı. O günleri hatırlamayanlar inanmakta güçlük çekecek ama... Sadece 24 saat sonra, bir olağanüstü kurultay daha yapıldı. Bu iş kurultayla olsaydı, Kemal Kılıçdaroğlu ABD Başkanı bile olurdu!

...»

CIA'in gölge kuruluşu olarak bilinen Stratfor'un iç yazışmaları Wikileaks tarafından yayınlandı, Türkiye'nin kirli çamaşırları ortaya saçıldı. Para karşılığında veya gönüllü olarak istihbarat veren gazetecilerimiz, profesörlerimiz, bürokratlarımız vardı. Sızmadıkları ne kamu kuruluşu kalmıştı, ne de bakanlık... Memleketi satmak isteyenler öylesine kuyruk olmuştu ki, Türkiye için özel genelge yayınlamışlardı, "kaynakların koordine edilmesini, ufak tefek bilgilerle vakit kaybedilmemesini" istemişlerdi. Tayyip Erdoğan'ın danışmanı İbrahim Kalın'ın Stratfor'cularla pek sıkı fıkı olduğu ortaya çıkmıştı. Stratfor Başkanı "Bu adam büyük kaynak, onunla yaptığım görüşme kesinlikle gizli kalmalı" diyordu. Başbakan'ın sağlığıyla yakından ilgilendikleri, kaç sene ömrü kaldığını merak ettikleri anlaşılıyordu. Kemal Kılıçdaroğlu tarafından CHP Genel Başkan Yardımcısı yapılan Sezgin Tanrıkulu, TR705 kod numarasıyla Stratfor'un kaynakları arasında gösteriliyordu.

...»

CIA Başkanı sürpriz şekilde Ankara'ya geldi.
Başbakan'ın günlük programında bile görünmüyordu.
Baş başa görüştüler.
Bu ziyaret "milat"tı.
Bu ziyaretten itibaren başımıza gelmeyen kalmadı.

...»

Üç gün sonra, Afganistan'da helikopterimiz düştü.
Dördü binbaşı 12 şehit verdik, teknik arıza denildi.
Metal, gri, yandan kulplu, kilitli, US Army envanteri...
Amerikan tabutlarıyla getirdiler şehitlerimizi.

...»

Aynı gün, Şam Büyükelçiliğimiz boşaltıldı.
Suriye'deki vatandaşlara "yurda dönün" çağrısı yapıldı.
Esad, Esed oluverdi.
40 yıllık kani, olmuştu yani.
En başta Anadolu Ajansı ve TRT olmak üzere, yandaş medyada

"Esed" denmeye başlandı. Basın eliyle psikolojik harekât yürütülüyordu. Esed'leştirerek, dilimize yabancılaştırıyor, ötekileştiriyorlardı.

...»

Nevruz geldi.
Batman'daki gösterilerde resmi kıyafetli bir polis, Ahmet Türk'e yumruk attı. Gözünü morarttı. Birinci sayfalara haber bile olamadı... Gazeteler sözleşmiş gibi, arka sayfalarda, küçücük yer verdiler. Açılım varken yumruk atıldığında, kapaktan dokuz sütun manşet yapılıyordu... Şimdi tek sütun bile olamamıştı.
Geçen seferki yumruğun ertesi günü iki polis şehit edilmişti.
Bu seferki yumruğun ertesi günü altı polis şehit edildi.

...»

Nedim Şener ve Ahmet Şık serbest bırakıldı.
375 gün yatmışlardı.
Nedim televizyona çıktı, Silivri'ye dair çok şey anlattı ama, eşinin anlattığı bambaşkaydı. "Arama cihazından geçerken üzerindeki düğme öttü diye kızımın eteğini çıkarttılar, kızım babasına kavuşmak için beline kazak sardı" diyordu. Nedim'in kızı dokuz yaşındaydı. Nedim ağlıyor, Türkiye utanıyordu.

...»

Madımak davası zamanaşımından düştü.
İnsanlık, zamana yenilmişti.
Tayyip Erdoğan'a sordular, ne düşünüyor diye...
"Milletimiz için hayırlı olsun" dedi!

...»

28 Şubat defteri açıldı.
Emekli Orgeneral Çevik Bir tutuklandı.
Herkesi Silivri'ye tıkarken, Çevik Bir'i Sincan'a tıktılar.
28 Şubat sürecinde Erbakan Hükümeti'ni tehdit etmek için tankların geçirildiği yerdi, Sincan... "Rövanş"ın kanıtıydı.

...»

Çevik Bir'in yardımcısı Erol Özkasnak tutuklandı. 28 Şubat'ta askeri istihbaratın başında bulunan Jandarma eski Genel Komutanı Fevzi Türkeri tutuklandı. 28 Şubat'ın Jandarma Genel Komutanı Teoman Koman tutuklandı. Üç gün arayla, beş gün

arayla general yakalanıyor, hem mevzu devamlı gündemde tutuluyor, hem de adeta zevk alınıyordu. Hele YÖK eski Başkanı Profesör Kemal Gürüz tutuklandığında, öyle sevindiler ki, manşetlerden havai fişek patlatmadıkları kalmıştı.
Başbakanımız içeri tıkılan generaller için "30 sene de geçse, suçlular hesap verir" diyordu ama... 30 sene önce öldürülen DİSK Başkanı Kemal Türkler'in davası da, tıpkı Madımak gibi, AKP iktidarında zamanaşımından düşüyordu.

...»

TBMM Darbeleri Araştırma Komisyonu kuruldu.
İlk olarak Güniz Sokak'a gidip, Süleyman Demirel'i dinlediler. "28 Şubat'ın darbe olmadığını, kararlarının yasal olduğunu" söyledi. "Bugünkü çamaşır dünkü güneşte kurutulmaz, bugün siz geçmişteki yanlışları araştırıyorsunuz, yarın da bir başkası çıkar bugünkü yanlışları araştırır" dedi. Yandaş basın Demirel'e dümdüz gitti.

...»

Hilmi Özkök, Anadolu Ajansı'na konuştu. 28 Şubat'tan hiç bahsetmedi. 12 Eylül hatırasını anlattı. "12 Eylül müdahalesinden kısa süre önce komutanıma gittim, 'Ayrılmayı düşünüyorum, bilgisayar yazılımcılığı yapacağım' dedim, zannettim ki 'Deli misin nereye gidiyorsun?' falan diyecek, 'Tabii gidebilirsin' dedi, çok şaşırdım, meğer ihtilal olacakmış haberim yok; ihtilal oldu, istifalar durduruldu, sonra 22 sene generallik yaptım" dedi.
Emri altında görev yapan komutanlar darbeci diye içeri tıkılırken "Kasaptaki ete soğan doğramam" diyen Hilmi Özkök, 12 Eylül'den bile haberinin olmadığını anlatmaya çalışıyordu!

...»

Mehmet Ağar'ın Susurluk'tan aldığı ceza onandı. İki sene yatmak üzere, Aydın Yenipazar Cezaevi'ne konuldu. Kimin hangi hapishanede yatacağı, büyüklerimizin takdirine göre değişiyordu.

...»

Ahalimiz ise, halinden pek memnundu.
Mesela... İçişleri Bakanı İdris Naim Şahin, Erzurum'a gitti. Bir vatandaş "Geldiğinize çok sevindim" diye seslenince, "Yapma yahu, nerden bileyim sevindiğini, takla at da göreyim, çal davulcu" dedi. Davulcu çaldı, vatandaşımız dakikalarca göbek attı.

...»

E bakıldı ki, ahalimiz tam kıvamında...
"Dindar gençlik" için yasa çıkarıldı.
Sekiz yıllık kesintisiz eğitim kaldırıldı.
4+4+4 kesintili eğitim haline getirildi.
Okula başlama yaşı 5'e indirildi.
İmam hatip ilkokula sokuldu. Kuran-ı Kerim seçmeli ders oldu.
Kuran-ı Kerim dersi vesilesiyle, türban da ilkokula girmiş oldu.
Tayyip Erdoğan "Bu millet nasıl ki Adnan Menderes eliyle ezanına kavuştuysa, bu hükümet eliyle de dinini öğrenme özgürlüğüne kavuştu" diyordu.

Peki, çocuklar Kuran'ı nasıl okuyacaktı?
Milli Eğitim Bakanı'na "Arapça mı öğreteceksiniz?" diye sordular. Dünya eğitim tarihine geçen bir cevap verdi. "Arapça öğretmeyeceğiz. Türkçe öğretir gibi öğreteceğiz. Arap harfleriyle Türkçe gibi okuyacaklar ama anlamayacaklar. Zaten Türkiye'de Kuran-ı Kerim okuyanların çoğunluğu anlamaz, Türkçe olduğunu varsayarlar, öyle yapacağız" dedi.

...»

Cumhurbaşkanımızın her akşam yatmadan önce okuduğu duanın, ilkokulda "ödev" olduğu ortaya çıktı! Nasıl yani derseniz... Gazeteci Mehmet Gündem *Cumhurbaşkanımız Mektubumuz Var* isimli kitap yazmıştı. Bu kitapta, Abdullah Gül'ün her akşam okuduğu duaya yer vermişti. Abdullah Gül, her akşam yatmadan önce "Allahım, beni güvenilir kıl, kalbimi sevgi, adalet, tevazu ve şefkatle doldur" diye başlayan uzunca bi duayı okuyordu. İstanbul Kartal'daki bir ilkokulun din dersi öğretmeni, bu kitapta yer alan duayı öğrencilerinin defterlerine ödev olarak yazdırmıştı. CHP'nin müftü milletvekili İhsan Özkes, bu hadisenin doğru olup olmadığı hakkında soru önergesi verdi. Milli Eğitim Bakanı Ömer Dinçer cevapladı, "hadisenin doğru olduğunu, müfredata aykırı bir durum olmadığı"nı söyledi.
Ders Kitapları Yönetmeliği değiştirildi.
Bundan böyle, ders kitapları hazırlanırken "Atatürk ilkelerine, laik, sosyal, hukuk devletine uyumlu olma" kriterleri aranmayacaktı.
Abdullah Gül'ün duası müfredata müsaitti.
Atatürk ilkeleri müfredata fuzuliydi.

...»

Ege Üniversitesi Astronomi ve Uzay Bilimleri Bölümü öğretim üyesi Profesör Rennan Pekünlü, türbanlı öğrenciyi derse almadığı gerekçesiyle 2 sene hapse mahkûm edildi.

...»

23 Nisan'da bir ilk daha yaşandı.
Başbakan, Anıtkabir'deki törene katılmadı.
Yine, tarihte ilk defa... Genelkurmay Başkanlığı'nın resmi internet sitesindeki "Anıtkabir ziyaretçi sayısı" kaldırıldı. Kaç kişi ziyarete geldi, gün gün sayılıyor, gün gün açıklanıyordu, şak diye kaldırıldı. Anıtkabir'deki kalabalıktan rahatsız olan hükümet görmüştük ama, Anıtkabir'deki kalabalıktan rahatsız olan Genelkurmay'ı ilk defa görüyorduk.
Hapse kaç subay girdi, ülkeye kaç turist girdi, kaç kişi işe girdi, kaç kişi üniversiteye girdi, kaç kişi maça girdi, hatta kaç kişi gerdeğe girdi, onu bile ilgili kurumundan öğrenmemiz mümkündü. Anıtkabir'e kaç kişi girdi? İlgili kurum yasakladığı için, öğrenemiyorduk.

...»

Bu senenin 1 Mayıs'ı bile "dindar gençlik" konseptine uygundu. Kendilerine "Antikapitalist Müslüman Gençler" ismini veren türbanlı-çarşaflı bir grup, Taksim'deki kutlamalara katıldı. İş kazalarında hayatını kaybeden işçiler için gıyabi cenaze namazı kıldılar. "İnşallah sosyalizm gelecek" pankartıyla yürüdüler. Ne diyelim... TÜSİAD da Marx'a mevlit okuttu muydu, tamamdı yani bu iş!

...»

Ve, bu atmosferde...
Tayyip Erdoğan mecliste kürsüye çıktı, 20 Nisan 1936 tarihli *Cumhuriyet* gazetesinden bi kupürü kanıt olarak gösterdi, "Bak belge konuşuyor, CHP iktidarında camiyi ahır yaptılar" dedi.
Ayakta alkışlandı.
Kupürün başlığını göstermişti.
Haberi okumamıştı.
Kameralara sallaya sallaya gösterdiği kupürün başlığında "Bu ne insafsızlık, Seferihisar'da tarihi cami ahır yapılmış" yazıyordu.
Peki, haberin içinde ne yazıyordu?
Aynen şunlar yazıyordu: "Seferihisar'ın Hereke Köyü'nde bir cami tahrip edilmiş ve ahır haline getirilmiştir. Müze müdürü, tahkikat yapmıştır. Verdiği malumata göre, kütüphane

ve medresesi vardır. Kütüphanesinden eser kalmamıştır. Evrenoğullarından Kasım tarafından inşa ettirilmiştir. Üstündeki Arapça yazıya göre, 641 yıllık olduğu anlaşılmıştır. Osmanlı-Türk stilindedir. Tahribata rağmen, geriye kalan kısmı muhafaza edilirse, kıymettir."

Yani?

Caminin ahır haline getirilmesiyle CHP döneminin alakası yoktu. Camiyi ahır haline getiren, Yunan işgali sırasındaki vandallıktı. İşgal yıllarında bölgede hiç Türk kalmamıştı. Türklerin yokluğunda caminin ahır haline getirildiğini tespit eden ve bu bilgiyi *Cumhuriyet* gazetesine veren, İzmir Müze Müdürü'ydü. Zaten ortada cami falan kalmamıştı. Metruk haldeydi. Minaresi yoktu. Sadece antik ören yerlerinden araklanarak monte edilmiş sütun duvarı ayaktaydı. Bölgede arkeolojik sayım yapan İzmir Müze Müdürü, bu antik sütun sayesinde caminin kalıntılarını fark etmişti.

Üstelik...

"1936'da Mustafa Kemal döneminde ahır yapıldı" denilen cami, 1936'da Mustafa Kemal döneminde yeniden cami haline getirilmiş ve ibadete açılmıştı. Söz konusu kupürün sadece "bu ne insafsızlık" tarafı doğruydu. Mustafa Kemal'i camiyi ahır yaptıran kişi olarak göstermek, hakikaten insafsızlıktı.

(Gerçeğin böyle olduğunu *Hürriyet*'te yazdım. Gazeteler ve televizyonlar Seferihisar'a üşüştü. Yandaş medya öylesine zehirlenmişti ki, hakikaten Atatürk'ün camiyi ahır yaptığına inanıyorlardı. Vatandaşlarla konuştular, tırıs tırıs geri döndüler, cami gerçeğinden tek kelime haber yapmadılar.

İsim vermeye utanırım ama, kendi çalıştığım *Hürriyet*'in bazı yazarları bile bana gelip "Yazdıkların doğru mu?" diye sorma gafletinde bulundu. Tayyip Erdoğan söyledi ya, inanıyorlardı. Halbuki, ortalama zekâya sahip herkes, kendine şu soruyu sorabilirdi: Madem böyle bir iş yapacaksın, taaa İzmir'e gidip, taaa ilçesine gidip, taaa köyüne gidip, oradaki camiyi mi ahır yaparsın? Dini duyguları aşağılamak için böyle bi saçmalık yapacaksan, herkesin görebileceği yerde yapmaz mısın?)

...»

Neyse ki... Ali Taran'la Neco'nun kızı boşandı.
Ahalimiz camiyi ahırı bırakıp, bu önemli mevzuya odaklandı!

...»

İstanbul Belediye Başkanı Kadir Topbaş, Şehir Tiyatroları'nın yönetimini sanatçıların elinden aldı, zart diye "bürokrat" atadı. Tiyatrocular protesto gösterisi yaptı. Protesto öyle mi... Tayyip Erdoğan derhal tiyatroculara savaş açtı. "Belediyeden maaşını alacaksın, sonra da yönetime verip veriştireceksin, böyle saçmalık olmaz, devlet eliyle tiyatro olmaz, özelleştirilecek" diye bağırdı. "Parayı ben veriyorsam, benim düdüğümü çalacaksın" demek istiyordu.
İçeri tıkılan subaylar unutulmuştu.
Balyoz malyoz, kimse haber bile yapmıyordu.
Şırrak...
Bütün ana haber bültenlerinde "flaş haber" oldu.

...»

Balyoz davası avukatlarından Hüseyin Ersöz, duruşma salonunda mahkeme başkanından söz isteyerek, CNNTürk muhabiri Yeşim Kam'a evlenme teklif etmişti. Gözyaşlarını tutamayan muhabir "Tek taşımı alırsa, sertifikası da olursa, evet diyorum" demişti. Sanıklar alkışlamıştı. Balyoz davasını haber yapmamak için özel çaba harcayan sayın basınımız... Hadise "magazin" olunca, üstüne atlamış, ana haber bültenlerinde geniş yer vermiş, birinci sayfalara manşet yapmıştı.

...»

Hemen peşinden... Adalet Bakanımız, bazı gazetecileri yanına aldı, Silivri Cezaevi'ni gezdirdi. O gazeteciler de köşelerinde, utanmadan, Silivri Cezaevi'nin ne kadar şahane bi yer olduğunu yazdılar.

...»

Merkez Bankası yarışma açtı, Türk Lirası'na itibar kazandırmak için simge seçildi. Simge diye seçtikleri, hem Tayyip'in T'siydi, hem de Ermenistan para birimi Dram'ın tersten çizilmiş haliydi. İtibara gelince...
Liradan 6 sıfır atıldığında Cumhuriyet altını 128 liraydı.
Liraya simge seçtikleri gün 656 liraydı. İtibar, işte buydu!

...»

İstanbul'da alışveriş merkezi inşaatında yangın çıktı. Çadırda uyuyan 11 işçi, diri diri yanarak hayatını kaybetti. İşçiler sigortasızdı. Sigortasız oldukları duyulmasın diye... Faciadan sonra, tatil günü, hem de pazar geceyarısında, internet üzerinden alelacele sigorta yapıldığı ortaya çıktı. Dünya tarihinde ilk kez "ölüye sigorta" yapılmıştı. Mezarda emekliliği gören Türkiye, mezarda sigortayı da görmüştü.

...»

"Okul Sütü Akıl Küpü" projesi başlatıldı.
İlkokul çocuklarına süt dağıtıldı.
E tabii bu iş avanta kömür dağıtmaya benzemiyordu.
Ülke genelinde onbinlerce çocuk hastanelik oldu.
Şahane açıklamalar yapıldı.
Milli Eğitim Bakanı "Zehirlenme gibi değil, süte karşı hassasiyet olabilir" dedi. Bülent Arınç "Çocuklar ilk defa süt içtiği için aşırı doz'dan rahatsızlanmış olabilir" dedi. Diyarbakır Valisi "Sütten değil, psikolojik" dedi. Sivas Valisi "Zehirlenme değil, süt biraz bozuk" dedi. Konya Valisi "Zehirlenmediler, etkilendiler" dedi. Edirne Valisi "Açlıktan mideleri bulanmıştır" dedi.

...»

Halbuki... İzmir Büyükşehir Belediyesi 2005'ten beri aralıksız her gün 200 bin çocuğa süt dağıtıyordu. Henüz psikolojisi bozulan görülmemişti. Üstelik... İzmir Belediyesi 200'er mililitrelik aynı miktarda sütü, tanesi 37 kuruştan alıp dağıtırken, hükümet aynı miktarda sütü, tanesi 53 kuruştan alıp dağıtıyordu.

...»

İçişleri Bakanlığı çelenk genelgesi yayınladı.
Atatürk anıtlarına çelenk koymak yasaklandı.
İlla çelenk koymak istiyorsan, valiliğe 48 saat önceden dilekçe verip, izin isteyecektin. Aksi halde "kanuna aykırı" muamelesi görecektin.
Bu yasak ilk defa "İlk Kurşun Anıtı"nda uygulandı.
Hasan Tahsin, Has-anma Tahsin oldu!
15 Mayıs'ta, İzmir'de, Şehit Gazeteci Hasan Tahsin Anıtı'na çelenk konulmasına izin verilmedi. Tarihte ilk defa bu sene, Hasan Tahsin'i anma törenlerine Vali katılmadı, Ege Ordu Komutanı katılmadı.

...»

19 Mayıs'ta utanç verici manzaralar yaşandı.
Çelenk yasağı yüzünden neredeyse her şehirde, her ilçede, her

Atatürk anıtının önünde arbede çıktı. Polis ekipleri, anıtların etrafında etten duvar ördü, bazı yerlerde kalkanlarla barikat kurdu, çelenk konulmasını engellemeye çalıştı. Atatürk'ün kurduğu CHP bile Atatürk anıtına yaklaşamıyor, çelenk bırakamıyordu. Mustafa Kemal'e çiçek sunmak, yasadışı faaliyet haline gelmişti.

...»

Cumhurbaşkanımız, takvimde başka gün kalmamış gibi, tam 19 Mayıs'ta Türkiye'de değildi. ABD'ye gitmişti. "Atatürk'ü Anma Haftası"nı komple ABD'de geçirdi. Silikon Vadisi'ni falan gezdi.

...»

19 Mayıs'tan sadece bir hafta sonra... AKP İstanbul İl Kongresi, Galatasaray'ın statında yapıldı. 19 Mayıs törenlerini stadyumda yapmak "faşizm"di ama, stadyumda parti kongresi yapmak "ileri demokrasi"ydi!
Bilahare, Fethullah Gülen cemaatinin organize ettiği Türkçe Olimpiyatı'nın finali de aynı statta yapıldı.

...»

Uludere faciasının üzerinden altı ay geçmişti, hâlâ sorumlulara dair herhangi bi açıklama yapılmamıştı. İçişleri Bakanı'na sorma gafletinde bulundular. Ağzını her açtığında hadise çıkaran İçişleri Bakanı İdris Naim Şahin "Kaçak malı veren PKK, o insanları katırlarla dolap beygiri gibi döndüren de PKK, ölenler bu olayın sadece figüranlarıdır, özür dilenecek mahiyette bir olay değildir" dedi.

...»

AKP Sözcüsü Hüseyin Çelik, derhal denge yaptı, "Bakan'ın yaklaşımını insani bulmadıklarını" söyledi. AKP'nin karakteristik özelliğiydi bu... Biri söyler, öbürü yalanlardı. Birinin sözleri toplumda tepki çekiyorsa, bir başkası tam tersini söylerdi. "Partimizi bağlamaz, hükümetimizi bağlamaz, kişisel görüşleridir" gibi standart cümleler kullanılırdı.

...»

Tayyip Erdoğan, gündemi değiştirmeye çalışırken, daha insani (!) bi açıklama yaptı. "Yatıyorsunuz kalkıyorsunuz Uludere diyorsunuz, her kürtaj cinayettir, her kürtaj Uludere'dir,

sezaryene karşı bir başbakanım ve bunu cinayet olarak görüyorum" dedi.
"Uludere'de insanları kim öldürdü?" diye merak edilirken...
Kürtaj yaptıran bütün kadınlar, sezaryenle doğum yapan bütün kadınlar, bizzat Başbakan tarafından "katil" ilan edilmişti!

...»

Ve, gündeme "Leyla Zana açılımı" düştü.
Kürt siyasetinin en kıdemli isimlerinden Leyla Zana, *Hürriyet*'e sürpriz açıklama yaptı. "Asker çözer, yargı çözerle olmaz. Bu işi Tayyip Erdoğan çözer. Başbakan'da bu cesaret var. Hepimizin yapması gereken Başbakan'ın yanında olduğumuzu hissettirmemiz, onu teşvik etmemizdir" dedi.

...»

Hayırdır inşallah demeye kalmadı... Aynı akşam, Türkçe Olimpiyatı'nın finaline katılan Tayyip Erdoğan, isim vermeden Fethullah Gülen'e seslendi. "Gurbet hasrettir, hasretin bedeli ağırdır, gurbette olup vatan toprağı hasreti çekenleri aramızda görmek istiyoruz, bitsin artık bu hasret" dedi.
Leyla Zana "Aramızda herhangi bi sorun yok, hükümeti seviyoruz" demeye getirirken, Tayyip Erdoğan "Aramızda herhangi bi sorun yok, cemaati seviyoruz" demeye getiriyordu.

...»

Yine aynı gün... Anayasa Mahkemesi, Abdullah Gül'ün görev süresinin yedi sene olduğunu, eğer isterse, beş seneliğine tekrar aday olabileceğini açıkladı. Çankaya meselesi iyice çorbaya döndü. Çünkü... Hükümet, bu sene başında "Cumhurbaşkanlığı Seçimi Kanunu" çıkarmıştı; Abdullah Gül'ün görev süresini yedi sene olarak belirlemiş, "ikinci defa seçilemez" hükmü koymuştu. Buna göre, Abdullah Gül 2014'te emekli olacak, Tayyip Erdoğan rakipsiz kalacaktı. Gelgelelim... Abdullah Gül'ün imdadına CHP yetişti. Bu kanunu Anayasa Mahkemesi'ne götürdü, iptal edilmesini istedi. Anayasa Mahkemesi şak diye iptal edince, 2014 hesapları allak bullak oldu. Tayyip Erdoğan'ın "en istemediği karar"dı.
O günlerde ahalimiz farkında değildi ama... Peş peşe gelişen ve birbirinden bağımsız gibi görünen bu haberler, 2013'te patlak verecek olan "başkanlık-özerklik" pazarlığının işaret fişekleriydi.

...»

Şanlıurfa Cezaevi'nde isyan çıktı. Yatakları ateşe verdiler. 13 tutuklu ve hükümlü dumandan boğularak hayatını kaybetti. Niye isyan ettiler diye bakılınca, anlaşıldı ki... 264 kişi kapasiteli cezaevine 1057 kişi sokuşturulmuştu. Ülke bu hale gelmişti. Cezaevlerinde nefes alacak yer kalmamıştı.

...»

Samsun-Canik'te sel oldu. 12 kişi öldü. Dere kenarına inşa edilen TOKİ evlerinde boğularak can vermişlerdi. Bu evler "yıldız gibi parlayan proje" sloganıyla pazarlanmıştı.

...»

Geçen sene Mayıs ayında Sağlık Bakanımız tarafından "gözlerin görmediği halde sana iş vermişiz, daha ne istiyorsun?" diye azarlanan görme engelli vatandaşımız, işten kovuldu. Hastane santralında taşeron çalışıyordu. Fırçayı yerken manşetlere çıkmıştı. İşten kovuldu, tek sütun haber bile olmadı.

...»

ABD, Şam Büyükelçiliği'ni kapattı.
Tayyip Erdoğan Kilis'e gitti.
Suriyeli mültecileri ziyaret etti.
"Ya Beşar, men dakka dukka" dedi.
Türkçe meali "vurana vururlar"dı.
Suriye, savaş uçağımızı vurdu.

...»

Uçağımızın düşürüldüğünü bile Suriye'den öğrendik. "Nasıl yani?" derseniz... Genelkurmay'ın internet sitesinden standart açıklama yapılmıştı. "Malatya Erhaç'tan kalkış yapan uçağımızla Hatay'ın güneybatısında deniz üzerinde radar ve telsiz teması kesildi" denilmişti. Suriye hiç sesini çıkarmasa, herhalde teknik bi arıza sonucu düştü zannedecektik. Allah'tan Suriye resmi açıklama yaptı, "Biz vurduk" dedi, böylece haberimiz oldu.

...»

Fantomumuz silahsızdı.
Suriye niye vurduğunu izah etti, "Sınır ihlali yapıldı, Türk uçağı olduğunu anlamadık, uçaksavarla vurduk" dedi. Komplo teorileri havada uçuştu. Kimisi Kürecik'e kurulan radar sistemini test etmek için oraya gittiğini öne sürdü. Kimisi Rusya'nın

Suriye'deki radar sistemini test etmek için oraya gittiğini iddia etti. Kimisi de muhaliflere bilgi sağlamak için Esad güçlerini fotoğraflamaya çalıştığını söyledi.
Aslında, rüzgâr eken fırtına biçiyordu.
Düşmanlık ediyor, karşılığını alıyorduk; olan buydu.

...»

Tayyip Erdoğan, angajman kurallarının değiştiğini açıkladı. Suriye'den sınırımıza yaklaşan her askeri unsurun hedef muamelesi göreceğini söyledi. Sonra gitti, pilot montu giydi. Burundan pervaneli yerli malı eğitim uçağı Hürkuş'un kokpitine oturdu. Başparmağıyla tamam işareti yaptı. "Türkiye'nin büyüklüğünü test etmeye kalkanlara haddini bildiririz" dedi.
Sanırsın, uzay mekiğinin kokpitindeydi!
Fotoğraflar çekildi, canlı yayınlar yapıldı.
Tören bitti...
Hürkuş'u ittire ittire hangara götürdüler.
Çünkü uçaktı ama sadece kaportası uçaktı.
Henüz uçmuyordu.
Bu kitabın piyasaya çıktığı Eylül 2013'te hâlâ uçmuyordu.
Türkiye'nin höt-zöt'leri "iftar topu"na benziyordu.
Parça tesirsizdi.
Çok gürültü çıkarıyorduk ama, neticede kurusıkıydı.

...»

Hükümetimiz fena sıkışmıştı, eleştiriler doruğa çıkmıştı.
Şırrak... 365 gün yatırılan Aziz Yıldırım serbest bırakıldı.
Nefis bi tesadüf, nefis bi zamanlamaydı.
Fantom'u unutturmaya çalışan basınımıza ilaç gibi geldi.
Şike savcısı Mehmet Berk, *Hürriyet*'e konuştu. Tarihi itirafta bulundu. "Ben Balyoz davasında da çalıştım, şike davasını açtığımız zaman bunun da Balyoz davası gibi üç dört ay konuşulup biteceğini sandık, yanılmışız" dedi. Bir taraftan hazin... Bir taraftan çok gerçekçi tespitti.
Fenerbahçe camiası, Türkiye'nin en önemli sivil toplum örgütlerinden biri olduğunu kanıtlamıştı, Aziz Yıldırım'ı asla yalnız bırakmamıştı. İçeri tıkılan subaylar ise, hem medya, hem muhalefet partileri, hem de silah arkadaşları tarafından kaderlerine terk edilmişti. Bırak vefayı, vebalı muamelesi yapılıyordu.
Manşetlerde günlerce top çevrildi, tribünler oyalandı.

...»

Vurulduktan 13 gün sonra... Uçağımızın enkazı, Amerikan gemisi Nautilus tarafından 1260 metrede bulundu. Türkiye'nin elinde o derinlikte arama kurtarma yapabilecek kabiliyette gemi yoktu. Amerikan Deniz Araştırma Vakfı'na ait Nautilus'tan yardım istenmişti. Yüksek çözünürlüklü sonarları, dalgıç robotları, mini denizaltısı bulunan Nautilus, sadece 11 milyon dolardı. Devlet büyüklerimize 60 milyon dolara 70 milyon dolara VIP uçaklar alan Türkiye'nin, böyle gemilere verecek parası yoktu!

...»

Dış politikamızın kullanma kılavuzu, Dışişleri Bakanı Ahmet Davudoğlu'nun yazdığı *Stratejik Derinlik* isimli kitaptı. Kara'da kafamıza çuval geçirmişlerdi. Deniz'de gemimizi basmışlardı. Hava'da uçağımızı vurmuşlardı. Geriye "derinlik" kalmıştı. Şehitlerimiz 1260 metre derinlikte bulununca, stratejik derinlik komple tamamlanmıştı!
Pilotlarımızı Nautilus'un dalgıç robotu çıkardı.
Kokpitteydiler.
Halbuki... Fantom düşürüldüğünde, Tayyip Erdoğan Brezilya gezisinden dönüyordu, kendisine eşlik eden gazetecilere bilgi vermişti. "Çok şükür pilotlarımız hayatta, sadece bir uçak kaybımız var" demişti. Hatta, pilotlarımızın postalları, kaskları bulunmuş, fotoğrafları basına servis edilmişti. Paraşütle atladıklarına işaretti. Prosedüre göre, suya değer değmez ilk iş, postalları çıkarıp ağırlıktan kurtulmaları gerekiyordu. Herkes ümitlenmişti. Gelgelelim... Tayyip Erdoğan'ın "Çok şükür hayattalar" lafına rağmen, bulunan postallara-kasklara rağmen, pilotlarımız 1260 metrede, kokpitteydi.
O halde, Tayyip Erdoğan hangi kaynağa dayanarak "hayattalar" demişti? Postalları-kaskları deniz yüzeyinde nasıl bulunmuştu? Nautilus'un robotu cenazeleri çıkarırken, postallar ayaklarında mıydı? Kaskları başlarında mıydı? Bunların hepsi şeffaf yönetimin (!) muammaları olarak kaldı.
Asla doğrulanmayan iddialara göre... Aslında iki uçak olduğu, ikisinin de vurulduğu, birinin pilotlarının paraşütle atlamayı başardığı, bulunan postalların o postallar olduğu öne sürüldü. Somut tek gerçek şuydu: Türkiye, uçağımızın uluslararası hava sahasında füzeyle vurulduğunu iddia ediyordu. Suriye ise, sınırımıza girdi, yakın mesafeden uçaksavarla vurduk diyordu. Neticede... Enkazın fotoğrafları yayınlandı, Fantom'un motoru bütün halinde duruyordu, füze olsaydı vidası bile kalmazdı.

Fantom maceramız... Başbakanımızın "Büyük devletiz, kükremiş sel gibiyiz, bendimizi çiğner aşarız, haddini bildiririz, gazabımız kahredicidir, yakıcı azap olacağız" restiyle başlamıştı. Genelkurmay Başkanı Necdet Bey'in "Savaş çıkaracak halimiz yok" lafıyla sona erdi.
Nautilus apar topar bölgeden ayrıldı.
Fantom'un enkazı bile çıkarılmadı, dipte bırakıldı.
Dün akşam ne yediğini unutan ahalimize güveniliyordu.
Ahalimiz kendine duyulan güveni boşa çıkarmadı, unuttu!

...»

Fantom'un tozu dumanı arasında... Atabeyler Çetesi'nin mahkeme kararı açıklandı. Altı sene evvel, taaa 2006'da "Başbakan'a suikast yapacaklar" diye yaygarayla tutuklanmışlardı. Aralarında binbaşıların, yüzbaşıların bulunduğu bütün sanıklar beraat etti. Suikast muikast yoktu. Çete mete yoktu. Beraat etmişlerdi ama maalesef iş işten geçmiş, hepsi TSK'dan atılmıştı. Pırıl pırıl subayların hayatları kaydırılmıştı. İftiralar günlerce manşet yapılmıştı, beraat etmeleri tek sütun bile verilmedi.

...»

Gene altı sene evvel, Rahip Santoro'yu öldüren Oğuzhan Akdin, Akçaabat Yarı Açık Cezaevi'nden firar etti. Kısa süre sonra yakalandı. Böylece... Dünyayı ayağa kaldıran, güya 18 seneye mahkûm edilen tetikçiyi, Adalet Bakanlığımızın "hoşgörü"süyle yarı açık cezaevi'ne koydukları anlaşıldı!

...»

Tayyip Erdoğan'ın iki sene evvel Oktay Ekşi'ye açtığı dava "basın özgürlüğü" kapsamında reddedildi. Oktay Ekşi'yi 36 sene başyazar olarak birinci sayfadan anonslayan *Hürriyet* gazetesi, Oktay Ekşi'nin mahkeme tarafından "haklı bulunduğu"nu birinci sayfadan anonslamadı; içerde küçücük gördü.

...»

Askeri casusluk ve fuhuş davası 15 aydır devam ediyordu. Yargılananların tamamı beraat etti. Ne casusluk vardı, ne de fuhuş... Gel gör ki, ismi bulaştırılan subaylar TSK'dan atılmış, tasfiye edilmişti.
Tek örnek vereyim: Bir albay'a ait çanta bulunduğu, çantadan

flash diskler çıktığı iddia ediliyordu. Albaya ait denilen çanta, albayın lojmanında değil, alakasız bir evde bulunmuştu.
"Bu çanta benim değil" diyen albay, parmak izi ve DNA testi yapılmasını talep etti. "En kritik delil" diye getirilen çanta ve içindekiler, o anda ortadan kayboldu. Bu esrarengiz kayıpla ilgili olarak hiçbir işlem yapılmadı, hiçbir sorumluya soruşturma açılmadı. Ama albay ordudan atılmıştı!

...»

İstanbul'daki fuhuş ve casusluk davası fos çıkarken...
İzmir'de fuhuş ve casusluk operasyonu başlatıldı. Şakır şakır subay tutuklanıyor, haber bile olmuyordu. İzmir'deki dava, İstanbul'daki davanın fotokopisi gibiydi. İddialar aynı, delil bulma yöntemleri aynıydı. Sadece subayların isimleri farklıydı.

...»

Suriye sınırımız yol geçen hanına dönmüştü, girenin çıkanın haddi hesabı yoktu. Derken... Barzani'ye bağlı binlerce üniformalı peşmerge, Kuzey Irak'tan Kuzey Suriye'ye geçti.
Barzani güçleriyle birlikte PKK da bölgeye aktı, 13 sene önce boşalttığı kamplara geri döndü, yerleşti. Kuzey Irak'taki 400 kilometrelik sorunlu sınırımıza, Kuzey Suriye'de 800 kilometre daha eklenmişti.

...»

Barzani'nin Kuzey Suriye'deki otorite boşluğundan faydalanması Ankara'yı kızdırdı. "Oldu bittiye izin vermeyiz, haddini bildiririz" falan diye atıp tutuyorduk ki... Başbakan'la Obama telefonda konuştu.
Bizim hükümet her defasında "Başbakanımızla ABD Başkanı telefonda konuştu" diye resmi açıklama yapardı. Bu defa yapmadı. Açıklamayı Beyaz Saray yaptı. O şekilde haberimiz oldu. Ve, Beyaz Saray sadece açıklama yapmamıştı. Bu telefon konuşmasına dair, internet sitesine bir de fotoğraf koymuştu.
Obama'nın elinde beysbol sopası vardı!
Neredeyse hiç beysbol oynanmadığı halde, dünyada en çok beysbol sopası satılan dördüncü ülke, Türkiye'dir... Dolayısıyla, diplomat olmaya gerek yoktu. O beysbol sopasının ne anlama geldiğini herkes kavramıştı. Özellikle taksicilerimiz tarafından hangi amaçla kullanıldığı gayet iyi biliniyordu.
Kızılcık sopası'nın İngilizcesiydi.

Barzani'ye dokunulmayacaktı.
"Dokunanın kafasını kırarım" mesajı veriliyordu.

...»

Bu atmosferde Yüksek Askeri Şûra toplandı.
Fantom'a, Barzani'ye karşı hangi hamle yapılacak diye merak edilirken... Ne Suriyesi, ne Barzanisi... Tutuklu 40 general emekliye sevk edildi! Hasdal'dan doooğru Silivri'ye gönderildiler.
Beraat etseler bile geri dönüşleri yoktu artık.
Kesip, atılmışlardı.
Liyakat sistemi allak bullak edilmişti. Normal şartlarda iki üç aday olur, aralarından biri seçilirdi. 40 general birden tasfiye olunca, elde kalan adaylar otomatik olarak terfi eder hale gelmişti. Bana sorarsanız, kimlerin tasfiye edildiğinden çok, onların yerine kimlerin oturtulduğu önemliydi.

...»

Ramazan vesilesiyle Yüksek Askeri Şûra masasına su bile konulmadı, paşalar niyetliydi. Genelkurmay Başkanımız Necdet Bey, Çankaya Köşkü'nün bahçesindeki lojmanında Başbakanımıza ailece iftar verdi.
Genelkurmay Başkanımızla Başbakanımızın birlikte oruç açtığı gün... Albay Mehmet Haşimoğlu, Konya Beyşehir'de toprağa veriliyordu. 28 Şubat'tan tutuklanmış, safrakesesinden ameliyat olmuş, kaçma şüphesi var diye derhal cezaevine geri götürülmüş, komplikasyon oluşmuş, iltihap sarmış, komaya girmiş, rapor al, heyet görsün falan derken, yeniden hastaneye götürüldüğünde bilinci kapanmıştı, solunum cihazına bağlamışlar, yeniden ameliyat etmeye çalışmışlar, ölmüştü.

...»

Devletimiz iftarla sahurla meşgulken...
Teravihe doğru karakol basıldı; sekiz şehit verdik.
Aslına bakarsanız, Hakkâri-Şemdinli'den bir aydır haber alınamıyordu. PKK taktik değiştirmişti. Tarihinde ilk defa vurkaç yapmıyor, alan hâkimiyetiyle tutunarak çarpışıyordu.
Ahalimizin bundan haberi yoktu. Çünkü sayın basınımız yazmıyor, sansürlüyordu. Köşe yazılarında bu kepazeliği anlatan gazeteciler ise, yalancılıkla, terörist yardakçılığıyla suçlanıyordu.

...»

Türkiye şehitlerini toprağa verirken... Dışişleri Bakanı Davudoğlu, Başbakan'ın eşi Emine Hanım ve kızı Sümeyye'yle birlikte, Myanmar'a gitti. Arakan Müslümanlarına bir kargo uçağı yardım götürdüler. Arakanlılara sarıldılar, ağladılar. Emine Hanım, dönüşte uçakta kadın gazetecilerle dertleşti, "Suriye olayı beni çok yıktı, Esma Esad'a kalbimi açmıştım, benim için büyük hayal kırıklığıdır" dedi.

...»

Sosyete diyetçisi Ender Saraç, dua dolu beslenmemiz gerektiğini izah edip, maneviyatı arttıran yemekleri açıkladı. TOBB Yönetim Kurulu, topluca umre'ye gitti. TOBB Başkanı rehber imam oldu, yönetim kurulunu başlarından aşağı dökmek suretiyle komple zemzem'le yıkadı, dönüşte viskiyi bırakacaklarını açıkladılar. Hiç unutmam, bu haberi okurken benim bile maneviyatım artmıştı!

...»

İzmir-Foça'da askeri servis aracı geçerken bomba patladı. İki şehit daha verdik. PKK, doğu'da batı'da vuruyor, tırmandırıyordu. CHP yaz tatilinde olan TBMM'yi acilen toplantıya çağırdı. AKP sözcüsü Hüseyin Çelik "Birkaç Mehmet'i şehit ettiler diye örgütün gündem oluşturmasına müsaade etmeyiz" dedi. Sırf bu seneki "bi kaç Mehmet"in toplamı, Ağustos ayı itibariyle 88'di.

...»

Bölücü terör 1990'lardaki gücüne kavuşmuştu. Her gün bir başka noktada asfalta iniyor, trafik kontrolü yapıyordu. Görmezden geliniyordu ki... Tunceli'de yol kesip, CHP Milletvekili Hüseyin Aygün'ü kaçırdılar.
İki gün sonra serbest bırakılan Hüseyin Aygün, kendisini barış mesajı vermek için kaçırdıklarını, ayrılırken sarılıp öpüştüklerini, "Bu kardeşlerini unutma abi" dediklerini anlattı.
"Bu ne böyle abi-kardeş muhabbeti?" eleştirisi yapıldı... Hüseyin Aygün'e toz kondurmayan Kemal Kılıçdaroğlu çıktı, "Sözlerinin arkasındayım" dedi. Yeni CHP'de "özerk bölge" kurulduğunun kanıtıydı.

...»

Üç gün sonra... Aralarında BDP Eşbaşkanı Gültan Kışanak'ın da bulunduğu BDP milletvekili heyeti, Şemdinli'de PKK'lılar tarafından durduruldu. Kucaklaştılar, sohbet ettiler.

Alkışlayarak uğurladılar. Basın oradaydı. Bütün detaylarına kadar görüntülendi, akşam ana haber bültenlerinde yayınlandı. Memleket dingonun ahırına dönmüştü. Bölgenin tamamen PKK kontrolü altında olduğunun tesciliydi.

...»

Gaziantep'te bomba patladı.
Dördü çocuk 10 vatandaşımızı kaybettik.
Şeker Bayramı'ydı, zehir oldu.

...»

Tayyip Erdoğan, Gaziantep'teki referandum mitinginde "Sevgili Gaziantepli kardeşlerim, zaman tünelinde biraz geriye gidelim" diyerek, şunları anlatmıştı: "Sevgili kardeşlerim, içerde sanal tehditler, dışarıda düşman ürettiler, milleti korkuttular, 'Türkiye'nin üç tarafı denizle, dört tarafı düşmanla çevrili' dediler. Biz ne yaptık? Onlar gibi vizyonsuz değiliz. Esad kardeşimle oturduk... İki dost, iki kardeş olduk. Vizeleri kaldırdık. Kapılarımızı açtık. Şimdi benim Gaziantepli kardeşim, cebine pasaportunu koyuyor, istediği gibi Halep'e gidiyor, Şam'a gidiyor. Halep'teki Şam'daki Lazkiye'deki Hama'daki Humus'taki kardeşim de, cebine pasaportunu koyuyor, istediği gibi Gaziantep'e geliyor. Ne oldu? Bütün o tehditlerin, korkuların, ne kadar boş olduğu ortaya çıktı. Kim kazandı? Gaziantep kazandı. Vizyonumuzun en canlı tanığı, Gaziantep'tir."
Zamanında yenen hurmalar...
Türkiye'yi tırmalıyordu.

...»

İngiliz basını, Amerikan basını, Alman basını çatır çatır yazıyordu: Esad'a karşı savaşan Özgür Suriye Ordusu, Hatay'ı merkez üssü olarak kullanıyordu. Libya'dan, Afganistan'dan getirilen köktendinciler, CIA nezaretinde Hatay'da toplanıyor, silahlandırılıyor, yürüye yürüye Suriye'ye geçiriliyordu. Barış ve hoşgörü şehrimiz Hatay'ın huzuru kaçmıştı. Kamuflaj kıyafetli tuhaf tipler sokaklarda dolaşıyordu. Parası olmayan Suriyeliler konteyner kentlere yerleşirken, parası olanlar ev kiralıyordu. Hatay'ın yanı sıra Gaziantep, Urfa ve Kilis de Suriyeli kaynıyordu. Sınır kevgire dönmüştü, kimin eli kimin cebinde belli değildi.

...»

2003'te İstanbul'da sinagogların bombalanması eylemini organize eden ve güya müebbet hapse mahkûm olan Baki Yiğit, Suriye'de Esad'a karşı savaşırken öldürüldü. Böylece... İnsanlarımızı havaya uçuran ve "Ömrünün sonuna kadar hapiste kalacak" denilen El Kaideci'nin, 2010 senesinde kaşla göz arasında serbest bırakıldığı ortaya çıktı. Genelkurmay Başkanı'nı "terörist" diye hapse tıkan Türkiye, bu adamı sokağa salmıştı.

...»

Hükümeti eleştirenlere yapıştıracak yeni bir damga bulunmuştu. "Baasçı" deniyordu. Tek başına din siyaseti yetmemiş, mezhep siyasetine başlanmıştı. Kaddafi için "Libya'nın Sünni diktatörü" sıfatını kullanmayan yandaş basın, Esad için ısrarla "Suriye'nin Nusayri diktatörü" diye yazıyordu. Kemal Kılıçdaroğlu'nun Alevi olduğu için Esad'a yakın durduğu ima ediliyordu.

...»

Angelina Jolie gene geldi.
Gaziantep'teki Suriyeli kamplarını gezdi. İlk geldiğinde henüz Esad'la papaz olmamıştık, kimse ilgilenmemişti. Bu sefer pek kıymetliydi. Ankara'ya davet edildi, İçişleri Bakanımızla görüştü, Cumhurbaşkanımızla görüştü.

...»

Tayyip Erdoğan, İstanbul'daki metro açılışındaydı. "Biliyorsunuz, 10'uncu Yıl Marşı'nda geçer, demir ağlarla ördük falan, neyi ördün, hiçbir şey örmüş değilsin, demir ağlarla biz örüyoruz" dedi.

...»

30 Ağustos'ta gene çelenk savaşları yaşandı.
Atatürkçüler polis barikatlarını aşıp, Atatürk anıtlarına çelenk koymaya çalıştı. Bir başka ilk... Kayseri Garnizon Komutanı tümgeneral, Zafer Bayramı pastasını, valiyle birlikte, AKP Marşı eşliğinde kesti!

...»

Afyon'da cephanelik patladı, 25 şehit vardı.
Hava karardıktan sonra el bombası kasalarını taşırken havaya uçmuşlardı. Şehitlerimizin çoğu henüz bir aylık kısa dönem askerdi. Sabotaj mı diye merak edildi ama neyi nasıl kanıtlarsın... Hadiseye "şahit" olan herkes "şehit" olmuştu. Cephanelikte

inceleme yapan Orman Bakanımız Veysel Eroğlu "Hindistan'da, Pakistan'da böyle şeyler olur" dedi.
Genelkurmay Başkanı Necdet Bey, cephaneliğe gelmişken Afyon Valisi'ni ziyaret etti. Afyon Valisi kilim ve satranç takımı hediye etti. Adeta buhar olan şehitlerimiz DNA testi için morgta yatıyor, Valimiz Genelkurmay Başkanımıza kilim hediye ediyor, Genelkurmay Başkanımız da kabul ediyordu. Bu hediye takdim töreni valilik fotoğrafçısı tarafından ölümsüzleştirildi. Poz verdiler. Hatıra fotoğrafı valiliğin resmi internet sitesine konuldu. Bu kadarı Hindistan'da, Pakistan'da bile olmazdı!
AKP Sözcüsü Hüseyin Çelik, yadırganacak bir durum olmadığını belirterek, "Taziye evinde ikramda bulunulur, lokum bile dağıtılır, normaldir; mesela, kahkahalarla gülünseydi, Genelkurmay Başkanı halay çekseydi, o zaman yadırgardım" diye izah etti.
Afyon Valisi'nin özrü kabahatinden büyüktü. "Tanıtım potansiyeli olan popüler kişilere lokum sucuk gibi ürünlerden hediye ediyoruz, birisi Genelkurmay Başkanımıza 'O kilimi nerden aldınız?' diye sorup, Afyon'a gelse kilim satın alsa, fakirler nasiplenecek, hayat devam ediyor" dedi.
Necdet Bey tarihi rezalet üzerine açıklama yaptı, "Vali'nin makamına nezaketsizlik olmasın diye ani gelişen davranış karşısında reaksiyon gösteremediğini" söyledi. Tayyip Erdoğan'a fikri soruldu, "Hiç kimse kalkıp da, 'Genelkurmay Başkanı hükümete yalakalık yapıyor' diyemez" dedi.
Kara Kuvvetleri Komutanlığı, şehitlerimizi "doğal afet şehidi" ilan etti, iyi mi... Acaba deprem mi olmuştu, heyelan mı? Kim bilir belki de tsunami olmuştu! Bir sene sonra, bu kitabın piyasaya çıktığı tarihte, mahkeme hâlâ devam ediyor, aileler çocuklarının şehit olduğunu kanıtlamaya çalışıyordu.

...»

Bingöl'de mayın patladı, sekiz polis şehit oldu.
Bu şehitlerin cenaze töreninde, Trabzon'da, tarihimizde bir ilk daha yaşandı. Türk bayrağı açarak "Teröristleri Habur'da karşılayanlar nerede?" diye bağıran yurtsever bir kadın, şehit yakınları tarafından bayıltana kadar dövüldü. "Sen bizim hükümetimize nasıl laf söylersin ulann" diyerek vuruyorlardı. Kadıncağızı saçından çekerek yerlerde sürüklediler. Tayyip Erdoğan'ın "benim milletim" dediği, işte buydu. Şehitlerini boşverip, AKP'yi savunmuşlardı.

...»

Ertesi gün... Sivil kıyafetli askerleri Elazığ'dan Muş'a götüren otobüslere roketle saldırıldı. 10 şehit daha verdik. 70 asker de yaralanmıştı. Bölgede kan gövdeyi götürüyordu, buna rağmen hâlâ çocuklarımızı bavul gibi otobüslerle taşıyorlardı. Aslına bakarsanız, Fantom'u savaş bölgesine fotoğraf makinesiyle gönderiyorlarsa, askerleri de terör bölgesine silahsız göndermelerine şaşmamak gerekiyordu.

...»

Tunceli Ovacık Başsavcısı Murat Uzun, lojmanın kapısında vurularak şehit edildi. Koruması yoktu. Polis kulübesi yoktu. Güvenlik kamerası yoktu. Suikast ihbarı vardı, tabanca istemişti, verilmemişti.

...»

ÖSYM'nin yaptığı "avukatlar için hâkim ve savcılık sınavı"nda soruların araklandığı ortaya çıktı. Sınav iptal edildi. Böylece... Hâkim-savcı olmak isteyen bazı avukatların, bildiğin "hırsız" olduğu anlaşıldı.

...»

Balyoz davasında karar açıklandı.
Aralarında kuvvet komutanlarının da bulunduğu, emekli-muvazzaf 325 subaya "darbeye eksik teşebbüs"ten 20'şer sene, 18'er sene, 16'şar sene hapis verildi. Karar açıklanınca sanıklar hep bir ağızdan İstiklal Marşı okudu. Dijital belgelerin sahte olduğunun kanıtlanması, iddiaların tek tek çürütülmesi, hikâyeydi. Balyoz, TSK'ya inmişti.

...»

Hilmi Özkök ve Aytaç Yalman'ın "tanık" olarak mahkemeye gelmemesi, emri altındaki subayları yakmıştı. Mahkûm edilen subay ailelerinin ortak duygusunu, Deniz Kuvvetleri eski Komutanı Özden Örnek'in oğlu Tolga Örnek dile getirdi... "Bu davanın seyrini değiştirebilecek iki insan vardı. Biri dönemin Genelkurmay Başkanı, öbürü dönemin Kara Kuvvetleri Komutanı... İkisine de amca dediğim için utanıyorum. Ömrüm boyunca utanacağım. Tanık olarak dinlenmeleri istendi, mahkeme reddetti; kendi istekleriyle tanıklık yaparak, mahkemenin seyrini değiştirebilirlerdi, yapmadılar. İkisi de Türkiye'ye ve TSK'ya ihanet ettiler. Onları vicdanlarıyla baş başa bırakıyoruz" dedi.

...»

Balyoz kararının verildiği gün...
Başbakan "İmralı'yla yeniden görüşmeler olabilir" dedi.
Zamanlama gayet netti.
TSK'yla hesaplaş.
PKK'yla helalleş.
Görmemek için bakarkör olmak gerekiyordu.

...»

Dışişleri Bakanı Ahmet Davudoğlu'na "Sizin kafanızdaki yeni Türkiye, Kürt sorununu nasıl çözecek?" diye sordular. Açık açık söyledi. "Ulusçulukla hesaplaşma zamanı geldi" dedi.

...»

Helalleşme boyutunu ise, Diyarbakır Emniyet Müdürü Recep Güven dile getirdi. "Dağda ölen teröriste ağlamıyorsanız insan değilsiniz, teröristi enterne edemiyorsanız devlet değilsiniz, bir çocuk dağa çıkıyorsa hepimizin payı var" dedi.
"Analar ağlamasın" filan derken...
Ufak ufak "teröriste ağlayın"a gelmiştik.

...»

"İmralı'yla yeniden görüşebiliriz" lafından sadece iki gün sonra, AKP kongresi yapıldı. Barzani onur konuğu olarak katıldı. Konuşma yapmak üzere kürsüye çıkarken "Türkiye seninle gurur duyuyor" sloganları atıldı.
Has Parti'yi kapatan Numan Kurtulmuş, bu kongrede AKP'ye katıldı. Rozetini Başbakan taktı. Halbuki, daha düne kadar verip veriştiriyor, "Harun olmaya geldiler, Karun oldular, biz AKP gibi firavunlaşmayacağız" diyordu. AKP'yi yerden yere vuran adam, AKP Genel Başkan Yardımcısı yapıldı.

...»

Süleyman Soylu da AKP'ye geçmişti. Demokrat Parti Genel Başkanı'yken "AKP'nin ülkeyi yolsuzluk çukuruna batırdığını, Başbakan'ın padişah olmak istediğini" söylüyordu. O da AKP'de Genel Başkan Yardımcısı yapıldı. Hatta, transferden sonra "Allah'a yemin ederim ki, bütün meselelerin çözülmesinde en yetkili lider Recep Tayyip Erdoğan'dır, Türkiye'nin ilelebet ve ebedi başkanıdır" bile dedi.

...»

Suriye'den fırlatılan top mermisi Akçakale'ye düştü.
İki kadın, üç çocuk hayatını kaybetti.
Güya karşılık verildi.
Suriye'ye doğru top mermisi filan gönderildi.

...»

Tayyip Erdoğan bütün dünyayı azarladı.
BM'nin Suriye konusunda acz içinde olduğunu söyledi.
"BM Güvenlik Konseyi'nde 5 tane daimi üye, 10 tane geçici üye var, daimi 5 üyeden biri hayır dediği zaman mesele bitiyor, geçici üyenin hiçbir anlamı yok" dedi.
Güzel söylemişti ama... BM Güvenlik Konseyi geçici üyesi olduğumuz zaman "Dünya bize hayran" denmiyor muydu yahu? "Karar mekanizmasına oturduk" denmiyor muydu? Yalan mı söylenmişti yoksa Türk halkına? Evet... Yalan söylenmişti. Yalan söylendiğinin şahidi de bizzat Başbakan'dı!

...»

Moskova'dan Şam'a giden Suriye yolcu uçağı, F16'larımız tarafından Ankara'ya indirildi. Askeri malzeme gerekçesiyle kargosuna el konuldu. Türk hava sahası, Suriye'nin sivil uçuşlarına kapatıldı. Suriye de kendi hava sahasını Türk sivil uçuşlarına kapattı.

...»

Kurban Bayramı geldi.
İthal inek, ithal koyun derken, tarihimizde ilk defa saman ithal edildi. Kendi kendine yeten yedi ülkeden biri olan Türkiye, artık kendi kendine hayvanlarını bile doyuramıyordu. Muhteşem tarım politikamız (!) yüzünden, buğday'ın kilosu 60 kuruşken, saman'ın kilosu 70 kuruşa çıkmıştı. Angola'dan Eritre'den Kongo'dan Uganda'dan 20-25 kuruşa saman getiriliyordu.

...»

Dinin siyasete alet edilmesi konusunda eşsiz bir örnek sergilendi. AKP Kırklareli İl Başkanı, Hazreti Muhammed için AKP amblemiyle broşür şeklinde nüfus cüzdanı çıkardı, Tayyip'i Peygamberimizin çocukları arasına koydu... Skandalı TBMM gündemine taşıyan CHP'nin müftü milletvekili İhsan Özkes, "İlahiyat bitirdim, master yaptım, Mısır'da okudum,

Peygamberimizin çocuklarından birine Tayyip dendiğini, ilk defa Tayyip Erdoğan zamanında duydum" dedi.

...»

Diyanet İşleri Başkanlığı'na 2013 bütçesinden 4 milyar 600 milyon lira ayrıldı. Böylece, Diyanet'in bütçesi, sağlık, içişleri, dışişleri, kültür bakanlıkları dahil, 11 bakanlığın bütçesini geride bıraktı.

...»

İstanbul Büyükşehir Belediyesi, Mekke Belediyesi'yle protokol imzaladı. Bundan böyle, hac ve umre dönemlerinde Mekke'nin çöpünü İstanbul Belediyesi toplayacaktı. İstanbul Belediye Başkanı Kadir Topbaş "Kutsal toprakların temizliği bizim için büyük nasip, bize verilmiş en büyük hediye" dedi.

...»

Deniz Feneri savcıları, Yargıtay'da beraat etti.
Savcı Abdülvahap Yaren, tarihe not düştü.
"Zekât hırsızlarını koruma altına alan bir güç var. Ben bu güce hırsızların imparatoru diyorum. Bu imparator hem altındaki figüranları koruyor, hem kendisine ulaşılmasını engelliyor. Hırsızlar imparatorunun kim olduğu apaçık belli... Halk arasında arife tarif gerekmez anlamında bir tabir vardır, damda gezer miyav der, isme gerek var mı?" dedi!

...»

Silivri'deki insanlık dramlarına bir yenisi eklendi.
Ergenekon tutuklusu Profesör Fatih Hilmioğlu'nun üniversite öğrencisi oğlu Emir, trafik kazasında hayatını kaybetti. Güya, Profesör Hilmioğlu'na cenaze izni verildi, jandarma eşliğinde Ankara'ya gönderildi ama... "Kaçabilir" gerekçesiyle geceyi evinde geçirmesine izin verilmedi. Profesör Hilmioğlu, cenaze törenine kadar Sincan Cezaevi'nde tutuldu.

...»

29 Ekim 2012...
Atatürkçüler "terörist" ilan edildi!
Atatürkçü Düşünce Derneği'nin öncülüğünde 41 sivil toplum kuruluşu, Cumhuriyet Bayramı'nı Birinci Meclis'in önünde kutlamak istedi. Ankara Valisi "yasak" dedi, izin vermedi.

Cumhur'un Cumhuriyet Bayramı'nı kutlaması "illegal faaliyet" olmuştu.
Panzerlerle barikat kuruldu. Biber gazı ve tazyikli su sıkıldı. Türk bayrağı taşıyan vatandaşlara tekme atan polisler vardı. Suratı kan içinde kalan, kaburga kemikleri kırılanlar oldu. İstiklal Marşı ve 10'uncu Yıl Marşı söyleyenlere gaz bombası atıldı. CHP milletvekilleri yürüyüşe katıldı, coplananlar oldu.

Başka şehirlerden Ankara'ya gelmeye çalışan Atatürkçülerin otobüsleri, polis ve jandarma tarafından durduruldu. Türk bayrağı araması yapıldı. Bayrak veya Atatürk posteri bulunan otobüslerin Ankara'ya girişine izin verilmedi. Uyduruk cezalarla trafikten men edildi. Neticede... Polis barikatı yarıldı. Onbinlerce vatandaş önce Birinci Meclis'e, oradan Anıtkabir'e yürüdü.
Ankara Ankara olalı böyle utanç görmemişti.
Ve maalesef "iki kişiden biri" sessizce seyrediyordu.
Türkiye iç mutabakatını kaybetmiş, ruhen bölünmüştü.

...»

Aynı gün İstanbul'da... Dünyaca ünlü kadın tenisçilerin katıldığı turnuvanın finali vardı. Ulaştırma Bakanı ile Aile Bakanı seyretmeye gelmişlerdi. Islıklandılar, yuhalandılar. Futbol, basketbol, voleybol tribünlerinden sonra, tenis kortları da "AKP dışarı" diye inliyordu.
Tayyip Erdoğan çok sinirlendi. "Ulus'taki zihniyetle Sinan Erdem Salonu'ndaki zihniyet aynı zihniyettir, bunlar terörist holigan" dedi. Atatürkçülere ilk defa ve resmen "terörist" demişti.

...»

E olacağı buydu...
Şemdin Sakık'ın "gizli tanık" olduğu ortaya çıktı.
TSK sanık, PKK tanık'tı.
Ergenekon davasında Deniz kod adıyla gizli tanık olarak ifade veren Şemdin Sakık, bundan sonraki duruşmalarda açık kimliğiyle ifade vermek istemişti. İstemeseydi, Türkiye'nin ruhu bile duymayacaktı, Şemdin Sakık'ın tanık olduğunu savcılardan başka kimse bilmeyecekti. Hazin bir şaka gibi ama... Teröristin tanık olduğunu bizzat terörist sayesinde öğrenmiştik.

...»

10 Kasım'da Tayyip Erdoğan tarihe geçti!

7 Kasım'da Endonezya'ya gitmişti. 9 Kasım'da resmi temasları bitmişti. 10 Kasım'da Ankara'da olacaktı. Olmadı. Gezisini bir gün uzattı. Bir günlüğüne Brunei'ye geçti. Brunei Sultanı'nı ziyaret etti. Böylece... 1938'den bu yana, 74 senedir ilk defa, 10 Kasım törenleri Başbakan'sız yapıldı. 11 Kasım'da Türkiye'ye döndü.

...»

10 Kasım'da bir ilk daha yaşandı.
Dolmabahçe Sarayı askerden alınmış, polise devredilmişti. Atatürk'ün son nefesini verdiği odanın nöbetini asker değil, polis tutacaktı. Malum, efsane fotoğraftı... Her 10 Kasım'da saat 9'u 5 geçe, yatağın başucunda nöbet tutan askerler duygulanır, gözyaşlarını tutamaz, yanaklarından süzülürdü. Dolayısıyla, bu 10 Kasım'da herkesin gözü, yatağın başucunda nöbet tutan polisteydi. Polis ağlamadı.

...»

"Edep" lafını dilinden düşürmeyen Başbakanımız, Kemal Kılıçdaroğlu'na gayet edepli bi benzetme yaptı. "Bahtsız bedevi" dedi. Kılıçdaroğlu aynı seviyede cevap verdi. "Aynaya bak, bahtsız bedeviyi göreceksin... Libya, Suriye, Arabistan çöllerinde gezerken, kutup ayılarına aman dikkat et" dedi.

...»

Bu mevzunun "deve"si de vardı...
Ali Babacan ekonomik hedefimizi tarif ederken açıklamıştı. "Türkiye deve adımlarıyla yürümeli, deve yürüyüşü çok sağlamdır, çölde çok uzun gider ve hedefine ulaşır, öyle gitmemiz lazım" demişti.

...»

Bedevi, çöl falan derken... Tayyip Erdoğan Mısır'a gitti. Döner dönmez, "Muhteşem Yüzyıl" dizisini yerden yere vurdu. "Bizim öyle ecdadımız yok, biz öyle Kanuni tanımadık, ömrünün 30 yılı at sırtında geçti" diye bağırdı. "Dizinin yönetmenini ve yayınlayan televizyonun sahibini kınadığını" söyledi.
Durup dururken kafayı niye Kanuni'ye taktı derseniz... Hükümete yakın gazeteciler açıkladı. "Muhteşem Yüzyıl" dizisi Mısır'da da yayınlanıyordu. Başbakan Mısır'a gittiğinde, iktidardaki dinciler şikâyet etmişti, "Bu diziler ecdadınızı haremle maremle kötü gösteriyor" demişlerdi.

"Kınıyorum" lafından sonra diziye bi haller oldu.
Hürrem aniden türban taktı, namaza başladı.
Haremdeki göğüs dekolteleri, hamam sahneleri kayboldu.
Saray'a ramazan geldi, komple oruç tutmaya başladılar.

...»

Başbakanımız baktı ki, herkes ağzına bakıyor, biraz daha tarih dersi verdi. "Bizans'ın hanımları Fatih Sultan Mehmet'i karşılarken, 'Başımızda kardinal külahı görmektense Osmanlı sarığı görmeyi arzu ederiz' demişlerdir" dedi. Küçük bi pürüz vardı... Lafın doğrusu öyle değildi. Söyleyen de Bizanslı kadınlar değildi.
Ama olsundu.
Abdülmecid Dedemiz proje çizdi.
Kanuni 30 sene ata bindi.
Bizanslı hanımlar Fatih'e dedi ki filan...
Demokrasimiz ileri'den, örneklerimiz hep geri'dendi.
Mehter takımı gibi, geri geri ileri yürüyordu Türkiye!
Ve, aslına bakarsanız Başbakanımızın bu dizi mizi işlerinden anlaması gayet normaldi. Çünkü kendisi hem tiyatro oyuncusu, hem yönetmendi. Milli Selamet Partisi'nin gençlik kollarındayken, *Mas Kom Yah* isimli tiyatro oyununu hem yönetmiş, hem de başrolünde oynamıştı. Mason'un Mas'ı, Komünist'in Kom'u Yahudi'nin Yah'ıydı... Müslüman Türk kimliğine bürünerek, namuslu işçileri kışkırtan, zavallı patronu öldürten Yahudi'nin fenalıkları anlatılıyordu. Linç edilen patronun oğlu Avrupa'da tahsil görmüştü, dinsiz olmuştu. Nasıl senaryo? Harika di mi... Dizi dediğin işte böyle olurdu.

...»

"Ecdadımıza" çekidüzen verildikten sonra, sıra "istikbalimize" çekidüzen vermeye gelmişti. Milli Eğitim'in kılık kıyafet yönetmeliği iptal edildi. Önümüzdeki seneden itibaren önlük veya tek tip forma giyilmeyecek, çocuklar istediği kıyafetle okula gelecekti.
İlk bakışta "özgürlük" gibi görünüyordu. Biraz detayına bakınca... Güya kıyafet serbestti ama, tayt, şort, dizüstü etek, askılı tişört, kolsuz gömlek yasaktı. Buna mukabil, Kuran dersinde türban serbestti.
Önlüğü çıkarmışlar...
Aynı önlüğü kızların kafasına takmışlardı.

Dört artı dört dedikleri, ört artı ört'tü.
Okul arması dışındaki rozetler de yasaklanmıştı.
Okulunun adı değilse, Atatürk rozeti kullanamazdın.

...»

Bu arada... Hapishanedeki PKK'lılar 12 Eylül'den beri açlık grevi yapıyordu. Kimse ilgilenmiyordu. 40'ıncı günden itibaren ölüm riski başladı, medyada haber olmaya başladı. Peki niye açlık grevi yapıyorlardı? Mahkemelerde Kürtçe savunma hakkı verilmesini istiyorlardı.
Tayyip Erdoğan "Şov yapıyorlar, blöf yapıyorlar, ne yaparlarsa yapsınlar, şantajlara boyun eğmeyiz" diyor, asla taviz vermeyeceğini söylüyor, "Türkiye seninle gurur duyuyor" diye alkışlanıyordu.
Apo "Bitirsinler" dedi.
Açlık grevleri tırak diye bitti.
Kamuoyuna inceden mesaj verilmişti.
Zemin hazırlanıyordu.
"Bakın görüyorsunuz, Apo ne derse o oluyor, mecburen onunla konuşmak durumundayız" havası estiriliyordu.

...»

PKK'lılarla kucaklaşan BDP milletvekilleri hakkında fezleke hazırlandı. Dokunulmazlıkları kaldırılacak mıydı? Başbakanımız gürledi. "Şehit analarının sesine kulak vermemiz lazım, kusura bakma bedelini ödersin, vicdanımızla hareket ederiz, millet adına karar veririz" dedi. Hatta "Bu zevatla ilgili kararımızı, dokunulmazlıklarını kaldırmak suretiyle vereceğiz, ondan sonrası yargıya ait" bile dedi.

...»

Hemen peşinden, Bülent Arınç televizyona çıktı. "BDP'li bir kadın milletvekiline çok kızıyordum, çok beddua ediyordum, sonra onunla ilgili hatırayı dinledim, artık kızmıyorum, henüz 17 yaşında genç kızken Diyarbakır Cezaevi'nde öylesine ahlaksızca işkenceye maruz kalmış ki, ben de aklıma gelse dağa çıkardım" dedi.
O bahsettiği milletvekili... Hakkında fezleke hazırlanan, BDP Eşbaşkanı Gültan Kışanak'tı. 12 Eylül'de Diyarbakır Cezaevi'nin müdürü tarafından köpek kulübesine tıkılmış, altı ay orada tutulmuş, her gün falakaya yatırılmıştı. İşkenceci cezaevi

müdürü, binbaşıydı. O binbaşı, 1988'de İstanbul'da belediye otobüsünde kafasına sıkılarak öldürülmüştü.

...»

Peki, aynı partinin bir başka "kadın" eşbaşkanına "yaratık" diyebilen Bülent Arınç, şimdi nasıl olmuştu da aniden empati kurmuştu?
Sözlerinin devamında anlaşıldı... Bülent Arınç, Abdullah Öcalan'ın gençken namazında niyazında bi delikanlı olduğunu açıkladı. "Size üç arkadaştan bahsedeyim" diye başladı ve anlattı... "Birisinin adı Durmuş, birisinin adı Yakup, birisinin adı Abdullah... Tapu Kadastro Meslek Lisesi'nde arkadaşlık yapıyorlar. Okulun karşısında yurt var. Anadolu'dan gelen bu öğrenciler bu yurtta kalıyor. Üçü de namaz kılıyor, üçü de inançlı insanlar. Çok iyi arkadaşlıkları var, Maltepe Camisi'ne gidiyorlar, ders çalışıyorlar. Aradan seneler geçiyor, bunlardan birisi Hukuk'ta okurken benim de arkadaşlığımı yapan Durmuş Yılmaz olarak Türkiye'de Merkez Bankası Başkanı oluyor. İkincisi Yakup İnce, Medine-i Münevvere'de mühendis olarak çalışıyor. Üçüncüsü de Abdullah Öcalan... Birbirini çok seven, namazı beraber kılan, orucu beraber tutan, iftarlara, sahurlara beraber kalkan bu insanların hayatları hangi noktada kesişmiş, hangi noktada ayrılmış... Abdullah Öcalan belki bir karanlığın kurbanı olarak bu yollara götürülmüş, sevk edilmiş, içinde MİT'in parmağı da olabilecek şekilde, şimdi İmralı'da tecrit halinde yaşayan bir insan. Ama bir çocukluğu, bir gençliği var" dedi.
Yani bi tek "zavallı Apocuk" demediği kalmıştı!
Ahali henüz farkında değildi ama "süreç" başlamıştı.

...»

Hakan Şükür'ün eşi tesettüre girdi.
Medyamızdaki en önemli haberdi.

...»

Bitmek tükenmek bilmeyen "Özal zehirlendi" tartışması gene alevlenmişti. Cumhurbaşkanı Gül, Devlet Denetleme Kurulu'nu devreye soktu, rapor istedi. Devlet Denetleme Kurulu "Böcek ilacı zehirlenmesi olabilir" dedi. Ankara Cumhuriyet Başsavcılığı, otopsi için mezarın açılmasına karar verdi.

Ölümünden 19 sene sonra Turgut Özal'ın mezarı açıldı. Tabuta

kondu, Adli Tıp'a götürüldü. Dokular alındı, tekrar geri defnedildi.
Cenaze neredeyse hiç bozulmamıştı. Çünkü rahmetli öldüğünde, beş gün sonra yapılacak cenaze törenine kadar bozulmasın diye, kısmen mumyalanmıştı. Bu gerçeğe rağmen, cenazenin bozulmamış olması, sanki mucizeymiş, evliyaymış gibi sunuluyordu.
Neticede, Adli Tıp noktayı koydu. "Turgut Özal'ın zehirlenerek öldürülmediğini" açıkladı. Senelerdir köpürtülen "derin devlet zehirledi efsanesi" nihayet tıbben son buldu. Zannedilirken...
Tıbben son bulsa bile, hukuken son bulmadığı anlaşıldı!
20 senelik zamanaşımına sadece bir gün kala... "Gizli tanık var" dediler, "Özal'ı Ergenekon zehirledi" dediler, Ergenekon'dan tutuklu bulunan emekli Tuğgeneral Levent Ersöz'e, suikasttan dava açtılar.
Halbuki... Söz konusu gizli tanık, Turgut Özal'ın bizzat kendi eşi Semra Hanım tarafından zehirlenmiş olabileceğini iddia etmişti.
Nasıl olmuş bu iş? Ergenekon örgütü Semra Hanım'a şantaj yapmış, Semra Hanım da mecburen Turgut Bey'i zehirlemiş filan... Gizli tanık bunu anlatmıştı.
İddianameye Semra Özal'ı koymadılar.
"Tuğgeneral zehirledi" deyip geçtiler.

...»

Göktürk-2 uydusu, Çin'den uzaya fırlatıldı.
Ankara'da hadise çıktı.
Başbakan, fırlatma anını seyretmek için ODTÜ'ye geldi.
Kampüse polis doldu. Hem polisleri hem Başbakan'ı protesto eden öğrencilere biber gazı sıkıldı, bazıları gözaltına alındı.
Başbakan sinirlendi. "Bu nasıl üniversite? Sizin yetiştirdiğiniz öğrenciler bunlarsa bu ülke batmış. Bize böyle hocalar lazım değil. O profesörler doçentler bu mesleği bıraksınlar" dedi.

...»

Çok sayıda üniversite, ODTÜ'yü kınayan bildiri yayınladı.
Mesela... Bingöl Üniversitesi'nin senato bildirisinde "Sayın Başbakanımıza bu nevi muamelenin reva görülmesini doğru bulmadığımızı Türkiye kamuoyu ile paylaşmak istiyoruz" denildi!
Darılıp gücenmesinler ama, ODTÜ'yü kınayan bazı üniversitelerin adını bile ilk defa duymuştuk. Çoğunun üniversite olduğundan bile kimsenin haberi yoktu. Türkiye'nin dünya çapındaki en prestijli üniversitesi ODTÜ, linç edilmeye çalışılıyordu.

...»

Suriye sınırına "Patriot" kurulacağı ortaya çıktı.
Tayyip Erdoğan derhal yalanladı.
"İddialar tamamen asılsız" dedi.
"Sağır duymaz uydurur cinsinden bir haber" dedi.
"Karar verici biziz" dedi.
"Benim haberimin olması lazım" dedi.
"Benim böyle bir şeyden haberim yok" dedi.
Bir hafta sonra...
"Türkiye NATO toprağıdır" dedi.
Bir hafta sonra...
"Adana, Gaziantep, Kahramanmaraş'a kurulacak" dedi.
Adana'ya Hollanda Patriotu, Gaziantep'e Amerikan Patriotu, Kahramanmaraş'a Alman Patriotu kuruldu. Patriotların tetiğini elinde tutan NATO komutanı ise, Yunanlıydı.
Bu hazin tabloya "milli savunma" deniyordu!

...»

2012 senesinde 170 şehit vermiştik.
Afyon'daki patlama, Afganistan, Hakkâri ve Siirt'te düşen helikopterler bu rakama dahil değil... Onları da ilave ettiğimizde, bu seneki şehit toplamımız, 206'ya çıkıyordu.

...»

Başbakan, gazetecilerle açıkoturuma katıldı.
Gazeteciler sormadı.
Başbakan açıkladı.
"Evimin altındaki ofisimde böcek bulundu" dedi.
Peki, kim koymuş böceği?
Onu da sormadılar.
Peki, niye bunu açıklama gereği hissetti?
Onu hiç sormadılar.

...»

Başbakan'ın televizyon programları stand-up kadar eğlenceliydi. Gazeteciler yandaş'lardan seçiliyordu. Asla, Başbakan'ı üzecek sorular sorulmuyordu. "Başbakan'ın arkasında durmak yandaşlıksa, evet yandaşım" diyen gazeteci vardı. Başbakan'a Nobel Barış Ödülü verilmesini teklif eden gazeteci vardı. "Dünyanın en karizmatik başbakanı" diyen gazeteci vardı. "Beyefendi emrederse, bu gazeteyi yarın derhal kapatırım" diyen gazete patronu bile vardı. Başbakanımız ise, medyaya hak ettiği hakkı (!) veriyordu. "Eskiden emirle köşe yazıyorlardı, bunları tasmalarından biz kurtardık" diyordu.

Kimisi tasma'dan kurtarılıyor, kimisi kelepçe'leniyordu.

...»

Odatv davasından tutuklanan Müyesser Yıldız'ı 16 ay tek başına koğuşta tuttular. Barış Terkoğlu ve Barış Pehlivan'ı 19 ay hapsettiler. 2013'e girerken en sevindirici haber, Soner Yalçın'ın tahliye edilmesiydi. 682 gün yatırmışlardı.

...»

Bir sene daha geride kalırken...
Rauf Denktaş artık yoktu.
Türk milletinin kahramanı...
Lefkoşa'da toprağa verildi.
Bana sorarsanız, Anıtkabir'e defnedilmeliydi.

...»

Hayatımızda, yerleri doldurulamaz boşluklar oluşmuştu.
İlk Dünya Güzelimiz Keriman Halis Ece, Ordinaryüs Lefter Küçükandonyadis, tiyatromuzun duayenleri Müşfik Kenter, Erol Günaydın, Mücap Ofluoğlu, Erol Kardeseci, Baykal Kent, "Kaynanalar"ın Nöriye Kantar'ı Leman Çıdamlı, radyo-televizyon sunuculuğunun ustası Orhan Boran, Yeşilçam'ın unutulmaz yönetmeni Metin Erksan, Yeşilçam'ın dev aktörü Ekrem Bora, "Asmalı Konak", "Muhteşem Yüzyıl" gibi izlenme rekorları kıran dizilerin senaristi Meral Okay, şair-yazar Abdürrahim Karakoç, Unesco'nun yaşayan insan hazinesi ilan ettiği Neşet Ertaş, Karadeniz'in sesi Kamil Sönmez, "Bir Başkadır Benim Memleketim"in Ayten Alpman'ı, "Samanyolu"nun Berkant'ı, "Dağlar Kızı Reyhan"ın Zaliha Özden'i, Ayna grubunun gitaristi Cemil Özeren, arabesk sanatçısı Azer Bülbül, artık aramızda değildi.
Gıda devi Ülker'in kurucusu Sabri Ülker, yakasından Atatürk rozetini hiç eksik etmeyen Borusan'ın kurucusu Asım Kocabıyık, Atatürk'ün manevi kızı Ülkü Adatepe, Boğaziçi Üniversitesi'nde 58 sene ders veren efsane hoca Arman Manukyan, Ankara Siyasal'ın sıfırcı hocası gazeteci Profesör Kurthan Fişek, Kürt siyasetinin önde gelen isimlerinden Şerafettin Elçi, internet gazeteciliğinin kurucularından Yurtsan Atakan ve henüz 26

yaşındaki Eskişehirsporlu futbolcu Ediz Bahtiyaroğlu'nu kaybetmiştik. Hayali ihracat döneminin sembol ismi, Süleyman Demirel'in yeğeni Yahya Demirel vefat etmişti.
Disko kraliçesi Donna Summer, dünyanın en çok ödül kazanan kadın şarkıcısı Whitney Houston, erotizm ikonası "Emmanuelle" Sylvia Kristel, Bee Gees'in solisti Robin Gibb, hatıralarımızda yaşayacaktı.
En sansasyonel ölüm, Libya'daydı.
ABD'de Hazreti Muhammed'le alay eden sinema filmi çekildi. Arap ülkelerinde ayaklanma çıktı. Bingazi'deki ABD Konsolosluğu ateşe verildi. Kaçmaya çalışan ABD Büyükelçisi linç edildi.

2013

Sakine Cansız • İmralı tutanakları • Apo'dan ulusa sesleniş • Kürdistan • İmralı'ya muhabbet, Silivri'ye müebbet • Akil insanlar • Fesli hostes • Türbanlı avukat • TC • Fazıl Say • Biber gazı • Reyhanlı • Hizbuşeytan • Padişaha doktora • Milli içkimiz ayran • İki ayyaş • Yavuz Sultan Selim Köprüsü • Gezi Parkı

"Çözüm süreci" deniyordu ama...
Yeni seneye "çözülüm süreci"yle girmiştik.
Apo aniden "İmralı" oluvermişti.
AKP deme Ak de, Esad deme Esed de gibi...
Psikolojik harekâtın parçasıydı.
Toplumsal hafızayı uyuşturmak için "Öcalan, teröristbaşı, PKK" kelimeleri adeta yasaklanmıştı. Hem duygular nötrleştiriliyordu, hem de "İmralı" kavramı yavaş yavaş Çankaya, Beyaz Saray gibi "otorite merkezi" haline getiriliyordu.

...»

"Ulusa Sesleniş"in adı değiştirildi.
"Millete Hizmet Yolunda" oldu.
"Ulus" kelimesine ambargo uygulanıyordu.

...»

Ahmet Türk ve Ayla Akat Ata, İmralı'ya gitti.
Ata-Türk... Apo'yla görüştü!
Peki, ne konuştular?
Başbakan açıkladı.
"Silahlarını bırakıp Türkiye'yi terk etmelerini istiyoruz, silah bırakarak giderlerse askeri operasyon düzenlenmez" dedi.
Yurtdışındayken koşa koşa gelen subayları "kaçma şüphesi var" diye içeri tıkıyorlardı. "Kaçmama şüphesi olan" teröristleri, yurtdışına kaçmaları için ikna etmeye çalışıyorlardı!

...»

Kaderin cilvesi... Balyoz'dan tutuklu 11 subay, Ankara'ya nakil istedi. İstanbul'dan bindikleri cezaevi aracı yolda bozuldu. "Kaçma şüphesi var" diye tahliye edilmeyen subaylar, indi, bozulan aracı Bolu gişelere kadar ittirdi, iyi mi... Tamir edilemedi. Yol kenarında beklediler. Başka araç geldi, öyle gittiler.

...»

BDP'lilerin İmralı'ya ayak bastığı dakikalarda, polisimiz de Fenerbahçe Orduevi'ni bastı. Genelkurmay eski Başkanı İsmail Hakkı Karadayı 28 Şubat'tan gözaltına alındı. Ankara'ya götürüldü, sorgulandı. "Benim o günlerde olan bitenden haberim yok" dedi. Sıyırdı. Sadece yurtdışı yasağı konmuştu, haftada bir karakola gidip "kaçmadım" diye imza verecekti. An itibariyle 28 Şubat'tan 75 tutuklu vardı.

...»

Balyoz davasının gerekçeli kararı açıklandı.
"Genelkurmay tarafından mahkememize bildirildi, ele geçirilen dijital belgelerin asılları var" denildi. Peki, hakikaten söz konusu belgelerin asılları Genelkurmay'da var mıydı? Genelkurmay derhal yazılı açıklama yaptı, derhal yalanladı, "Bizde belge yok, mahkemeye de belge melge vermedik" dedi. Türk hukuk tarihi, skandalın böylesine ilk defa şahit oluyordu.
Üstelik... "2003'te hazırlandı" denilen dijital belgeler, 2003'te henüz icat edilmemiş 2007 fontlarıyla yazılmıştı. CHP soru önergesi verince, Milli Savunma Bakanı bile bu çelişkiyi itiraf etmek zorunda kalmıştı. "Microsoft Office 2007 yazılımı, TSK'da 2007'den itibaren kullanılmaya başlandı, zaten 2006'da icat edildiğini düşünürsek, 2003'te kullanılması mümkün değil" demişti.
"Asrın iftirası"nın en temel kanıtıydı.
Temyize giden Balyoz dosyasının tebliğname numarası 9-2013/66666'ydı... Subayların avukatları enteresan bir detaya dikkat çekip, "Ebced hesabında 66, Allah sözcüğü anlamına gelir, görünen o ki, bizim iş Allah'a havale" dediler. Yargıtay Başsavcılığı ise "Dosyalara akılda kalıcı numaralar veriliyor, buna da öyle denk gelmiş" demekle yetindi!

...»

Balyoz davasının cezaları verildi.

Ergenekon davası mütalaa aşamasına geldi.
Görev tamamlanmıştı.
Bak sen şu tesadüfe... Bu davaları manşetlerinden başlatan *Taraf* gazetesinin kurucu genel yayın yönetmeni-başyazarı Ahmet Altan ve genel yayın yönetmeni Yasemin Çongar istifa etti.

...»

Mehmet Ali Birand vefat etti.
Ölümünden kısa süre önce "Kürt" olduğunu açıklamıştı; PKK'ya af çıkarılması gerektiğini, Apo'nun TBMM'ye girmesi gerektiğini, Türkiye'nin ancak bu şekilde huzur bulabileceğini yazmıştı. Meslek hayatı boyunca PKK'nın meşrulaşması için çaba harcamıştı. Tam hayalini kurduğu günlere gelinmişti ki, ömrü vefa etmedi.

...»

2013'ün şöhretli kayıplar listesi çok uzundu.
Nazmiye Demirel vefat etti.
Süleyman Demirel'le "12 Mart"ta evlenmişlerdi.
Darbelerle yaşadı, "27 Mayıs"ta rahmetli oldu.
Demokrasi tarihi gibi first leydi'ydi.
Tiyatromuzun duayeni Metin Serezli vefat etti. Benim için tarifsiz onurdur; Metin Ağabey'in yönetmenliğini yaptığı son oyun, *İsim Şehir Hayvan* isimli kitabımdan sahnelenen kabareydi.
Romantizm öksüz kaldı, Ferdi Özbeğen vefat etti.
Arabesk yetim kaldı, Müslüm Gürses vefat etti.
Nöri Kantar, Tekin Akmansoy vefat etti.
Yaşayan en pahalı Türk ressam Burhan Doğançay, "Sev Kardeşim" ve "Hayat Bayram Olsa"yla pop müziğin unutulmazları arasına giren Şenay, Türkiye'nin ilk Avrupa Güzeli Günseli Başar, tiyatromuzun emektarları Macide Tanır ve Alev Sururi, edebiyatımızın en önemli yazarlarından Peride Celal vefat etti. Bursaspor'u şampiyon yapan başkan İbrahim Yazıcı, Fenerbahçeli eski futbolcu ve yönetici Serkan Acar vefat etti. Sadece Türkiye'nin değil, Avrupa'nın ilk ve tek pilot-gazetecisi Murat Öztürk, düştü, vefat etti. Deprem Dede Profesör Ahmet Mete Işıkara, Profesör Toktamış Ateş, Yassıada'da Adnan Menderes'in savunmasını üstlenen efsane Avukat Burhan Apaydın, İhlas Holding'in sahibi Enver Ören, Ulaştırma eski Bakanı Necdet Menzir, gazeteci Ümit Enginsoy vefat etti.
Eski Olağanüstü Hal Bölge Valisi Hayri Kozakçıoğlu, beylik

tabancasıyla intihar etti. *Ağır Roman*'ın yazarı Metin Kaçan, Boğaz Köprüsü'nden atlayarak canına kıydı.
Ölümsüz şarkılara imza atan George Moustaki ve "The Sopranos" dizisinin ödüllü yıldızı James Gandolfini öldü. Venezuela Devlet Başkanı Hugo Chavez öldü. İngiltere'nin ilk ve tek kadın başbakanı Demir Leydi lakaplı Margaret Thatcher öldü.

...»

Sürmanşetlere çıkan ölüm haberi, üçlü suikasttı.
BDP milletvekillerinin Abdullah Öcalan'ı ziyaretinden sadece bir hafta sonra... Sakine Cansız, Fidan Doğan ve Leyla Söylemez, Paris'te, Kürdistan Enformasyon Merkezi'nde öldürüldü.

Sakine Cansız, PKK kurucularındandı. Almanya'da yaşıyordu. Örgütün para trafiğini yönetiyordu, Avrupa'daki en üst düzey iki yöneticisinden biriydi. Wikileaks'te yayınlanan ABD kriptosunda "PKK'nın finansörü, silahçısı ve taktik stratejisti" diye tarif edilmişti.
Fransız polisi, PKK'nın şoför olarak kullandığı Ömer Güney'i tutukladı. Kamera kayıtlarına göre binaya en son giren kişiydi. Çantasında barut izleri tespit edilmişti. Sivas-Şarkışla doğumluydu, 31 yaşındaydı. İki sene önce PKK'ya katılmıştı. Ailesiyle beş yaşındayken Fransa'ya göçmüştü. Lisanı çok iyi durumdaydı, tercümanlık yapıyordu. Almanya'da evlenmiş, boşanmıştı. Roj TV'de muhabir olarak çalışan bir kızla sevgili olduğu iddia ediliyordu. En son 20 gün önce Ankara'ya geldiği, üç gün kaldığı ortaya çıktı.

...»

Sakine Cansız'dan bir hafta sonra... PKK'ya silah temin eden Kürt kökenli mafya babası Aslan Usoyan, Moskova'da öldürüldü. Silahı alan'la silahı satan'ın peş peşe öldürülmesi tesadüf müydü? İddialar havada uçuştu ama... Paris suikastı, bu kitabın piyasaya çıktığı Eylül 2013'te hâlâ muammaydı.

Sakine, Fidan ve Leyla'ya Diyarbakır'da cenaze töreni yapıldı. Yaklaşık 200 bin kişi katıldı. Tabutlara PKK bayrağı örtüldü. Sakine Tunceli'de, Fidan Elbistan'da, Leyla Mersin'de toprağa verildi.

...»

O gece...
"Muhteşem Yüzyıl" dizisinde de "suikast" vardı.
Pargalı İbrahim, Kanuni tarafından boğduruldu.
İzlenme rekorları kırıldı.
Sayın ahalimiz, ertesi sabah Pargalı İbrahim'in İstanbul Fındıklı'daki türbesine koştu. Aslına bakarsanız, o türbenin Pargalı'ya ait olup olmadığı bile tartışmalıydı ama, olsundu.
Sayın ahalimiz, Pargalı'nın "iftar"dan sonra katledilmesine çok üzülmüştü, dua ediyor, rahmet okuyordu.

...»

İzmir'deki fuhuş ve casusluk davasının iddianamesi kabul edildi. Çoğu muvazzaf subay, 376 sanık vardı. Ergenekon'da Balyoz'da olduğu gibi gene "dijital belge" vardı. Ve o dijital belgede, bizzat savcının sanıklara söylediğine göre, 3 bin subayın adı vardı. Cumhuriyet tarihi boyunca "sadece bir" muvazzaf subay casusluktan hüküm giymişken... "Nasıl olur da aniden 3 bin subay casus olabilir?" derseniz... Balyoz davasında henüz icat edilmemiş bilgisayar yazılımı kullanıldığına göre, bu davada da 3 bin subay pekâlâ casus olabilirdi!

...»

Donanma Komutanı Oramiral Nusret Güner istifa etti.
Fuhuş ve casusluk iddianamesinde, adıyla sanıyla açık açık belirtilerek, lojmanına bir astsubay tarafından gizli kamera yerleştirildiği ve 14 yaşındaki kızının görüntülerinin çekildiği anlatılıyordu. Babalarının önünü kesmek için evlatlarını bile infaz ediyorlardı. Nusret Güner, Ağustos'ta Deniz Kuvvetleri Komutanı olacaktı. İstifasıyla birlikte, kuvvet komutanı hariç, oramiral kalmadı.

...»

Tayyip Erdoğan o akşam televizyona çıktı, adeta isyan etti.
"Bunların içinde karacısı var, denizcisi var, fırkateynlerimiz gemilerimiz vesaire, neredeyse komuta kademesinde oralara gönderecek subay kalmıyor. Olmaz böyle şey. İçerde 400'e yakın subay var. Bir de ajan meselesi çıktı ortaya" dedi.
İyi söyledi, güzel söyledi de... Subaylar içeri tıkılırken "Ben bu davanın savcısıyım" diyen Başbakan, hangi ülkenin başbakanıydı? "Türkiye bağırsaklarını temizliyor" diyen Bakan, hangi başbakanın bakanıydı? TSK'ya her türlü hakareti yağdıran

yandaş medya, hangi başbakanın yandaşıydı?
Bir zamanlar "savcısıyım" dediğini unutmakla kalmadı... Üstüne, topu savcılara attı. "Başta Genelkurmay Başkanım olmak üzere, generallerimize terör örgütü mensubu demek çok yanlış... Bu tanımlamayı yapanlar makam itibariyle kendilerini sağlamda görseler bile tarih onları affetmez" dedi.
Hatta... Balyoz'dan 18 sene yiyen ve kalp ameliyatı geçiren Ergin Saygun'u hastanede ziyaret bile etti. Yoğun bakıma girdi, elini tuttu, duygusal anlar yaşandı. O anları fotoğraflattı. Gazetelerimiz çarşaf çarşaf yayınladı.

...»

Kabinede revizyon yapıldı. İçişleri, Eğitim, Sağlık, Kültür bakanları değişti. Gaflarıyla "efsane" haline gelen İdris Naim Şahin koltuğu kaybetmişti. Şehide "ceset" diyen, vatandaşa "takla at da göreyim" diyen, "Biber gazımız organiktir" diyen, "Demir coplar sokakta sunulan hizmeti daha kaliteli hale getirecek" diyen, "Şehitlik de gazilik de nasip işidir" diyen İçişleri Bakanı... Hakikaten her ülkeye nasip olmazdı.

...»

10 senedir memleketi yöneten AKP'nin Çalışma Bakanı Faruk Çelik, 10 senedir yönettikleri ekonomiyi şahane şekilde izah etti. "Asgari ücretle geçinilmez diye bi şey yok, tabii geçinirsiniz, niye geçinemeyeceksiniz? Netice itibariyle, peynirin fiyatı belli, ekmeğin fiyatı belli, zeytinin fiyatı belli, 800 lira büyük paradır" dedi.
Sen Türkiye'sin, "büyük düşün" dedikleri, buydu.
Asgari ücretin büyük olduğunu düşünecektin.
İşin ekstra hazin tarafı... 800 lira dediği asgari ücret, 800 lira bile değildi, 773 liraydı. İnsanlarla adeta alay eder gibi açıklamalar yapıp, insanlardan bu kadar fazla oy alan parti, dünyada yoktu.

...»

THY'nin modacı Dilek Hanif'e sipariş ettiği üniforma modelleri internete düştü. Hosteslerimiz fesli'ydi... Bilahare, kırmızı ruj sürmeleri yasaklandı. İstanbul, İzmir, Antalya, Ankara, Bodrum, Dalaman uçuşları hariç, içki servisi kaldırıldı. Business class, helal class olmuştu.

...»

Tarihin en trajikomik grevi de THY'de yapıldı. Hava-İş Sendikası, hukuksuz olarak işten atılan personeli geri aldırmak için grev yapmaya kalktı. Pilotlar katılmadı, hostesler katılmadı, teknik servis katılmadı. İşten atılma korkusu yürekleri sarmıştı. Rötarlarıyla meşhur THY, grev yapıldığı gün, vaktinde kalkış rekoru kırdı, iyi mi... İzinli olduğu halde, koşa koşa işe gelenler oldu. Örgütsüz toplum yaratmak için elinden geleni yapan AKP'nin en büyük zaferlerinden biriydi THY.

...»

Diyanet İşleri Başkanı Mehmet Görmez "İzmir'in farklı bir dindarlığı var, bu dindarlığın irfan geleneğine ihtiyacı var" dedi. Direkt olarak "gâvur" diyememiş, böyle demişti.

...»

Tayyip Erdoğan, Dünya Kadınlar Günü'nde Siirt'e gitti. "Vasiyetim en az üç çocuk" dedi. İlk defa "vasiyetim" kelimesini kullanmıştı.

...»

Cumhurbaşkanı Gül, İsveç'e gitti.
İsveç'e adım attığı an, İsveç Prensesi öldü.
Enteresan bir talihsizlik silsilesiydi.
Kaddafi, Başbakanımıza ödül verdi, Kaddafi'yi linç ettiler. Hüsnü Mübarek, Cumhurbaşkanımızla kucaklaştı, Hüsnü Mübarek'i kafese koydular. Suriye'yle kardeş olduk, birbirlerini vurmaya başladılar. Cumhurbaşkanımız Pakistan'a gitti, Benazir Butto'yu havaya uçurdular. Başbakanımız Lübnan meclisinde konuştu, ertesi sabah Lübnan işgal edildi. Cumhurbaşkanımız Yemen'e gitti, bakanlarımızla birlikte "Yemen Türküsü"nü söyleyip ağladılar, Yemen'de içsavaş çıktı. Başbakanımız İsrail Başbakanı'yla el sıkıştı, o gece Gazze'yi vurdular. Ürdün Başbakanı Ankara'ya ayak bastı, Ürdün'e dönmeden istifa etti. Gürcistan'la yakınlaştık, Başbakanımız Saakaşvili'ye sarıldı, ertesi gün, Rusya Gürcistan'a girdi. Suudi Kralı Cumhurbaşkanımızla Başbakanımıza madalya taktı, turp gibiydi, felç oldu, aylarca ABD'de hastanede yattı, zor düzelttiler. Afrika açılımı yaptık, ne Tunus kaldı kardeşim, ne Fildişi Sahili... El Beşir'e Çankaya Köşkü'nde yemek yedirdik, Sudan resmen ikiye bölündü. Arjantin Devlet Başkanı geldi, gelmeden önce seyahat harcırahı çalındı, dönünce kansere yakalandığı açıklandı. Cumhurbaşkanımız Güney Kore'ye gitti, 50 sene

sonra ilk defa Kuzey Kore'den füze fırlattılar. Başbakanımız Irak'a gitti, henüz Irak'tayken meclis basıldı, bakanlar rehin alındı, 45 kişi öldü. Yunanistan Başbakanı kış olimpiyatlarımıza geldi, halk ayaklanması çıktı, hükümeti düştü. 2010'u Japon Yılı ilan ettik, 2011'de tsunamiyle dümdüz oldular, nükleer santral bile patladı. Romanya Başbakanı geldi, anlaşmalar imzaladı, gidince derhal istifa etti. İspanya Başbakanı'yla Medeniyetler İttifakı kurduk, adam siyaseti bıraktı. Silvio yargılandı. Portekiz Başbakanı Cumhurbaşkanımızı karşıladı, el sıkıştı, sonra gitti, kendi Cumhurbaşkanına istifasını sundu. Ukrayna'yla vizeleri kaldırdık, Ukrayna Başbakanı tutuklandı. Polonya'yla irtibat kurduk, Polonya Devlet Başkanı'nın uçağı çakıldı, rahmetli oldu. Başbakanımızın Kosova'ya gideceği açıklandı, Kosova sokaklarına hoş geldiniz pankartları asıldı, gitmeden 12 saat önce Kosova hükümeti düştü. Cumhurbaşkanımızın Hollanda'ya gideceği açıklandı, Hollanda Prensi çığ altında kaldı, Cumhurbaşkanımız Hollanda'ya gitti, Hollanda hükümeti istifa etti, bu kitabın yazıldığı tarihte prens bir senedir bitkisel hayattaydı... Başbakanımızın ABD'ye gideceği açıklandı, Obama beysbol sopası çıkardı, gezi iptal oldu! Gürcistan Cumhurbaşkanı geldi, bisiklete binerken düşüp kolunu kırdı. Rusya Dışişleri Bakanı geldi, otelde düştü, sol elinin bileği kırıldı. NATO Genel Sekreteri geldi, otelde merdivenden düştü, omzu çıktı. Burkina Faso Dışişleri Bakanı geldi, basın toplantısı yaparken tansiyonu düştü, canlı yayında bayıldı. Başbakanımız ABD'ye gitti, henüz ordayken kasırga çıktı, insanlar öldü, Oklahoma afet bölgesi ilan edildi. Cumhurbaşkanımız İsveç'e gitti, külkedisi olarak tanınan İsveç Prensesi öldü, Cumhurbaşkanımızı korumakla görevli İsveçli polislerden biri motoruyla kanala uçtu, o da öldü. Hakikaten talihsizlikti.

...»

Anadilde Savunma Yasası çıktı.
İlk Kürtçe savunma KCK davasında yapıldı.
Hani, hapisteki PKK'lılar açlık grevi yapmıştı ya...
İşte o yasaydı bu.
Başbakanımız "Şantaja boyun eğmeyiz" filan demişti ama, neticede PKK'nın dediği olmuştu. Zaten "süreç" denilen de, buydu. Höt zöt'le ahalinin gazı alınıyor, perde arkasından taviz veriliyordu.

...»

İstanbul Kadıköy Adliyesi'nde...
İlk defa "türbanlı avukat" duruşmaya girdi.
Çünkü türban yüzünden baskına uğrayan, kurşuna dizilen, hukuk şehidi veren Danıştay, sürpriz bir adım atmıştı. Avukatlığın kamu görevi değil, serbest meslek olduğunu açıklamıştı. "Türbanlı avukatların duruşmalara türbanıyla katılabileceği" yönünde karar vermişti.

...»

Türbanlı avukatlara özgürlük getirilirken... Çağdaş Hukukçular Derneği terörist ilan edildi. DHKP-C operasyonu başlatılmıştı. Kameralar eşliğinde baskınlar yapıldı. Polis şiddetiyle mücadele eden Çağdaş Hukukçular Derneği'ne mensup avukatlar, örgüt üyesi diye tutuklandı.

...»

Bilahare... İstanbul Barosu Başkanı Ümit Kocasakal ve Baro'nun dokuz yöneticisi hakkında "yargı görevini yapanı engellemeye teşebbüs"ten dört sene hapis istemiyle dava açıldı. Niye? Ergenekon'un mahkeme heyeti suç duyurusunda bulunmuştu. Bu kitap piyasaya çıktığında, dava devam ediyordu. İki seneden fazla ceza alırsa, İstanbul Barosu Başkanı avukatlık bile yapamayacaktı. Türkiye'nin en aktif iki barosu, İstanbul ve Ankara Barosu'ydu. Susturmaya çalışıyorlardı.

...»

CHP'li Eskişehir Belediyesi basıldı.
CHP'li Antalya Belediyesi basıldı.
CHP'li İzmir zaten yargılanıyordu.
Komediye dönmüştü artık...
CHP'li Tekirdağ Belediyesi basıldı.
Ne Alaçatı bıraktılar, ne Ayvalık, ne Urla... Bi ara, Bodrum'un Demokrat Partili belediye başkanını bile tutukladılar. Polis baskını yemen için illa CHP'li olman gerekmiyordu. AKP'li olmaman yeterliydi!

...»

Ergenekon'da mütalaa verileceği beklentisiyle binlerce insan Silivri'ye akın etti. Jandarma barikatıyla karşılaştılar. Biber gazı sıkıldı, tazyikli su sıkıldı, yaralananlar oldu.

...»

Ergenekon'un dava dosyası, ekleriyle birlikte 120 milyon sayfaydı. Ortalama zekâya sahip insan, dakikada 120 kelime okur, çok haneli rakam okumaya başladığında sürati azalır, dakikada 60'a düşer. Yani? Bırak dosyayı okumayı filan, o dosyadaki sayfaları tek tek çevirerek saymaya kalksan... Günde sekiz saat mesaiyle, cumartesi pazarları tatil yapmadan, 12 sene sürüyordu!
Bu mevzuda sayısız kitap yazıldığı için çok detaya girmemeyim ama... Sabahattin Ali cinayeti bile dosyada bulunuyordu. Ki, Sabahattin Ali'yi gömdüklerinde, Mustafa Balbay, Tuncay Özkan doğmamıştı, anne babaları henüz evlenmemişti; Profesör Mehmet Haberal dört yaşındaydı.
Mütalaa beklenen duruşmadan, mütalaa çıkmadı, skandal çıktı. Mahkeme heyeti, İlker Başbuğ'un "tanık" olarak duruşmaya getirdiği Genelkurmay eski Başkanı Işık Koşaner ve üç kuvvet komutanını dinlemedi. Hukuk zaten bitmişti, bu da tesciliydi. Terörist tanık olabiliyor, Genelkurmay Başkanı tanık olamıyordu. Ergenekon davasının tanıkları arasında tecavüzden, cinayetten, dolandırıcılıktan sabıkalı olanlar vardı. Kuvvet komutanları "tanık" kabul edilmiyordu.

...»

Hanefi Avcı'ya 50 sene hapis istendi.
Bir kitap yazmış, hayatı kaymıştı.
Kitap Ağustos'ta piyasaya çıkmış, Eylül'de tutuklanmıştı. O zamana kadar "en başarılı emniyetçi" diye alkışlanırken, aniden terörist olmuştu. Sağcı polisken, sol örgütün yatakçısı ilan edilmişti. 50 sene isteyen savcı, MİT Müsteşarı'nı ifadeye çağıran savcıydı. MİT Müsteşarı'nı kurtarmak için özel yasa çıkartan Başbakan, Hanefi Avcı'nın adını bile anmamıştı.

...»

ABD Ankara Büyükelçiliği'nin kapısında canlı bomba patladı. Özel güvenlik görevlisi Mustafa Akarsu hayatını kaybetti. NTV eski muhabiri Didem Tuncay yaralandı. Terörist Ecevit Şanlı, DHKP-C'liydi. Cezaevinde ölüm orucu yaparken hastalandı diye 2001'de tahliye edilmişti, Almanya'da yaşıyordu.
Mustafa Akarsu için elçiliğin bahçesine, soyadından yola çıkarak, akarsu şeklinde havuz yapıldı. Ağaç dikildi. Anıt levhasına "Mustafa Akarsu anısınadır" yazıldı. ABD Dışişleri Bakanı geldi. Anıtkabir'den bile önce, bu anıtın başında yapılan

anma törenine gitti. Mustafa'nın eşine, Beyaz Saray tarafından sadece kahramanlara layık görülen Thomas Jefferson Star madalyasını takdim etti. Konuşmasına, Türkçe "Başınız sağolsun" diye başladı. Başkan Obama'nın taziyelerini getirdiğini söyledi. "Mustafa bizim için hayatını kaybetti, çocuklarının geleceği için kurduğu hayalleri gerçekleştirmek bizim görevimiz" dedi. Oğlunun ve kızının ABD'de okutulacağını açıkladı. Tören kıyafetli bir Amerikan askeri, hayatını kaybettiği gün yarıya indirilen ABD bayrağını, Mustafa'nın eşine verdi.

...»

Tüm Türkiye, Amerikalıların insana verdiği değeri ibretle seyrederken... Hatay-Cilvegözü gümrük kapısında otomobilde bomba patladı. Dört Türk, 13 Suriyeli hayatını kaybetti. Ölen öldüğüyle kaldı. Bırak devletin sahip çıkmasını filan, gazetelerimizin çoğu zahmet edip ölenlerin adını bile yazmadı.

...»

Tayyip Erdoğan, Mardin'de konuştu.
"Milliyetçiliği ayaklar altına almış bir iktidarız" dedi.
"Biji Erdoğan" pankartları açıldı.

...»

İmralı'ya ikinci heyet gitti. Bu seferki kadroda Pervin Buldan, Sırrı Süreyya Önder ve Altan Tan vardı. TBMM'de kravat takılmasın diye önerge veren, TBMM albümüne kravatsız fotoğrafını koydurtan Sırrı Süreyya Önder, Apo'ya kravat takarak gitmişti.

...»

Peki bu sefer ne konuşulmuştu?
"İmralı tutanakları" *Milliyet* gazetesinde yayımlandı.
Memlekete adeta nükleer bomba düştü.
Apo'nun "sansürsüz" açıklamaları, Türkiye'nin hem geleceğine, hem de son 10 senesine dair çok çarpıcı ipuçları veriyordu.
"Türkler iyi bilmeli, üst düzey savaş olur. Şimdiye kadar yaşadıklarımız devede kulak kalır. Benimle oyun oynanmayacağını AKP'ye iyi anlatın. Bu olmazsa, 50 bin kişiyle halk savaşı olacak" diyordu.
Açık açık "rejim değişikliği" olacağını söylüyordu.
"Yepyeni bir Cumhuriyet kurulacak" diyordu.

"AKP'yi 10 senedir ayakta tuttuğunu... İktidarı AKP'ye altın tepside sunduğunu... AKP'nin olgunlaşması için bilerek beklediğini... Senelerdir sabrettiğini" anlatıyordu.
MİT Müsteşarı'nın savcılık tarafından ifadeye çağrılmasını "darbe" olarak yorumluyordu. Tayyip Erdoğan'ın "vatana ihanet" suçundan tutuklanacağını fark edince, Tayyip Erdoğan'a yardımcı olmak için devreye girdiğini ve bu diyalog sürecini başlattığını söylüyordu.

Kendisinin hapse tıkılması ile Fethullah Gülen'in ABD'ye gitmesi arasında ilişki olduğunu öne sürüyordu. "Benim buraya alınmamla birlikte Fethullah da ABD'ye alındı. Fethullah Gülen 120 devlette okul açmış, para nereden? Florida kontrgerillanın eski merkezidir. Türkeş ve Latin Amerika'daki kontrgerilla orada yetiştirildi. Yeni merkez Utah'tadır. Emre Uslu vesaire, orada eğitildi" diyordu.
Sırrı Süreyya Önder'e "Vatandaşlık maddesini sana yazdırıyorum, yaz" diye talimat veriyor ve yazdırıyordu: "Özgür iradesiyle Türkiye Cumhuriyeti'ne bağlılığını ifade eden her birey Türkiye Cumhuriyeti vatandaşıdır..."
Peki, Anayasa'da başka neler değiştirilecek?
Onu da anlatıyordu.
"Kürt-Türk ilişkilerini anayasal ifadeye kavuşturmak istiyorum, Kürtler ilerde kendilerini özgürce yönetecek, şu anda dayatırsak büyük alerji yaratır" diyordu. Uyandırmadan, alıştıra alıştıra demek istiyordu.
Hepsini anladık da, bütün bunlar neyin karşılığında olacak?
Onu da izah ediyordu. "Tayyip Erdoğan'ın başkanlığını destekleyeceklerini, AKP'yle başkanlık ittifakına girebileceklerini" söylüyordu. Kendi durumu hakkında da, gülerek, "Ne ev hapsi, ne de af, bunlara gerek kalmayacak, hepimiz özgür olacağız" diyordu.
Her şey kabak gibi ortaya çıkmıştı.

...»

Başbakanımız pek sinirlendi.
Tutanakların açıklanmasına "sabotaj" dedi.
"İftiradır, asılsızdır" dedi.
"Bize güvenin" dedi.
Bir zamanlar "PKK'yla oturup görüştüğümüzü iddia edenler şerefsizdir" diyordu... Şimdi ise "Bana güvenin" diyordu!

İmralı görüşmeleriyle Anayasa çalışmaları "paralel" yürüyordu. Bir taraftan başkanlık sistemi getirilmeye çalışılıyor... Bir taraftan, içinde Türk geçmeyen vatandaşlık tanımına kafa yoruluyordu. Apo'nun açıklamaları bu "paralel çalışma"nın sebebini izah etmeye yetiyordu.
"Kim sızdırdı?" tartışması başlatıldı. Apo'nun dedikleri unutturuluyor... Tutanakları basına sızdıran aranıyordu. Dikkatler oraya çekiliyordu. BDP'den sızdırıldığı ortaya çıktı. Kandil'den hatıra fotoğrafları gelmeye başladı.
Gizlisi saklısı kalmamıştı. Apo'yla görüşen BDP heyeti, Murat Karayılan'la objektiflere poz veriyordu. Türk basınında "umut verici görüşme" başlıklarıyla yayımlanıyordu. İmralı'nın mesajı Kandil'e, Kandil'in mesajı İmralı'ya taşınıyor, adeta mekik diplomasisi yürütülüyordu. PKK normalleştiriliyor, meşru muhatap haline getiriliyordu.

...»

Murat Karayılan, PKK'nın elinde "esir" tutulan askerleri serbest bırakacaklarını müjdeledi. O gün itibariyle... Üç Kara Kuvvetleri Komutanı, üç Jandarma Genel Komutanı, üç Hava Kuvvetleri Komutanı, iki Deniz Kuvvetleri Komutanı, biri Genelkurmay Başkanı 147 general-amiral, bizzat Türkiye Cumhuriyeti'nin hapishanelerinde yatıyordu! Terfide birinci sırada bulunan kurmay albayların yarısı içerdeydi.

...»

E madem herkes İmralı'ya Kandil'e gidiyor, ben de Silivri'ye gideyim bari dedim, Profesör Mehmet Haberal'ı ziyarete gittim. O güne kadar hakkında "500 bin" civarında haber-yorum yapılan Profesör Haberal'la yüz yüze görüşüp, fikrini soran gazeteci sayısı kaçtı biliyor musunuz? Sıfır'dı!

...»

PKK'nın 19 aydır esir tuttuğu "sekiz kamu görevlisi" Kuzey Irak'ta BDP heyetine verildi. Masa kuruldu, sağ salim teslim ettik diye tutanak imzalatıldı. PKK'yı temsil eden grubun başında Tokat Reşadiye'de yedi askerimizi şehit eden Baver Dersim kod adlı Süleyman Şahin vardı.
Serbest bırakılanlar asker, polis ve kaymakam adayıydı. Buna rağmen, medyamız "asker-polis" demiyordu. "Kamu görevlisi" diyordu. Açık açık "askerlerimiz esir" demek yerine, "kamu

görevlisi" sıfatıyla soyutlaştırıyorlardı. Buna "barış dili" deniyordu. Gerçekleri yazarsan, süreci baltalamış oluyordun... Ahaliye şapşal muamelesi yaparsan, barış dili kullanmış oluyordun.

...»

Tayyip Erdoğan, Çanakkale'ye gitti, 18 Mart Deniz Zaferi törenlerine katıldı. "Çok güzel gelişmeler var, çok daha iyi olacak, şehitler diyarından destek istiyorum" dedi. O sırada... Deniz Kuvvetleri komutanları, oramiraller içerdeydi. Deniz Kuvvetleri kurmay başkanlarından biri fuhuşçu-casus diye tutukluydu, biri suikastçı diye tutukluydu. Donanma Komutanı istifa etmişti. Donanma Kurmay Başkanı'na 18 sene giydirmişlerdi. Kuzey Deniz Saha Komutanı Silivri'de, Güney Deniz Saha Komutanı Hasdal'da yatıyordu. Harp Filo Komutanı, Denizaltı Filo Komutanı, deniz üssü komutanları hapisteydi. Ne fırkateyn komutanı kalmıştı dışarda, ne SAT komandosu... Hukuk, karaya oturmuştu. Yönetecek subay kalmadığı için, tatbikatlar bile iptal ediliyordu. Deniz Zaferi diye buna denirdi!

...»

Aynı gün... 18 Mart Çanakkale Zaferi ve Şehitleri Anma Günü'nde... Selahattin Demirtaş, Pervin Buldan ve Sırrı Süreyya Önder'den oluşan BDP heyeti gene İmralı'ya, Apo'yu ziyarete gitti.

...»

Aynı gün... 18 Mart Çanakkale Zaferi ve Şehitleri Anma Günü'nde... Ergenekon savcısı esas hakkındaki mütalaayı açıkladı. Genelkurmay Başkanı İlker Başbuğ'a "terörist" olarak müebbet hapis istendi.
İmralı'ya muhabbet...
Silivri'ye müebbet'ti.
Profesör Mehmet Haberal, Tuncay Özkan, Mustafa Balbay, Profesör Fatih Hilmioğlu, Doğu Perinçek, toplam 64 kişiye... Hatta tutuksuz yargılanan CHP Ankara Milletvekili Sinan Aygün'e bile müebbet istenmişti. İdam cezası olsaydı, idam istenecekti.

...»

Ertesi günkü gazetelerde... Manşetlerde Apo vardı. Aşağıda, anca ikinci manşetlerde Ergenekon vardı. Yeni kahraman Apo'ydu. Yeni teröristlerimiz ise, generaller, profesörler, gazetecilerdi.

...»

AKP Genel Merkezi'ne lav silahıyla saldırıldı, duvara geldi, cam kırıldı. Adalet Bakanlığı'nın bahçesine el bombası atıldı. Başbakan suçluları derhal yakaladı, "Ergenekon'la bağlantılıdır" dedi. Adeta nezle bile olsa, Ergenekon'u sorumlu tutuyordu. Halbuki, DHKP-C'ydi. Bizzat İçişleri Bakanı açıkladı. Saldırganlar Yunanistan'dan giriş yapmıştı. Tabii hiç kimse çıkıp "E hani Ergenekon'du?" diye sormadı.

...»

Nevruz, tarihi Nevruz'du.
Diyarbakır meydanında Apo'nun mesajı okundu.
Adeta "ulusa sesleniş" konuşmasıydı.
"Saygıdeğer Türkiye halkı" diye başlıyordu.
Türkiye bunu da görmüştü.
76 milyon vatandaş, Apo'nun ağzına bakar hale gelmişti.
Diyarbakır'da tek bir Türk bayrağı bile yoktu, her taraf PKK bayraklarıyla donatılmıştı. Hükümetimiz, askeri ve polisi meydandan çekmişti.
Türkiye'deki Kürdistan'ın resmi olarak ilanıydı.

...»

Apo'nun mektubu Diyarbakır'da okunurken... Murat Karayılan, Almanya'nın Bonn şehrinde düzenlenen Nevruz kutlamalarına katılıyor, "Resmi olarak ateşkes ilan ediyoruz" diyordu.

...»

Gene o gün... ABD Başkanı Obama, İsrail'deydi. İsrail Başbakanı Netanyahu, Başbakan Erdoğan'ı telefonla aradı, Mavi Marmara katliamı nedeniyle Türkiye'den resmen özür diledi, tazminat ödemeye hazır olduklarını açıkladı. Bizim Başbakan da "Özrünüzü Türk halkı adına kabul ediyorum" dedi.
İyi de... Bizim Başbakan, özür ve tazminatın yanı sıra Gazze'ye ambargonun kaldırılmasını şart koşmamış mıydı yahu?
Orasını karıştırma gari.
Van münüts süreci bitmişti.

Ve, zamanlama harikuladeydi... Kürdistan'ı unutturmaya çalışan sayın medyamız derhal "özür zaferi" manşetlerini attı.

...»

"Barış" süreci, "çözüm" süreci gibi ambalajlı ifadelerle topluma sunulan PKK görüşmeleri, CHP'yi iki arada bir derede bırakmıştı. "Yeni"lerle "ulusalcı"lar itişip kakışıyordu. Ana muhalefet partisi, pozisyon belirleyemiyordu. MHP ise, bayrak mitinglerine başladı. Bursa'daki mitingte "Vur de vuralım, öl de ölelim" sloganı atıldı. Devlet Bahçeli "Merak etmeyin onun da zamanı gelecektir" dedi.

...»

Hükümet "akil insanlar" icat etti.
Aslında, PKK projesiydi.
İlk defa Apo tarafından dile getirilmişti.
Böyle bir heyet kurulmasını istemiş, aday isimler önermişti.
Yedi bölgeye dokuzar kişilik heyetler gönderildi. Hükümete yakın gazeteciler, akademisyenler, sivil toplum örgütü yöneticilerinden oluşuyordu. Aralarında, Aydın Doğan'ın en büyük kızı, TÜSİAD eski Başkanı Arzuhan Doğan Yalçındağ vardı. Kambersiz düğün olmaz, TOBB Başkanı Rifat Hisarcıklıoğlu vardı. Orhan Gencebay, Kadir İnanır, Hülya Koçyiğit, Yılmaz Erdoğan, Lale Mansur sanatçı akillerdi. Türk-İş, Hak-İş, KESK, Memur-Sen gibi sendikaların başkanları oradaydı. Soros fonlarıyla desteklenen TESEV'in Başkanı Can Paker, Murat Belge, Baskın Oran, Etyen Mahçupyan, Doğu Ergil, Deniz Ülke Arıboğan filandı.
"Kürt başka PKK başka denilemez" diyen, akildi.
"Dağdakiyle birlikte yaşamak isterim" diyen, akildi.
"Her iki taraf da şehit" diyen, akildi.
"Türk demeyelim, Türkiye bayrağı diyelim" diyen, akildi.
"CHP kapatılsın" diyen, akildi.
Akillerin listesi açıklanmadan önce, akil adamlara "sakil" adamlar diyen... Adı geçenlerin "PKK'nın safında olduğunu" iddia eden... "Akillerde akıl olsaydı Türkiye'nin çıkarlarını düşünürlerdi" diyen gazeteci, akil oldu, iyi mi! Bunları sanki kendisi yazmamış gibi, hiç utanmadan "ben akilim" diye gezdi. Yeni köye eski âdetti.
Çünkü teee 1919'da Damat Ferid Hükümeti'nin heyet-i nasihası vardı. Ona benziyordu. O heyetin amacı, vilayet vilayet dolaşıp, işgale direnmemeleri, büyüklerimiz ne diyorsa onu yapmaları konusunda "ahaliye nasihat" etmekti. Bu heyetin amacı da, vilayet vilayet dolaşıp, direnmemeleri, büyüklerimiz ne diyorsa onu yapmaları konusunda "ahaliye nasihat" etmekti. O heyetin mensupları 7'şerliydi, bu heyetin bölgeleri 7'şerliydi. O heyet Padişah Efendimizi "Dolmabahçe"de ziyaret ettikten sonra

görevine başlamıştı. Bu heyet de Başbakanımızı aynı mekânda, "Dolmabahçe"de ziyaret ettikten sonra görevine başladı. O heyet maneviydi. Bu heyetin de hiçbir yetkisi yoktu. O heyette müftü vardı. Bunda imam vardı. O heyette Ohannes Efendi vardı. Bunda muadili vardı. O heyette liboş vardı. Bunda da vardı. O dönemin basını "muhabbettin temin edileceğini, nifakın yok edileceğini" anlatıyordu. Bu dönemin basını da fotokopi gibi "barışın sağlanacağını, hayırlara vesile olacağını" anlatıyordu. O heyetin başkanları, her gittikleri vilayetten Sadrazam'a telgraf çekiyor, gözlemlerini aktarıyordu. Bu heyetin başkanları da Başbakan'a rapor hazırlayacaktı.
Güneydoğu hariç, her gittikleri şehirde protesto edildiler. Hatta, belden aşağısını mayınla kaybeden bir gazi, protez ayağını çıkarıp, kafalarına bile attı. Yalaka basınımız protestoları sansürledi. Orhan Gencebay tepkilerden çekinerek memleketi Samsun'a gidemedi, akillikten istifa etti, bunu bile yazmayan gazeteler oldu. Büyük destek varmış gibi, güllük gülistanlık gibi göstermeye çalışıyorlardı.

...»

TC'yi silmeye başladılar.
Önce Ziraat Bankası'nın adındaki TC ibaresi kaldırıldı. Sonra, Sağlık Bakanlığı'na bağlı kurumların tabelalarındaki TC ibaresi kaldırıldı. Peşinden, valiliklerin TC ibaresi kaldırılmaya başlandı. Mesela Bursa Valiliği'nde resmen kaldırıldı. Binanın üstündeki "TC Bursa Valiliği" tabelası indirildi, sadece "Valilik" yazan tabela asıldı. "Türk demeyelim Türkiyeli diyelim" falan derken...
Türkiye Cumhuriyeti de gümbürtüye gitmişti.
AKP tabanında bile büyük rahatsızlık yarattı, tepkilere yol açtı. Ziraat Bankası hariç, geri adım atıldı. Valiliklerde ve Sağlık Bakanlığı'nda TC ibaresi geri geldi. Ancak, perşembenin gelişi çarşambadan belli misaliydi... "Günü gelince" TC'nin komple kaldırılacağının ilk tatbikatıydı.

...»

Hükümetin en nefret ettiği sanatçıların başında yer alan Fazıl Say'a nihayet fatura kesildi. Twitter'dan yazdığı bazı cümleler nedeniyle dava açıldı. Dini değerleri aşağıladığı suçlamasıyla, 10 ay hapis cezasına çarptırıldı. Aslında mesele, sırf Fazıl Say meselesi değildi. Heykel "ucube"ydi. Bale desen, bizzat Başbakanımıza göre "belden aşağı" kabul ediliyordu. Yunus

Emre'nin şiirleri dinen sakıncalı bulunup, Milli Eğitim'in kitaplarında sansürleniyordu. *Fareler ve İnsanlar* "ahlaksız", *Şeker Portakalı* "erotik" bulunuyordu. Metalci selamı veren gençler, ülkücü zannedilip içeri tıkılmıştı. Solcu müzik grubunun el koyulan bağlama'sında parmak izi aramışlardı. Suna Kan'ın konser bileti, Ergenekon davasında delil oldu. İdil Biret'in Topkapı'daki konseri tekbirlerle basıldı. Televizyon dizilerinin senaryolarına müdahale ediliyordu, "Muhteşem Yüzyıl"da Hürrem Sultan türban takmak zorunda kalmıştı. Spiderman'i namaz kılarken gösteren çizgi romanlar piyasaya çıkmıştı. Müjdat Gezen, Levent Kırca gibi Atatürkçü tiyatrocular, biat etmedikleri için ha bire yargılanıyordu, sahneden çok duruşmaya çıkar hale gelmişlerdi. Ressam Bedri Baykam'ı neden bıçakladılar sanıyorsunuz? *The Simpsons*'taki komedi çizgi karakterlere, Fazıl Say gibi, dini değerleri aşağıladı diye RTÜK tarafından ceza kesilmişti. İlkokul öğrencilerine tavsiye edilen 100 temel eseri değiştirdiler... Heidi dua ezberleyerek huzur buluyor, Pollyanna Allah'ın bahşettiklerinin kıymetini biliyor, Pinokyo teşekkür yerine "Allah razı olsun" diyor, *Üç Silahşörler*'deki Aramis hidayete eriyor, La Fontaine'in tilkisi bile "Allah yolunu açık etsin" diyordu. Mesele, sırf Fazıl Say meselesi değildi. Sanat'ın cezalandırılmayan dalı kalmamıştı.

...»

Şehircilik Bakanı Erdoğan Bayraktar, Edirne'de namaz kılmak için camiye girerken... 23 yaşındaki üniversite öğrencisi Dilek yanına yaklaştı, kanser hastası olduğunu, kanser ilaçlarını bulamadıklarını söyledi. Bakan cebinden para çıkardı, kızın hırkasının cebine sokuşturdu, sakın düşürme diye tembih etti. Halbuki, Dilek sadaka istemiyordu. Kapıda bekledi, namazdan çıkınca bakanın yanına tekrar gitti. "Ben dilenci değilim, görüyorum ki çaresizliği hayatta hiç tatmamışsınız, eliniz cüzdanınıza değil vicdanınıza gitsin" diyerek parayı iade etti, ağlaya ağlaya uzaklaştı.

Kanser ilaçlarındaki sıkıntı iki senedir devam ediyordu. AKP'nin yanlış sağlık politikası yüzünden, ithal edilmez hale gelmişti. Eczanelerde yoktu, bulunmuyordu. Üç kuruşluk ilaçlara, karaborsada 100 katı fiyat isteniyordu. Çaresiz insanlarımız, adeta kokain satın alır gibi kaçakçıların, illegal satıcıların eline düşürülmüştü. Eczacılar aylardır çırpınıyor, çözümlerini anlatmaya çalışıyor, hükümet tınlamıyor, basınımız

da sansürleyerek, hayati meselenin üstünü örtüyordu. Dilek'in anlatmaya çalıştığı buydu.
Sağlık Bakanlığımız bu tür sorunlarımızı ortadan kaldırmak yerine, TC'yi ortadan kaldırmakla uğraşıyordu. Ateş düştüğü yeri yakıyor, kanser gibi ağır hastalıklara yakalananlar gerçekle yüzleşiyor... Geriye kalanlar alt tarafı Aspirin'i avanta alıyor diye, Sağlık Bakanlığı'na, hükümete dua ediyordu.

...»

Son taksit ödendi, Türkiye'nin IMF'ye borcu kalmadı.
Sayın basınımız, AKP'nin büyük başarısı olarak sundu.
Gelgelelim...
2002'de Türkiye'nin 129 milyar dolar dış borcu vardı.
2012'de 337 milyar dolara çıkmıştı.
2002'de kamunun 64 milyar dolar dış borcu vardı.
2012'de 103 milyar dolara çıkmıştı.
"Büyük başarı" dedikleri, büyük kepazelikti.
Devletin 38 milyar dolarlık malını satmışlardı.
Buna rağmen, borç katlanmıştı.
Vatandaşın durumu daha vahimdi.
2002'de tüketici kredi borcu 2 milyar liraydı.
2012'de 206 milyar liraya yükselmişti.
2002'de kredi kartı borcu 4 milyar liraydı.
2012'de 73 milyar liraya yükselmişti.

Hem devlet, hem vatandaş...
Gırtlağına kadar borca gömülmüştü.
Elbet, bir faturası olacaktı.

...»

PKK "aktivist" oldu!
Avrupa Konseyi'nin Türkiye raporunda "aktivist örgüt" olarak nitelendirildi. Karakol basmak, mayın döşemek, pusu kurup askerleri şehit etmek, sivilleri katletmek "aktivite"ydi demek ki.
Artık resmen "siyasal örgüt"tü.
Kimseye kızmaya da hakkımız yoktu.
Sen İmralı'yla Kandil'le pazarlık masasına oturursan...
Elâlemin canına minnetti.

...»

Murat Karayılan, Kandil'de basın toplantısı düzenledi. Türk

basını kuyruğa girdi. Bazı köşe yazarlarımız, aman geç kalmayayım diye üç beş gün önceden gitti. Bizim gazetecileri Kalaşnikovlarla karşıladılar. Apo posterleri ve PKK bayraklarıyla donatılmış mekânlarda yemek yedirdiler. Pantolon ceplerine kadar aradılar. Kamyonet kasalarına bindirip, basın toplantısının yapılacağı yere götürdüler.
Karayılan, 8 Mayıs'tan itibaren çekilmeye başlayacaklarını, Türkiye sınırları dışına çıkacaklarını, çekilme sırasında kıllarına bile dokunulursa, misilleme yapacaklarını açıkladı.
Çekilme jestine karşılık, derhal jest yapıldı.
4'üncü yargı paketi ayaklarıyla KCK'lıları bıraktılar.
Niye içeri tıkmışlardı? Niye bırakıyorlardı?
Bunun bi önemi yoktu.
Hukuk, istendiği gibi eğilip bükülüyordu.
Başkanlık-özerklik pazarlığının parçası haline getirilmişti.

...»

1 Mayıs'ta kan döküldü.
PKK'ya hoşgörü gösteren hükümet, kendisine karşı olanlara acımasızdı. Kalaşnikov'la yürüye yürüye sınırdan çıkmak serbestti, elinde çiçekle Taksim'e çıkmak yasaktı. İnşaat çalışmalarını mazeret gösterip, Taksim'de tören yapılmasını yasakladılar. Metro, metrobüs, vapur seferleri iptal edildi. Haliç üzerindeki köprüler bile karşıya geçiş olmasın diye havaya kaldırıldı. Adeta sıkıyönetim ilan edildi.

Aslına bakarsanız, DİSK'ten başka Taksim'e çıkmaya niyeti olan sendika yoktu. Türk-İş, KESK, Hak-İş, Memur-Sen gibi sendikaların başkanları, zaten hükümetin "akil insanları"ndandı. Hükümetin çıkarları için faaliyet gösteren sendikalar, işçinin çıkarları için faaliyet gösterebilir miydi?
Taksim'e yaklaşana verdiler biber gazını, verdiler biber gazını... Hükümetin adeta "yeniçeri"si haline gelen polis, öldüresiye vuruyordu. 17 yaşındaki lise öğrencisi Dilan ile ataması yapılmayan öğretmenlerden Meral Dönmez'in kafasına biber gazı kapsülü fırlatıldı, ikisi de komaya girdi.
İstanbul Valisi Avni Mutlu, beyin ameliyatı geçiren Dilan için "Masum değildir, marjinaldir, radikal mensuptur" dedi. Halbuki, adalet arayan bir işçinin kızıydı. Babası 12 senedir çalıştığı tekstil firmasından çıkarılmış, mahkemede kazanmış olmasına rağmen 23 bin liralık tazminatı ödenmemişti. Dilan da, babası

ve babası gibi işçilerin sesini duyurmak için Taksim'e gelmeye çalışmıştı. Valinin "marjinal" dediği, buydu.

...»

TBMM'de "edep"in zirvesine ulaşıldı!
CHP Milletvekili Kamer Genç, Aile Bakanı Fatma Şahin'e hitaben "Atatürk bu cumhuriyeti kurmasaydı, hangi tarikat mensubu kitlenin bilmem kaçıncı hanımı durumuna düşerdiniz" dedi. AKP Tokat Milletvekili Zeyid Aslan, Kamer Genç'in üstüne yürüdü, "Orospu çocuğu, ananı s...rim" diye bağırdı. "Kadın" bakanımızı savunurken "ana"ya küfrediyordu. Meclis çatısı altında çok hakaret duymuştuk ama, bu derecesi ilkti... "Edep"i dilinden düşürmeyen "muhafazakâr" iktidarımıza nasip olmuştu.
Aslına bakarsanız, TBMM'de olan biten toplumun aynasıydı.
AKP iktidardan gittikten sonra, mutlaka bilimsel olarak ele alınacağını tahmin ediyorum... Çünkü daha fazla "muhafazakârlaştığı" söylenen Türkiye, kadına yönelik şiddet, cinsel suçlar başta olmak üzere, ahlak'a dair giderek daha fazla yozlaşmıştı.

...»

PKK çekilmeye başladı.
Silahlarıyla gidiyorlardı.
Sadece bir ay önce televizyona çıkan Tayyip Erdoğan, üstüne basa basa "Silah bırakmadan ülkeyi terk edemezler, ister mağaraya sakla ister göm, bizi ilgilendirmez; silahla geçiyorsa devlet seyirci kalamaz, suç işlemiş olur, yardım ve yataklığa girer, silah bırakmadan bu iş olmaz" demişti. Hikâyeydi.
Aynı zamanda çok hazindi.
Haber ajansları Türkiye'nin çeşitli yerlerinden şakır şakır PKK'lı fotoğrafları yayınlıyordu. Aralarında Hasan Cemal'in de bulunduğu gazeteciler, PKK'lılara çekilme yolculuğunda eşlik ediyor, günlük tutar gibi internetten yazıyorlardı. Bizim Genelkurmay ise hâlâ... "Elimizde görüntü ve bilgi mevcut değildir, keşif uçuşlarımız meteorolojik şartların elverdiği ölçüde devam etmektedir" diyordu.

...»

"Anayasa'yı değiştirelim, Türk demeyelim, Türkiyeli diyelim" tartışmaları büyümüştü. Her konuda açıklama yapan Tayyip Erdoğan, bu konuda çıtını çıkarmıyordu. Tam o atmosferde...

Cumhurbaşkanı Gül çıktı, "Herkesin Türk olma mecburiyeti yok ama, devlet Türk devletidir" dedi. Kestirip attı.

...»

Çünkü Cumhurbaşkanı'yla Başbakan arasındaki "ikbal rekabeti" ayyuka çıkmıştı. Mesela, Cumhurbaşkanı Portekiz'e gitti. Yandaş basın, haberi takip etmesi için muhabir bile göndermedi, iyi mi... Elbette hepsi inkâr edecektir ama Cumhurbaşkanı'na "sansür" başlamıştı. Cumhurbaşkanı'yla alakalı haberlere ya hiç yer verilmiyor, ya da arka sayfalarda ufak ufak görülüyordu.

...»

Ve, mesele sadece Cumhurbaşkanı'yla Başbakan arasında değildi. Fethullah Gülen'in Samanyolu televizyonunda yayınlanan son konuşmasında, Tayyip Erdoğan'a yönelik ağır göndermeler vardı. Fethullah Gülen, ismini vermeden "Kuvvet, bazen insanı küstahlaştırabilir, mümin bile olsa ahlaken firavun olur, nimetlerin sağanak sağanak yağması, bazen insanı böyle nemrutlaştırır, firavunlaştırır" diyordu. Hatta... "Sıradan bir insan gelir, konjonktürel olarak bazı imkânlar elde edebilir, dümene oturabilir, dümene oturduktan sonra insanlara tepeden bakar, 'Kesin sesinizi ben ne dersem o olur' falan der" diyordu.

...»

Hatay Reyhanlı havaya uçtu.
Bomba yüklü iki minibüs, belediye binası önünde, ilçenin en kalabalık meydanında patladı. Türkiye Cumhuriyeti tarihinin en kanlı terör saldırısıydı. 53 kişinin öldüğü açıklandı. Derhal yayın yasağı getirildi. İnternette dolaşan hastane kaynaklı iddialara göre, gerçek ölü sayısı 110'un üstündeydi.
Patlamadan bi kaç saat sonra, bazı Türk vatandaşlarını tutukladılar. "İşte failler" dediler. Kimse inanmadı. Bu sefer, "Suriye'de Esad güçlerinin yanında savaşan THKP-C Acilciler örgütü yaptı" dediler. Kanıt yok, tanık yok. Acilcilere de kimse inanmadı. Bu sefer "CHP heyetini Şam'a götüren kişi, bu saldırıyı organize etti" dediler.
Neydi bu mevzu?
Irak televizyonu adına Suriye'de görev yapan Türk kameraman Cüneyt Ünal, MİT ajanı olduğu gerekçesiyle tutuklanmıştı.
CHP milletvekillerinden oluşan heyet Şam'a gitti, Beşar Esad'la görüştü, 90 gündür esir tutulan Cüneyt Ünal'ın serbest

bırakılmasını sağladı, aldı, Türkiye'ye getirdi. İşte, bu seyahate aracılık eden kişinin, Reyhanlı'daki saldırıyı organize ettiği iddia ediliyordu. Utanmasalar "Reyhanlı'yı CHP havaya uçurdu" diyeceklerdi.
Halbuki... İnternet sitelerini hack'leyerek devlet kurumlarının ipliğini pazara çıkaran Redhack, Jandarma İstihbarat Dairesi'ne ait bir belgeyi yayınlamıştı. O belgede açık açık... El Nusra Cephesi'nin Suriye'den Türkiye'ye üç adet bomba yüklü araç soktuğu belirtiliyor, plakalarına kadar veriliyordu.

El Nusra Cephesi, El Kaide'ye bağlıydı. Esad'a karşı savaşıyordu. Peki, Türkiye'de niye terör eylemi yapsınlar? İddia şuydu: Türkiye'den ağır silahlar istiyorlardı. ABD izin vermediği için, Türkiye bu ağır silahları veremiyordu. "Sen vermezsen, biz bu tür eylemlerle almasını biliriz" demek isteniyordu.
Zaten aslına bakarsanız, Reyhanlı patlaması Türkiye'de hiç kimse için şaşırtıcı olmamıştı. Maalesef olacağı buydu. Beşar Esad'a örtülü savaş açtığımızdan beri... Fantomumuz Suriye tarafından vurulmuş, iki pilotumuz şehit olmuştu. Topraklarımıza havan topu düşmüş, üçü çocuk beş insanımız hayatını kaybetmişti. Sınır kapılarımız ardına kadar açılmış, yol geçen hanına dönmüş, resmi olarak 400 bin, gayriresmi olarak 750 bin Suriyeli memleketimize yerleşmişti. Bunların 200 bini mülteci kamplarında barınıyor, gerisi ev kiralıyor, dükkân kiralıyor, "Türkiye Cumhuriyeti vatandaşı" gibi yaşıyordu. 100 bin civarında Suriyelinin "vatandaş" yapıldığı, ilk genel seçimde oy kullanacakları bile iddia edildi. CHP bu konuda soru önergesi verdi; kitabın piyasaya çıktığı tarihte, henüz cevap verilmemişti. Son bir sene içinde Türkiye'de kurulan yabancı sermayeli şirketlerin yüzde 50'si Suriyeliydi. Hatay şehrimiz, Esad'a karşı savaşan Özgür Suriye Ordusu'nun üssü haline getirilmişti. Afganistan'dan Libya'dan köktendinci militanlar Hatay'a taşınıyor, sınırı geçip çarpışıyor, geri dönüyordu. Sınırımızdaki bu trafik İngiliz, Alman, Amerikan televizyonlarında açıkça gösteriliyordu. Hatta... Esad'a bağlı askerlerin koyun gibi gırtlağını kesen, göğsünü yarıp kalbini yiyormuş gibi poz veren militanların videoları yayınlanıyordu. Yabancı basın, direnişçi adı altındaki bu militanlara Türkiye'nin silah temin ettiğini yazıyordu. Daha geçen ay, Cilvegözü gümrük kapısında bombalı otomobil patlamış, dördü Türk 17 kişi ölmüştü. Akçakale gümrük kapısında hadise çıkmış, sınırdan zorla giriş yapmaya

çalışan Suriyeliler etrafa ateş açmış, bir polisimiz şehit olmuştu. Kamplarda bir dedikleri iki edilmiyordu, buna rağmen sık sık isyan çıkarıyorlardı. Nöbet tutan polislerin, jandarmaların rehin alındığı, Türk bayrağının yakıldığı günler oldu. Hepsi sineye çekiliyordu. Suriyeli mülteciler için harcanan para, resmi olarak 2 milyar dolara ulaşmıştı. MİT'in komple bütçesi bile 850 milyon lirayken, Başbakan Erdoğan'ın bir senelik örtülü ödenek harcaması 1 milyar lirayı aşmıştı. Bu örtülü ödenek parasının Suriyeli muhaliflere verildiği iddia ediliyordu.

...»

Reyhanlı, AKP'nin kalesiydi. Son seçimde AKP'ye yüzde 69 oranında destek vermişlerdi. Patlamanın olduğu yerde protesto gösterisi yapıp "hükümet istifa" diye bağırmaya kalktılar, polis biber gazı bombası attı!
53 vatandaşımızın havaya uçtuğu gün, normalde yas ilan edilmesi gerekirken, televizyonların yayın akışları bile değiştirilmedi, şen şakrak, tam gaz devam etti. Tayyip Erdoğan'ın annesi vefat ettiğinde eğlence programlarını iptal edenler, şimdi hiç istifini bozmamıştı.
Hatta, AKP Milletvekili Burhan Kuzu'nun oğlunun düğünü bile ertelenmedi. TBMM Başkanı Cemil Çiçek, AB Bakanı Egemen Bağış ve Anayasa Mahkemesi Başkanı Haşim Kılıç'ın da katılımıyla gerçekleştirildi.
O günkü düğünü bile ertelemeyen AKP... Reyhanlı'yı mazeret yapıp, taaa dokuz gün sonraki 19 Mayıs konserlerini iptal etti!

...»

Tayyip Erdoğan Reyhanlı'ya gitmedi.
ABD'ye gitti.
Aslında vakti vardı. ABD seyahati dört gün sonraydı.
Ama, Reyhanlı gidilecek gibi değildi. Tepki büyüktü.
"Program uymadı" denildi, ABD sonrasına bırakıldı.

...»

Washington'a uçmadan hemen önce Amerikan NBC televizyonuna konuştu. Esad'ın kimyasal silah kullandığını öne sürdü, ABD liderliğinde askeri müdahale edilmesi gerektiğini söyledi.
Bu umutla Beyaz Saray'a girdi.
Obama sırtını sıvazladı, gönderdi.

Esad'ı koruyan Rusya'yla uzlaşmak şarttı.
Suriye krizi, Türkiye'nin kucağında kalmıştı.
Bu çıplak gerçeğe rağmen, basınımız utanmadı.
"Türkiye istediğini aldı" manşetleri atıldı.

...»

ABD seyahatinde en az Erdoğan-Obama görüşmesi kadar önemli bir randevu vardı. Bülent Arınç, Fethullah Gülen'i ziyaret etti.
ABD'ye gitmeden önce Tayyip Erdoğan'a "Fethullah Gülen'le görüşecek misiniz?" diye sorulmuştu. Tayyip Erdoğan da "Gökten ne yağar ki, yer kabul etmez" cevabını vermişti. Hangisi gök, hangisi yer, net olarak anlaşılamadı ama, neticede Bülent Arınç Fethullah Gülen'e gitti.
Peki ne konuşuldu?
Bülent Arınç anlattı.
"Hoca Efendi'yi ziyaret etmek istedim. Başbakan'a konuyu açtım. 'İzin verir misiniz?' dedim. Çok memnun oldu, 'Keşke biz de görüşebilsek' dedi. 'Sevgilerimi iletin, bir emri olur mu, tavsiyeleri olur mu, öğren' dedi. Gittim, üç saate yakın birlikte olduk. Hükümetle cemaat arasında soğukluk olduğu söyleniyor, kesinlikle reddediyorum. Hoca Efendi'nin Başbakan'ın şahsına çok büyük duaları var, çok seviyor. Bize büyük iltifatlarda bulundu. Bir yanlış varsa düzeltebileceğimizi söyledim. Çok memnun oldu" dedi.

...»

Dünyanın en fazla ABD'ye giden başbakanı, bizim Başbakan'dı.
15'inci defa gitmişti. Bu sefer çok farklı olduğu, "tarihte bir ilk" yaşandığı iddia edildi. Neymiş o ilk? Sadece çok önemli konukların misafir edildiği Blair House'ta ağırlandığı yazıldı. Halbuki, Celal Bayar, Adnan Menderes, İsmet İnönü, Cevdet Sunay, Nihat Erim, Süleyman Demirel, Turgut Özal, Tansu Çiller, hatta, Amerikalıların hiç hazzetmediği Bülent Ecevit bile Blair House'ta kalmıştı. Orada kalmayan bi tek Tayyip Erdoğan kalmıştı.

...»

Ama bir başka "ilk" hakikaten yaşandı. Günler torbaya girmiş gibi, tam 19 Mayıs'ta ABD'de olmayı tercih eden "tarihteki ilk başbakan" Tayyip Erdoğan'dı.
Hayaldi gerçek oldu...
19 Mayıs "kabahat" oldu.

İzmir-Selçuk ve Kırklareli-Vize'nin CHP ilçe başkanlarına, 19 Mayıs'ta Atatürk Anıtı'na çelenk koydukları için "Kabahatler Kanunu" gereğince 182 lira ceza kesildi.

...»

Padişah'a doktora verildi.
Karabük Üniversitesi, Hicaz demiryoluna katkılarından ötürü Sultan 2'nci Abdülhamid'e onursal doktora unvanı takdim etti. Onursal doktora diplomasını hanedanın en yaşlı üyesi Harun Osmanoğlu aldı. Teşekkür konuşmasını Arapça yaptı.

...»

Mehmet Emin Karamehmet'e ait Show TV, Digitürk, Skytürk televizyonlarıyla, *Akşam* ve *Güneş* gazetelerine el kondu. "TMSF'ye olan borçlarını ödemediği için" denildi. Herkes medya tarafıyla ilgilendi ama, BMC fabrikası da Karamehmet'in elinden alınmıştı. Show TV apar topar devredildi. Habertürk'ten uslu uslu yayınlar yapan Turgay Ciner'e verildi.

...»

Tayyip Erdoğan Reyhanlı'ya gitti.
Patlamanın üzerinden iki hafta geçmişti.
Başka şehirlerden şakşakçı taşındığı iddia edildi.
Miting yaptı.
"Türkiye seninle gurur duyuyor" sloganları atıldı.

...»

Lübnan'daki Hizbullah, Beşar Esad'dan yana savaşa girdi. Başbakan Yardımcısı Bekir Bozdağ "Hizbullah'ın adını değiştirmesi lazım, Hizbuşeytan yapması lazım" dedi.

...»

28 Şubat davasında 75 sanıktan 37'si tahliye edildi. Davanın tek sivil sanığı YÖK eski Başkanı Profesör Kemal Gürüz "Benim ne suçum var, beni niye tutuyorlar?" diyerek, intihara kalkıştı. Cam parçasıyla sol bileğini kesti. Hastaneye kaldırıldı, kurtarıldı.

...»

Tayyip Erdoğan Yeşilay sempozyumunda konuştu. "Milli içkimiz ayrandır" dedi. Gündem değiştirmek için söylenmiş bi laf zannedildi. Öyle değildi. Zart diye yasa çıkarıldı. Akşam saat

22'yle sabah saat 6 arasında perakende içki satışı yasaklandı. Alkollü içki reklamı komple yasaklandı.
Tepkiler üzerine sinirlendi. "İki ayyaşın yaptığı yasa muteber oluyor da, inancın emrettiği bir gerçek neden reddediliyor" dedi. Başbakan bir kez daha "din"i referans göstermişti.

...»

CHP soru önergesi verdi.
"İki ayyaş kimdir?" diye sordu.
Bu soru önergesi işlemi konulmadı.
TBMM Başkanı Cemil Çiçek tarafından iade edildi.

...»

Tayyip Erdoğan televizyona çıktı, Tayyip Erdoğan usulü adaleti izah etti. "İçki içen alkoliktir" dedi. "Peki ya içki içen AKP'ye oy veriyorsa?" diye sordular. "O zaman alkolikler arasına girmemiş olur" cevabını verdi!

...»

Üçüncü Boğaz Köprüsü'nün temeli atıldı.
Cumhurbaşkanı Gül, ismini açıkladı.
"Yavuz Sultan Selim Köprüsü" dedi.
Alevi dernekleri büyük tepki gösterdi. Alevi kıyımıyla tanınan Yavuz Sultan Selim, kıtaları birleştirecekti ama gönülleri birleştirmesi mümkün değildi.
İşin ekstra hazin tarafı vardı.
1995'te belediye başkanıyken "Üçüncü köprü cinayettir, böyle bir teşebbüs İstanbul için ölümcül sonuçlar doğurur" diyen Tayyip Erdoğan... Şimdi zeytinyağı gibi üste çıkıyor, "Hani o cumhuriyet mitinglerinde yürüyenler var ya, işte hep onlar karşı çıktı üçüncü köprüye, bunlar istemezükçü familyasından" diyordu.

...»

Gezi Parkı direnişi patladı.
Taksim'i yayalaştırma projesi başlatılmıştı.
Trafik yeraltına alınıyordu.
Herkes memnundu.
Topçu Kışlası'nın yeniden inşa edileceği ortaya çıktı.
Hır çıktı.
Topçu Kışlası, 31 Mart Vakası olarak bilinen şeriatçı

ayaklanmanın merkeziydi, simgesiydi. Osmanlı tarafından Fransız bankasına satılmış, 1940'ta yıkılmış, yerine park yapılmıştı. Sorun da buydu... Kışlanın yeniden inşa edilmesi demek, Taksim'deki tek yeşil alan, Gezi Parkı'nın betonlaşması demekti.
50-60 kişilik küçücük bir grup, ağaçlar sökülmesin diye Gezi Parkı'nda çadır kurdu, nöbet tutmaya başladı. Kim olduğu meçhul tipler sabaha karşı çadırları tutuşturmaya kalktı... Ülkede yangın çıktı.
Mahalle baskısından sıkılan, özgürlüklerine her fırsatta müdahale edilmesinden bıkan gençlerimiz, sokağa döküldü. "Her yer Taksim her yer direniş" sloganıyla 62 şehirde protesto gösterisi yapıldı. Polis görülmemiş sertlikte müdahale etti. Tazyikli su, gaz bombası ve plastik mermi kullandı. Beş kişi öldü. 8 binden fazla kişi yaralandı. 12 kişi gözünü kaybetti. Bir kişinin dalağı alındı.

...»

AKP döneminin "alamet-i farikası"ydı biber gazı.
Haşereye sıkar gibi sıkıyorlardı.
10 senede 651 ton biber gazı sıkılmıştı.
Kullanım kılavuzuna göre, 45 derece açıyla ve 150 metre uzaktan atılması gereken biber gazı fişekleri... Yakın mesafeden, hedef gözeterek, insanlarımızın suratına suratına atılıyordu. 50'ye yakın kişinin kafatası kırıldı. Felç kalanlar oldu. Sırf Gezi Parkı olaylarında 130 bin biber gazı fişeği kullanıldı. Tazyikli suya bile sıvı halde biber gazı ilave edildi. İnsanlar resmen yakıldı. Vücuduna su temas edenler, üstüne çaydanlık devrilmiş gibi haşlanıyordu.

...»

Hayatını kaybedenlerden biri, Ethem Sarısülük'tü. Ankara'da polis kurşunuyla vuruldu. Vurulma anı, tesadüfen televizyon kameralarına yakalanmıştı. Tetiği çeken polis belliydi. Mahkemeye çıkarıldı. Kalabalığın arasında kaldığını, havaya ateş ettiğini söyledi. Meşru müdafaa kabul edildi, serbest bırakıldı. Yandaş medya, polisi aklamak, Ethem'i karalamak için iftira üstüne iftira attı. "Bayrak yaktı" dediler. Alakasının olmadığı kanıtlandı. Siperde, kum çuvallarının önünde çekilmiş fotoğrafını yayınladılar, "terör kamplarında çekilmiş fotoğrafı" dediler. Halbuki... Hakkâri-Şemdinli'de karakol inşaatında çalışırken çekilmiş fotoğraflarıydı. Sanki gizlice ele geçirilmiş gibi yayınladıkları hatıra fotoğrafı, Ethem'in bizzat kendi Facebook sayfasındaydı.

...»

Hayatını kaybedenlerden biri de, Başkomiser Mustafa Sarı'ydı. Adana'da göstericileri kovalarken, inşaat halindeki alt geçide düşerek şehit olmuştu. Buna rağmen, "Mustafa Sarı düşmedi, ittirildi, aşağı atıldı" haberleri yapıldı. "Niye güvenlik bariyeri yok, bu ne biçim belediye çalışması?" diye hesap sorulacağına, kovalanan gençleri "katilmiş" gibi göstermeye çalıştılar.

...»

Tayyip Erdoğan, direnişçilere "çapulcu" dedi.
Güya aşağılamak için söylemişti ama...
Gençler çok beğendi.
Çapulçu yazılı tişörtler giydiler.
Çapulcu şarkıları bestelendi.
Çapulcu klipleri çekildi.
Çapul TV bile kuruldu.

...»

Gençlerimiz, orantısız şiddete "orantısız zekâ"yla karşılık vermişti. Politik mizahın hasosunu yaptılar. Esprili sloganlarını pankartlara yazdılar, duvarlara yazdılar. Hükümetin otoritesini madara ettiler. Neredeyse bütün üniversitelerin mezuniyet törenlerine damgasını vurdu gezi parkı protestoları... YÖK'ü almışlar, rektörleri almışlar, dekanları almışlar, hatta asistanları bile almışlardı ama, öğrenciyi ele geçirememişlerdi.
Gençlerin yüreği sayesinde korku eşiği aşılmıştı.
Toplum, gençlerin peşine takıldı.
Milat'tı.
Artık hiçbir şey eskisi gibi olmayacaktı.

...»

Erdem Gündüz isimli bir dansçı, Atatürk Kültür Merkezi'nin önünde "duran adam" eylemi başlattı. Bırak Türkiye'yi... Avustralya'dan ABD'ye kadar, dünyanın her yerine salgın gibi yayıldı.
Mizahın en büyüğü yapıldı...
Duran adam gözaltına alındı!

...»

30 senedir bu memlekette gazetecilik yapıyorum, polisin bu kadar "maşa" haline getirildiğini hiç görmemiştim. Sivil polislerin ellerine çivili sopa tutuşturup, insanları dövdürttüler. Dört ölü, 8 bin yaralı varken... Tayyip Erdoğan çıktı, "Polisimiz kahramanlık destanı yazdı" dedi. Çevik kuvvet polislerine adam başı 880'er lira, amirlerine 1400'er lira "Gezi Parkı ikramiyesi" verildi.

...»

Bizim polis destan (!) yazarken... PKK'nın polis teşkilatı kurduğu ortaya çıktı. Cizre'de diploma töreni yapıp, görüntüleri basına servis ettiler. Jandarma Asayiş Komutanı'nı taşıyan helikoptere Hakkâri'de ateş açıldı, zor kaçtılar. Lice'de arbede çıktı, köylüler karakol inşaatını bastı, bir kişi öldü. Gezi Parkı direnişçilerinin üstüne kıyasıya giden hükümetimiz, bu olayları sineye çekti, adeta görmezden geldi.

Tayyip Erdoğan "milli iradeye saygı" mitinglerine başladı. O an itibariyle iki CHP, bir MHP, beş BDP milletvekili hapisteydi. Başbakan milli iradeye saygıdan bahsediyordu.
Kendine güveniyle tanınan Tayyip Erdoğan'ın paniğe kapıldığı her halinden belli oluyordu. Geceyarısı saat 3'te miting yapılır mı? Yaptı. Afrika'ya gitmişti. AKP teşkilatları Atatürk Havalimanı'na kalabalık yığdı. Başbakan da döner dönmez kalabalığa hitap etti. Saat 3'tü, dünya siyaset tarihinde ilkti!

...»

Her çıktığı mitingde "Camide içki içtiler" dedi.
Gezi Parkı direnişçileri, polisten kaçarken Dolmabahçe Camii'ne sığınmıştı, yaralılar tedavi edilmişti; onca görüntü yayınlandı, içki içildiğine dair tek kanıt, tek şahit yoktu.

...»

"Başörtülü bacılarıma saldırdılar" dedi.
Mobese kameraları tek örnek bile gösteremedi. Üstelik, Gezi Parkı'nda çok sayıda başörtülü genç kız vardı. Hem saldırı iddiasını çürütüyor, hem de Tayyip Erdoğan aleyhine slogan atıyorlardı. Başörtülüleri AKP'nin demirbaşı gibi gören zihniyet, Gezi Parkı'nda hüsrana uğramıştı.

...»

Tayyip Erdoğan'ın yaptığı en tehlikeli açıklama "Evlerinde zorla tuttuğumuz yüzde 50 var" açıklamasıydı. İzmirli bir avukat, "halkı kin ve düşmanlığa tahrik etmekten" suç duyurusunda bulundu.

...»

Palayla, direnişçilere saldıran oldu. Tabancasını çekenler oldu. Eli sopalı bazı magandalar devreye girdi. Hatta, Twitter'dan "Gezi Parkı'ndan sonra Anıtkabir'i yıkarsak elhamdülillah" yazan AKP'li bile oldu. Neyse ki, halkın sağduyusu galip geldi. Bunca tahriğe rağmen vatandaşlarımız karşı karşıya gelmedi.

...»

Atatürklü Türk bayrağı, direnişin adeta simgesiydi. Tayyip Erdoğan bu konuya da müdahale etti. "Balkonlarınıza Bayrak Yasası'na uygun bayrakları asmanızı istiyorum, diğerleri Bayrak Yasası'na uygun değildir" dedi. Atatürklüyse "yasadışı"ydı yani! "Üç hilalli bayrak açarız derseniz, Osmanlıdır, onunla da gurur duyarız, açabilirsiniz" dedi. Önümüzdeki seçimde gene MHP oylarına göz dikildiğinin işaretiydi.

...»

Medyamız utanç vericiydi.
Dünyada birinci haberken, bizimkiler hâlâ sansürleyerek örtebileceğini sanıyordu. CNNTürk, olayların patladığı gece "penguen belgeseli" yayınladı. Mısır olaylarında Tahrir Meydanı'ndaki deveyi bile naklen yayınlayan CNNTürk, Taksim Meydanı'nı göstermiyor, penguen gösteriyordu. CNNTürk'ün penguenleriyle CNN International bile alay etti. BBC ibret dersi verdi, NTV'yle ortaklığını askıya aldı. Sokaklarda insanlarımız can verirken, NTV yemek programı filan yayınlıyordu. Halk TV ve Ulusal Kanal, bir anda Türkiye'nin en çok izlenen televizyon kanalları olmuştu. Halk TV CHP'nin, Ulusal Kanal İşçi Partisi'nin yayın organıydı. Olan biteni bütün çıplaklığıyla gösteriyorlardı. *Sözcü* gazetesi, *Yurt* gazetesi ve *Cumhuriyet* gazetesi, habercilik mesleğinin namusunu kurtaran gazetelerdi.

...»

Yandaş medya sadece karartma uygulamıyor, aynı zamanda iftira mekanizması olarak çalışıyordu. Denize düşen yılana sarılır, bunlar yalana sarılmıştı. Çapulcuların "Zello örgütü"ne mensup olduğunu yazdılar. Halbuki, akıllı telefonlara indirilen basit bir haberleşme programıydı. AKP destekçisi Nazlı Ilıcak bile dayanamadı, telefonunda Zello programı olduğunu belirterek, "Ben de örgüte dahilim" dedi!

...»

"Dış mihrakların ajanları yakalandı" diye bazı gençlerin isimlerini yayınladılar, fotoğraflarını yayınladılar. Erasmus değişim programıyla okumaya gelen yabancı üniversite öğrencileriydi.

...»

Divan Otel bile "suçlu" ilan edildi. Polis saldırısından kaçan gençler, Gezi Parkı'nın hemen dibindeki Divan Otel'e sığınmıştı. "Beş yıldızlı" otel "ay-yıldızlı" otel haline dönüşmüştü. Tayyip Erdoğan çok kızdı. "Polise saldıranlar oraya gitti, oranın sahipleri de onlara güzel bir ev sahipliği yaptı, yasalarımızda yataklık etmek de suçtur, bu bir yataklık etme suçudur" dedi. Koç Grubu hedef olmuştu.

...»

Tencere tava eylemleri neredeyse iki ay devam etti. Her akşam saat 9'da pencerelerden balkonlardan "konser" başlıyordu. Palayla insanlara saldıranlar serbest bırakılırken... Tencere tava çalan kadınlara, gürültü yapıyorlar diye para cezası kesildi.

...»

Müjdat Gezen, Levent Kırca, Fazıl Say, Tarık Akan, Rutkay Aziz, Edip Akbayram gibi "cesur" sanatçılar, parmakla sayılacak kadar azdı. Senelerdir bi avuç insan mücadele veriyordu. Gezi Parkı'nda adeta baraj duvarı yıkıldı, sanat dünyası sel gibi aktı. Dedim ya, korku eşiği aşılmıştı. Gezi Parkı'na gelerek, yürüyüşlere katılarak, polisin karşısına dikilerek açık tavır koydular.

...»

Beşiktaş'ın taraftar grubu Çarşı, Gezi Parkı direnişine damgasını vurdu, Türkiye'nin en önemli sivil toplum örgütlerinden biri olduğunu kanıtladı. Hiçbir istihbarat örgütünün, hiçbir komplo teorisyeninin başaramayacağı bir hadise gerçekleşti. Fenerbahçe, Galatasaray, Beşiktaş taraftarları "ortak eylem" yaptı! Doğma büyüme İzmir çocuğuyum, Göztepeliyim... Göztepe ve Karşıyaka taraftarının birbirleriyle kucaklaştığını ilk defa gördüm.

...»

Hal böyleyken... Mersin'de Akdeniz Oyunları başladı. Gezi Parkı direnişçileri hakkında "Yaptığınız eylemi si..yim vatan hainleri" diyen, "Ermenilere bıraktınız meydanı, Allah belanızı versin eylemci çapulcular" diyen yandaş güreşçi Rıza Kayaalp, onurlandırıldı, milli takım kafilemizin bayrağı taşıtıldı. Dünyanın ırkçılıkla mücadele ettiği bir dönemde, Türkiye'nin olimpiyata talip olduğu bir dönemde, ne kadar gurur duysak azdı!

...»

Akdeniz Oyunları tek başına kitap olacak boyutlarda skandaldı... Ev sahibi Mersin'di. Mersin Büyükşehir Belediye Başkanı CHP'li olduğu için, açılış töreninde konuşturulmadı. Tayyip Erdoğan yuhalanmasın diye, yandaş tribün oluşturulduğu, açılış töreni biletlerinin el altından AKP teşkilatlarına dağıtıldığı iddia edildi. Mersin halkı bilet bulamazken, başka şehirlerden otobüslerle seyirci taşındı.
Tayyip Erdoğan açılış töreni konuşmasını iki lisanda yaptı, İngilizce-Türkçe hitap etti. "Akdeniz, beyaz deniz, White Sea olarak adlandırılır" dedi. Böylece, hem Akdeniz Oyunları, hem olimpiyat, hem de dünya "gaf rekoru"nu kırmış oldu. Çünkü White Sea, maalesef, Rusya'nın kuzeyindeydi. Akdeniz Oyunları'nın resmi logosunu taşıyan servis aracıyla "genelev"e gidenler oldu. Binicilik müsabakaları için 3,5 milyon lira harcanarak, muhteşem konkurhipik tesisleri yapıldı. Küçük bi pürüz vardı... Bizim oralar, at hastalıkları konusunda dünya şampiyonuydu. Avrupa Birliği'ne göre "karantina bölgesi"ydi. Akdeniz Oyunları'na katılan yabancı ülkeler "Kusura bakmayın, biz atlarımızı oraya getirmeyiz" dediler. Bizimkiler çok zeki ya, hemen çözüm buldular, "Binicilik müsabakalarını İstanbul'da yapalım" dediler. Adamlar da "Kardeşim, adı üstünde Mersin Akdeniz Oyunları bu, İstanbul'da ne işi var?" dediler. Bunun üzerine, bizimkiler daha şahane çözüm buldu: Binicilik iptal edildi. Bizim Akdeniz Oyunları'nda binicilik branşı yoktu! Tekvando'da dereceye giren sporcuların madalyasını bir hanımefendi verdi. Yabancı basın sordu: "Bu hanımefendi Tekvando Federasyonu Başkanınız mı?" Değildi. "Olimpiyat Komitesi Başkanınız mı?" O da değildi. Ya kimdi? Spor Bakanımızın eşiydi. Bismillah daha ilk gün, sekiz haltercimizde doping çıktı. Diskçi gülleci uzun atlamacı, Akdeniz Oyunları bitene kadar 16 sporcumuzda doping tespit edildi. Zoraki başarı için, avanta kömür dağıtır gibi, bol keseden para ödülü dağıtmanın neticesiydi.

...»

Neyse... Gezi Parkı olayları dünya çapında yankı buldu.
ABD Başkanı Obama bizzat Tayyip Erdoğan'ı aradı, barışçıl demokratik gösterilere saygı duyulmasını istedi. Avrupa Komisyonu ve Avrupa Parlamentosu, polisin orantısız güç kullanmasını kınadı. BM Genel Sekreteri, hatta NATO Genel Sekreteri bile AKP hükümetini eleştirdi.
Hükümet geri bastı.
"Topçu Kışlası'nı yapacağız, alışveriş merkezi olarak hizmet görecek" diyen Tayyip Erdoğan... Sanki bu lafları söyleyen kendisi değilmiş gibi, "Taktılar alışveriş merkezine... Zaten metresiyle falan Topçu Kışlası'nda alışveriş merkezi olması mümkün değil" dedi.
Halkoylamasına gidileceği açıklandı. Ona da gerek kalmadı. Çünkü Mimarlar Odası, Şehir Plancıları Odası ve Peyzaj Mimarları Odası dava açmıştı. Mahkeme, Topçu Kışlası projesini komple iptal etti.

...»

Mısır'da darbe oldu!
Şeriatçı Cumhurbaşkanı Mursi, anayasayı değiştirip kendisini firavun ilan etmeye kalktı. Halk sokağa döküldü. Bizzat Mursi tarafından göreve getirilen Genelkurmay Başkanı da yönetime el koydu.
ABD ve AB "darbe" demedi. Suudi Arabistan ve Katar, darbe yönetimini tebrik etti. Mursi'nin yanında sadece AKP hükümeti vardı. Dini referanslar, bir kez daha ulusal çıkarlar'ın önüne geçmişti.
Halbuki, Hüsnü Mübarek de aynı yöntemle devrilmişti.
Ahali sokağa dökülmüş, Tahrir Meydanı'nda toplanmış, ordu yönetime el koymuş, Mübarek tasfiye edilmişti. Bizim hükümet alkışlamıştı.
Laik firavun devrilince, "halk devrimi" diyorlardı.
Şeriatçı firavun devrilince, "darbe" diyorlardı.
Kavrayamadıkları şuydu...
Arap Baharı'na yaz ortasında kar yağıyordu.
Büyük Ortadoğu Projesi...
Topçu Kışlası projesine dönmüştü!
Ve Türkiye, huninin ağzına yaklaştıkça hızlanan girdap misali, belirsizliklere sürükleniyor... Kader seçimlerine doğru ilerliyordu.